MORFOSINTAXIS DEL ESPAÑOL COLOQUIAL

BIBLIOTECA ROMÁNICA HISPÁNICA

Fundada por DÁMASO ALONSO

II. ESTUDIOS Y ENSAYOS, 376

PC 4171 VIG

ANA M.ª VIGARA TAUSTE

MORFOSINTAXIS DEL ESPAÑOL COLOQUIAL

ESBOZO ESTILÍSTICO

BIBLIOTECA ROMÁNICA HISPÁNICA
EDITORIAL GREDOS
MADRID

EDITORIAL GREDOS, S. A.

Sánchez Pacheco, 81, Madrid.

Depósito Legal: M. 6754-1992.

ISBN 84-249-1482-1.

Impreso en España. Printed in Spain.

Gráficas Cóndor, S. A., Sánchez Pacheco, 81, Madrid, 1992. — 6438.

INTRODUCCIÓN GENERAL [1]

Lenta, pero progresivamente, el interés por el estudio de nuestra lengua coloquial ha ido aumentando en los últimos años. Y, con el tiempo, urgidos por la necesidad, quienes nos hemos dedicado a ello hemos ido perdiendo aquella timidez inicial que nos imponían los modelos de lingüística vigentes.

En efecto, mientras han prevalecido los modelos de lingüística teórica sujeta al principio de inmanencia, que concebían el lenguaje como un *sistema abstracto* y estructurado de signos y reglas, el estudio del lenguaje coloquial era epistemológica y metodológicamente impracticable.

---

[1] Esta *Introducción* no pretende más que servir, a manera de «contexto» y hasta donde le sea posible, de justificación y esclarecimiento, por un lado, y, por otro, de soporte conceptual para las otras partes, de carácter descriptivo y hermenéutico, que se desarrollan en su conjunto a partir de los presupuestos asumidos aquí, y en las cuales descansa principalmente el peso de nuestro trabajo. Por ello, podrá apreciarse que ni el desarrollo del concepto de «coloquial» ni lo relativo a los otros términos afines considerados en los correspondientes apartados están abordados con pretensiones de exhaustividad. Otra buena razón nos exime también de la obligación de hacerlo: estos y otros múltiples conceptos y aspectos conexos han sido ya examinados con relativa amplitud por J. Polo en un trabajo que habremos de citar más de una vez: «El español familiar y zonas afines (Ensayo bibliográfico)», *Yelmo*, núms. 1/1971 a 27/1976 (sección bibliográfica). A él remitimos al lector interesado en delimitar con mayor detalle los ámbitos de empleo de los diversos términos y el uso que de ellos hacen otros numerosos autores; de él hemos tomado aquello que mejor sirve a nuestro propósito y a todo ello hemos añadido —muy resumidamente— lo que de otros trabajos posteriores nos ha parecido útil.

Sin duda, el *hic et nunc* que vincula de forma inapelable al ejercicio real del habla con la imprevisibilidad, la transitoriedad, la heterogeneidad, etc., es la mejor razón para justificar esa idea que subyace en Saussure y el estructuralismo, en Chomsky y, en general, en la llamada lingüística teórica del siglo XX: el *habla* o la *actuación* (o sea, la realización concreta del sistema, la actualización del lenguaje) es la necesaria referencia para el conocimiento de la lengua; pero, para alcanzar tal conocimiento, el lingüista debe abstraer del habla lo contingente, inesencial, y quedarse con lo sistemático. Se mantiene así una preponderancia del aspecto «normativo» sobre el aspecto fáctico del lenguaje y una oposición radical entre lo «propiamente» lingüístico y lo extralingüístico, y se relega el estudio del lenguaje en su dimensión concreta (real) a otras disciplinas (Psicología, Antropología, Sociología...). El panorama, sin embargo, ha cambiado radicalmente en los últimos años, de manera que se puede hablar ya de una inversión del punto de partida metodológico.

De un modo general, las últimas orientaciones de la lingüística (Pragmática, Teoría de la Enunciación, Lingüística del Texto, Análisis del Discurso...) coinciden en la incorporación del significado a su campo de estudio y en su insistencia sobre los valores prácticos y «pragmáticos» del lenguaje (en su necesaria relación con el ser humano que lo utiliza y con las circunstancias en que se emplea). A esta nueva lingüística —complementaria, que no sustituta de la anterior— le interesa sobre todo el lenguaje en su dimensión comunicativa, bien como actividad (conducta verbal comunicativa), bien como producto (instrumento de comunicación interpersonal); el conocimiento del «sistema» en abstracto es sólo un paso previo (y necesario) a la explicación de su funcionamiento en la comunicación. Hay, pues, que tomar el habla o «hablar real» (que decía E. Coseriu) como punto de partida en todo estudio sobre el lenguaje; es la actuación *(performance)* la que está en la base de la competencia (y no al contrario), desarrollándola y adaptándola en el sujeto hablante. Más aún: en realidad no se trata tanto de una competencia puramente lingüística (como la defendida inicialmente por Chomsky) como de una *competencia comunicativa* (Hymes), entendida como aquella capacidad que nos permite adecuar nuestro comportamiento lingüístico y extralingüístico a una situación de comunicación dada. Y la comunicación en su aspecto activo es, en suma, un fenómeno complejo que desborda siempre su soporte verbal (la mera *codificación)* en múltiples y muy diferentes direcciones. De este modo, el estudio del lenguaje coloquial, sin duda el más usado por los seres humanos para comunicarse, va encontrando su sitio en la metodología lingüística.

En el coloquio, el lenguaje se organiza en torno a un núcleo *pragmático* actualizado y el *sentido global* de la comunicación trasciende el mero significado del lenguaje. Por sus peculiares características, que nacen de sus condiciones (también peculiares) de realización, el lenguaje coloquial exige un punto de vista «ecléctico», propio, que, naturalmente, no coincide con el de ninguna de las orientaciones (teóricas o más «prácticas») citadas hasta aquí (y tiene seguramente puntos de contacto con todas ellas). Sin embargo, antes de entrar de lleno en el objeto de nuestro estudio, conviene que intentemos delimitar el alcance del término con que se suele designar al lenguaje-producto de la conversación cotidiana, y su posible conexión con esos otros con que ha sido frecuentemente relacionado.

CONCEPTO DE LENGUA COLOQUIAL. DELIMITACIÓN DE NUESTRO CAMPO DE ESTUDIO

Hay, tal vez, una cierta inadecuación terminológica entre los dos términos componentes del sintagma *lengua coloquial,* si atendemos a la distinción —ya tradicional, pero muy útil— establecida por Saussure entre «lengua» y «habla», de la que han partido ineludiblemente todos los estudios lingüísticos posteriores. De ella precisamente partiremos nosotros para establecer la existencia de diferentes «niveles» y «modalidades» de uso lingüístico.

En realidad, la distinción entre *langue* y *parole* es, sin duda, más formal que «real», y su utilidad será fundamentalmente metodológica, pues está claro que no existe lengua sin hablantes, ni viceversa, y que las posibilidades existentes en el sistema serán realizadas individualmente por los hablantes de muy variadas maneras, y con muy diversas funciones, dependiendo muy especialmente de las circunstancias en que se produzca la comunicación. Así, y con todas las precauciones, podremos hablar de *niveles de lengua* (variedades de tipo supraindividual, grupal o social, normalmente subyacentes al sujeto hablante, cuya *competencia* depende directa y principalmente de ellas) y de *modalidades de habla* (variedades reflejadas en la ejecución o *realización* concreta de la lengua, dependientes de las múltiples circunstancias externas e internas convergentes en el preciso acto de actualización comunicativa).

En el plano de la lengua (abstracción), el hablante, como miembro de una determinada comunidad, está necesariamente condicionado por variables de naturaleza geográfica *(variedades diatópicas, horizontales)* y sociocultural *(variedades diastráticas, verticales)*, mediante vínculos que podríamos denominar «de naturaleza psíquica y colectiva», internalizados y asumidos independientemente de su propia voluntad individual. Del estudio de los fenómenos lingüísticos comunes a una determinada comunidad en el plano horizontal o geográfico se ocupa la *Dialectología*. De la estratificación de la lengua según relaciones de tipo social y cultural se ocuparía principalmente la *Sociolingüística;* y términos tales como *popular, vulgar, culta* (e incluso *familiar), lenguas especiales* o *jergas,* no hacen sino nombrar diversos niveles (por tanto, eje diastrático) de lengua.

En cambio, cuando la lengua —el sistema— se activa y actualiza en una materialización concreta e individual, es decir, en el plano de la *realización,* del habla, deberíamos hablar, quizá, mejor que de niveles, de «modos de uso», y mejor que de «lengua», de *lenguaje.* E. Coseriu propone —acertadamente, nos parece— «sustituir el término *parole,* que puede resultar ambiguo, por el de *hablar»* [2], con el cual designaríamos, en sentido amplio, toda activi-

―――――――――
[2] Eugenio Coseriu, «Determinación y entorno», *Teoría*, págs. 282-325. (Para no agobiar al lector, he combinado a lo largo del trabajo las dos formas más usuales de presentar la cita bibliográfica: la forma americana —datos entre paréntesis en

dad lingüística; el *lenguaje* sería, pues, el *producto* concreto del acontecer dinámico de esa «actividad», cualquiera que fuera su manifestación.

Naturalmente, el sujeto sólo materializará la comunicación dentro de los límites que sus coordenadas espacial y social de la lengua y los factores externos le permitan; pero lo que básicamente determinará su expresión (o sea, su lenguaje, el modo específico de uso de la lengua, sus *hechos de habla)* será, sin duda, el contexto o circunstancia en que se produzca su acto concreto de comunicación *(acto de habla).* Atendiendo a este contexto comunicativo de carácter general, podemos distinguir en el plano del habla dos modalidades básicas: la *escrita* (cuyo producto, lo que estudiaríamos nosotros, los lingüistas, sobre los textos, es el *lenguaje escrito)* y la *oral* [3].

Así pues, lo que llamamos *lengua coloquial* (o lenguaje coloquial) [4] es un *nivel de habla* (exactamente igual que lo que llama-

---

el interior del texto— y la reseña abreviada de los datos en nota a pie de página. El lector puede encontrar la ficha completa en la bibliografía final.)

[3] Empleamos «lengua escrita» (o lenguaje escrito) como término de extensión más general que «lengua literaria» (o «lengua de la literatura», que nos parece preferible); lengua escrita será, pues, la del estudio biológico del científico, la del edicto del jurista que publica la prensa, la de las noticias de los periódicos, la de las cartas, la de los libros... y en general, salvo excepciones, la que alcanza representación gráfica. Asimismo utilizaremos «lengua oral» en un sentido más amplio que «lengua hablada» (o lenguaje hablado), que se incluiría en la oral; una conferencia, un discurso, un sermón, una clase de literatura (por ejemplo), una discusión con nuestro mejor amigo, una lectura de una obra teatral... serían —con todas las diferencias que las separan— manifestaciones de uso oral de la lengua.

[4] A estas alturas, la cuestión de si ha de decirse *lengua* o *lenguaje* coloquial no nos parece ya relevante. Y no sólo porque creemos que lo importante no es cómo lo designemos, sino *qué* designemos en concreto con cualquiera de los dos términos (esto es lo primero que deberemos establecer); también porque parece claro que, en la medida en que estudiemos en el acto de *realización* las constantes y características lingüísticas comunes a determinadas circunstancias comunicativas concretas y reales (las coloquiales, en este caso), estaremos haciendo una abstracción, describiendo un sistema (o *subsistema*, si se quiere) también —como el de la lengua— supraindividual. Una vez excluido el término «habla» (reservado generalmente para

mos «lengua escrita», en cualquiera de sus modalidades específicas); es decir, una *forma concreta de realización:* la más importante, la más frecuentemente utilizada en la comunicación humana; y, como manifestación *oral,* la lengua coloquial participaría de todas las características de la *lengua hablada* y tendría definidas las suyas propias y diferenciadoras en virtud de su carácter *conversacional* [5] (un intento de sistematización de lo dicho hasta aquí puede encontrarse en el cuadro 1).

---

particularismos locales o grupales), cualquiera de los dos, «lengua» o «lenguaje», nos parece apto como núcleo del adjetivo «coloquial» (aunque tal vez sea más apropiado el de *lenguaje*; pero, en último término, esto no nos parece importante).

[5] Desde que el adjetivo *coloquial* tomó carta de oficialidad en la vida cultural española (fue admitido por la Real Academia en la 18ª edición de su *Diccionario,* de 1956), apareció ligado, más o menos claramente, con el de *conversacional.* Después, la fortuna del término (acuñado en la traducción —de F. Huarte Morton— del ineludible libro de W. Beinhauer *Spanische Umgangssprache*) ha hecho que lo encontremos en contextos no siempre adecuados, y pocas veces empleado con propiedad. «Coloquial» ha sido, un poco, el comodín que podíamos utilizar cuando no encontrábamos un modo preciso de denominar a ese conjunto de observaciones más o menos intuitivas que hacíamos sobre lo que llamábamos, intuitivamente también, «la lengua hablada». Por eso hemos podido encontrar el término en trabajos tan dispares como *Aportaciones al estudio del lenguaje coloquial galdosiano,* de Manuel C. Lassaletta (1974), estudio que —en palabras de su autor— pretende «mostrar el medio del que se sirvió Galdós para devolver al lenguaje literario el aliento vital de la palabra hablada» (pág. 11); el muy útil *La lengua del coloquio: «Entre visillos», de Carmen Martín Gaite,* de Manuel Seco (1973), en que el autor examina —comenta— el «uso informal de la lengua» que hace «el hablante de la clase media»: en este caso, los dos personajes que dialogan en la novela; *La lengua del coloquio (Procedimientos expresivos: el diminutivo en «Mesa, sobremesa», de Alonso Zamora Vicente),* de Emilio Náñez (1982), presumiblemente titulado de este modo tan general (y tan específicamente subtitulado después) para encuadrarlo de modo preciso en la colección editorial; y, más recientemente, *El habla coloquial en el teatro de Antonio Gala,* de F. Díaz Padilla, y *El español coloquial en «El Jarama»,* de L. A. Hernando Cuadrado (títulos todos, como puede verse, referidos al estudio del lenguaje dialogado en obras literarias).

—El hablante, ˙omo miembro de una determinada comunidad, está condicionado por variables geográficas y sociales mediante vínculos que podríamos denominar «de naturaleza psíquica y colectiva», internalizados y asumidos independientemente de su propia voluntad individual. Los diversos *niveles de lengua* constituyen, pues, variedades de tipo supraindividual y acircunstanciales, subyacentes al sujeto hablante, cuya competencia depende directa y principalmente de ellas.

NIVELES DE LENGUA

Variedades GEOGRÁFICAS (DIATÓPICAS) { Los factores socioculturales influyen en la mayor o menor aparición de particularismos locales.

Variedades SOCIALES (DIASTRÁTICAS)

—CULTA
LENGUAS ESPECIALES (restringidas a su actividad; fuera de ésta se utiliza la lengua común): científicas, jurídica...

Materia común. Diferencias de pronunciación, construcción, vocabulario *(nos ha amolao ≠ ha sido un enojoso contratiempo).*

(División convencional, porque se gradúan y escalonan dentro de ella según registros que se producen en el acto de habla.)

—POPULAR (media)
—VULGAR
JERGAS

—En la ejecución concreta: según las circunstancias en que se produzca la comunicación, dentro del *nivel de lengua* se elige la *modalidad de habla* que convenga.

MODALIDADES DE HABLA

Variedades DIAFÁSICAS

Externas

—MEDIO (canal)

ORAL

COLOQUIAL (conversacional)
— La más frecuentemente utilizada en la comunicación.
— Se pueden establecer
  • niveles o variedades en virtud del eje diastrático (coloquial culto, vulgar...)
  • grados de mayor o menor plenitud de realización coloquial (Vid. *Cuadro 2*).

NO COLOQUIAL (suele ser transposición de la lengua escrita; es, en general, menos espontánea que la coloquial): conferencias, discursos, sermones...

ESCRITA (en sentido más amplio que lenguaje literario): artículos, libros, cartas, lengua literaria que transcribe la hablada...

Circunstancias

— MATERIA tratada (preestablecida o no; tipo, etc.).
— FINALIDAD de la comunicación (docente, estética, de pura relación social, lúdica, catártica....).

«ATMÓSFERA» y PERSONA

—Relación establecida entre los interlocutores (conocimiento previo, jerarquización, contrastres...; unilateralidad o no de la comunicación).
Formal (se mantienen distancias, tratamientos, más convencional).
Informal (relajada, espontánea).
—Acción del contexto comunicativo lingüístico y extralingüístico (cuando corresponda): fluidez, convencionalismos, inercias expresivas, presupuestos, imprevistos de la comunicación...

Internas { ESTILO PERSONAL (dentro de los límites que su nivel de lengua y los factores externos le permiten).

CUADRO 1. — *Niveles de lengua y modalidades de habla*

Ahora bien, las posibles variedades en el plano del habla (o *variedades diafásicas)* no debemos buscarlas en el sistema, sino justamente en la concreción, en el aquí y ahora de los dos elementos activos de la comunicación: el emisor y el receptor (los *interlocutores).* De modo que las diferencias evidentes de lenguaje que podemos apreciar entre el edicto del jurista, el poema del lírico, una carta a mi amigo Juan, mi clase de literatura en un instituto de bachillerato y una conversación con mi vecino acerca de la sequía que este año no padecemos y el año pasado sí padecimos, por ejemplo, no radican tanto en el mero hecho de tratarse de manifestaciones que responden a convenciones previas, ya existentes en el sistema, cuanto en su peculiar formalización e integración, en cada caso, de los diversos elementos que intervienen en la comunicación, de la intencionalidad y del contexto general comunicativo. O, dicho de otro modo mucho más simple: las convenciones lingüísticas o extralingüísticas que alcanzan forma en nuestros *actos de habla* (a las que, a su vez, nutrimos y potenciamos nosotros con el uso) no existen por casualidad; por el contrario, responden a intenciones o necesidades de cada acto comunicativo particular. Y es en esta característica esencial donde el lingüista debe basar —creemos— su estudio de las diversas parcelas del lenguaje (de las múltiples variedades) si no quiere caer en la trampa de convertir en pura abstracción (en simple descripción más o menos normativa, por ejemplo) algo que se define y afirma *esencialmente* por su carácter de *concreción.*

Y es precisamente la «inmediatez», esa *estricta actualización* del coloquio (de que hablaba Criado de Val), en que se encuentran activamente inmersos tanto emisor (hablante) como receptor durante su *intercambio comunicativo,* lo que hace de este tipo de comunicación hablada algo particular y diferente de todos los demás. Pero intentemos de una vez por todas dar a este concepto diferencial, que parece tan «abstracto», una enunciación más clara...

El acto coloquial es la única circunstancia comunicativa en que la *actualización* de todos y cada uno de los elementos que intervienen en la comunicación (interlocutores, mensaje, canal, código de uso y contexto) es *estrictamente simultánea y, además, activamente interinfluyente.* Esta doble condición es la que nos permitirá hablar de manera definitiva, en otras partes de este trabajo, de la existencia de fenómenos lingüísticos que podremos calificar de «específicamente coloquiales»: es decir, de productos lingüísticos específicos de una situación comunicativa concreta y también específica (la «coloquial»).

Y llegados a este punto, deberíamos quizá —como aconseja Polo [6]— considerar diversos posibles grados de mayor o menor realización, actualización o plenitud.

El grado mayor de realización coloquial tiene lugar, sin duda, en lo que llamamos conversación cotidiana (sea «charla», «palique», «cháchara», o «parloteo»): espontánea e irreflexiva, en la que emisor y receptor son interlocutores activos (y alternantes, al menos potencialmente) que cuentan mutuamente el uno con el otro, y cuyo mensaje es codificado, alterado o completado (es decir, «actualizado»: «hecho actual») en virtud del contexto inmediato; lógicamente, no suele haber en los hablantes atención lingüística consciente o voluntad de estilo (comunicación literaria), ni una intención pedagógica marcada (sermón, conferencia, clase), ni una formalización lingüística previa del tema que se trata, ni trascendencia, ni deseo de automarginación (jergas), etc. Sin embargo, cuando en esta situación comunicativa («normal») se introducen variables de importancia, el grado de realización o plenitud se modifica: siempre es menor (véase, a modo de ejemplo, el cuadro 2).

---

[6] En «El español familiar...», *Yelmo*, 6, 1972, pág. 47.

COLOQUIALES

— El acto coloquial es la única modalidad comunicativa (oral o no) en que todos los elementos que intervienen en la comunicación, copartícipes de un contexto común, se actualizan e interactúan simultáneamente.

— Se distingue esencialmente de otros posibles modos de realización oral por su carácter de *conversacional*.

Cuando hay en la actualización variaciones respecto del acto coloquial «normal» (la conversación cotidiana), el grado de plenitud se modifica (siempre es menor):

El grado mayor de realización (plenitud) coloquial tiene lugar en lo que llamamos | CONVERSACIÓN COTIDIANA

NO COLOQUIALES	CONVERSACIÓN COTIDIANA	COLOQUIO POST-CONFERENCIA	ENTREVISTA	CONVERSACIÓN TELEFÓNICA
Conferencia, sermón, discurso, lectura en voz alta de un texto dialogado cualquiera...	Por su inmediatez, espontánea e irreflexiva.	Poca espontaneidad (por relación y jerarquía entre interlocutores e inexcusabilidad del tema).	Menos espontaneidad. Más reflexión (trascendencia).	
No pueden ser consideradas manifestaciones coloquiales, porque en su circunstancia concreta de realización no se establecería la actualización simultánea de todos los diversos elementos intervinientes: el mensaje habría sido previamente formalizado, el receptor es, en principio, heterogéneo y pasivo (no es propiamente «interlocutor»), la comunicación es unilateral, el tema suele estar preestablecido...	Presencia física de los interlocutores. Emisor y receptor son interlocutores activos. Alternancia comunicativa.			No presencia física de los interlocutores (se oyen, no se ven).
	Mensaje actualizado en virtud del contexto inmediato. No hay formalización lingüística previa (a menudo, tampoco preestablecimiento del tema).	Tema inexcusable. Preestablecido.	Normalmente, preestablecimiento del tema.	Pérdida de gran parte de las actividades expresivas complementarias y no verbales.
	No suele haber en los hablantes • voluntad de estilo, • intencionalidad profesional, etc.	Voluntad de mayor elaboración formal y precisión expresiva.	Intencionalidad «profesional».	

CUADRO 2. — *Manifestaciones orales*

De acuerdo con esto, ciertas modalidades orales de realización, como conferencia, clase que se da a los alumnos o discurso público, raramente constituyen actos de comunicación propicios a lo *conversacional,* y, por lo tanto, difícilmente podríamos considerarlos específicamente «coloquiales» [7]. Salvo excepciones: por ejemplo, en una clase, la presencia física y activa (si bien en planos diferentes) de los interlocutores podría favorecer en un determinado momento el intercambio más o menos espontáneo entre el profesor y los alumnos y, por tanto, la conformación de una nueva circunstancia comunicativa muy cercana a la meramente conversacional [8]. Si venimos prefiriendo el término *coloquial* al de *conversacional* para especificar la lengua (o lenguaje) producto de esta determinada circunstancia comunicativa, es por una sencilla —y tal vez discutible— razón: coloquial parece designar con mayor propiedad un acto de comunicación específicamente oral, mientras que *conversacional,* por su parentesco con «conversación», podría aparecer más fácilmente en el terreno de la escritura [9].

TERMINOLOGÍA: «COLOQUIAL» Y AFINES

Afines a «coloquial» se han venido empleando términos como «familiar», «popular», «vulgar», «diaria», «corriente», «normal», «estándar»,

---

[7] Cf. María Jesús Bedmar Gómez: «La norma del texto oral», pág. 114: «El discurso elaborado (una clase que se da a los alumnos, por ejemplo) quedará incluido en lo oral, porque este tipo de discurso no escapa ni en el más extremo de los casos (repetición memorística) a las técnicas de elocución (considérese, a tal efecto, el papel de la pausa)».

[8] En un reciente trabajo («Diálogos en clase»), Peter Slagter se detiene en las diferencias entre diálogos reales (o naturales) y diálogos-en-clase (didácticos). Frente a aquéllos, éstos adolecen de artificialidad, no se presta atención en ellos a los signos paralingüísticos y, en general, no brindan un fiel reflejo (lingüístico y pragmático) de la interacción en la vida real.

[9] «Coloquio» es también, en una de sus acepciones, 'composición literaria en forma de diálogo' (por ej., *El coloquio de los perros*, de Cervantes).

«común», «informal», «viva», para caracterizar la lengua hablada. Fuera de la posible (y anecdótica) distinción teórica, todos estos términos comparten amplias zonas en el terreno de lo lingüístico y por ello no es extraño que aparezcan en los mismos o similares contextos [10].

Sin embargo, ya hemos adelantado que los adjetivos «familiar», «popular» y «vulgar» especifican *variedades diastráticas* (o sea, *niveles de lengua,* colectivos). En cambio, los adjetivos «corriente», «normal» e «informal» no son especificativos de nivel, sino más bien *descriptivos de cualidad:* tanto la lengua hablada como la escrita (y en cualquiera de sus niveles) pueden ser más o menos «informales», «normales» o/y «corrientes». «Estándar» y «común» designan modalidades, basándose en criterios de difusión (mediante la escuela, la radio, las relaciones oficiales...) y extensión (a todas las capas de la población, más allá de las variaciones locales o sociales): son, pues, *variedades acircunstanciales* [11].

Pero es que, en el coloquio, la actualización lingüística tiene lugar en un contexto común, simultáneamente a la de todos los demás elementos que intervienen en la comunicación. Por ello, la lengua coloquial es necesariamente reflejo (en mayor o menor medida) de los múltiples condicionantes que concurren en su específica circunstancia de actualización comunicativa. Y lo mismo que antes establecíamos «grados» de realización coloquial, podríamos establecer también «niveles» o «formas» de realización en el eje diastrático o en el diatópico, y hablar de un lenguaje *coloquial culto* (alto), *medio* y *vulgar* (bajo), o del *lenguaje coloquial de la Manchuela* o de las provincias andaluzas, por ejemplo. Ahora bien, en la medida en que *lo específicamente coloquial es circunstancial,* por más que en el coloquio se refleje inevitablemente también lo subyacente a los interlocutores, los niveles o estratos reflejados en él serán —creemos— de interés secundario en el estudio de esta parcela del lenguaje. Por otro lado, la

---

[10] Aunque menos especificador, con el complemento «de uso» (*lengua de uso*) se alude a la «modalidad lingüística que utilizan los hablantes de una lengua en sus relaciones cotidianas. Se opone a *lengua especial.* Se denomina también *lengua coloquial,* y no debe confundirse con *lengua vulgar*» (F. Lázaro Carreter, *Diccionario,* s.v. «lengua»).

[11] «Viva» es de todos, sin duda, el adjetivo más connotativo, el menos concretizador y, por lo mismo, el más sugerente: ¿qué es la lengua 'viva'?; o, al menos, ¿cuál de los tipos es la lengua «más viva» de todas?

tendencia a la *nivelación diafásica* es sin duda una de las más claras en
la comunicación coloquial: de una parte, debido a la «heterogeneidad»
característica del acto coloquial, los interlocutores intentan espontáneamente
la «sintonización» o aproximación mutua; de otra, por efecto directo del
influjo de los medios de comunicación, la tendencia a la igualación es,
además de inconsciente, progresiva.

También es verdad que, como afirma Polo en *El español familiar y
zonas afines,* el coloquial es sin duda un «terreno abonado para un *estilo
no formal,* más o menos espontáneo o sin formalismos» (y aquí también
nosotros preferiríamos hablar, como Polo, Dubsky y B. Steel, de *estilo,*
mejor que de *lengua, lenguaje* o formalización-*producto)* [12]. Un estilo, en
definitiva, que participaría de gran parte de las características del *código
restringido,* que es el considerado propio del nivel «vulgar». Sin embargo,
ninguna de las peculiaridades más representativas del estilo correspondiente
al nivel sociocultural más bajo de la escala, o vulgar (empleo léxico restringido y específico, transgresiones de la norma en numerosos aspectos gramaticales y, sobre todo, incapacidad del sujeto hablante para cambiar de
registro), es necesariamente consustancial a «coloquial»; y menos que ninguna la «incapacidad para cambiar de registro», en la medida en que ésta
no depende de la circunstancia comunicativa (que es *monoclase:* conversar,
conversamos todos), sino de las personales cualidades del sujeto hablante
(que van con él dondequiera que él va). Consecuentemente, «popular»/«vulgar» y «coloquial» no deberían aparecer como sinónimos, pese a que los
hemos visto empleados (directa o indirectamente) como tales en no pocas
definiciones [13].

---

[12] *Introducción a la estilística de la lengua* ha titulado Dubsky uno de sus trabajos más útiles e interesantes sobre las diversas modalidades de la lengua.

[13] «Popular» se utiliza, según Seco *(Arniches),* para caracterizar lo que pertenece
a la parte menos cultivada de un grupo social; el mismo autor (pág. 27) nos advierte
que cuando se quiere delimitar físicamente «lengua popular», la primera condición
aludida es su carácter urbano: de ello hablaremos más tarde. «En Bally, Hofmann,
Beinhauer, González Ollé y otros, 'lengua popular' es un concepto que se diluye
dentro del de 'lengua hablada', 'conversacional' o 'coloquial'» (M. Seco, *op. cit.,*
cf. nota págs. 25-26). La «lengua vulgar» es, según Lázaro (en su *Diccionario):* «lengua coloquial o conversacional. Se opone a culta» (con lo cual, además, se sugiere
la oposición *lengua hablada: vulgar / lengua escrita: culta).* Para Blasco Ferrer (1988,
pág. 257), «Por *español coloquial* entendemos: *el conjunto de voces y estructuras,*

Tres son, en resumen, los criterios fundamentales en que nos basamos para asignar a *coloquial* una casilla con valor propio dentro del sistema de la terminología lingüística descriptiva: su carácter de manifestación *oral, conversacional* (y, por lo tanto, *monoclase*) y *circunstancial.* Consecuentemente:

a) *Familiar, popular* y *vulgar,* que pertenece al paradigma de los adjetivos especificativos de nivel (y hacen, por tanto, abstracción de estos tres criterios básicos tanto para su asignación como para su funcionamiento dentro del sistema terminológico), no pueden ser utilizados con propiedad como sustitutos de «coloquial».

b) Es perfectamente lícito describir la lengua hablada (o la escrita, en cualquiera de las respectivas modalidades) como más o menos *corriente, normal* o *informal;* pero en todo caso, unidos al sustantivo núcleo «lengua», cualquiera de estos adjetivos valorativos calificaría sólo muy parcialmente y en modo alguno especificaría la modalidad de lengua hablada que nos interesa (la coloquial); tampoco *diaria,* que alude con propiedad a su frecuencia de uso, nos parece término más adecuado ni preciso que «coloquial» [14].

c) Si exceptuamos el caso de *vulgar* (término inexcusablemente indicador de nivel y con connotaciones peyorativas), cuya confusión con «coloquial» puede considerarse, a estas alturas, anacrónica, parece claro que podríamos encontrar, sin necesidad de profunda investigación, buenas razones para justificar esta ya antigua intersección en el uso de los diversos términos.

Es evidente que la lengua coloquial (o conversacional) es la más *corrientemente* usada por las personas en sus situaciones normales de comunicación cotidiana y, por ello, la que les es más familiar y la que está

---

orales *y escritas, producidas por los hablantes españoles que carecen de una cultura general básica»;* aunque asocia, al parecer, «coloquial» con «vulgar» (nivel diastrático), el adjetivo que el autor utiliza, de hecho, a lo largo de su trabajo como sinónimo de «coloquial» es «popular».

[14] «La *lengua diaria* es, como dice su nombre, aquella forma de lengua que se usa en el trato diario de los hombres entre sí. Es en cierto modo un útil, uno entre muchos, que ayuda a facilitar o hacer posible el paso de la vida de cada día»: W. Porzig, *El mundo maravilloso del lenguaje,* pág. 271.

más extendida (o es más *popular,* en sentido amplio) y *estandarizada* en todas las capas sociales; además, por la inmediatez determinante del coloquio, el hablante tiende en la conversación a expresarse con bastante espontaneidad y mediante un estilo *informal,* empleando con cierta inevitable libertad y no pocas restricciones el código de la lengua, independientemente de su capacidad personal para cambiar/adaptar (o no) su registro.

NORMA LINGÜÍSTICA Y LENGUAJE COLOQUIAL

Antes de entrar de lleno en lo que constituye el núcleo de nuestro trabajo, queremos, aunque sea brevemente, dar un rápido repaso a dos cuestiones de carácter general, no estrictamente gramaticales, cuya incidencia se puede considerar decisiva en el estudio del lenguaje hablado: sus relaciones con la llamada «norma lingüística» y con los fenómenos prosódicos de la oralidad.

En general, para el estudio del lenguaje coloquial, el concepto *lingüístico* de norma, tal y como suele manejarse en la lingüística europea («uso correcto» en una acepción; «mediana de uso de una comunidad» en la otra), no es demasiado útil. Y es que, por sus particulares condicionantes —que ya hemos visto—, el lenguaje coloquial es tal vez, de todas las modalidades, aquella en que con más frecuencia (o quizá sería mejor decir «con mayor propiedad») difieren *norma* y *uso.* Y esto por dos razones principalmente:

1) (y fundamental). La urgencia de la comunicación coloquial raramente permite al hablante prever sus transgresiones de la norma o ser consciente de ellas (ni siquiera el oyente alcanza normalmente tal conciencia). Como ya sugerían Bally y sobre todo Frei, estas «faltas» o desviaciones de la lengua hablada coloquial revelan en ella el índice de necesidades que presiden el ejercicio del habla: es decir, en muy gran medida, aquello que el hablante espera de la lengua y no encuentra en ella, o aquello que, a modo de ajuste natural, precisa obviar o modificar para alcanzar la comunicación.

2) Por razones, pues, de necesidad, el propio uso coloquial *regula* la existencia y presencia de tales desviaciones, que pasan inad-

vertidas para los usuarios del lenguaje e incluso llegan a veces a convertirse en puras convenciones. La coloquial se constituye así (como ya nos sugerían los estudios de lingüística histórica del siglo XIX) en la modalidad base que acaba incorporando al sistema su propia norma (emanada del uso) o forzando el cambio de la ya existente.

Algunos de los fenómenos que se pueden observar hoy en la lengua coloquial parecen contundentes; tal vez la norma no los admita, pero el uso, sin duda, los ha generalizado: por ejemplo, el *-ao* final ya no sólo de los participios, el llamado «dequeísmo» (pienso *de que),* las construcciones galicistas *en base a* y *sustantivo + a + infinitivo* (cuestiones a resolver, asuntos a tratar), *le* (objeto indirecto) por *les (le* he dicho a tus padres que no se asusten), etc. Todos ellos difieren de la norma que hemos llamado *lingüística* y no suelen constar en las gramáticas (que, para bien y para mal, suelen ser normativas), entre otras cosas porque aunque sean fenómenos *normales* en la lengua coloquial, no lo son *normativos* (ni siquiera en ella). En cualquier caso, tanto éstos como otros muchos fenómenos de extensión aparentemente más reducida nos llevarían a hablar de norma en un nuevo y más amplio sentido, muy cercano al de la Sociolingüística, que considera la probabilidad de aparición de una determinada forma de realización (un determinado fenómeno) relacionada con la presencia de ciertos factores contextuales y sociales, e incluso —lo que nos interesa más— *regulada* por ellos [15].

En efecto, parece conveniente (quizá necesario) aceptar la existencia de una pluralidad de normas, como aceptamos la existencia de una pluralidad de modalidades de realización. Y así es como se va perfilando desde hace tiempo una concepción *dinámica* de

---

[15] Por otra parte, la necesidad de considerar no una, sino varias normas, es algo ya perseguido desde hace tiempo por sociólogos y dialectólogos; entre éstos, Manuel Alvar, que lo defiende ardientemente en «La norma lingüística», *La lengua como libertad,* págs. 37-55. Véase también Francisco José Zamora Salamanca, «Sobre el concepto de norma lingüística», entre otros.

norma que supone, por un lado, una relación de dependencia y obligatoriedad con respecto al sistema; pero también, por otro, la posibilidad de una *adecuación funcional* del lenguaje a las situaciones diversas de comunicación en el proceso de actualización... Y ello permitiría, sin duda, llegar a una norma o subnorma coloquial regida por criterios de codificación mucho más flexibles que los de la tradicional «norma lingüística». Pues si bien es cierto que ésta actúa sobre las diversas modalidades de realización del sistema (aunque de distinta forma y en diferente grado sobre cada una de ellas), también lo es que el uso frecuente y específico, consentido o abiertamente admitido, de ciertos fenómenos en una determinada modalidad de comunicación (oral o escrita) los convierte en parte de lo que podríamos denominar *subnorma* de esa modalidad (subnorma coloquial, subnorma literaria, etc.).

Por otro lado, en la medida en que «la corrección no es un hecho que ha nacido por voluntad de uno, ni por imposición ni por generación espontánea. Es un largo quehacer colectivo en el que la sociedad se encuentra identificada» [16], debemos considerar que todos los fenómenos mencionados (y otros muchos) constituyen, a su modo, una parte de ese «quehacer colectivo» y que, instalados en una determinada modalidad de realización lingüística, son aceptados espontáneamente por los sujetos implicados en la comunicación, que comparten contexto y «ritmo» de progresión en ella. Cuando más adelante los encontremos escritos y desperdigados en nuestra descripción, descontextualizados y a la luz de la explicación lingüística, podremos llegar a darnos cuenta fácilmente de la incorrección o incluso del disparate, como en los siguientes ejemplos:

> *Con la que yo monto *para freír* un *huevo frito*.
>
> *Y evidentemente a mí me parece muy cruel que la Iglesia *prohíba* a sus gays *que se abstengan de ejercer su sexualidad*
> (TV, «Debate»)
>
> *Tengo una *sordera que no veo*.

---

[16] Manuel Alvar, *La lengua como libertad*, pág. 54.

Sin embargo, por extraño que pueda parecernos a veces, todos ellos pertenecen a enunciados que cumplieron perfectamente, en su momento, su función comunicativa. Y no sólo no impidieron la comunicación, sino que ni siquiera la entorpecieron ni provocaron comentario particular alguno (metalingüístico o no) por parte de los interlocutores u oyentes. Y es que, en contra de lo que ocurre con lo que hemos llamado «norma lingüística» (una abstracción concebida metodológicamente), que el hablante conoce (en ocasiones sólo intuitivamente, pero que conoce, aunque se permita transgredirla) y que puede llegar a hacer explícita, la *subnorma coloquial* sólo puede definirse en función de sus propias condiciones de realización, de acuerdo con sus condicionamientos y necesidades comunicativos: es decir, constituye (y suma) una archiposibilidad (conjunto de posibilidades) distinta a la que ofrece el sistema.

De acuerdo con nuestro criterio, la transgresión de la norma lingüística que aparece en estos y otros fenómenos no debe imputarse a desconocimiento por parte de los hablantes: el que la infrinjan no significa (necesariamente) que no la conozcan. En realidad, este sería —como apunta A. García Calvo— un criterio irrelevante para juzgar estos fenómenos que están tan directamente condicionados por las circunstancias específicas de comunicación:

> La lengua, como no acaba de encontrarse del todo contenta consigo misma, sigue cambiando todavía (aunque es cierto que, desde que hay un español oficial, unos cinco siglos, hasta la lengua coloquial muda mucho más lentamente) y cambiando según sus leyes, que no controla nadie, y así se ríe de lo que a los pedantes les guste o no.
>
> La lengua popular y viva no puede nunca cometer faltas, por la razón perogrullesca de que es ella la que establece, allá en lo subconsciente, sus propias leyes.
>
> (A. García Calvo, *El País,* 30-3-86, pág. 19)

Por lo demás,

> Sería una perogrullada de lo más pueril insistir en que ningún sistema lingüístico obedece a la rígida estrechez «lógica» salida de

un cerebro humano, empeñado en clasificar y encasillarlo todo, sencillamente porque la vida real y verdadera en general, como la vida de una lengua en particular, obedece a otras leyes superiores cuya «lógica» reside en lo infinito [17].

Y es que, en efecto, la lengua (al menos la coloquial) tiene a veces razones que la «lógica» no entiende, y que son, en gran medida, las que nosotros trataremos de desvelar aquí.

PROSODIA COLOQUIAL

Ineludiblemente, el material fónico (fonemático y prosódico) constituye la base de la comunicación oral; esa que da dimensión de «habla» a la lengua, convirtiéndola en una realidad concreta —física— y temporal, y que confiere a su vez a cada acto de habla un carácter único, irrepetible.

Por ser algo común, cotidiano y espontáneamente adecuado a nuestras diferentes situaciones de habla, el empleo de los elementos fónicos (como de los morfosintácticos) nos pasa generalmente inadvertido. Lo cual no quiere decir que éstos no tengan relevancia. Por el contrario, en la lengua hablada, «los hechos prosódicos constituyen recursos gramaticales para la expresión de categorías semánticas, a pie de igualdad con operaciones sintácticas (orden de palabras), morfosintácticas (concordancia; uso de palabras funcionales) o léxicas» [18].

Y aunque tal afirmación puede parecer exagerada, teniendo en cuenta las muchas dificultades que tendríamos para demostrarla, el carácter esencial, básico y primario de los hechos prosódicos en los actos de habla coloquiales y su relevancia sintácticosemántica en ellos son innegables, aunque están todavía poco estudiados.

---

[17] W. Beinhauer, «Sentido», pág. 13.
[18] Lars Fant, «Prosodia». Véase además María Luz Gutiérrez Araus, «Procedimientos», particularmente págs. 5-6 («elementos suprasegmentales»).

Naturalmente que, en lo fundamental, tanto la estructura total de un enunciado como sus características prosódicas responden a las convenciones establecidas por los hábitos de cada lengua. Sin embargo, la flexibilidad de los actos de habla es tal, y el carácter no discreto (suprasegmental) de los fenómenos prosódicos permite tal capacidad de variación y adaptación, que, más allá de la convención, el hablante crea y adecua su expresión en cada caso, simultáneamente con todo el resto de las variables de comunicación.

En el lenguaje coloquial, todo parece estar subordinado a su voluntad de «comunicabilidad» y «fluidez». La jerarquía real de los elementos lingüísticos corresponde a la intención de comunicación, que, una vez surgida, puede (y suele) renovarse, evolucionar o variar imprevisiblemente, con poca o ninguna conciencia por parte de los interlocutores. Lógicamente, el *ritmo* es irregular, no está ordenado; y en el caudal de la comunicación, más allá de la mera linealidad del signo, segmentaciones y pausas, entonación, acentos expresivos y hasta las modificaciones vocales (de timbre, intensidad, altura) constituyen un «medio de organización en el tiempo, que crea relaciones en el interior del conjunto» (Slama-Cazacu, *Lenguaje y contexto,* pág. 258), establece diferenciaciones y «recorta» su dirección significativa, orientando puntualmente al receptor acerca de su sentido.

Las *pausas,* «en el interior del ritmo, crean un continuo y ayudan a la jerarquización, volviéndose más cortas entre las palabras que deben aparecer más soldadas (hasta desaparecer, como en las formas átonas) y más largas delante de las partes que deben ser (significativamente) acentuadas» (íd., ibíd.); ayudan a distinguir (junto a la entonación) las añadiduras parentéticas y regulan además los turnos de palabra. El *acento* «*significativo*» «se superpone, modificándolo, a veces, al ritmo fisiológico de la emisión o al de las palabras aisladas» [19], como hemos visto en nuestro ejemplo. El alargamiento de la *duración* normal de una palabra (o de una de sus

---

[19] T. Slama-Cazacu, *Lenguaje y contexto,* pág. 257.

sílabas) «subraya el sentido de la misma; la brevedad lo desvanece y atenúa» [20]. La *entonación* impone límites que indican las unidades de sentido y las de intención de comunicación (incluso en casos como los de ironía e interrogación retórica, en que hay disociación entre lo que se dice y lo que se deja entrever), delimita los componentes iniciales y finales del turno de palabra y de las frases, y permite reconocer los segmentos adicionales; tiene además «función identificadora» (caracteriza inconscientemente al sujeto hablante) y «función impresiva» (correspondiente a la imagen que el hablante busca dar a su interlocutor) [21].

Todos estos fenómenos prosódicos simultáneos a la articulación fonemática y a la organización del mensaje en unidades formales con significado (palabras, sintagmas, frases...) constituyen, pues, un factor clave en esa *expectativa de comunicación* que crean y comparten los interlocutores en su conversación. Mejor quizá que ningún otro medio, permiten al hablante traslucir puntualmente sus emociones y sus actitudes en la expresión de sus ideas (es decir, insertar el elemento afectivo en su «lenguaje intelectual») y proporcionan al interlocutor los índices de esa intención global de comunicación con que se cuenta primordialmente en todo coloquio, haciéndole, a su vez, cómplice en ella. Todos juntos, adaptándose a las circunstancias variables de la comunicación, hacen posible la expresión de variadísimos matices y permiten, además, adivinar una cierta «previsibilidad» en la estructura sintáctica e informativa del enunciado [22].

---

[20] T. Navarro Tomás, «Papel de la cantidad», *Estudios*, pág. 65.

[21] Véase A. Quilis, «Funciones de la entonación».

[22] Ésta es la tesis defendida por Lars Fant, *Prosodia*, pág. 75: «A semejanza de las reglas sintácticas, que establecen un orden esperado de los elementos oracionales y determinan cómo este orden puede ser modificado, si la estructura informativa del enunciado lo requiere, hay que suponer la existencia de un conjunto de reglas prosódicas que determinen cuál es la esperada forma prosódica de la oración y cómo ésta puede verse afectada con el objetivo de preservar la estructura informativa».

De este modo, podemos afirmar que, en realidad, ese sentido global que interesa a los interlocutores en el coloquio no es sino el fruto de una compleja situación de comunicación en la que el hablante combina operaciones sintácticas y prosódicas en su actualización de los elementos lingüísticos y lo comparte todo con su interlocutor, con éxito mayor o menor, pero difícil de determinar. Intentemos ilustrarlo con un sencillo ejemplo:

> En un determinado contexto de comunicación en que el interlocutor parece no haber captado suficientemente lo que se le quería decir, el sentido global de
>
> Digo implícito, no explícito
>
> incluye (y es consecuencia de) la intención del hablante de acentuar subjetivamente el contraste entre los dos conceptos opuestos, con el fin de aclarar a cuál de los dos se viene refiriendo. Para ello, el hablante segmenta, intensifica y alarga en ambos antónimos la primera sílaba (que es la que considera sílaba-contraste) y les añade un acento «significativo» (expresivo), que se suma al acento fonético correspondiente; además, prolonga ligeramente la pausa disyuntiva:
>
> Digo ímm-plícito, no éxx-plícito.

Claro está que, en nuestro ejemplo, la incidencia del comportamiento prosódico del hablante parece redundante para la información (y, por consiguiente, no relevante) en su mensaje, en la medida en que —como suele considerarse— su significado está ya determinado por otros medios léxicos y sintácticos. Pero nosotros nos estamos esforzando por hablar siempre de «sentido global», y no de «significado». Mientras lo que llamamos «significado» lo podríamos abstraer con cierta objetividad de los términos léxicos empleados y de su ordenación en el mensaje, el *sentido global,* que es lo que interesa en el coloquio, no es una abstracción, sino una realidad subjetiva y puntualmente compartida por los interlocutores. Mediante la incidencia de los elementos prosódicos, se une el enunciado a la realidad vivida por los interlocutores y, a su vez, se puede modificar esa realidad (con su entonación, el hablante ha mostrado, en nuestro ejemplo, irritación, impaciencia, etc.).

Así pues, la incidencia espontánea de los fenómenos prosódicos es en el lenguaje coloquial, además de inevitable, imprescindible para la determinación de ese «sentido global» que condiciona y determina la comunicación de los interlocutores. Y, sin duda, con ello contamos implícitamente cuando estudiamos el lenguaje coloquial, cuando lo transcribimos y abordamos la explicación de su sintaxis; aunque es cierto que «ni con los signos de puntuación convencionales ni con otros a los que puede recurrirse se logra, ni siquiera aproximadamente, reflejar los hechos de prosodia» [23]. En nuestros ejemplos, la puntuación intenta reproducir la entonación de sentido de la lengua hablada, que no siempre coincide con las convenciones de la lógica de la lengua escrita; cuando hay conflicto claro entre el «sentido prosódico» y el que su transcripción escrita previsiblemente transmitiría, procuro elegir la opción que más se aproxime al reflejo de la lengua hablada, la que menos la traicione [24].

De otro modo, sería difícil reconocer en unos pocos signos ortográficos (letras, comas, puntos, interrogaciones...) todo eso que, sobre una base sintáctica muy irregular y regida por su propia lógica, implica toda comunicación coloquial. En ella, suspensiones, fragmentaciones, cambios bruscos de perspectiva, intercalaciones, encadenamiento de enunciados con relación poco marcada, enunciados unimembres... precisan su sentido y cumplen plenamente la función de comunicación gracias a que, sumados a sus valores lexicales y

---

[23] A. Narbona, «Sintaxis coloquial», pág. 94.

[24] Podrá observarse que, salvo excepciones, no puntúo en los ejemplos el final de cada una de las intervenciones de los interlocutores; primero, porque no siempre soy capaz de atribuir un determinado signo a los cambios de turno; y también porque, en vista de que los ejemplos aparecen, por necesidad, descontextualizados, me parece más conveniente evitar precisiones innecesarias y recargar el texto con puntuación que no le aportaría, en rigor, nada esencial. (Acerca del acento y de la transcripción del lenguaje coloquial, puede verse José Polo, *Ortografía*, págs. 244-246 y 131-135, respectivamente.)

sintácticos, se unen valores 'contextuales' y prosódicos. Por eso la gramática no ha tenido más remedio que asumir conceptos prosódicos (y semánticos) en su descripción; particularmente de entonación, cuyos tipos básicos (enunciación, interrogación, exclamación), que tienen función distintiva, se incluyen tradicionalmente en sus textos [25]. Porque, de forma natural, todos aparecen indisolublemente unidos en la lengua hablada. Y, al cabo, aunque parece haberse ignorado durante siglos, es la lengua hablada natural la que está (la que ha de estar, por definición) en la base del estudio del lingüista.

DIFICULTADES EN EL ESTUDIO DEL ESPAÑOL COLOQUIAL (JUSTIFICACIÓN METODOLÓGICA)

Todo mi trabajo parte, pues, del supuesto de que el estudio del lenguaje coloquial es inseparable de su consideración como producto de una determinada modalidad de realización oral: la conversación, el *coloquio*. Y precisamente de su *directa vinculación a los fenómenos prosódicos* (variadísimos) *de la oralidad* nacen no pocas dificultades a la hora de enfrentarse a su estudio

En efecto, el coloquio se nos presenta como algo habitual y absolutamente natural de nuestra vida en sociedad. Las circunstancias en que se da no son propicias para su observación, y la base de «naturalidad» y espontaneidad de que nace dificulta, sin duda, la reflexión. El estudioso está obligado a cazar al vuelo las cualidades del lenguaje coloquial y, para hacerlo, debe situarse en una posición excepcional, de mero espectador, de «extrañamiento» [26],

---

[25] Por ejemplo, criterios sintácticos, prosódicos y semánticos se unen en la definición más corriente de oración («Estructura gramatical que consta de sujeto y predicado, y tiene sentido completo y entonación independiente»). En apoyo de la idea de que la sintaxis no puede separarse de la entonación, la gramática generativa incorporó ésta desde el principio en su descripción.

[26] Éste es el término que utiliza uno de los tres personajes que conversan en la obra *Del lenguaje* de Agustín García Calvo; para él, «la labor de un gramático

que le permita alcanzar la conciencia de ese hecho físico y social de que es copartícipe: su medio de comunicación habitual, el lenguaje.

Aun haciéndolo así, caso de que fuera posible, si prescindimos de la grabación magnetofónica, no existen tampoco muchos medios para «guardar» el coloquio con vistas a un detenido estudio por parte del lingüista. Y también la grabación presenta problemas de difícil solución: por un lado, si se conoce su existencia, es difícil (por no decir imposible) que los interlocutores se presten sin prejuicios al coloquio; por otro, si para evitar que los hablantes se sientan condicionados se quiere mantener oculta la grabación, será difícil conseguir que ésta sea buena; y, en último término, aunque ésta sea perfectamente clara e inteligible, faltarán en la muestra muchos de los condicionantes y estados propios del coloquio que sólo en su estricta actualización y momentaneidad aparecen y se entienden, contribuyendo con su presencia a su vez a la completa comprensión de lo comunicado.

El examen, por ejemplo, del material que se nos proporciona en el libro *El habla de la ciudad de Madrid (materiales para su estudio)* [27] puede sernos útil para ilustrar estas afirmaciones. Se transcriben en él 24 diálogos: 16 *diálogos dirigidos* por un «encuestador» (cuatro por cada una de las cuatro generaciones establecidas), 4 *diálogos libres* entre dos personas que conocen su calidad de informantes y, por fin, 4 *grabaciones secretas* de un diálogo espontáneo entre dos o más informantes que no tienen conciencia de serlo. Para nuestro propósito, el interés del material seguiría

---

consiste en describir en sí mismo lo que en él, a pesar de ser *persona*, haya de *gente*, y así recobrar conciencia del aparato gramatical relegado a lo subconsciente»; para otro, «la *pedantería* se da en cualquier momento de conciencia de la lengua sobre sí misma, y está por tanto en las raíces de la gramática»; y, en conclusión, «'hacerse como niños' es la primera recomendación que debe dársele a quien se mete en obra de Gramática» (págs. 51 a 54) (las cursivas son mías).

[27] Manuel Esgueva y Margarita Cantarero (eds.), *El habla de la ciudad de Madrid (Materiales para su estudio)*, CSIC, Madrid, 1985. En adelante, las citas que de él hagamos en el texto estarán abreviadas así: HM, número de encuesta en romanos, página (ej.: HM, II, 37). En los números 2 y 4 de *Sociolingüística andaluza* (Univ. de Sevilla) se transcriben también «encuestas del habla urbana de Sevilla» (del nivel culto y del popular, respectivamente.)

un orden inverso al presentado en el libro. Prácticamente ninguna nueva objeción importante pondríamos a los diálogos secretos. Sin embargo, en todos los demás, el hecho de que los informantes conozcan que sus palabras están siendo grabadas restarán, sin duda, espontaneidad, e incluso intimidad (en el caso de los diálogos «libres») a su conversación [28]; además, por tratarse de informantes sólo de Madrid y cultos (estudiantes universitarios, licenciados, técnicos, médicos, profesores...), los datos aparecerán casi inevitablemente sesgados a causa de la restricción; con un inconveniente más añadido en el caso de los diálogos dirigidos, en los que los informantes son frecuentemente inducidos a la palabra mediante estímulos de carácter tan general como: *Y... ¿qué piensa hacer en su vida futura?* (Encuesta I, pág. 5)...; con lo que los diálogos acaban pareciéndose no pocas veces a un monólogo en que lo que interesa o importa es *decir* (para grabar), mucho más que lo que se diga, cómo se diga, a quién se diga o en qué circunstancias sea dicho. No obstante, este «fluir» constante del lenguaje en los encuestados facilita, por una parte, la aparición de sus características particulares como idiolectos y posibilita siempre, por otra, la aparición de algunos de esos fenómenos que podemos considerar más representativos del lenguaje coloquial (por ejemplo, todos los relativos al mantenimiento fluido del canal) y que escaparían siempre a una documentación «de oído». De hecho, estas grabaciones nos han sido especialmente valiosas (y fuente casi exclusiva de documentación) en algunos de los aspectos de nuestro trabajo.

Aparentemente, la grabación cinematográfica constituiría un grado mayor de perfección. Sin embargo, los problemas que plantea son muy similares a los de la grabación magnetofónica y, de hecho, raramente se emplea como técnica de documentación del lenguaje coloquial. Aun en

---

[28] Es significativo, en este sentido, el comienzo de cada una de las encuestas de diálogo libre, en que los informantes se plantean expresamente el hecho de «ponerse a hablar» para la grabación: *Pues no sé. Podemos empezar a hablar... por ejemplo, algo de la... situación —tú y yo estudiamos literatura en la Universidad—* (encuesta XVII); *Es curioso, ¡je, je!, ahora a nadie se le ocurre decir nada, ¿no?* (enc. XVIII); *Bueno, pues ya me dirás tú qué tema sacamos ahora porque... realmente...* (enc. XIX); *Bueno, creo que ya podemos empezar. Así que a ver, ¿qué nos dices, Ana?* (enc. XX). Además, en dos de ellas se plantean explícitamente el no hablar mal de sus profesores.

el supuesto de que pudiéramos conseguir una filmación con imagen y sonido de calidad irreprochable, podemos estar seguros de que la información obtenida por el investigador no sólo será necesariamente fragmentaria, sino también incompleta. ¿Dónde colocar la cámara oculta para que pueda captar simultáneamente a los dos (o varios) interlocutores y, además, sus diferentes respectivos campos contextuales? [29]; ¿y con qué criterios los limitaríamos a un primer plano, por ejemplo, o los distanciaríamos, privándonos de tantos detalles que acaso resultan decisivos en su acto concreto de comunicación? Pero, además, ¿hasta qué punto no constituye esto una violación de la intimidad personal de los interlocutores, en la medida en que, identificados por su imagen y por su voz, difícilmente puede ser garantizado su anonimato? Ésta es seguramente la principal razón por la que no se utiliza normalmente este medio de documentación, salvo, quizá, para entrevistas previamente concertadas o de antemano conocidas [30]. Aun

---

[29] Como en la novela, los cambios de punto de vista (enfoque) en el cine suponen necesariamente una selección y una limitación, y el consiguiente abandono de otro determinado ángulo de visión.

[30] Ha habido, sin embargo, algunas muestras interesantes en este sentido, dignas de ser reseñadas aquí. Hace años, el prof. Criado de Val intentó salvar todos estos inconvenientes mediante la grabación con cámara oculta de coloquios inducidos, presentados luego en un programa de televisión titulado *Lengua viva*. Con finalidad bien distinta, hace también algunos años se proyectó en nuestros cines la película *Función de noche* (dirigida por Josefina Molina), en la que se había grabado con cámara oculta una larga conversación (no predeterminada mediante guión, aunque sí temáticamente) entre dos actores, matrimonio en la vida real. Las conclusiones del prof. Criado son, sin duda, más optimistas que las mías: «Su principal novedad es la incorporación de la imagen, es decir del gesto y de una precisa 'situación', en la recogida y transcripción del coloquio; equivale a contar con una documentación completa del coloquio dentro de unas máximas garantías de fidelidad» (*Estructura*, pág. 10). Varias objeciones pueden hacerse a este tipo concreto de «coloquios»: el hecho de ser inducidos supone, por un lado, una falsa «nivelación» y, por otro, un tipo especial de «tensión» en la conversación (al menos por parte de uno de los interlocutores, el que induce al otro); además, mediante la inducción intencionada parece aceptarse de antemano el contar con una situación de diálogo mermada y una intención de observación limitada (a uno de los interlocutores: el que desconoce la grabación, el que es inducido por el otro); y, por fin, ¿hasta qué punto se puede hablar de «máximas garantías de fidelidad» cuando el diálogo no sólo es

aceptando que este sería, de todos, el medio menos malo para «guardar» el coloquio, el problema seguramente no radicaría tanto en la muestra en sí cuanto en la falta de recursos del propio investigador para incorporar en su transcripción toda la riqueza de la situación comunicativa (el gesto, la entonación, los desplazamientos físicos, los cortes de voz, los altibajos, los titubeos, la simultaneidad, etc.) [31].

Otros medios de comunicación oral no son más idóneos ni más ventajosos para nuestro propósito. «Lo que realmente nos dan estos medios (cine, televisión, radio) no es *lengua hablada,* sino versión oral de la lengua escrita: lectura o recitación, aprendida de memoria, de textos escritos» (Seco, 1977, pág. 187). Ciertas improvisaciones parecen la excepción; y lo «parecen» porque no podemos tener garantía de ellas y es difícil suponerlas totalmente tales.

También los textos literarios de pretensiones coloquiales (con los que yo misma he trabajado anteriormente) tienen limitaciones fundamentales: la primera, y más importante, es que nunca participan del entorno real del coloquio; además, son siempre «elaboraciones» de la lengua hablada, creación y recreación si se quiere, pero que responden a una actitud singular y previa del escritor; prescinden, pues, también de la momentaneidad del coloquio, por necesidad del medio en que se manifiestan; y eliminan la posibilidad de expresión a todo lo que no se articule con sonidos diferenciados e interpretables, porque —como ocurre, en realidad, en toda manifestación escrita— no disponen de recursos verdaderamente eficaces de incorporación contextual al texto.

Esta dificultad de documentación y transcripción (oral, y escrita por sus condicionamientos) es quizá una de las más importantes limitaciones que sufre el estudioso que quiere investigar en su con-

---

«provocado» por un inductor, sino que lo es, además, «en determinadas circunstancias» (supuestamente ajenas a la espontaneidad real)?

[31] El propio Manuel Criado de Val ha publicado «transcripciones coloquiales» en la revista *Yelmo* (y luego en su libro *Estructura general del coloquio*), siguiendo el método que propone en su *Gramática,* que tiene en cuenta todas estas cuestiones (o casi todas). El examen del material nos ratifica en nuestra opinión: el desglosamiento del coloquio resta, por un lado, autenticidad y, por otro, interés. El intento es, sin embargo, interesante y, metodológicamente, el mejor y más completo que conocemos por el momento, a pesar de sus muchas dificultades.

junto el hecho coloquial. Pero es que además, en nuestro caso concreto, nos vemos metodológicamente en la necesidad, de un lado, de seleccionar los fenómenos en virtud de su relevancia gramatical y/o estilística, respetando la *heterogeneidad* (social, etc.) de lo coloquial sin mencionarla; y, de otro, en la de aislar la expresión de su propio contexto (el del coloquio), presentándola, sin embargo, en nuestro trabajo bajo el rótulo de «coloquial».

Lo que haremos será, pues, hasta cierto punto —como explica Marsá—, «reducir el torbellino de la calle a la calma del laboratorio, hasta convertir la lengua viva (una realidad que implica tiempo, espacio y estructura social) en un ente *sincrónico, sintópico* y *sinestrático*» [32]. Pero sólo hasta cierto punto.

En términos generales, lo que designamos con el sintagma *español coloquial* es el empleo común que hacen de un determinado sistema lingüístico los hablantes de una determinada sociedad (la española) en sus actos cotidianos de comunicación. Tal sintagma es, pues, voluntariamente generalizador y, por lo mismo, involuntariamente restrictivo. Porque, muy probablemente, el investigador (yo misma, en este caso) no se habría atrevido a presentar bajo tal epígrafe («español coloquial») sus observaciones si éstas se hubieran reducido al ámbito de su pueblo natal. El español coloquial que estudiamos tiene, fundamentalmente, *carácter urbano:* en Madrid habito desde los seis años y aquí tengo mi particular tribuna de observación diaria [33]. Como «crisol» integrador de la lengua nacional, la gran urbe es seguramente el ámbito más propicio para la investigación de la lengua hablada y, además (dado que a ella llegan gentes de la más dispar procedencia, y en ella se consolidan y desde ella se extienden los más variados modos y modas), el que

---

[32] F. Marsá, *Cuestiones*, pág. 19 (las cursivas son nuestras).

[33] En realidad, podemos considerar —y esto nos justifica— que el habla coloquial de Madrid es hoy por hoy menos propia de la capital que de la ciudad como ente abstracto integrador. En relación con el habla urbana, tal como aquí la consideramos, véase M. Alvar, «Sociología lingüística».

permite un mayor grado —y a un menor riesgo— de generalización [34].

La mayoría de nuestras citas-ejemplificaciones proceden directamente de la lengua hablada conversacional, que es la que, al cabo, nos parece más adecuada como base de documentación en este terreno. Pero no hemos resistido la tentación de utilizar también, excepcionalmente, otras fuentes de documentación (no estrictamente coloquiales), tan heterogéneas, que ni siquiera han sido previamente seleccionadas: programas de radio, telediarios, entrevistas o textos de la prensa escrita, carteles publicitarios, canciones... Siempre nos queda una justificación más allá del placer irresistible que podemos (y solemos) experimentar al encontrar un indicio, una pista o una manifestación que se nos antoja relevante para nuestro propósito en cualquiera de estos medios: la lengua hablada penetra en ellos [35]; a su vez, lo repetitivo de los medios de comunicación, y su prestigio —todavía general—, así como el de la lengua escrita (o simplemente de la letra impresa), asientan fácilmente determinados usos en lo coloquial y colaboran definitivamente en su extensión y generalización.

Por eso, y porque no existen aún —que yo sepa— ni un *corpus* homogéneo de gramática *específicamente* coloquial, ni una terminología (gramatical o no) capaz de dar cuenta de su gran riqueza

---

[34] No pretendemos con ello poner en relación «coloquial» con «popular», aun cuando Manuel Seco advierte (en *Arniches*) que cuando se quiere delimitar físicamente «lenguaje popular», la primera condición aludida es su carácter urbano. Ambos términos responden a criterios de clasificación diferentes, y la de urbana no es, en absoluto —como puede comprenderse—, condición inherente a la circunstancia coloquial (ni, por lo tanto, a su producto, lo que llamamos «lenguaje coloquial»). Y ni siquiera, creemos, al «popular», pese a que estamos de acuerdo con Seco en que «las características que ordinariamente se señalan en este lenguaje sólo en parte se dan, y en muy pálida medida, en el habla *rústica*, y son, por otro lado, más intensas cuanto más amplio es el núcleo de población en que se produce» (pág. 27).

[35] «En nuestro siglo, la historia de la novela es, entre otras cosas, la de la penetración del lenguaje coloquial» (Andrés Amorós: *Introducción a la literatura*, Madrid, Castalia, 1979, pág. 131).

expresiva, ni una orientación (de entre las diversas lingüísticas existentes) que resuelva plenamente el estudio del lenguaje coloquial ni que permita abordarlo satisfactoriamente en todos sus aspectos... por todo esto, quizá nuestro estudio, por lógica sensata, adolezca de un cierto eclecticismo.

Para arropar con un apoyo teórico nuestras observaciones, hemos intentado aprovechar —con fortuna desigual, nos tememos— todo lo que nos ha parecido útil y relevante, sin prejuicio sobre la orientación o escuela de procedencia. Un análisis generativista de cierto aspecto más o menos relacionado con lo nuestro, un articulito que sigue básicamente las pautas de la gramática tradicional, un fenómeno concreto estudiado en la línea del estructuralismo, un escrito clarificador de «pragmática lingüística» o de teoría de la comunicación, una gramática clásica u otra no tan clásica, un diccionario (es muy útil en el terreno específicamente gramatical, por ejemplo, el *de uso,* de María Moliner), un capítulo X que, de forma inesperada, simplemente nos da una pista, pero nos abre caminos en la investigación... y también, naturalmente, la poca bibliografía específicamente coloquial que conocemos: un poco de aquí y un poco de allá, como se ve, sin pretensiones de exhaustividad, y sin más discriminación en ocasiones que el propio interés que la lectura —y la necesidad— de estos textos haya despertado en nuestro camino. Y otro tanto podemos decir, lógicamente, de la terminología empleada para la enunciación de los diversos fenómenos estudiados. No debe sorprender o extrañar al lector encontrar en este trabajo vocablos procedentes de las áreas o escuelas más diversas (ya hemos dejado algún ejemplo de «aprovechamiento» variado en esta Introducción), quizá no siempre del todo «ortodoxos»; o tal vez alguna perífrasis necesariamente evasiva, o incluso, llegado el caso, algún término «inventado» con pretendida propiedad.

Con todo ello no pretendemos más que intentar dar cumplida cuenta del objeto de nuestro trabajo al menos en algunos de sus múltiples aspectos, aspirando a llenar parte del gran hueco que todavía existe en el estudio de esta parcela lingüística, la coloquial, de puro puro «natural», casi casi inédita.

EL COLOQUIO: ORGANIZACIÓN DISCURSIVA

En realidad, lo que como estudiosos del lenguaje coloquial nos interesa son los mecanismos que permiten el funcionamiento real del código en la actuación interhumana, su conversión en *discurso* (compartido, comprendido y con fines, frecuentemente, difíciles de precisar). Más allá del sintagma o la frase, esto que (provisionalmente) llamamos «discurso» es lo que el ser humano común percibe como un todo autónomo y «siente» como unidad de comunicación.

La conversación (o coloquio) no es, en suma, sino una forma de *interacción verbal puntual,* determinada por tres características que le son consustanciales: la *actualización oral,* su *inmediatez* y la *interdependencia dinámica de todos los elementos* en el proceso de la comunicación. Por eso, sus marcos «son de carácter pragmático más que semántico» (Mignolo, 1987, pág. 7); y por eso su producto, *el lenguaje coloquial,* más que ningún otro tipo de realización, *está en función del mecanismo de la comunicación;* su formalización y su dimensión significativa, inmediata y necesariamente correlacionadas con el comportamiento de los diversos factores del acto de habla en que se produce.

Y es precisamente su peculiar dinámica de *simultaneidad, inmediatez* e *interdependencia* la que confiere al lenguaje coloquial, por un lado, su propia identidad, y, por otro, su relevancia como objeto de estudio para el lingüista: ni sus notas más características, ni sus «irregularidades» ni sus convenciones son un puro capricho, signo de su inferioridad o de su pobreza —como se ha dicho con frecuencia—; por el contrario, responden razonable y bastante previsiblemente a intenciones, requerimientos o necesidades del acto preciso de comunicación coloquial.

Y es que no debemos olvidar que el lenguaje es una conducta (social) adaptada a la situación. Y así es ni más ni menos como funciona la lengua: regida por una serie de principios muy sencillos (diversos para los diferentes tipos de realización), unas pocas *constantes* que funcionan como auténticas «normas» en cada actualización comunicativa y a las que deberemos, en cada caso, atender en primer lugar.

Estas constantes nos permitirán *sistematizar la variabilidad,* toda esa aparente incoherencia, desorganización e incorrección que sorprenden inevitablemente al investigador del lenguaje coloquial. Y en este sentido, su base metodológica de estudio no es coyuntural, sino, en principio, aplicable siempre y en cualquier parte, al menos en la medida en que podemos suponer que las condiciones descritas como «constantes» son similares en las situaciones de conversación de las diferentes culturas. A partir de ellas podemos intentar, pues, un esbozo (estilístico) de morfosintaxis del español coloquial, o mejor —si se quiere y si estamos en lo cierto— lo que podríamos llamar un esbozo (estilístico) de *gramática 'coloquial' del español* (nombre con el que acaso habríamos podido bautizar también este trabajo).

a) Toda conversación se manifiesta en torno a unos centros de emisión-recepción, que son tantos como personas participen en ella [36]. La realización de la interacción verbal presenta, pues, una disposición «dialógica» en torno a un locutor o hablante y a un auditor o destinatario (como mínimo). Y en este proceso expresivo es fundamental la consideración de emisor y receptor como *sujetos activos,* interlocutores alternantes que cuentan el uno con el otro, en una relación reversible, de profunda interdependencia, y en la

---

[36] Es lo que Criado (*Estructura*) denomina *interlocución,* cuyos elementos son: el *interlocutor,* o persona coloquial (mejor sería, nos parece, hablar de *interlocutores*); la *situación* o conjunto de elementos objetivos del campo exterior que rodea a los interlocutores, que pueden ser percibidos o conocidos por ellos y que influyen en su diálogo o son denotados en él (campo indicativo, ambiente); y el *decurso,* contituido por cuanto es expresado por medio de sonidos articulados más el gesto (entonación, dirección, cualidad e intensidad de la voz, pausas, mímica de refuerzo o de sustitución...), además, claro está, del «contexto» lingüístico previo y subsiguiente.

que *comparten todo* desde sus respectivos campos de acción: el canal (oral-auditivo), el código de uso, el mensaje (que codifican y decodifican espontánea y automáticamente) y el contexto (física y psíquicamente compartido).

b) Su *estructura* es *abierta* y está *organizada en turnos* de impulsos y réplicas; no hay, pues, una sola línea de enunciado, sino varias, que transcurren normalmente en paralelo y que a veces se interrumpen, se cruzan o se superponen. Es evidente que con ello se contradice «la consabida 'linealidad del significante'. Las interlocuciones en el coloquio no forman obligatoriamente una cadena, sino tantas como interlocutores participan en él» [37]. La escisión de un conjunto de enunciados es señalada por medios más o menos «explícitos» (saludos, despedidas, preguntas, paralelismos, entonación, cierta utilización especial de las formas verbales nominales, etc.) [38].

c) En el proceso expresivo conversacional, a los medios lingüísticos se unen simultáneamente factores psicológicos (afectividad del hablante, relación establecida entre los interlocutores...), sociales (sexo, clase social, generación, grado de cultura...), situacionales (entorno comunicativo) y puramente físicos (capacidad fonadora/auditiva del hablante/oyente, distancia entre los interlocutores, gestos, cambios de postura...). Hay, pues, un lenguaje y un *paralenguaje* [39] de la conversación, cuyo estudio se va desarrollando paulatinamente en nuevas disciplinas específicas: *cinésica* o «kinésica», *proxémica, cronémica, somatolalia* [40]... Ambos, lenguaje y para-

---

[37] M. Criado de Val, *Estructura*, pág. 15.

[38] Véase Dubsky, *Introducción*, págs. 54-55.

[39] Véase Fernando Poyatos, «Del paralenguaje». Para el autor, *lenguaje, paralenguaje* (cualidades de la voz y de los sonidos) y *kinésica* constituyen la triple estructura básica de la conducta comunicativa (nosotros, generalizando, incluimos en el término «paralenguaje» todo lo que no es «lenguaje»).

[40] *Kinésica*: estudio sistemático de los movimientos y posiciones corporales de base psicomuscular (F. Poyatos, *op. cit.*, pág. 165). *Proxémica* (término propuesto por el psicólogo Watson en 1970): estudia cómo el hombre usa el espacio en cada

lenguaje, coadyuvan a la determinación del sentido global de la comunicación [41].

d) Es evidente, pues, que ese *sentido global* que suponemos en toda conversación en modo alguno puede ser considerado exclusivamente como una propiedad de los signos lingüísticos empleados, sino que en realidad se establece necesaria e inevitablemente en la relación (intelectual, social, afectiva...) entre los seres humanos y depende directamente de la modificación de las condiciones de comunicación.

e) En realidad, más que la pura transmisión de información, interesa la *participación (subjetiva) en la comunicación* y la *fluidez* (entendida en sentido amplio) de ésta. «A diferencia de otras formas de interacción oral con intercambio de turnos, [la conversación] exige menos la *coherencia* que la *conexidad*» (Mignolo, 1987, pág. 8).

f) En efecto, la unidad viene dada en el coloquio más por el mantenimiento de la *tensión* en la *conexión interlocutiva* que por el encadenamiento significativo o formal entre los diferentes enunciados o los diversos turnos de palabra. Por una parte, la «conexión» no requiere una comunicación canalizada (basta una llamada

---

cultura (reflejado en sus relaciones personales); considera cuatro tipos de distancias sociológicamente funcionales: íntima, personal, social y pública (ibíd., pág. 167). *Cronémica*: nombre que propone Poyatos para designar «el estudio del uso que hacemos del tiempo, desde el *tempo* del discurso hasta la duración de diversos tipos de visita o los intervalos entre recepción y contestación de cartas en diferentes culturas» (ibíd., pág. 168). *Somatolalia*: nombre propuesto por Ambrosio Rabanales para el «lenguaje somático, con sus dos componentes saussurianos: la lengua y el habla» (página 355), para cuya mención considera que «los términos *mímica* y *pantomímica* son inadecuados».

[41] El conjunto de todos los «elementos lingüísticos y extralingüísticos que se combinan en el coloquio y permiten un suficiente nivel de comprensión entre los interlocutores» es lo que Criado de Val denomina *simpragma coloquial*; mientras el mecanismo (activo) del coloquio, que incluiría toda esta «situación comunicativa» a que aludimos, sería la *simpraxis coloquial* (*Estructura*, pág. 25).

de atención, un gesto); lo esencial en ella es que se establezca la tensión y que se mantenga; de este modo, las pausas (los breves silencios interenunciados o interturnos) son interrupciones en la elocución, pero no en la tensión, que sigue estando presente en ellas [42]. Por otra, podemos suponer, como hace Emma Martinell [43], que si hay motivo para establecer un diálogo es porque existe un tema aglutinante, una unidad temática o significativa en torno a la cual se van estructurando las diferentes premisas (secuencias o turnos de palabra, que de las tres maneras podemos nombrarlas) de los interlocutores. Más que un tema o unidad significativa, que —como la misma autora señala— puede no aparecer al principio e irse definiendo conforme va avanzando el coloquio o bien romperse, frustrarse o cambiar [44], nos parece que el auténtico factor aglutinante de la conversación es la *intención de comunicación* mutua (que puede oscilar en cualquier dirección y hasta llegar a hacer imprevisible la aparición de las diferentes unidades significativas). Se trata, como señala Dubsky, de una «línea asociativa en que la conexión entre las ideas es asegurada por la serie de asociaciones libres» [45].

---

[42] M. Criado de Val, *Estructura*, pág. 20.

[43] Véase *Encadenamiento*.

[44] Vidal Lamíquiz describe la *arquitectura discursiva* coloquial como *circularidad integradora*: «La interlocución en presencia [...] obliga al hablante a una permanente acomodación según sea el grado de interpretación que observa directamente en el oyente; los focos informativos van enriqueciéndose y completándose al compás de la necesidad que se percibe, lo que se va diciendo se integra en lo ya dicho, de modo que, al concluir la comunicación, la información es globalizadora y totalizante. [...] La finalidad del hablante no está en la elegante forma sino en la pura comunicación que pretende sea captada por el oyente en sus oportunos términos»; menciona además, como «rasgo llamativo de la arquitectura discursiva del texto oral», la *organización dialéctica* (contraposiciones informativas basadas en la experiencia común de los interlocutores: p. e., hablar del buen tiempo y relacionarlo con el malo) y las *configuraciones simétricas* en el desarrollo de la información (dato que nos parece más discutible, pero que argumenta con varios ejemplos) («Sobre el texto oral», pág. 44).

[45] *Introducción*, pág. 48.

g) La realización lingüística tiene lugar desde una *perspectiva rigurosamente actual*. Se trata de situar «en el presente, localizado y personal el proceso expresivo» (Criado, 1980, pág. 17). Por definición, pues, la lengua coloquial está *destinada a desaparecer*. Todos contamos (al parecer) con la no trascendencia de nuestra conversación cotidiana. No tanto de su contenido cuanto de su exacta forma: ¿dije exactamente que no quería patatas fritas, que no me gustaban, que yo nunca las tomaba en la cena, que son muy indigestas por la noche, que prefería cualquier otra cosa...?; ¿afirmé, negué, sugerí, impliqué...?

Esta de la *fugacidad* es, como se ve, una primera y esencial condición de la lengua coloquial (cuya relevancia no suele ponerse de manifiesto —y creo importante hacerlo—) íntimamente ligada a las otras tres que ya hemos mencionado, consustanciales al acto de habla coloquial: *actualización oral, inmediatez* e *interdependencia* dinámica de todos los elementos en el proceso de la comunicación.

Y todas estas condiciones concurrentes en el acto de comunicación conversacional se reflejan sistemáticamente en una doble característica básica del lenguaje coloquial: la *espontaneidad* y la *primacía de la «comunicabilidad»* (permítaseme el tecnicismo —quizá no muy ortodoxo— en la medida en que alude sólo a ciertos aspectos de la comunicación, aquellos que tienen que ver con el contacto interlocutivo en su más amplio sentido).

Espontaneidad quiere decir, fundamentalmente, «irreflexión». En la conversación normal, la «urgencia» comunicativa raramente permite la reflexión, la conciencia (y cuando aparece suele dar lugar a interferencias o rupturas en la comunicación). Normalmente, no ha habido formalización lingüística previa, sino que ésta es concurrente, de acuerdo con el resto de los factores que intervienen en el coloquio. De hecho, si sabemos que ha de quedar constancia (magnetofónica, por ejemplo) de nuestras palabras (y de la entonación, etc.), si van a poder ser repetidamente comprobadas, analizadas, criticadas, seremos más cuidadosos con lo que decimos y con cómo lo decimos: menos espontáneos, en suma.

Éste de la espontaneidad es quizá el criterio que se utiliza con más frecuencia para medir la «coloquialidad» de una situación comunicativa —lo veíamos más arriba—: debido a la no presencia física de los interlocutores y a las restricciones que impone el contexto no compartido, la conversación telefónica es menos espontánea, menos «coloquial» que la que llamamos conversación normal; otro tanto ocurriría con la entrevista, donde a una mayor trascendencia se suman normalmente el preestablecimiento del tema y una cierta intencionalidad (digamos) «profesional» en la comunicación; etc.

A esta necesidad del hablante de formalizar inmediata e irreflexivamente su mensaje se une, complementariamente, la necesidad de ser también inmediata e irreflexivamente *comprendido y atendido* por su interlocutor o interlocutores para que la comunicación fluya con normalidad. A esto es a lo que llamo *primacía de la «comunicabilidad»*. Más que la forma o el significado exactos, a emisor e interlocutor les interesa sobre todo que, de acuerdo con sus *expectativas compartidas de comunicación* (y más allá del significado y de la designación), sea posible el entendimiento del *sentido global* [46] del mensaje (que incluye, desde luego, la intención del hablante). Y para alcanzar la comunicación y que sea fluida, hablante y oyente saltan por encima de lógica, normas, economía, errores, matizaciones y lo que haga falta. Como ya señaló Dubsky (1970, pág. 51), debido principalmente al factor situacional, no importan tanto las relaciones morfosintácticas (que resultan de la situación y son sustituidas por ella) como las semánticas, que son completadas por la entonación, la mímica y la referencia a la situación extralingüística o anteriormente expresada. Bien entendido que, en realidad, en estas «relaciones semánticas» no importa tanto el contenido objetivo de la información (que con frecuencia es irrelevante o intranscendente) como el aspecto subjetivo-personal del men-

---

[46] Para la distinción entre *designación*, *significado* y *sentido*, véase E. Coseriu, «Semántica y gramática», *Gramática*, págs. 135-136.

saje y el mantenimiento fluido de la conversación [47] (a todo lo expuesto aquí, en fin, tendremos que volver más de una vez a lo largo de este trabajo en sus diferentes capítulos).

Y a partir de este sustrato común a todo acto de comunicación conversacional «normal» (espontaneidad y primacía de la «comunicabilidad»), podemos distinguir tres grandes principios que rigen el uso coloquial del lenguaje:

a) *Expresividad* o reflejo espontáneo de la afectividad del hablante, entendida en sentido amplio.

b) *Comodidad* o tendencia espontánea del hablante al menor esfuerzo —que, como veremos, no siempre coincide con la economía— para lograr la comunicación.

c) *Adecuación* o adaptación espontánea, por parte del hablante, de su lenguaje a las condiciones (variables) de la comunicación: interacción, nivelación, cambio de turno, mantenimiento de la tensión... A esta «adecuación», que concebimos como un factor podríamos decir «psicológico», se une la espontánea *contextualización* de los interlocutores (desde sus respectivos papeles), que integran en su expresión/comprensión las circunstancias vividas y compartidas durante su comunicación.

Estos tres *principios de organización discursiva* (expresividad, comodidad y adecuación-contextualización), sobre una base común de espontaneidad y primacía de la «comunicabilidad», nos permitirían no sólo clasificar la mayor parte de los fenómenos estilísticos o gramaticales que aparecen en el coloquio, sino además considerar cuáles son (o no) específicos del lenguaje coloquial y por qué [48].

---

[47] Algo así defiende también la lingüística del texto, cuando precisa que la coherencia fónica y la sintáctica son de hecho menos importantes en el proceso de descodificación del mensaje que la coherencia semántica y las relaciones del texto con sus condiciones pragmáticas y situacionales.

[48] Esbozada en apenas página y media, la caracterización que (movido por intereses bien diferentes de los nuestros) hace Porzig de la que llama «lengua diaria»,

Se trata, claro está, de principios de orden general puramente «metodológicos», con los que intentamos poner orden en el estudio de una realidad sumamente compleja. Fieles productos de la particular dinámica de actualización del lenguaje coloquial (que ya hemos explicado), nunca aparecen aislados ni se suceden de forma lineal, sino que se superponen y actúan simultáneamente sobre el «proceder estilístico» del hablante, dificultando más de lo conveniente la posible labor analítica. Lo que a continuación nos proponemos hacer no es sino un intento de explicar la relevancia de estos criterios en el estudio de la lengua hablada conversacional y, de paso, intentar a partir de ellos la sistematización de algunos de los fenómenos gramaticales más frecuentes de nuestro lenguaje coloquial. Lógicamente, el que aparezcan «clasificados» en uno u otro principio se debe más que nada a la convicción (razonada, espero, suficientemente en este trabajo) de que predomina la acción de uno u otro sobre los demás; y esto seguramente está más claro en unos ejemplos que en otros y en unos fenómenos que en otros (muchos aparecen repetidamente, en varios apartados: verbos defectivos, anacolutos expresivos, atribución errónea y cómoda de la acción-pasividad, fenómenos propios del contexto verbal sistemático...).

Como lo que se propone en este trabajo es un «esbozo», no hay en él pretensiones de exhaustividad (probablemente «no están todos los fenómenos que son»; y si hubiera pretendido agotarlos bibliográficamente, podría haber invertido en ello toda la vida) ni homogeneidad en la presentación del material. Lo que he hecho ha sido, en realidad, mimar ciertos aspectos o ciertas manifestaciones coloquiales (no necesariamente los más importantes, pero sí, creo, suficientemente representativos) de los que tenía acumulada una documentación mayor y/o que me resultaban particularmente atractivos desde el punto de vista lingüístico (por ejemplo, el realce

---

aunque muy poco conocida, contiene ya en germen algunos de los aspectos más relevantes de nuestra propuesta y presenta para esa modalidad de comunicación un marco global de comprensión que consideramos muy adecuado.

en la primera parte; concordancia improvisada, interferencias activa-pasiva y creación léxica, en la segunda; la improvisación formal en la tercera...). El resultado es, naturalmente, un trabajo «abierto», en todos los sentidos. El investigador, el observador atento, el lector interesado podrán, sin duda, añadir a los que aquí aparecen ejemplos nuevos tan significativos, interesantes y «atractivos» como estos; sumar a nuestra bibliografía títulos igualmente relevantes y aportar, para el tratamiento de los diversos fenómenos, matices o puntos de vista nuevos o diferentes...: enriquecedores, en cualquier caso, de la perspectiva coloquial y, por añadidura, directa o indirectamente, de nuestro trabajo, que difícilmente podremos dar por concluido tras el punto final. En lo esencial, la parte argumentativa de este trabajo se terminó a mediados de 1989. Aunque aparecen en él muchos ejemplos añadidos con posterioridad, ésta es la razón por la que el lector experto y/o el estudioso del tema puede encontrar en su tratamiento teórico y en su bibliografía ausencias acaso significativas.

PARTE PRIMERA

EXPRESIVIDAD

INTRODUCCIÓN

Inevitablemente, todo acto de habla comporta una cierta (o incierta) actitud del emisor: aparece siempre «matizado emocionalmente». En sentido estricto, no hay, pues, comunicación puramente intelectual. Sin embargo, en la comunicación oral (y especialmente en la espontánea), en que la actualización es una actividad puntual del hablante inseparable de su propia actitud o vivencia personal, la afectividad tiene, sin duda, papel de protagonista.

Lógicamente, el coloquio aparece condicionado en primer lugar por los interlocutores, que son los dos elementos activos imprescindibles en la comunicación. Independientemente del contenido objetivo del mensaje y simultáneamente, el hablante se revela (y desvela) personalmente en su conversación y se convierte a su vez, para su interlocutor, en «referente» de la comunicación; naturalmente, otro tanto ocurre con el receptor respecto del hablante (si bien este particular interesa a otro de nuestros principios, el de adecuación). A la huella que queda en la comunicación lingüística de esta subjetividad (emotividad o afectividad) personal del hablante es a lo que llamamos *expresividad*.

Una definición tal, sin embargo, no puede más que crear problemas al lingüista.

Lo que llamamos «subjetividad personal» incluye todas las posibles dimensiones psicológicas del individuo: las de cognición y pensamiento, las emotivas, las afectivas, las de motivación o conativas... Se comprenderá entonces que una tal extensión no sea abarcable para un simple investigador del lenguaje. Pero además es que estas vivencias psicológicas, sintéticas, singulares y personalísimas, son en muy gran medida inefables, incomunicables: lo que de ellas queda, pues, en el lenguaje no es más que un pálido reflejo. Con frecuencia, además, ni siquiera el propio hablante es consciente de estar dejando una determinada constancia de sí mismo en su lenguaje. De modo que esa (pálida) huella que el hablante deja en su comunicación y que la convierte en un acto único, irrepetible, es hasta cierto punto una cuestión de sensibilidad del lingüista, que, no pudiendo juzgar más que desde el efecto que el lenguaje ha causado en él, ha de moverse en el terreno de la intuición. La expresión del hablante tiene ciertas *tonalidades emotivas* (Ullmann), ciertas *vibraciones anímicas* (V. García de Diego), produce una impresión de cierta emoción (no siempre identificable), una cierta *resonancia emotiva* (Bally)..., entonces —se dice— hay *expresividad* [1].

Para el observador, esta expresividad viene a ser algo así como una especie de termómetro del hablante, que señala además la necesaria relación de éste con su interlocutor en el coloquio. El examen de la afectividad en el lenguaje requeriría, pues, una doble perspectiva, de difícil deslindamiento en los hechos de habla concretos.

En efecto: el hablante no sólo suele hablar convencido de sí mismo, sino que intenta además impresionar al oyente (normalmente de forma no consciente) y ganarlo para su causa o asunto; procura influir de un modo persuasivo sobre él, imponiéndose, por un lado, como *sujeto que se expresa* en su mensaje, por otro, como *persona que habla* a su interlocutor. El lenguaje del hablante (junto con el resto de las circunstancias concurrentes en la comunicación) *evoca* su estado de ánimo (emotividad, actitud...) y a la vez *sugiere* (e incluso impone) activamente algo a su interlocutor; es a la vez *expresión* y *proyección* del sujeto hablante; junto al *yo* aparece in-

---

[1] V. García de Diego, «La afectividad en el lenguaje», *Lecciones*, págs. 9-62; Ch. Bally, «Mecanismo de la expresividad lingüística», *El lenguaje y la vida*, páginas 115-154; S. Ullmann, *Semántica*, págs. 131-158.

separable el *quien* (o yo-en-relación con su interlocutor y el entorno) y el uno postula al otro [2].

Muchos autores proponen distinguir (frente al lenguaje conceptual o lógico) entre un *lenguaje afectivo* y un *lenguaje activo* (o volitivo), que toma como base la voluntad y en el que se incluirían la apelación y el mandato (Vendryes, 1967, pág. 183). Pero nos parece claro que el lenguaje «es afectivo y simultáneamente volitivo» (Scaffo, 1970, pág. 30) en un sentido mucho más general y de forma más indiferenciable que el que las manifestaciones externas de apelación y mandato sugieren. En realidad, para entendernos, no es el lenguaje el que es afectivo o volitivo, sino el empleo que de él hace el hablante. Esto quiere decir que, en último término, la llamada «función apelativa» del lenguaje se funda siempre en la expresiva. Pero en un estudio de la expresividad no nos interesan particularmente las llamadas verbales de atención, por ejemplo, sino ese fondo de imposición personal del hablante en la comunicación, que define, para bien y para mal, las relaciones con su interlocutor.

Por lo demás, como explica Hofmann (1958), la obligatoriedad de contar con el oyente impone en el hablante una acción de adaptación lingüística y «ambiental», persuasiva, que se refleja en el lenguaje en una constante nivelación, un equilibrio entre las *tendencias egoísticas* y las *tendencias altruísticas*. De otro modo, «si no experimentara una compensación dictada por las necesidades persuasivas por obra del esfuerzo para tener en cuenta al oyente y para adaptarse al ambiente del mismo», la afectividad «quebrantaría totalmente la estructura gramatical» (págs. 10-11).

De hecho, «el discurso puede recibir un comentario emotivo continuo por medio de las inflexiones de la voz, los acentos que subrayan las palabras importantes, la rapidez o lentitud del hablar, las repeticiones, hasta los silencios; la emoción se puede traicionar en la mímica facial del hablante, en sus gestos, actitudes. etc.» (Bally,

---

[2] Esta idea se recoge preferentemente en los estudios de psicología y de filosofía del lenguaje. La encontramos, por ejemplo, en un sugerente artículo filosófico de Manuel Granell: «Entre balbuceos. Notas sobre el dicente y su decir».

El lenguaje y la vida, págs. 120-121). En efecto, la afectividad se
presenta en el coloquio disfrazada, confundida e inevitablemente
ligada a todo contenido que se comunica, cualquiera que sea su
grado de intelectualidad; y parece ser el factor clave que determina
en gran medida la elección léxica, las variantes morfológicas y la
estructuración sintáctica del enunciado.

Ciertamente, todo hecho de lenguaje implica necesariamente a
su locutor, pero cada uno en grado diverso y de formas diferentes;
así pues, para nosotros, el estudio de ciertas manifestaciones será
más pertinente que el de otras. Intuitivamente, el lingüista presenta
como expresivos tales o cuales fenómenos, sintagmas o enunciados
del lenguaje coloquial. Como la comunicación oral es multicanal,
muchas veces no podrá deslindar los elementos específicos que revelan la afectividad del hablante, y prácticamente nunca podrá identificar con exactitud el carácter concreto de esa afectividad. Pero,
racionalmente, basándose en la constante «resonancia emotiva» de
la comunicación hablada espontánea, podría justificar como expresivas prácticamente todas las manifestaciones del lenguaje coloquial.
Hemos de poner, pues, límites metodológicos a nuestro objeto de
estudio, para que no sea inabarcable ni resulte caótico.

a)   En nuestro trabajo, el término expresividad designa la *expresión lingüística explícita de la afectividad del hablante,* y con
este valor, digamos estrictamente lingüístico, lo empleamos en nuestra
descripción gramatical. «Una frase como *ese cuadro es muy hermoso* no basta ya —nos dice Bally— para destacar la intensidad de
la admiración» *(El lenguaje...,* pág. 60), no resulta suficientemente
expresiva: nótese que se trata de destacar *la intensidad de la admiración* despertada en el hablante, y no la hermosura (objetiva) del
cuadro. *Expresividad* no es, pues, sinónimo de términos como «afectividad» o «emotividad», que pertenecen a la esfera de la psicología
y designan en realidad la fuente-causa de la expresividad lingüística. En palabras de Bally *(op. cit.,* pág. 41), la expresividad consiste
«en modificar la expresión existente en cantidad o en cualidad (abul-
tamiento, renovación, deformación, etc.)». Así delimitada, podre-

mos reducir aquí su estudio a aquellos casos en que puede ser identificada en fenómenos concretos y podemos justificarla, describirla, en términos gramaticales (de morfosintaxis) [3].

Naturalmente, ésta es una reducción puramente metodológica. En términos generales, estamos de acuerdo con la afirmación de Bally de que *el sintagma expresivo nunca es completamente explícito:* «El lenguaje, intelectual en su raíz, no puede traducir la emoción más que trasponiéndola mediante un juego de asociaciones implícitas» que se ligan ya al significante (por combinación, haciendo brotar una «impresión sensorial»), ya al significado (por sustitución, transformando el concepto en «representación imaginativa»), *(op. cit.,* págs. 129-130). En el mismo sentido matiza V. García de Diego, diferenciando en el lenguaje entre una *afectividad explícita,* con voces o exponentes gramaticales propios (entre los que destaca únicamente las interjecciones primarias y los morfemas de diminutivo y despectivos) y una *afectividad implícita,* que utiliza las voces del lenguaje intelectual cargándolas de expresividad. Pero, en su mayoría, el lenguaje afectivo «no es más que la vibración anímica que acompaña a todo lenguaje intelectual, como un accesorio y como un sobreentendido lingüístico» [4]: una cuestión, pues, más «semántica» que sintáctica, menos de «forma» que de sentido.

Efectivamente, la afectividad es sobre todo un fenómeno de *implicación:* no sólo subyacen siempre una actitud y una intención a todo contenido que se comunica, sino que además lo que se dice está relacionado con lo que no se dice, con el grado de aquiescencia, atención o interés que se suponga y que se desee en el interlocutor, etc. Y en el lenguaje coloquial, que es por naturaleza expresivo, «las relaciones [sintáctico-semánticas] son expresadas con mayor implicación que en otros estilos funcionales» (Dubsky, 1970, pág. 51).

---

[3] En su *Traité de stylistique française,* Bally advierte que no deben ser confundidos los *caracteres expresivos,* que «determinan ese tono general que se sorprende en toda conversación hablada» (pág. 290; por ejemplo, la tendencia a evitar la abstracción o la tendencia a la exageración y a la atenuación) con los *procedimientos (formales) expresivos* (vocabulario especial, dislocación sintáctica, etc.).

[4] «La afectividad en el lenguaje», *Lecciones,* pág. 22.

b)   Naturalmente, *para el hablante sólo hay posibilidad de expresividad cuando puede elegir.* La noción de «elección» es —nos parece— el factor clave para identificar la expresividad.

Claro que, al menos en teoría, la posibilidad de elegir existe, si se quiere, siempre. El español la ofrece, por ejemplo, respecto del ordenamiento de los elementos del enunciado; pero cuando el sistema de la lengua no la ofrece, el propio hablante puede crearla, inventar nuevos morfemas o nuevos términos (véase nuestro capítulo de «creaciones espontáneas» en «Comodidad») u ordenar de una manera diferente su mensaje, por ejemplo, además de imprimirle el sello afectivo de la melodía personal.

La referencia obligada entonces para que podamos establecer este criterio de *elección* lingüística por parte del hablante es el llamado «lenguaje intelectual», que tiene desde antiguo bastante precisados sus límites en lo relativo a la morfología y la sintaxis, que son las que nos interesan aquí. A él tendremos que acudir explícitamente en más de una ocasión para poder explicar, por contraste, la expresividad de muchos de nuestros ejemplos.

c)   Aunque suele ser difícil de precisar y no siempre aparece clara la conformidad de los medios empleados con el efecto obtenido, se puede afirmar que la expresividad lingüística es *susceptible de presentar diferentes grados de implicación,* diferente intensidad.

Con frecuencia, se ha justificado la abundancia de incorrecciones que se pueden observar en la lengua hablada con esta presuposición: «Cuando la fuerza expresiva es muy intensa, rompe las normas del sistema» [5]. Muchas veces es cierto que «el lenguaje mal hecho es multiplicador de posibilidades comunicativas» [6]. Pero no olvidemos que la expresividad es sólo uno de los muchos factores que coadyuvan al sentido global del mensaje coloquial; es decir, sólo una de las posibles causas de «incorrección» en él. En cualquier caso, como ya hemos advertido, el criterio normativo de corrección/incorrección no es, sin matizaciones, un criterio relevante para juzgar una sintaxis como la coloquial, tan directamente condicionada por las circunstancias de actualización, y en la que el código virtual de la len-

---

[5] Manuel Muñoz Cortés: *El español vulgar*, pág. 82.

[6] Carlos Castilla del Pino, *Introducción*, nota a pie de pág. 30.

gua se hace realidad como «código individual en acción». En este sentido, suscribimos las apasionadas palabras de Ángel Rosenblat:

> Para nosotros, el primer principio del uso del lenguaje es que no se debe sacrificar jamás la significación de la expresión a un correctismo real o supuesto. Más importante que la llamada 'corrección' es la expresividad [7].

Normalmente, cuanto menos convencional sea un determinado fenómeno, menos usual, menos establecido esté en el lenguaje intelectual o en el cotidiano, más posibilidades de expresividad tendrá. Dicho de otro modo: cuando el hablante elige la alternativa que él mismo ha creado, suele ser más expresivo que cuando elige una de las que el sistema de la lengua proporciona (a él y a toda la colectividad que la usa). Lo entenderemos mejor con un sencillo ejemplo. Si una madre, dirigiéndose a su hijo de siete años, le dice

—Ven aquí, *payaso...*

utiliza, a manera de vocativo, una metáfora calificativa (es decir, una reducción sintáctica con síntesis semántica), con intención cariñosa o despectiva. La frecuencia de uso (y el propio sistema de la lengua tal vez) propician su empleo por parte de la hablante. Aun siendo bastante común, esta metáfora calificativa apelativa tendría, sin duda, un cierto eco expresivo. Pero la impresión de implicación subjetiva sería mayor si en su lugar dijera:

—Ven aquí, *cuchufleta...*

Como se ve, el mismo procedimiento formal, en una elección menos usual y más acorde con la condición del receptor, graduaría la expresividad manifestada por la madre en su lenguaje por encima de la de la metáfora anterior. «La expresividad, por instinto, busca lo inédito, lo imprevisto», y saca partido de la irregularidad [8], tanto cuando hace uso de las posibilidades del sistema como cuando el hablante crea sus propias alternativas. Generalmente, éste tiende a graduar su expresión, bien añadiendo intensificadores (Ven aquí, *so payaso...),* bien eligiendo la opción menos usual (Ven aquí, *cuchufleta...),* bien modificando irregularmente alguna opción

---

[7] «Curanderismo lingüístico», pág. 17.
[8] Ch. Bally, *El lenguaje y la vida*, pág. 149.

preexistente (Ven aquí, *paparrucho...*), bien inventando su propia alternativa (Ven aquí, *riquitrás...*).

En general, la consideración (aproximada) de la intensidad expresiva de un determinado mensaje es mucho más fácil si se trata de discriminar —como en nuestro ejemplo— entre las posibles elecciones léxicas que hubiera podido hacer el hablante. La dificultad aumenta notablemente cuando se emplean simples recursos sintácticos, a los que se superpone (a veces imperceptiblemente, a veces en abierta contradicción con su significado) la expresividad.

d)   Naturalmente, la elección no es nunca enteramente libre: el propio uso coloquial *regula* el empleo de estas «irregularidades» y creaciones expresivas del hablante. Si en el caso de la lengua es la arbitrariedad la que fuerza la convencionalidad y ésta la que permite la comunicación, en el caso del lenguaje coloquial el procedimiento sería justamente el inverso, y todavía con ciertas matizaciones.

Si podemos hablar de la expresividad del término *riquitrás* es porque tal expresión, acorde con el contexto general en que ha sido usada y al cumplir su finalidad comunicativa, ha hecho aparecer como «normal» y comprender como si fuera convencional un signo *(riquitrás)* antes inexistente, cuya forma arbitraria e inventada en ese momento por la madre no ha impedido la comunicación gracias a que ha sido circunstancialmente motivada. Ocurre así porque hay un *contexto mental* (Criado, 1980) compartido por los interlocutores, una correlación entre el momento expresivo del hablante y el momento interpretativo de su interlocutor, que no defrauda su expectativa (compartida) de comunicación. Si se produjera desajuste, la arbitrariedad e inmotivación de la expresión empleada impedirían que la comunicación tuviera lugar o alterarían su fluidez normal, obligando a una pausa interpretativa, a un desvío inoportuno o a una reflexión metalingüística, por ejemplo, que permitiera la comprensión del interlocutor. Debemos añadir, sin embargo, que raramente ocurre nada de esto, lo cual puede interpretarse como prueba de que este tipo de fenómenos de expresividad «irregulares» responden en efecto a los requerimientos de la comunicación.

e) Algunos de esos procedimientos expresivos que surgen espontáneamente en la conversación, puntual creación individual del hablante, desaparecerán seguramente con ella. Pero otros, corriendo de boca en boca, pueden acabar teniendo tal frecuencia de uso que lleguen a incorporarse al sistema de la lengua. Se trata, sin embargo, de un proceso de «saturación semántica» y decoloración expresiva: es la *ley del desgaste* (o «ley de los retornos decrecientes»), que se verifica en todos los ámbitos lingüísticos.

En general —ya lo hemos apuntado—, cuanto más disponible, más usado o más previsible sea un determinado procedimiento, menos expresivo resultará. La lengua viva, en su continua «ebullición», necesita sustituir los elementos debilitados e incorporar otros nuevos. Sometida al imperio de la moda (fugaz y siempre «retornable»), recupera a menudo procedimientos que, arraigados y parcialmente automatizados en los hablantes, habían disminuido su frecuencia de aparición en una etapa determinada, o incluso desaparecido. En cualquier caso, el proceso es bastante visible en lo referente al léxico y a la fonética, y mucho menos en lo concerniente a la gramática. Se puede observar, por ejemplo, una cierta renovación de sufijos expresivos, pero muy poca evolución en los procedimientos sintácticos (de todo ello nos ocuparemos más adelante).

Como podrá apreciarse, los fenómenos que trataremos en este apartado coincidirían sólo en parte con los que en un estudio de la *función expresiva* del lenguaje podrían aparecer. Como partimos de una base metodológica distinta, necesitamos ampliar el concepto de función expresiva de modo que nos permita considerar todos esos fenómenos propios del coloquio que no siempre están consolidados como «una peculiar manera de significar», pero manifiestan una cierta actitud del hablante no sólo respecto de aquello que habla o de aquel con quien habla, sino también de aquello que acontece cuando habla, del entorno que configura su comunicación, etc. Y en este particular, nuestra consideración de la expresividad lingüística se aleja también de la *Estilística* de Bally (referencia imprescindible cuando se trata este tema).

Ch. Bally, en el contexto de la lingüística saussureana, pretende integrar su teoría en el plano de la *lengua* (opuesta a *habla)*. Limita de hecho sus explicaciones a los signos expresivos que «están listos para el uso y no requieren parte alguna de actividad creadora» [9], es decir, a los mecanismos que considera ya codificados en el sistema de la lengua (obedecen a la «ley de oposición») y que son (o pueden ser), por tanto, compartidos por todos los usuarios. Para él, «Lo peculiar de la expresividad es que la modificación es lo bastante fuerte para imponerse a la atención y, si es que responde a una necesidad de la afectividad, para propagarse y mantenerse en la lengua» [10], o sea, para pasar a formar parte del sistema.

Tal como aquí la planteamos, la expresividad coloquial no es simplemente reflejo de la afectividad, sino que responde en último término a las necesidades puntuales de comunicación del hablante, que pueden obligarle a «crear» allí donde no dispone de procedimiento codificado. Destinada a la fugacidad, como la propia actividad de que nace, no aspira a formar parte del repertorio de la lengua; le basta con imponerse momentáneamente a la atención y cumplir, en consonancia con lo «previsible» para los interlocutores, el objetivo de la comunicación.

Aunque, por su alto grado de implicación, la expresividad suele hurtarse a la reflexión gramatical, hay tres aspectos en la lengua coloquial en los que la afectividad se muestra con especial claridad:

a) en la *modalidad* de la frase, que puede aparecer explícita, implícita, aludida o sobreentendida merced a los más diversos procedimientos, experimentando en el coloquio una notable *ampliación* de posibilidades respecto de la lengua estándar;

b) en la *organización subjetiva del mensaje* a impulsos del pensamiento (y en gran medida al margen de la lógica);

c) y en el *realce lingüístico* (mediante la singularización, «relievación», intensificación, ponderación o degradación) de aquello que interesa particularmente al hablante.

---

[9] *El lenguaje y la vida*, pág. 148.

[10] Ibíd., pág. 136.

I

AMPLIACIÓN DE LA MODALIDAD

De entre todas las posibles manifestaciones de la expresividad, sin duda es la expresión de la *modalidad* una de las más abstractas y una de las que más se resisten a la reflexión lingüística.

Por un lado, su punto de referencia necesario es el sujeto de la enunciación, y la lingüística europea postsaussureana siempre ha temido no respetar la distinción lengua-habla si hacía intervenir al hablante en la descripción. Por otro,

> La modalidad es el alma de la frase; lo mismo que el pensamiento, está constituida esencialmente por la operación activa del sujeto hablante. No se puede, pues, atribuir el valor de frase a una enunciación mientras no se haya descubierto la expresión, cualquiera que sea, de la modalidad [1].

Y es que —siguiendo con la metáfora de Bally—, como el alma respecto del cuerpo, la modalidad, intrínseca a la comunicación, deja su sello en el lenguaje, pero, con frecuencia, de forma indefinible. De modo que cuando se intenta el estudio de las *modalidades reales* de enunciación, encontramos un campo tan amplio y unos límites tan imprecisos, que pueden hacernos desistir de nuestro empeño. El propio Bally propone distinguir en la enunciación entre:

---

[1] Ch. Bally, *Linguistique générale*, pág. 35.

a)   el contenido de representación (recibido por los sentidos, la memoria o la imaginación): *dictum,*

b)   la actitud adoptada por el sujeto hablante frente a este *dictum:* el *modus.*

La modalidad expresaría la relación establecida por el sujeto hablante respecto de su representación: si juzga el *dictum* realizado o no, deseado o no, aceptado con una determinada actitud u otra distinta... La expresión lógica y analítica del *modus* es un «verbo modal» y un «sujeto modal», todo lo cual constituye el *sujeto psicológico;* el *dictum* equivaldría al *predicado psicológico.* Según la «calidad psicológica del juicio» implicado (que produce diferencias expresivas entre unos juicios y otros), Gili Gaya distingue las siguientes modalidades: exclamativa, de posibilidad, dubitativa, interrogativa, afirmativa, negativa, optativa y exhortativa [2]

Esta concepción permite, en principio (y con la condición de que se deje abierta la clasificación), abarcar todos los tipos posibles de modalidad, pero el análisis se complica conforme crece el grado de implicación. Si bien la modalidad aparece inevitablemente ligada al *dictum* en toda comunicación, no siempre aparece explícito el *modus* en el lenguaje: «La forma lógica y analítica del pensamiento comunicado, lejos de ser la única posible, no es la más usual ni la más expresiva» [3]. Así, la expresión de la modalidad puede ser *directa* (mediante el empleo de medios léxicos):

a)   [*Yo*]   *digo*   que hoy no hace buen día

suj. modal v. modal

«modus»   «dictum»

(suj. psicológ.)   (predic. psicológico)

[modalidad declarativa]

<hr />

[2] *Curso superior de sintaxis española,* pág. 40.
[3] Ibíd., pág. 40.

   b)   [*Yo*] *pregunto* si llegaremos a tiempo [interrogativa]

   c)   [*Yo*] *deseo* que todo te salga bien [desiderativa]

   d)   [*Yo*] te *ordeno* que levantes ese papel del suelo [imperativa]

o bien, mucho más frecuentemente, *indirecta,* mediante el empleo de medios entonacionales y sintácticos [4] (en relación con el contexto y/o la situación):

   a)   No hace buen día hoy [declarativa]

   b)   ¿Llegaremos a tiempo? [interrogativa]

   c)   ¡Que te salga bien todo! [desiderativa]

   d)   Levanta ese papel del suelo [imperativa].

Claro que a esta distinción se le puede objetar que cada una de las modalidades de expresión directa equivale, en realidad, a una *declarativa* (matizada por el llamado verbo modal, pero en el fondo una declarativa), a excepción quizá de la imperativa, cuya simple enunciación equivale ya a una orden real [5]; consecuentemente, la realización de la modalidad sólo tiene lugar de forma indirecta, pues la directa equivale en realidad a

       [*Digo que*] pregunto si...

       [*Digo que*] deseo que...

       ...

Y así lo consideró, por ejemplo, Bello en su momento, y, de forma parecida, la Gramática Generativa Transformacional, con su

---

   [4] Para Bally *(Traité de stylistique,* pág. 278), el medio sintáctico indirecto de expresión es la elipsis, «resultante de la ausencia de uno o más elemento lingüísticos cualesquiera que eran, en el origen, necesarios para la determinación del conjunto y que, actualmente, el espíritu no busca ya restablecer» (por ejemplo, elipsis de un sonido en una sílaba, de una sílaba en una palabra, etc.).

   [5] Éste fue el punto de partida de la *Teoría de los actos de habla* (Pragmática Lingüística): la consideración de ciertos verbos «ilocutorios» (o ilocucionarios o ilocutivos) cuya mera enunciación equivale a la realización del acto que refieren: *juro que*...

teoría (semántica) de los «verbos abstractos»; todo lo cual supone de algún modo negar a los mecanismos «indirectos» su funcionamiento sistemático con tal fin.

En todo caso, a tal concepción se le puede objetar también, en su conjunto, el manejar sin discriminación criterios clasificatorios muy heterogéneos, que hacen aparecer juntas modalidades de hecho tan diversas (pero no incompatibles) como la interrogativa, la exclamativa y la dubitativa.

En efecto, en el plano descriptivo, convendría quizá distinguir —como propone Meunier (1974)— entre *modalidad del enunciado* y *modalidad de la enunciación,* entendiendo ésta no sólo en términos de expresión de la subjetividad del hablante (como Bally), sino como *expresión de la relación interpersonal establecida* entre los interlocutores. O incluso distinguir, como propone Heredia (1987, pág. 242), entre *modalidad* (que clasifica oraciones: enunciativa, etc.), *modus* (clasifica enunciados: enunciado-ruego, etc.) y *modo* (que clasificaría formas verbales: proposiciones, cláusulas, etc.).

En realidad, el hecho de que nos parezca (intuitivamente) menos expresiva una simple afirmación que una afirmación rotunda, y ésta a su vez menos que una exclamación, nos obliga a echar mano de criterios heterogéneos para justificar cualquier clasificación. Pero además, en la medida en que las modalidades dependen directamente de la praxis comunicativa, tanto como a una actitud del hablante corresponden, sin duda, a las diversas funciones interhumanas del lenguaje.

Basándose en este criterio, algunos autores hacen su clasificación en relación con los factores esenciales de la comunicación y sus correspondientes funciones del lenguaje, distinguiendo entre:

a) modalidades declarativas o referenciales (relacionadas con el referente): afirmativas, negativas;

b) modalidades expresivas o emotivas (relacionadas con el hablante): desiderativas, dubitativas, exclamativas;

c) modalidades apelativas o conativas (relacionadas con el oyente): interregotivas, yusivas [6].

En términos generales, una clasificación así es perfectamente válida para nuestros intereses si no nos empeñamos en hacer corresponder unívocamente a un determinado molde formal una determinada modalidad. Lo sensato sería, en todo caso, afirmar, como propone Heredia, que «tal o cual estructura es la básica para tal o cual modalidad, pero para dicha modalidad existen también, en el acervo común que es la lengua, tales o cuales 'expresiones indirectas'» (1987, pág. 241).

Hay, en efecto, una serie de elementos formales obligados, constituyentes de la frase de base (como se afirma en la versión estándar de la Gramática Generativa), que se manifiestan entonacional y funcionalmente como declarativos, interrogativos, exclamativos [7] o imperativos. Pero a ellos se suman normalmente otros elementos facultativos, además de los de énfasis, negación-afirmación y pasivo-activo, que permiten posibilidades poco menos que ilimitadas de matización (y que son difíciles de reproducir en la lengua escrita): reproche, enfado, asombro, sorpresa, buen humor, actitud lúdica, halago... Sin olvidar, además, que puede haber discordancia entre el acto realizado y su interpretación, y que el interlocutor no siempre puede ser excluido de la consideración de las modalidades en el acto de habla real.

Cierto que con una pregunta solemos «apelar» al interlocutor:

¿Qué comemos hoy?

---

[6] Véase, por ej., J. M. González Calvo, «Hacia una clasificación de la oración simple según el 'modus'». También Gemma Herrero, en su tesis doctoral (inédita) limita su estudio de los «enunciados según el *modus*» a estos tres tipos generales.

[7] Aunque es dudoso que la entonación exclamativa sea criterio suficiente para constituir por sí sola una determinada modalidad.

Pero bastaría el sobreañadido de una cierta *entonación emocional* y/o la incidencia de un determinado contexto de comunicación para convertirla en una autoafirmación subjetiva:

¿Qué he hecho yo para merecer esto?! [8],

o en una orden:

¿Quieres callarte de una vez?,

o en un reproche:

¿Comemos hoy?

La evidencia y frecuencia de tales manifestaciones en la lengua hablada ha llevado a toda una corriente de la Pragmática Lingüística a prestar especial atención a estos tipos de *actos indirectos de habla* que obligan a derivar de su significado literal (basado en los elementos, propiedades y reglas formales de la oración) un otro sentido por medio de *inferencias pragmáticas* [9]. Porque, si bien es verdad que, en general, toda modalidad se expresa por medios más o menos convencionales (reconocibles, pues, por los hablantes de una lengua), también lo es que —como explica Grice— toda emisión presenta una *intención,* y la comunicación sólo es posible si tiene lugar el *reconocimiento* de las intenciones del hablante por parte de su(s) interlocutor(es). Todo lo cual, aplicado a nuestros anteriores ejemplos, indica:

---

[8] Éste es precisamente el expresivo título de una película de Pedro Almodóvar, que él escribe así, con interrogación inicial y exclamación final añadida, intentando reproducir esta expresión simultánea de modalidad expresiva-afectiva que se produce bajo la forma de la interrogación.

[9] Conceptos pragmalingüísticos como los de *implicatura conversacional* (Grice), *implicatura convencional* y *presuposición pragmática* están o pueden estar directamente vinculados con ciertas condiciones «objetivas» de la expresividad. Un estudio de estas relaciones (que, por el momento, aplazo, pero aquí queda la sugerencia para otros acaso más capacitados que yo) nos permitiría, seguramente, explicar al menos algunos de esos fenómenos expresivos cuya justificación «lingüística» es más intuitiva que «científica».

a) Que diversas modalidades de enunciación (autoafirmación subjetiva, exhortación, reproche...) pueden ser realizadas por una misma modalidad de enunciado (la interrogativa, sin duda una de las más versátiles). Y a la inversa: una sola modalidad de enunciación puede plasmarse formalmente en varias diferentes modalidades de enunciado (por ejemplo, la exhortación: *Cállate / Si te callaras de una vez / ¿Podrías callarte? /...*).

b) Que el sentido de

¿Comemos hoy?

sólo se realiza cuando el receptor identifica en la emisión una información añadida (por ejemplo: son casi las cuatro / habitualmente comemos a los dos / tengo que estar en el trabajo a las cinco / la comida es cosa tuya / no hay motivo aparente para este retraso /...) y en el locutor una intención (implicada: reproche): *¿Comemos hoy?*

Claro que todo esto obligaría seguramente a parcelar y concretar más de lo (a primera vista) conveniente las posibles modalidades de una y otra clase, teniendo en cuenta que el sujeto del enunciado no tiene por qué coincidir con el de la enunciación y que las diversas modalidades de enunciación dependen además también directamente del contexto de comunicación que las genera.

Sin embargo, no nos interesa particularmente incidir en los problemas de delimitación de las modalidades. Sólo hacer hincapié en que la modalidad es la primera, la forma esencial de manifestación del sujeto en el lenguaje y, por lo tanto, de expresión de su subjetividad.

Naturalmente, en el lenguaje coloquial es muy frecuente este tipo de modalidad *implicada* (o indirecta), cuyo grado de expresividad es mayor que la directa. De hecho, éste es uno de los recursos fundamentales de que usa el hablante para expresar su subjetividad (de los otros nos ocuparemos en sucesivos apartados). Aquí nos interesa solamente destacar —no vamos a detenernos en ello— esos casos en que, por incidencia del contexto y de la entonación, la modalidad resulta ser otra de la que inicialmente se espera, superpuesta a ésta, convirtiéndose así en una forma *más expresiva* (y sorpresiva) de comunicación que la simple expresión directa. Es decir, esos casos en que una determinada expresión modal (interrogación, por ej.), por efecto del contexto compartido y de la relación establecida entre los interlocutores, está al servicio de una modalidad distinta de la habitualmente expresada (o «lógicamente» esperada): interrogación al servicio de la exhortación:

*¿Puedes cerrar la ventana?,

negación al servicio de la afirmación:

*¿Anda que no es tonto ni na...,

afirmación al servicio de la negación:

*O sea, que lo quitas de ahí y lo pones donde comemos... *¡pues sí!,*
Imbécil que soy, ¿eh? (= ¡pues no soy listo ni «na[da]»!)
*Sólo faltaba eso, mira,

... etc. (lógicamente, aquí entraría de lleno la «ironía») [10].

---

[10] De la ironía verbal hace Henk Haverkate un interesante «análisis pragmalingüístico» en la *Revista Española de Lingüística*, 15, 1985, págs. 343-391.

II

ORGANIZACIÓN SUBJETIVA DEL MENSAJE

Como decíamos, el hablante tiende espontáneamente a estructurar su mensaje siguiendo los impulsos de su pensamiento, sin reflexionar acerca de la lógica o de la corrección de su expresión. De este modo, la afectividad se comporta como un auténtico (y fundamental) *principio organizador de la sintaxis coloquial* [1], manifestándose en la «expresividad sintáctica». En palabras de Manuel Seco, «es frecuente que la estructura del mensaje sea ceñido ropaje de los latidos del pensamiento (o del pensamiento-sentimiento), brotando las frases en chorros cortados, desiguales, y que rebasan una y otra vez los estrechos cauces sintácticos regulares» (1973, página 373). Veámoslo con un ejemplo:

*Yo ni siquiera sé si me gusta. Disfruto con él. Coladera no, ni flechazo. Es que no tengo ninguna intención, qué quieres que te diga. A lo mejor cuando sea mayor, ya veremos.

Ya hemos visto cómo el auténtico factor aglutinante de la conversación parece ser la *intención de comunicación* mutua y cómo, consecuentemente, su unidad viene dada sobre todo por el mantenimiento de la *tensión* en la *conexión interlocutiva*. El hablante, que

---

[1] Desde el punto de vista de la adecuación al contexto, algunos de los temas aquí tratados serán reconsiderados más adelante, en la parte tercera («Improvisación formal»).

no dispone de una estructuración previamente establecida para su mensaje, lo improvisa, pero siempre obedeciendo a (u orientado por) un para él claro propósito de integración en su comunicación. Hablante y oyente siguen juntos el hilo de su conversación; y con frecuencia, la comienzan, la desarrollan, la reorientan o la finalizan sin poder prefijar ni precisar los límites de todas esas «etapas». Numerosos factores extralingüísticos se superponen además a los medios lingüísticos para contribuir a la mutua comprensión de los interlocutores: gestos, contexto, etc. Todos esos recursos fónicos, mímicos, de covivencia o contextuales, actualizados y compartidos por los interlocutores, 'nexan' de forma natural y espontánea los diferentes enunciados y los diversos contenidos de su comunicación, confiriéndoles un sentido en su preciso *aquí-y-ahora* de existencia.

Si, atendiendo al entorno o circunstancia en que fue pronunciado, tuviéramos que dar su sentido lógico y pleno a nuestro ejemplo anterior, no sólo necesitaríamos muchas más palabras (y entre ellas los nexos de relación), sino que además necesitaríamos precisar elementos de covivencia, presupuestos, intenciones y factores contextuales (lingüísticos) y situacionales que no se aprecian en el fragmento aislado, pero fueron decisivos en su momento para la expresión y la intelección. Intentémoslo. Quedaría más o menos así (resaltamos en cursiva todo lo añadido):

> *Yo ni siquiera sé si *este chico* me gusta, *lo único que sé es que* disfruto con él. *Esto que me ha ocurrido [o 'me ocurre']* no *ha sido* coladera ni flechazo. *La verdad* es que no tengo ninguna intención de *enamorarme, ni ningún plan respecto al futuro con él,* qué quieres que te diga. A lo mejor *más adelante decido algo al respecto,* ya veremos. [La expresión «cuando sea mayor» era irónica, pues la hablante era una mujer de unos 29 años.]
>
> (Fragmento de una conversación entre dos amigas íntimas; hablan de hombres).

Como vemos, en la expresión de la hablante —preferible con mucho a ésta lógica más o menos completa que nos sirve de referencia—, la incidencia de todos estos factores se refleja en una cierta condensación expresiva y provoca esa aparente falta de conexión entre los sucesivos enunciados que ha llevado con frecuencia a caracterizar la sintaxis coloquial como una *sintaxis suelta (vs.* «sintaxis trabada»), y que se manifiesta principalmente:

a) En la dislocación sintáctica de los elementos del enunciado, que tiende a «focalizar» o «relievar» («poner de relieve») los elementos desplazados;

b) en la condensación y síncopa sintáctico-expresivas, reflejadas en enunciados de término único (entre los que destacan por su relevancia expresiva las interjecciones) o con numerosos elementos elípticos;

c) en el predominio de una relación «liberada» y «parceladora» entre las diferentes partes del enunciado y en el interior de la oración; lo que suele describirse como predominio de la yuxtaposición y de la coordinación o parataxis sobre la subordinación o hipotaxis: lo que Manuel Seco llama «tendencia centrífuga»;

d) en la aparición de interferencias, cruces, paréntesis asociativos y suspensiones discursivas y sintácticas.

Tal «falta de conexión» es, sin embargo, sólo aparente (como hemos podido apreciar en nuestro ejemplo) y se traduce en una sencilla norma de comportamiento coloquial, que no impide la «comunicabilidad» del sentido global del mensaje y que es usualmente seguida de forma inconsciente en la conversación espontánea: *el hablante suele avanzar en su comunicación sin «señalar» lingüísticamente sus diferentes pasos* (ni mediante elementos introductores explícitos ni con elementos verbales específicos).

Por lo demás, quizá no hace falta insistir en que estos cuatro fenómenos sintáctico-expresivos de tipo general no son para nada excluyentes entre sí; por el contrario, suelen aparecer juntos dos o más y ligados a otros procedimientos (expresivos o no).

A) DISLOCACIÓN SINTÁCTICA

En un idioma que, como el nuestro, ofrece una gran libertad al hablante a la hora de estructurar su mensaje, el *orden de palabras* no sólo es informativo, sino que constituye —como afirma Dámaso Alonso— «uno de los más sutiles y delicados instrumentos de expresión que posee el lenguaje»[2]. «Sutileza» y «delicadeza» no son, ciertamente, características que se sometan con facilidad al análisis más o menos científico; por el contrario, añaden un punto de abstracción inasible a uno de los fenómenos aparentemente más evidentes y objetivos de la sintaxis coloquial: el de la *dislocación sintáctica*.

De alguna manera, el orden que el hablante elige de forma espontánea, no sólo contribuye al que hemos llamado sentido global del enunciado, sino que proporciona a su interlocutor uno de los más importantes índices para la interpretación de su significado y de su sentido. Oldrich Tichý[3] destaca el orden de palabras, junto a los elementos prosódicos y las construcciones de relieve, precisamente como uno de los recursos básicos «de incorporación contextual de la oración»; y Vendryes asegura que la diferencia principal entre el lenguaje afectivo y el lenguaje lógico está en la constitución de la frase[4]. Y esto es especialmente cierto en el uso hablado espontáneo, en que las circunstancias de actualización imponen sus propias leyes al hablante. En general, éste, con tal de dar feliz término a su comunicación, no duda en sacar provecho, si le es preciso, de la irregularidad sintáctica.

Ya el propio nombre que aplicamos al fenómeno presupone una cierta 'colocación' sintáctica previa que se modifica a causa

---

[2] Dámaso Alonso, *La lengua poética de Góngora,* Madrid, Centro de Estudios Históricos, 1935, pág. 177.

[3] «Recursos de incorporación contextual a la oración».

[4] *El lenguaje*, pág. 189.

de la afectividad. El problema radica en fijar cuál es esa «cierta colocación sintáctica» de la que partimos para nuestro estudio de la dislocación sintáctica expresiva. La concepción que Gili Gaya tiene del *hipérbaton* (más tarde asumida por la Real Academia) se aproxima bastante a la que aquí proponemos para este fenómeno general:

> El hipérbaton no consiste en la alteración de un orden *regular* o *lógico* establecido por los gramáticos, sino en colocar los elementos oracionales en una sucesión comprensible, pero sentida como no habitual en cada época del idioma. Es por consiguiente un concepto relativo, cuyos límites son la comprensibilidad, por un lado, y las construcciones corrientes, por otro [5].

Pero seguimos moviéndonos, como se ve, en el terreno de la intuición. Inevitablemente, siendo como son «comprensibilidad» y «corriente» conceptos tan relativos (en el espacio y en el tiempo) como lo pueda ser el de hipérbaton, el gramático ha de acudir a criterios que le permitan una cierta objetivación de la realidad: los de «orden previamente establecido», cualquiera que sea el nombre que les demos, facilitan, sin duda, su labor.

Nuestros límites, más allá de la «comprensibilidad» y de las construcciones corrientes (prácticamente todas las que veremos son «corrientes» en el lenguaje coloquial), se refieren más bien a los condicionantes de la comunicación que utilizamos como principios metodológicos. Más que el fenómeno aislado, nos interesa esa tendencia sintáctica de tipo general que provoca su aparición en la lengua coloquial (en este caso, lo que hemos llamado «dislocación sintáctica de los elementos del enunciado»). Creemos, en efecto, que no todo hipérbaton responde necesariamente a dislocación sintáctica expresiva, ni toda elipsis a condensación expresiva, ni toda creación espontánea a realce lingüístico, etc...

Partimos, pues, del supuesto de que existe en nuestra lengua un *orden no marcado* (es decir, no expresivo), al que podemos lla-

---

[5] *Curso superior*, pág. 94.

mar orden *lógico* (término ya pasado de moda), *regular* (que aludiría con propiedad a la «regulación» aplicada por los gramáticos al concepto), *normal* (denominación sin duda inadecuada si se tiene en cuenta el uso coloquial), *lineal* (ya hemos visto cómo la expresividad sumaría «algo más» a la mera linealidad), *orden cero o neutro* (Jakobson) u *objetivo* (término que propone V. Mathesius y que se opone de forma apropiada a «subjetivo»).

Con frecuencia, se ha señalado que ese *orden no marcado* sería en español (en una oración predicativa enunciativa normal):

Suj + Pred (V + OD + OI + CCs)

Ej.: *Ana compró un libro para ti en Madrid el otro día.*

Éste es para la Real Academia el *orden lineal,* al que se adapta más o menos la información objetiva, base de la llamada *sintaxis regular* o *de construcción descendente,* «aquella en la cual los vocablos se ordenan en la oración de manera que cada uno venga a determinar al que precede» *(Gramática de la lengua española,* nueva edic. reformada, Madrid, 1931). En el plano semántico, este orden corresponde al de

«Agente — Acción — Término».

Para la orientación funcionalista (y tambén para la generativa), que pretende un análisis menos estrictamente formalista y más acorde con la realidad de la comunicación, el orden no marcado coincidiría en términos generales con éste (Suj. + Pred.) siempre y cuando, como suele ocurrir, coincida con una determinada distribución de la información (inferible por el oyente) en la oración:

Tema + Rema,

donde el «tema» *(topic, pressupposition)* representa a la información dada, ya conocida (anclada en la situación o el contexto), y el «rema» *(comment, focus)* a la información nueva: esta distribución responde a un principio general del orden lineal (y discursivo) según el cual el tema precede al rema. Claro que no siempre aparece el sujeto gramatical al principio de la oración, representado como tema (aunque sí generalmente): el tema sería más bien el sujeto «lógico» o «psicológico» de la oración, no necesariamente el gramatical: aquello, en suma, de lo que el rema (información nueva) «comenta» algo. Tanto uno como otro están relacionados «mentalmente» con la situación de comunicación, con lo que el hablante supone presente o ausente (respectivamente) en la conciencia de su interlocutor: de ahí la dificultad de análisis. Ciertos rasgos como la entonación, algunos procesos de pronominalización o de elisión y el propio orden lineal de los elementos de la oración, entre otros, dependen de la distribución (remática) de la información en la oración. En las lenguas de orden fijo, tema y rema son señalados mediante los medios suprasegmentales casi exclusivamente. En otras, como el español, el orden de palabras es un elemento decisivo para su diferenciación [6].

Se puede afirmar que la alteración de este orden no marcado (o la posposición del «tema») produce un *enunciado expresivo,* es decir, (de orden) subjetivamente marcado, enfático, *envolvente.* Y esta vez el término de la RAE, también pasado de moda, nos parece muy adecuado para designar lo que ocurre con la dislocación sintáctica expresiva: el hablante presenta a su interlocutor el contenido de su mensaje en sucesivas imágenes (mentales) que siguen el orden que marca su subjetividad, obligándole a percibir su comunicación en estadios organizados espontáneamente en ese preciso momento vital, «envolviéndole» en un mensaje que responde a sus propios impulsos personales. En la lengua conversacional, cuyo alto grado de improvisación e implicación justifica una mayor libertad sintáctica, la alteración suele responder además a los imperativos de la propia actualización coloquial, en que se anticipa con frecuencia la palabra al desarrollo de la idea (de la información).

Pero en el orden de palabras, sin duda, además de este factor —digamos— *psicológico* y *circunstancial,* influyen también factores puramente *lingüísticos,* e incluso rítmicos. Manuel Ariza, en su *Contribución al estudio del orden de palabras en español* (1978), habla de que en el orden de palabras influyen sobre todo tres tipos de factores: gramaticales, artísti-

---

[6] Véase, al respecto, Heles Contreras, *El orden de las palabras en español*; y Graciela Reyes, «Orden de palabras y valor informativo en español».

cos y psicológicos. Para nosotros, que consideramos que normalmente no hay en la improvisación coloquial «voluntad de estilo», los factores artísticos no serían relevantes. Y mientras los psicológico-circunstanciales podrían (potencialmente al menos) justificar casi cualquier enunciado coloquial que llega a alcanzar su objetivo de comunicación, los gramaticales y los rítmicos suponen un freno, la imposición de ciertos límites a la posible anarquía de la subjetividad a la hora de organizar el lenguaje.

Si por un lado parece cierto que se tiende a mencionar enfáticamente al principio del enunciado los elementos que se consideran subjetivamente más importantes o a dirigirnos sin rodeos hacia la expresión de lo esencial (es decir, del rema), la «ley del orden expresivo» coloquial no puede enunciarse en estos términos. Entre otros motivos, porque «la influencia de la situación enunciativa es decisoria y se da el caso de que rasgos de *orden* pueden convertirse en caracterizadores de situaciones comunicativas distintas» [7]. Por eso los criterios sintáctico y semántico no bastan y el problema debe ser estudiado desde el punto de vista pragmático. Esta ordenación es muchas veces, en efecto, una simple consecuencia del *decurso* (hilo discursivo), o bien el reflejo de una cierta alteración de la intención de comunicación que tiene lugar a medida que ésta progresa, o bien el producto más previsible de la cadena de asociaciones del hablante, que pronuncia impulsivamente antes el elemento «ilativo» y organiza después su propia información relevante, etc...

Por el momento, no nos atrevemos a enunciar más que una regla de carácter general: *en la dislocación sintáctica expresiva de los elementos del enunciado (hipérbaton), el hablante tiende a «focalizar» o «relievar» los elementos desplazados* (al principio o en el interior del enunciado, siempre y cuando se «sienta» relevante su desplazamiento, como en los siguientes ejemplos) [8]:

---

[7] M.ª V. Romero Gualda, «Orden de los elementos», pág. 108.

[8] Aunque tanto «focalizar» (< *focus*) como «relievar» (*poner de relieve*) pueden parecer tecnicismos poco recomendables en español, ambos me parecen, en este caso, preferibles (por más matizadores) a los correspondientes términos de nuestro idioma: *enfatizar, destacar.*

*Se pasa uno *colgao* la vida al teléfono
*—Es mala el agua de aquí, ¿no?
—¿El agua? Es extraordinaria
—Ah ¿sí?
—*No le puede gustar, eh* [= puede que no le guste: la anticipación de la negación convertiría en ilógica la expresión sin la incidencia de la entonación y el contexto]
*—¿Cuánto tiempo hace *usted* que está trabajando aquí?
*—¿Hay *absolutamente* repeticiones en todas partes [desplazamiento del adverbio].

Intuitivamente, atribuimos un cierto «eco expresivo» a cada uno de estos ejemplos, incluso antes de describir el fenómeno concreto de dislocación sintáctica que tiene lugar en ellos; y no se lo atribuiríamos, en cambio, a otras alteraciones de este orden no marcado de que partimos. Como nos movemos en el terreno de la intuición, no es fácil enunciar reglas ni determinar grados sin forzar el análisis. Normalmente, no se suele atribuir valor expresivo:

a) a la posposición del sujeto (que, por lo demás, no suele alejarse de su verbo) [9]:

*Y mientras cantan los *pájaros* es de día;

mucho menos, naturalmente, cuando la posposición tiene lugar en oraciones interrogativas, en las que se ha fijado ya el orden verbo-sujeto. Algunos autores han señalado además que la posposición es poco menos que obligada (es decir, no expresiva) con ciertos verbos existenciales y locativos como «comenzar», «suceder», «continuar», «aparecer»... (A. Granville Hat-

---

[9] Para A. M. Badía Margarit («La omisión», pág. 364), éste de la posposición del sujeto es (en el caso de sujetos personales) precisamente un recurso para poner de relieve su participación en los hechos expresados («Nosotros venceremos» / «Venceremos *nosotros*»). Cf. L. M. Fant, «Procesos anafóricos», pág. 6: «Consideramos, pues, que de forma general, la posposición del sujeto constituye un proceso sintáctico más enfático que la anteposición del mismo, y que la construcción escindida donde el sujeto se encuentra extrapuesto es un recurso de más alto grado enfático que la posposición de dicho elemento en una construcción simple» (*Tu hermano* ha venido a verme esta mañana / Ha venido a verme esta mañana *tu hermano* / Quien ha venido a verme esta mañana ha sido *tu hermano*).

cher, 1956) y que tiene relación con el hecho de que el sujeto se sienta o no agente efectivo de la acción verbal [10];

b) a los posibles intercambios de orden entre objeto directo (OD) y objeto indirecto (OI):

>*Le he comprado *unos pantalones a papá*
>
>*Le he comprado *a papá unos pantalones;*

c) a los desplazamientos «regulares» de los complementos circunstanciales (CCs) al principio o en el interior del enunciado, a los que se suele atribuir simplemente valor «explicativo» (puesto que están y no son «imprescindibles»): (de ahí su gran movilidad) o valor de uso habitual [11]:

>*En mi coche* hemos hecho en otros tiempos de todo.
>
>*Antonia *ayer* buscó *por toda la casa* el libro, y nada;

salvo cuando han de aparecer por necesidad «marcados» entonacionalmente, lo cual ocurre normalmente por la incidencia de otros elementos que aparecen o se desplazan significativamente en el enunciado:

>*En mi coche,* Pedro y yo, *en otros tiempos,* hemos hecho de todo.

---

[10] Comp., por ej., en el vol. IV de la *Gramática* de Salvador Fernández Ramírez, el cap. IX, dedicado a «El orden de palabras[: la posición del sujeto]», en el que relaciona la inversión (verbo + suj.) con dos causas: la anteposición de otros elementos que arrastran tras de sí al verbo (CD, complementos adverbiales, predicado nominal, etc.) y otras razones relacionadas con la naturaleza del verbo y del sujeto (diátesis pasiva y media, naturaleza intransitiva de la acción verbal, verbos de movimiento y de existencia, de sensación, impresiones y movimientos afectivos, etc.). En todos los casos, el gramático atribuye la causa de la posposición del sujeto al carácter semántico o al comportamiento sintáctico de otros elementos. Con dos excepciones: una rápida alusión a la «atenuación de los elementos personales y voluntativos en el sujeto» (pág. 442) y alguna matización en las oraciones interrogativas.

[11] «Otras veces las razones de la anticipación hay que buscarlas en el contenido mismo del enunciado. El orden sintáctico lo determina la norma lingüística, no privada de fundamentos objetivos y psicológicos, que consiste en enunciar primero determinadas circunstancias de tiempo y de lugar, las cuales introducen y encuadran la representación o el enunciado más importante» (S. Fernández Ramírez, ibídem, pág. 456).

En este ejemplo, el desplazamiento del CC de lugar al principio del enunciado se hace notar gracias a la presencia explícita y enfática del sujeto coordinado *(Pedro y yo);* y el del CC de tiempo porque separa significativamente dos elementos que tienden a aparecer juntos o implicados en uno solo: el sujeto y el verbo *(Pedro y yo... hemos hecho).*

En general, como indica M.ª Luz Gutiérrez [12], al CC le siguen en capacidad de libertad de movimiento dentro de la oración el sujeto, el verbo, el atributo y el OI; el menos libre, para evitar confundirlo con otro segmento sintagma nominal, es el OD.

Claro está que ni estos criterios que acabamos de mencionar funcionan automáticamente ni podemos abstraerlos del contexto de comunicación. Cualquiera de los ejemplos que hemos utilizado como no-relevantes podría serlo desde el punto de vista de la expresividad en una determinada conversación, en que confluyen tantos factores determinantes (previsibles e imprevisibles).

Por lo demás, el fenómeno este de alteración del orden «lógico» de los elementos del enunciado es tan común en español (no en otras lenguas), que incluso cuando se llega a la incorrección sintáctica o a la clara deformación lógica no interfiere en la comunicación.

De hecho, el *anacoluto,* que es una de las incorrecciones sintácticas más habituales de la lengua hablada, no es, con frecuencia, más que un hipérbaton «imprevisto» (a causa de la afectividad o simplemente por comodidad) que se refleja en una mala concordancia que frustra la buena lógica del lenguaje, pero no llega normalmente a alterar las expectativas comunicativas de los interlocutores. Los ejemplos podrían ser innumerables; aunque, sin duda, los más frecuentes (propiciados por la lógica lingüística del hablante) son los que aparecen ligados a la primera persona interlocutiva en el empleo de ciertos verbos pronominales (como «gustar», «apetecer», «parecer»...) cuyo sujeto gramatical no coincide con el sujeto «real» de la enunciación:

A mí los regalos es un rollo tener que comprarlos

---

[12] *Estructuras sintácticas*, pág. 62.

*Claro, ¿y yo qué? *Yo* aquí me dejáis con el pan, con las cartas, con la cartera...

**Yo,* claro, Sociología es una cosa que francamente *me interesa* bastante
(HM, II, 27)

**Yo* por ejemplo en vacaciones *me gusta* comer
(Eduardo Punset, R. *El País,* «Lo que yo te diga», 29-1-87)

*Entonces, hablan muy apriorísticamente, muy por la boca de ganso y... no sé, *yo* a mí *me parece* que esto es grave ¿no?
(HM, II, 36)

**Yo* eso tampoco *me quedó claro*

**Yo* no *me apetece* nada ahora comer salado

**Yo* eso *me resulta* demasiado duro

**Yo* una de las cosas que *me encantaría* poner es un herbolario

*En consecuencia, *yo,* como también entonces salí del seminario, no *me dio tiempo* a matricularme, no lo sabía
(HM, I, 10)

*No, *yo* lo que, lo que *me ha pasado* estos días de atrás, ha sido que no me dormía
(HM, XVIII, 339)

**Yo me gustan* todas [las películas], siempre que tengan calidad
(Fco. Ayala, TV, 7-1-87)

Pero puede aparecer en cualquier persona gramatical y casi siempre vinculado al énfasis pronominal o como consecuencia de una ruptura en el régimen preposicional de la expresión, que, al ser desplazada, lo pierde:

*Ahora, *Londres* seguro que hace más frío ahora.

*[Dijo usted que] no estaba de acuerdo con esa generación [...], aunque *usted,* le guste también la animación y... le guste, pero de manera distinta.
(HM, II, 41)

*Bueno, *esto* lo que se puede hacer es romperlo

*La otra [la minifalda] es muy poco... incómoda también porque *las que* no las tenemos bonitas pues no nos conviene
(HM, XI, 182)

> *Lo que es indudable es que *España,* que tiene virtudes indudables, uno de sus defectos es el fariseísmo
>
> (HM, X, 176)
>
> *Y no sé si empezó que si Biológicas, luego se torció a... *El padre* le gustaría que hiciera Farmacia o Química, claro, como su padre es químico, pues...
>
> (HM, XII, 211)

En realidad, aunque el anacoluto es un fenómeno «propio de la lengua hablada, el cual puede explicarse como fenómeno textual que resulta de la adaptación de las necesidades expresivas del hablante a los factores pragmáticos del discurso en el momento de su enunciación» (Bedmar, 1987, pág. 78) y, de acuerdo con la autora, los factores que favorecen su presencia son, fundamentalmente, el ritmo sintáctico del hablante y el nivel diafásico adoptado para la comunicación (pág. 61), el fenómeno se extiende cada vez más, hasta el punto de que es, junto con las faltas de concordancia, tal vez el más corregido en los escritos de los alumnos de Bachillerato. Y ha llegado no pocas veces a la publicidad: el texto de un anuncio (no muy antiguo) del coñac Magno acababa así:

> Y la pareja es una de las pocas cosas que para que marche, hay que sentarse.

Antes de seguir adelante es conveniente que recordemos una vez más que no pretendemos hacer un estudio normativo del lenguaje coloquial. Como ya hemos dicho, el criterio de corrección/incorrección no interesa en sí mismo en el estudio del lenguaje coloquial, al menos tal y como nosotros lo concebimos, sino que se limita simplemente a actuar como referencia lingüística para el investigador. Del anacoluto, como fenómeno lingüístico, nos interesan particularmente dos aspectos: su carácter de hipérbaton imprevisto que surge de las puntuales necesidades discursivas del hablante en el coloquio, y el hecho de que su uso, además de recurrente, pase en general inadvertido tanto para el locutor como para su interlocutor. Es decir, en palabras de Bedmar, el hecho de que «entre otros recursos que permiten la elaboración verbal de un texto, el hablante dispone de un fenómeno que le permite la flexibilización del esquema sintáctico, punto este en el que habría que hacer especial mención de la participación del oyente que ha de reconstruir todo el proceso (al cual no es ajeno cuando se sitúa en la posición de hablante en el acto comunicativo)» *(op. cit.,* pág. 78) [13]. Por eso, desperdigados entre los ejemplos de este capítulo podrán encontrarse numerosos anacolutos originados por la dislocación sintáctica expresiva: su descripción o su explicación aparecerán explícitas solamente cuando nos parezcan relevantes o necesarias para la buena comprensión del fenómeno de expresividad en que aparecen.

«ANTROPOCENTRISMO» Y EGOCENTRISMO

En principio, el hablante puede destacar con cierta libertad expresiva cualquiera de los posibles elementos de su enunciado, casi con independencia de su función sintáctica. Si lo necesitara para alcanzar la comunicación, podría simplemente repetirlo, recolocándolo en su lugar y haciendo reconocible su función y su valor (normalmente mediante la pronominalización anafórica o catafórica).

Sin embargo, hay una relación clarísima entre la dislocación sintáctica y la *personalización,* que convierte a ésta en la causa fundamental de aquélla. En otro contexto, Haverkate (1980) habla de la *estructura antropocéntrica de la oración española;* pues bien, algo así intentamos describir nosotros ahora: una tendencia —muy clara en el lenguaje coloquial— por la cual se tiende a formalizar

---

[13] En los ejemplos que hemos presentado hasta aquí, el anacoluto queda restringido a casos de disfunción sintáctica dentro de la oración, aun cuando, de acuerdo con M.ª Jesús Bedmar, «el proceso anacolútico no se ciñe por lo general al límite oracional», y sus repercusiones «van más allá de dicho límite» (pág. 73): precisamente por ello, la mayor parte de los tipos que ella describe están incluidos en nuestro trabajo, bajo puntos de vista más directamente relacionados con la actualización coloquial, en la parte tercera.

la oración a partir de (y en torno a) un elemento personal, destacado en ella muy frecuentemente al principio. Una tan estrecha
relación entre dislocación sintáctica y «personalización» es, por
otra parte, lógica, si tenemos en cuenta que la expresividad se
centra en el «yo» del hablante, elemento personal activo que
se impone como ser individual en su mensaje y que dirige gran
parte de su energía a «ganarse» al otro elemento personal activo
de la comunicación, a su interlocutor. Seguramente por esto el *sujeto proposicional* o *sujeto de la enunciación* (yo-hablante, que no
necesariamente ha de coincidir con el gramatical o «sujeto del enunciado») [14] es, con mucho, el elemento más frecuentemente
«focalizado».

DESPLAZAMIENTO DE LOS SU-
JETOS DE LA ENUNCIACIÓN

En español —como es sabido— no es preciso expresar explícitamente el sujeto gramatical, porque la desinencia verbal lo contiene
y permite distinguirlo con toda claridad. Por eso se ha considerado
tradicionalmente que lo normal es que no aparezca, salvo que se
quiera resaltar su participación en lo expresado por la oración o
que ello pueda dar lugar a ambigüedad. Y

aunque las Gramáticas registran cuidadosamente los casos de *omisión del sujeto,* parece más adecuado y más breve ocuparse de las
circunstancias en que el idioma, sintiendo como insuficiente la expresión del sujeto contenido en la forma verbal, necesita determinar-
lo más [15].

En el caso del lenguaje coloquial, si *yo* aparece explícito con
tanta frecuencia es, más que por necesidades del idioma, por la

---

[14] Benveniste distingue («El aparato formal de la enunciación», *Problemas, II*)
entre «sujeto de la enunciación», que es una categoría *pragmática* y «sujeto del
enunciado», categoría *gramatical-semántica.*

[15] A. M. Badía, «La omisión del sujeto en español», pág. 363.

necesidad del propio hablante de hacerse constantemente presente en su lenguaje como sujeto proposicional, elemento de contraste con el «tú» y con todo lo demás. Así, y sin pensar en la posible dislocación sintáctica de su enunciado, el hablante lo intercala sin más allí donde le parece que lo necesita, obedeciendo a su espontánea *tendencia egoística* (terminología de Hofmann):

> *Hace *yo*... cuatro años o así, asombraba a la gente de lo que comía
>
> *Y yo nací en este barrio; además nací unos números más abajo del colegio. Así, que es que *yo* mi Madrid es éste
>
> (HM, XII, 206)
>
> *Creía que era más viejo, *yo,* el Paul Newman.

En la lengua coloquial, que presenta siempre la misma dirección de comunicación (de un «yo» hablante a un «tú» interlocutor), los protagonistas gramaticales coinciden con frecuencia con los protagonistas reales de la conversación. De fondo subyace siempre el conocimiento de que es yo quien dice algo; y si es que lo dice *de tú,* se lo atribuye; y si simplemente *a tú,* se lo participa, se lo consulta o se lo ordena... Por eso *yo* y *tú* son enfáticos, redundantes, prácticamente, siempre que aparecen: significativos, pues, desde el punto de vista de la expresividad.

En nuestros dos ejemplos anteriores, más que el propio desplazamiento del sujeto, que se separa notablemente de su verbo, anticipándose en el primero («hace *yo*...») y posponiéndose con énfasis explicativo en el segundo, destaca el hecho de que los hablantes decidan expresarlo; y sobre todo que lo expresen precisamente donde lo hacen. No sólo sería el mismo el contenido proposicional de los respectivos enunciados si hubieran prescindido del sujeto «yo» redundante, sino que su aparición provoca un cierto desorden en su expresión, que dirige la atención del interlocutor hacia el juicio subjetivo del hablante, enfatizado con la presencia del pronombre personal.

Por lo mismo, es frecuentísimo el desplazamiento del sujeto desde la proposición subordinada a la principal (o a su principal) cuando no es ésta, sino aquélla, la que implica a uno de los interlocutores, o a ambos:

> *Porque *yo,* en el Instituto Nacional de la Salud eran interminables las ventanillas que *yo* he visitado
>
> > (TV. «Debate: Aborto», 15-1-87)
>
> *Madre mía, si *uno* no fuera porque reconoce sus propios objetos... Te juro que no lo distingo; sin lentillas no soy nadie [16]
>
> *Tú yo* sé que no lo puedes entender
>
> *Pero ahora, *nosotros* las encuestas demuestran que les podemos quitar la mayoría absoluta...
>
> > (Adolfo Suárez, TV, campaña electoral, 16-6-86)
>
> *¿Cuánto tiempo hace *usted* que está trabajando aquí?
>
> *¿*Usted* es el que su mujer está en el hospital?

Por lo demás, este afán de personalizar el contenido proposicional de los enunciados parece estar en el origen de una gran mayoría de las dislocaciones sintácticas coloquiales y de no pocas de sus «incorrecciones»:

A veces, la expresión del sujeto proposicional se hace directamente en primer lugar, y queda convertido en un «yo enfático colgado» sin relación sintáctica alguna con el resto del enunciado. En estos casos, la primera persona designa exclusivamente al sujeto de la enunciación, disociándolo enfáticamente del sujeto del enunciado (o gramatical), con el que, en circunstancias normales, coincide [17], y quedando así vacío de función sintáctica dentro de la oración:

> *Yo* por lo menos entre mis alumnos la inmensa mayoría quería clases
>
> *Yo* cualquiera te hace la contra a ti, que lo has leído hace nada

---

[16] El indefinido *uno* funciona en estos casos como pronombre encubridor de la primera persona proposicional (*yo*).

[17] Cf. J. L. Rivarola, «¿Quién es nosotros?», pág. 203: «Cuando [el sujeto de la enunciación] se autodesigna por medio de *yo* este *yo* es necesariamente también el 'sujeto del enunciado', esto es, una función sintáctica dentro de la estructura verbal del discurso»

*Porque *yo,* si quieres engordar engorda, pero no te pongas luego a régimen p'adelgazar a sufrir

Yo mi teoría es que ahora nos hemos salvado de llevar minifalda muchas

(HM, XI, 182)

*No, no, no, *yo.* Eran ya... Es que, bueno, llegué a casa tarde. Eran las tres de la mañana

(HM, XXIV, 435)

Yo, eso es horrible para levantarme

(HM, XXIII, 427)

Naturalmente, en casos como éstos hay otros factores, además de la expresividad, decisivos para la formalización del hablante y la comprensión de su interlocutor (la elipsis contextual, el efecto del decurso previo, la necesidad de contraste deíctico). En algunos de los ejemplos, parece precisamente el desplazamiento lineal de *yo* a la primera posición lo que provoca la ruptura sintáctica (el anacoluto) que, a la vez que hace innecesaria la presencia del sujeto proposicional, permitiría una reconstrucción sintácticamente correcta de la oración:

Yo cuando visito las tiendas de discos por ahí, incluso por todo el Estado, son lugares en que...

(Ramoncín, TV, 18-6-87)

*Bueno, los encuentro muy trabajadores [a los catalanes]... *Yo* con los que me relaciono son muy buena gente

(TV, 11-4-88)

Otras veces se expresa directamente como «yo» personalizado lo que en modo alguno es sujeto gramatical de la acción verbal:

*Es un negocio que *yo,* no me daría ningún miedo

*Lo tienes más graso que yo ya [el pelo]. Bueno, *yo* la permanente me lo seca mucho

*Sí, muy bien, pero *yo,* si me obligan, eso que consiguen. Si no... ¡lo llevan claro! [18].

---

[18] Véase Emilia V. Enríquez, *El pronombre personal sujeto.* El trabajo de la autora se inscribe en el proyecto de *Estudio coordinado de la norma lingüística*

PROLEPSIS DE OTRO ELEMENTO PERSONAL

En general, más allá de ejemplos en que, como en los tres últimos citados («Es un negocio que *yo,* no me daría ningún miedo», etc.), «yo» personaliza el contenido proposicional del enunciado en representación de un OD o un OI gramatical que coincide con el sujeto real de enunciación (el yo-hablante), el interés del locutor por poner de relieve en su conversación el elemento personal se manifiesta en la focalización sistemática de éste, que pasa a encabezar, bien la proposición de que forma parte, bien el propio enunciado, destacando su importancia sobre el resto de los elementos. Algo así como si el hablante propusiera *otro* «sujeto proposicional» para su enunciado, tomándolo de donde le correspondiera *(tematizándolo).* Y esta tendencia se manifiesta más allá de la simple posposición del sujeto cuando es de cosa (no personal) y el español medio no lo 'siente' como agente de la acción verbal; entonces el hablante pospone el sujeto gramatical (de cosa), que no coincide con el sujeto real de la experiencia, y adelanta el elemento personal que representa a éste (OI u OD de persona). Así, podemos encontrar:

a) El *sujeto* de una proposición subordinada desplazado al principio del enunciado y formando parte «lineal» de la principal: es el fenómeno de *prolepsis* o «anticipación gramatical consistente en que un elemento que pertenece a una unidad sintáctica se sitúa en

---

culta en las principales ciudades de Iberoamérica y de la Península Ibérica, y se concreta, como el resto de los trabajos que distintos investigadores están realizando en el CSIC, en la lengua española hablada en Madrid. Los estudios gramaticales publicados (uno sobre *La concordancia gramatical en la lengua española hablada en Madrid,* de Antonio Quilis, y otro sobre *Los pronombres 'le', 'la', 'lo' y sus plurales en...,* de Quilis, Cantarero, Albalá y Guerra, además de éste que comentamos) someten a tratamiento estadístico los datos, procedentes de numerosas encuestas (dirigidas, espontáneas y secretas) grabadas en la capital. Aunque, sin excepción, los informantes pertenecen a lo que podemos considerar estrato culto, es evidente que el análisis de un material coloquial como éste arrojará conclusiones muy similares a las que por nuestra parte podemos considerar de extensión general.

otra unidad anterior» [19], característico del lenguaje coloquial, que venimos encontrando (y encontraremos) en numerosos ejemplos:

*Severo [Ochoa] tampoco sé si es español [suj. de sub. sust. OD]

*¿Ya has visto la *prima Marisol* qué bien conduce?

*La empanada gallega sí me gusta a mí. *Mi suegra* me gusta mucho cómo la hace

*Peter Gabriel si viene no me lo pierdo por nada [suj. de sub. adv. condic.]

*Además en todas las revistas *la vedette* era obligado que cantara un chotis [suj. de sub. sust. de suj. con verbo de sentido impersonal-pasivo]

(Mary Sampere, TV, «La tarde», 9-10-85)

*Pili todo tu interés es que pringue pa ti, tu criada, a ver si no, macho [suj. de sub. sust. atributo].

*Sí, *las mujeres* los hombres sobreviven para que los quieran, pobrecillos [suj. de sub. adv. final] [20].

b) El OI encabezando la proposición de que forma parte o el propio enunciado:

*En Argentina, también, dicen que han ido dos [extraterrestres], [...] y que *todas las señoras* les daba un ataque de nervios y se medio morían, claro, eso es muy normal

(HM, III, 49)

*Sería un tanto arriesgado llamarlo problema, puesto que *para no todos* lo es [la anticipación obliga a aplicar la negación no al verbo, sino al elemento pronominal]

*Oye, *nosotros* sí que nos gustaban los Beatles [con verbo pronominal defectivo]

---

[19] F. Lázaro Carreter, *Diccionario*, s.v. «prolepsis».

[20] En este ejemplo, como en el anterior, opto por no escribir la coma entre el elemento personal desplazado y el siguiente (que en un caso es también personal), para no convertirlo en la lectura de un vocativo (con su correspondientes pausa y entonación), lo cual traicionaría el sentido original atribuido al enunciado.

*Es que... o sea, es que *mi hermana más pequeña,* se lo han dado antes que a mí

(HM, XVIII, 321)

*Sin embargo, tiene también el inconveniente de *al empresario* un poco buscar las corridas al aspecto del turismo

(HM, V, 92)

*Estamos en una sociedad plural, [...] *para* lo que *unos* es inmoral, para otros no es... [La anticipación del régimen preposicional del OI, cuya expresión se mezcla con la del sujeto lógico gramatical («lo que»), obliga a la incorrección].

(Nicolás Sartorius, TV, «Debate:
Escándalo público», 29-10-87)

c) El OD personal precediendo a su verbo o encabezando el enunciado, desplazándose desde su proposición subordinada:

*Bah, *tu hermano le* han robado después de poner la puerta blindada, no digas eso.

El de las puertas le hicieron bien la puñeta con colocarle más alto el piso.

*Aquí *quien* se vulnera es a la mujer, no se vulnera a la ley, no se vulnera a..., lo que se vulnera es a la mujer

(TV, «Debate: Aborto», 15-1-87)

*Bueno, pues, vamos a ver. Yo tengo... una de mis hermanas se casó con... con mi cuñado, ¿entiende?, y *mi cuñado,* cuando acabó la guerra *lo* destinaron a Oviedo

(HM, II, 24)

Los niños no debemos abusar demasiao de eso [de dejarlos solos]: son todavía muy pequeños.

O, en su lugar, el suplemento:

La abuela Gertrudis se acuerdan todavía muchas veces de *ella.*

d) El pronombre personal objeto en las combinaciones verbales, que se anticipa y acompaña (a veces redundantemente) a la

primera forma verbal, implicando directamente al elemento personal que más interesa destacar en la conversación:

> *Cuando tú decías, como *te* he creído entender, que por ejemplo
> no es comprensible unos plazos para el aborto...
>> (TV, «Debate», 15-1-87)
>
> *Es así gris con dibujo de dos arcas grandes aquí y aquí... A mí...
> no *me* parece que me gustó mucho al verlo, pero todo el que
> lo ve dice que es muy bonito [redundante]
>
> *Pobrecillo, se nos olvidó ir*lo* a buscar cuando vino.

El desplazamiento es casi sistemático en las perífrasis verbales,
en que el pronombre personal que implica a alguno de los interlocutores (o a ambos) se aplica mucho más frecuentemente al verbo
auxiliar que al principal, al que correspondería lógicamente [21]:

> *Qué pena tener*se* que ir
>
> *Igual que el que *te* hay que dar a ti por haber*me* querido hacer
> sentir culpable
>
> *Te* quiero ver*los* comer rápidamente [te es OD de «ver» y *los* de
> «comer»; ambos pronombres han sido desplazados]
>
> *Se* deben de llevar mal
>
> *¡Y cuidao!, que yo pongo notas, y todo el mundo no son igual,
> ¡*me* hay que preguntar a mí...!
>
> *Y encima sin dejar*me* de hablar ni un momento [... sin dejar de
> hablarme...]
>
> *Voy a ir*me* vistiendo [me vestiré mientras tanto].

e)   Algún CC que, al ser desplazado y «personalizado», pierde
su régimen preposicional:

---

[21] El desplazamiento se extiende también a los objetos no personales:
> *... que ahora está usted intentándo*lo* evitar
> *Esto no es un vestido para andar*lo* poniendo a diario.

*¿Por qué *los niños españoles,* es decir, *nuestros hijos,* a la hora de los exámenes hay un gran porcentaje de suspensos? ¿Es que son ellos más torpes que los de otros países europeos?

(TV, «En familia», 29-1-87)

Mi padre hay una maldad en él... de verdad, yo no sé cómo hemos podido soportarle toda la vida.

*Claro, concretamente en los veranos... yo, *mis amistades... mi círculo de amistades más íntimo,* nunca estoy con ellos

(HM, II, 32)

f) E incluso algún complemento del nombre (CN) que, como el CC, pierde con la focalización su régimen preposicional:

*Ahora, también hay que contar con que *la gente preparada y la gente con interés* también es muy reducido el número

(HM, II, 40)

*—Realmente, ¿*algunos de los heridos que quedan todavía en Portugal,* corre peligro su vida?

—Sí, algunos corre peligro todavía su vida [hay recuperación anafórica de la función del CN con el posesivo *su*].

(médico de La Paz, TV, 21-3-85)

DESPLAZAMIENTO «CATALIZADOR» DE UN ELEMENTO NO PERSONAL

Más allá de la tendencia espontánea al «antropocentrismo» en la estructuración del mensaje, que parece ser, con mucho, la causa más frecuente de dislocación afectiva en el lenguaje coloquial, el hablante puede —como decíamos— poner de relieve prácticamente cualquier elemento de su enunciado, dentro, claro está, de una cierta lógica y unas ciertas restricciones que atañen tanto al valor semántico del término o del sintagma como a su función. Es éste un procedimiento paralelo al de personalización, según el cual *cualquier elemento no personal* (independientemente de su función) *parece convertirse, en virtud de su desplazamiento, en el activador sintáctico del enunciado y/o el foco sobre el cual polarizan hablante e interlocutor su atención.*

DEL SUSTANTIVO O PRONOMBRE

El *sustantivo* (o, en su lugar, el pronombre personal o cualquier elemento sustantivado), que es por excelencia el término designador de una realidad extralingüística (que, en este caso, el hablante quiere hacer particularmente presente a su interlocutor en su mensaje), es, lógicamente, el más frecuentemente desplazado en cualquiera de sus funciones:

a)   Normalmente, el desplazamiento del *objeto directo* [22] implica un proceso de pronominalización que repite (con valor anafórico, semánticamente redundante) el elemento desplazado, permitiendo así la identificación de su función, la corrección sintáctica del enunciado y la perfecta comprensión de su sentido:

> *El despertador éste* cuando quieres no *lo* oyes, así que ya puedes empezar a comprar otro
>
> *La zapatilla* luego te *la* atas, eh
>
> *Y ha sido una lástima, porque él hubiera podido calar más en un tipo de gente que *esta clase de música la* tiene como marginal
>
> *¿Café* no tienes?   (R, FM, 4-2-87)
>
> *Efectivamente, antes del 82 existían esos calabozos que eran como perreras. *La mendicidad,* digamos que todavía se permitía el reprimir*la.*
>
> (TV, «Debate: La mendicidad»)
>
> *Cosas como el amor, la pasión, el odio,* se *las* escenifica.

---

[22]   También puede desplazarse el sujeto (no personal) desde la proposición subordinada al principio de la oración (pero los ejemplos suelen revelar una cierta voluntad «personificadora»):

> *La malquerida* [de Jacinto Benavente], una de las cosas que ha hecho es que, después de dos años (Miguel Narros, TV, 5-2-88).

Puede encontrarse también algún ejemplo con OI no propiamente personal (pero personalizado):

> *Luego por lo tanto, *Madrid* pues se le solucionará lo mismo ¿no? (HM, V, 91).

A esto debemos añadir además que mientras la anticipación catafórica del OI mediante pronombre átono es bastante usual *(Le he dicho a tu hermano* que no se venga con nosotros), la del OD es menos frecuente y se considera inelegante (No *la* hará *la hora* todavía) [23].

b)   Siendo el *complemento circunstancial* (aditamento) un elemento que tiene casi entera libertad de movimiento en el sistema de la lengua española, sus desplazamientos —como ya señalamos— no suelen considerarse relevantes desde el punto de vista de la expresividad más que como consecuencia de la dislocación de otros elementos del enunciado o de la significativa e inesperada presencia de alguno. La excepción la constituyen los CCs que tienen una más estrecha relación con el verbo (son más prescindibles los CCs de lugar o de tiempo que los de instrumento, por ejemplo), cuyo desplazamiento resulta más llamativo, aquellos que rompen con la linealidad en la expresión de alguna otra función y los que el hablante propone como objeto-sujeto del enunciado:

*Bueno, *esto* lo que se puede hacer es romperlo

*Madre mía, eso es peligrosísimo: ponerse delante de *rodillas* del toro

*Creo también que *el arte* se nace uno con ello

*Ella dice que se hace una herida y no se entera, que no le duele. En cambio yo, *cualquier cosita* siento dolor

De más en mejor vamos a ir ahora, ya verás

---

[23] Aunque circunscritas al habla de la capital argentina, algunas de las conclusiones a que llegan Ana Mª Barrenechea y T. Orecchia («La duplicación») podrían seguramente hacerse extensivas al español peninsular (y vendrían, de algún modo, a confirmar lo que decimos): *a)* los pronombres personales parecen sensibles en general a la categoría «humano» y a la primera persona gramatical (raramente duplican OD u OI en otros casos); *b)* tanto OD como OI llegan a alcanzar elevadísimos índices de refuerzo (pronominal) cuando aparecen antepuestos a su verbo, particularmente si poseen el rasgo «humano». Las autoras hacen al comienzo de su trabajo un resumen de los factores que habitualmente se considera que influyen en el desdoblamiento redundante de OD y OI (lo que constituye, sin duda, un útil punto de partida metodológico).

*Ahora, *en Huesca* es una lástima que sólo estuve de... unos quince días
                                                        (HM, I, 8)

*La primera vez estuve en... Francia... no, la primera *en Portugal* fue
                                                        (HM, II, 26)

*¿*Con un buen palo* no tendrás una escoba que se pueda barrer, y no esta mierda...?

*¿*Este* [parque] es *el que* van a poner en medio los chalets?

c)   Desde el punto de vista gramatical, este proceso de *cataliza-ción* expresiva presenta, como el de *personalización,* una curiosa peculiaridad sintáctica que Gemma Herrero considera característica del coloquio: la *ruptura en la expresión formal de ciertas funciones.* Funciones como las de OI, OD de persona, suplemento, e incluso complemento del nombre (CN) (función secundaria del sustantivo), cuyos sintagmas, desplazados por interés del hablante al principio del enunciado o de la proposición a la que pertenecen, pierden su régimen preposicional y aparecen en la conciencia de los interlocu-tores (en sus diferentes campos perceptivos) como sujetos-objeto sobre los que se centra la atención. Acorde con su intención expre-siva, el proceso catalizador del sustantivo parece convertir con fre-cuencia a los elementos desplazados en (falsos) sujetos gramaticales en torno a los cuales se organiza el resto del enunciado. Si todavía pudiéramos hablar lícitamente de «casos» en nuestra gramática, po-dríamos decir que, con el hipérbaton, el hablante tiende a convertir formalmente en nominativo los elementos relievados, independien-temente de su función originaria, que conservan en el enunciado:

*Sí, hombre, *el piscolabis ese* te darán algo de comer [CC de lugar]

*—¿Te parece guapo Miguel Bosé?
   —Me parece... atractivo. Yo creo que su atractivo *lo que mayor radica* es *su sonrisa*
                                              (R. *El País,* entrev., 22-5-87)

*Bueno pues *esa iglesia que hay ahí,* hay un convento de frailes, ahí estuve yo
                                                        (HM, XVII, 307)

*Por lo tanto, yo no veo *qué interpretación* permisiva de la ley se
pueden referir [suplem.]

(Juez Carlos Valle, TV, «Debate», 15-1-87)

*Las revistas, concretamente, me voy a referir a una que es a una
que estoy suscrito, que es *Índice; esta revista* parece que la
campaña que están realizando es ir hacia una elevación del número de suscriptores

(HM, II, 40)

*En el [cine] Florida ponen solamente una, y además es *una de las
mismas que* ponen en el Salaberry [es la misma que una de
las que...]

*_Esta casa_ se puede asar uno, como no ponga algo [en las cristaleras
para evitar el sol].

Esta «nominativización» se hace a veces evidente cuando, en
la recuperación pronominal, aparece la correspondiente preposición:

*Yo *las perífrasis* no me llevo bien *con* ellas
*Ahora, *el amor* así, en abstracto, todo el mundo cree *en* él

(HM, VIII, 141)

Como en el caso del desplazamiento del OD, la ruptura en la
expresión formal del CN obliga a la recuperación anafórica del elemento destacado haciendo explícita la pertenencia *(su)*:

*_El castellano,_ a pesar de ser un idioma internacional, *su* unidad
se mantiene firmemente
*—Yo no sé qué suspensión tendrán los coches de los demás...
—No, la verdad es que *este coche* no es *su* gran virtud... *la
suspensión.*

DEL ADJETIVO

Aunque, por su función secundaria respecto de otros elementos,
adjetivo y adverbio difícilmente podrían actuar como auténticos ac-
tivadores sintácticos del enunciado, su desplazamiento en el interior
de la frase revela a veces un particular interés del hablante y suele

desviar la atención del receptor hacia los matices subjetivos implicados en la dislocación.

a) Aunque no es muy frecuente, el adjetivo predicativo puede aparecer desplazado, al lado del sustantivo o elemento nominal que le sirve de antecedente-referente (como si fuera atributivo):

> *Se pasa uno *colgao* la vida al teléfono
>
> *Qué aviones *más bajitos* pasan por aquí, mira
>
> *Creo que soy buena alumna. Soy buena alumna porque estoy dispuesta a aprender toda la vida... Y eso es lo *más claro* que tengo
> (Ana Belén, TV, «Informe Semanal», 30-12-89)

b) Como es sabido, el adjetivo demostrativo sólo se pospone al sustantivo cuando éste lleva determinante. En 1958, Ambrosio Rabanales atribuye a la posposición del demostrativo un valor claramente despectivo, que Carlos M.ª Ariz (1970) parece asumir, citando ejemplos como los siguientes:

> *La señora esta* desea hablar con usted
>
> *El joven ese* lo espera
>
> *El señor aquel* lo necesita [24].

Es posible que todavía en 1970 (o quizá en Hispanoamérica) se sintiera despectivo el empleo pospuesto de los adjetivos demostrativos. A estas alturas, sin embargo, nuestro análisis se aleja radicalmente de esta consideración. Más que la posposición del demostrativo, nos llama la atención la anticipación del elemento determinado, que es el que el hablante quiere hacer constar en primer lugar, aquel o aquello de lo que habla; la posposición del demostrativo no hace, en realidad, más que reforzar su valor deíctico y actualizador. El hablante dirige primero la atención de su interlocutor hacia el elemento seleccionado, que aparece bien definido en el enunciado, e inmediatamente después le concreta con precisión su posi-

---

[24] Véase Ambrosio Rabanales, «Recursos lingüísticos»; y Carlos Mª Ariz, «Bosquejo».

ción relativa contextual (en su más amplio sentido), mediante el demostrativo:

> *El niño este* es muy listo y ya no se le engaña fácilmente
>
> *No lleva la sirena *el coche aquel*
>
> *La casa esa* está en alquiler desde hace por lo menos cuatro o cinco meses
>
> *Pues a mí *el inconveniente ese* no me parece tan grande
>
> *Entonces, a mí, el topógrafo era el que me pasaba... pasaba el plano, y entonces, yo lo hacía convenientemente ya en... *papeles estos* vegetales y ya dejaba el planito bien hecho
>
> > (HM, II, 25)

La posposición del demostrativo (o la anteposición del sustantivo núcleo, según el punto de vista que adoptemos) tiene lugar tanto cuando la deíxis es contextual como cuando es situacional, y ocurre, naturalmente, en cualquiera de las posibles funciones del sintagma, si bien predomina el de sujeto y el de elemento personal:

> *En el hotel ese* se está comodísimo
>
> *Bucear es *para la gente esta* esencial en la vida
>
> *Y *a la sierra esa* que vas tú todavía no hemos ido nunca
>
> *Y... había salido... lleva *toda la semana esta Santa* saliendo a las nueve, a las diez, a las nueve, a las diez, que el horario es hasta las seis
>
> > (HM, XXIV, 446)
>
> *Los campings nudistas tienen *el inconveniente ese,* pero lo demás todo son ventajas

DEL ADVERBIO

Los casos más expresivos de *dislocación adverbial* tienen lugar cuando el adverbio, en su gran movilidad, pasa linealmente a modificar un elemento (verbal o no) que no es el suyo; la entonación, el contexto, la intención de comunicación, etc., compartidos por los interlocutores, suplen a la perfección la posible falta de lógica del enunciado:

> *Hay *absolutamente* repeticiones en todas partes [el énfasis sobre el CC se desplaza al OD]
>
> *Yo antes tampoco *nunca* estaba
>
> *Hay otra serie de revistas... por ejemplo, *Cuadernos para el diálogo,* una revista también *francamente* de corte intelectual
>
> > (HM, II, 40)
>
> *No ha hecho ruido *más,* ¿no? [la cuantificación del OD se retrasa, a modo de CC de tiempo]
>
> *A mí me gusta escribir *mucho* [me gusta mucho escribir] [la combinación verbal, que seguramente se siente como un todo con sentido unitario, tiende a desplazar (adelantar o retrasar) sus posibles complementos]
>
> *... que *tan* llevamos dentro [adv. modificador de adv. con verbo interpuesto].
>
> *—Sí, sí. Sí hay un tal Morelos por ahí, sí.
> —Hay un Morelos, pero lo que no sé es colocarlo *en dónde.* Y está...
>
> > (HM, XXIV, 444)
>
> *Es *no* tanto, es *no* tanto [desde el verbo, la negación se desplaza al adverbio cuantificador].

Precisamente el adverbio de negación *no,* capaz de marcar con su sola presencia la modalidad enunciativa o de negar, por implicación, todo un enunciado (elemento prooracional), presenta una fuerte tendencia al desplazamiento y a la repetición en la lengua coloquial. Unas veces, modificando —como en el último ejemplo— a un elemento que no es el suyo:

> *Pero se hace, evidentemente, desde *no* la responsabilidad política
>
> *—Es mala el agua de aquí, ¿no?
> —¿El agua? Es extraordinaria
> —Ah, ¿sí?
> —*No* le puede gustar, eh [desplazamiento en perífrasis verbal y en combinaciones verbales]

*Yo no. Mis tazones son de porcelana, y *ni* los vasos y *ni* los platos no son de duralex

*Carlos ha ido a frenarle con los brazos, *sin* procurar dañar al jugador [procurando no dañar]

*Creo que la vida hay que vivirla a tope, y en todo momento... *sin* procurar dañar al vecino...

(Dr. Cabezas, TV, «Querido Pirulí», 11-5-88)

*Quizás la cuarta parte, no creo que llegue a la cuarta parte ...V... No... *tampoco no* quiero arriesgarme a porcentajes, por eso digo porque...

(HM, II, 31)

Otras, pasando desde la proposición subordinada a la principal, negando el contenido global del enunciado. El fenómeno es particularmente frecuente cuando el verbo principal es uno de los llamados «subjetivos»:

No creí que te daba [para dar la vuelta el coche] [creí que...]

*Yo *no* creo que fue *nunca* una mujer madura

*... un bar con un aparte allí para los niños, *no* sabiendo que se van a salir a la calle [sabiendo que no...];

así como con verbos defectivos:

*Y eso, me parece muy erróneo ¿no?, porque el matrimonio *no* me parece que debe ser un fin, sino un principio... y, desde luego, nunca un recurso

(HM, IV, 68)

En lo esencial, el concepto de dislocación expresiva que manejamos coincide, si no formalmente (esto depende de las restricciones que se le impongan al fenómeno), sí desde el punto de vista de la interacción, con el de *topicalización,* desviando la atención del receptor hacia el énfasis semántico de los elementos desplazados. Lo que hemos considerado prioritario desde el punto de vista de la expresividad coloquial ha sido, en este caso, la tendencia del hablante a configurar su enunciado en torno, preferentemente, a un sujeto personal; o, si no, a tratar como sujeto organizador del enunciado a uno de sus elementos (independientemente de su función originaria), el que considera prioritario en su información. Esta consideración no es incompatible (sino complementaria) con la de otros fenómenos lingüísticos afines, como los de anacoluto y topicalización, que funcionan como auténticas regularidades configurativas de la sintaxis coloquial.

Dislocación expresiva en la modalidad interrogativa

Atención aparte merecen —nos parece— ciertas dislocaciones expresivas que tienen lugar en la modalidad interrogativa. En general, el hipérbaton en la interrogación verdadera (es decir, con valor de pregunta) parece seguir las mismas 'leyes' que en las modalidades (entonacionalmente) enunciativas más comunes:

a) La dislocación más frecuente es la anteposición del sujeto de la oración, que, tratándose de una modalidad esencialmente apelativa, raramente coincide con el «yo» hablante que interroga. Si implica a los interlocutores, la presencia explícita del sujeto es casi siempre redundante y expresiva, suele buscar el contraste diferenciador. El sujeto puede encabezar la oración tanto en las interrogativas totales como en las parciales:

>   *¿Tú* no te echas azúcar?
>   *¿Tú* dónde piensas dormir esta noche?
>   *¿Leopoldo* lo sabe?
>   *¿Y nosotros* por qué nos vamos a pelear ahora?
>   *¿El deporte* no adelgaza? Pues estamos apañaos.
>   *¿Vosotros* tenéis prisa?
>   *¿Nosotros* lo hemos intentado ya con el sub-archivo?

b) Además del sujeto, se desplazan también con cierta frecuencia el OI, el OD y el suplemento (preferentemente si son de persona), y hasta algunos complementos circunstanciales estrechamente ligados al verbo:

*¿Un melabón no tendrías? [OD]

*¿Eugenia te llamabas? [OD personal]

*¿Las tijeras las tienes tú? [OD con recuperación pronominal]

*¿A María le has comprado también algo? [OI]

*¿De Julia he estado hablando toda la tarde? Pues vaya [suplemento]

*¿Y respecto al matrimonio, tus ideas? [CN].

(HM, IV, 68)

*¿Ahora tú crees que el americano es bien visto en el mundo?

(HM, V, 97)

*¿Con los zuecos sales a pasear? [CC de instrumento].

c) Los desplazamientos conllevan muchas veces una *segmentación* (tonal) que parece dividir la pregunta en dos partes de diferente signo: una constatación (que origina el enunciado del hablante), emitida con suprasegmento tonal enunciativo, y la pregunta propiamente dicha, con entonación interrogativa, que incluye por implicación el elemento separado en la enunciación:

*Ramón y Pili ¿a qué hora llegan?

*Pero bueno, *los embajadores* ¿no hacen lo que le mandan los de aquí?

Gili Gaya documenta el fenómeno para el sujeto de las interrogativas totales:

El sujeto puede quedarse fuera de la pregunta propiamente dicha [...] Se trata de un principio de geminación, de segmentación, cuya eficacia en el habla depende en cada caso del interés mayor o menor con que el hablante fije su atención en el sujeto y también de la extensión de éste [25].

Gemma Herrero (1986) extiende su incidencia al sujeto de las interrogativas parciales también, con tantas más posibilidades de desplazarse cuanto más extenso sea:

*Y ese follón de voces ¿qué es?

---

[25] *Curso superior*, pág. 92.

Considera además que raramente se desplazan otros elementos en la oración interrogativa [26]. Nosotros consideramos que el desplazamiento de otros elementos además del sujeto es, si no frecuente —que quizá también—, sí perfectamente normal para el hablante, que lo hace espontáneamente, dejando constancia (con o sin segmentación) de aquello que despierta su interés en primer lugar, y para su interlocutor, que fija primero su atención en el elemento desplazado y comprende después sin problema la intención global de comunicación. De hecho, hemos documentado esta geminación fónica en numerosos ejemplos en que el elemento desplazado no era el sujeto:

> *El groucho aquel que compraste en Vigo,* ¿dónde lo tienes? [OD con recuperación pronominal]

> *La grapadora* ¿la has arreglado o la tiramos ya?

> *El estante ese* ¿no podríamos poner algo más *en él?* Queda más vacío [que los demás] [CC]

> *Del padre de Ángela* ¿sabéis algo?

> *Desde la niñez hasta hoy,* ¿tú crees que yo he tenido buena suerte alguna vez en mi vida?

> *No, de veras, como Cortázar* ¿vamos a conseguir escribir algún cuento alguna vez? Fracaso absoluto

> *Y nuestros hijos,* ¿se *les* caen los anillos acaso por hacerse la cama antes de irse al colegio? [OI].

El fenómeno forma parte de la tendencia general en virtud de la cual «los hablantes, que somos siempre los que jerarquizamos el contenido expresado, solemos colocar en primer término, e incluso desgajarlo o desvincularlo del resto de su enunciado mediante una pausa más o menos marcada y un tonema final sostenido, aquello que consideramos novedad o elemento nuclear del mensaje» (Narbona y Morillo-Velarde, 1987, págs. 109-110), de manera que en

---

[26] Quizá la razón por la que G. Herrero no documenta más ampliamente este fenómeno pueda encontrarse en el material utilizado como objeto de estudio en su trabajo (los *comics*).

muchas ocasiones es más relevante la «desvinculación» de la frase que la posición inicial de un determinado elemento.

d) Por lo demás, parece clara —como afirman los mismos autores— la tendencia a desglosar de maneras diversas la pregunta en dos o más grupos fónicos, a impulsos «impresionistas» de la subjetividad:

> *¿Ahí? ¿Se han matado? ¿Todos? Qué horror...
> *¿Qué pasa? ¿No era tu día hoy? No era, ¿no?
> *¿«Un, dos, tres»? ¿Lo quitan?
> *¿Al baloncesto? ¿Con mi estatura? Sí, hombre... Dedícate a boxear tú con tu nariz
> *¿Qué ha dicho?, que ahora bajaba, ¿no?

(HM, XXIII, 421)

e) Y hay, por fin, añadida, una curiosa anticipación expresiva en la interrogación, que tiene lugar mediante la inserción de un pronombre interrogativo (proléptico o de anticipación), casi siempre *qué,* con carácter *deíctico* y *catafórico* en el elemento geminado como enunciativo. El pronombre, que tiene la doble función de anticipar el valor interrogativo del enunciado (hasta ese momento enunciativo) y poner en relación explícita sus dos partes (prescindiendo de la gramaticalidad de la expresión), obliga al receptor a detener dos veces su atención en la pregunta (una por sorpresa, la otra con anticipación) y parece mostrar a veces ironía, a veces sorpresa, a veces un gran interés en la respuesta por parte del hablante:

> *Qué* estás ¿todavía desayunando?
> *Pero la postal *qué* es ¿para el colegio o para los abuelos de verdad?
> *La tesis *cómo* va, ¿bien?
> *La música a toa leche *qué,* ¿para relajarte?
> *Y la moral *qué* ¿que le den por culo?

B) CONDENSACIÓN Y SÍNCOPA

En la conversación espontánea, el lenguaje, que por necesidades fisiológicas ha de desplegarse lineal, escalonado (para el receptor), tiene la doble misión de lograr la comunicación y de ser el mosaico-reflejo de la singular *síntesis* interior del pensamiento-sentimiento del hablante. En él se produce una cierta «ondulación» donde los diferentes elementos de significación se interrumpen, se entrecruzan, se complementan o se superponen, en una peculiar concatenación de orden «causal». Como resultado, la metamorfosis de estos singulares procesos internos en lenguaje se articula en torno al *sentido* subjetivo más que al *significado* de las formas lingüísticas.

Por un lado, ya hemos visto cómo, mediante la dislocación sintáctica, se reflejaba ese «orden subjetivo» que se le impone al hablante en el momento de la comunicación. Por otro, esa «síntesis interior del pensamiento-sentimiento del hablante» se refleja en un *relajamiento de las relaciones semánticas:* para no traicionarla totalmente, el hablante abrevia, resume, condensa formalmente su mensaje y suprime de él los pasos (lógico-semánticos) intermedios (lo *sincopa),* dispuesto a alcanzar lo antes posible una trabazón cerrada y comprensible a la que, si fuera preciso, añadiría después, con más calma, otras determinaciones. Es el fenómeno que, tomando palabras de Hofmann, podríamos describir con propiedad como *taquigrafía hablada del afecto,* consecuencia de la acción perturbadora de éste, «que se desahoga en intermitencias y lingüísticamente sólo es capaz de alusiones bruscas a los puntos culminantes» (1958, pág. 13). «Tendencia centrífuga» e «interferencias y cruces» son otros tantos aspectos complementarios de esta tendencia espontánea del hablante en su conversación.

Tales *condensación* y *síncopa* expresivas exigen, naturalmente, una concordancia en los dos procesos (paralelos y simultáneos) de la emisión y de la interpretación (decodificación). El enunciado tiene y adquiere sentido porque pertenece a un todo lingüístico y subjetivo del que hablante e interlocutor co-participan en su conversación.

Desde el punto de vista gramatical, todo esto se refleja en la conversación en la abundancia de enunciados de término único o con numerosos elementos elípticos, que son la expresión sintética de unas relaciones semánticas internas condicionadas por la emotividad del hablante.

«Condensación y síncopa» es, pues, el nombre que damos a la *elipsis* de la lengua coloquial *que tiene su origen en la afectividad del hablante* (lo que también podríamos denominar «elipsis expresiva»). Designamos así un fenómeno de tipo general que se asemeja en cierto modo a la *braquilogía* (supresión inconsciente) tal como Bally la consideraba, para distinguirla de la —para él— mera elipsis. Ésta se basaría en la supresión en un lugar determinado del discurso de un signo que figura en un contexto (lingüístico) previo o siguiente, mientras que en la braquilogía los términos sobreentendidos no estarían en el contexto lingüístico (pero sí, para nosotros, en el subjetivo del hablante y en el compartido por los interlocutores en su conversación). Por supuesto, otros fenómenos de elipsis tienen su origen en causas bien distintas: elipsis por comodidad, elipsis contextual, etc... *(vs.* elipsis expresiva).

INTERJECCIONES

Entre los enunciados de término único destacan por su relevancia expresiva las interjecciones, que podríamos considerar en ocasiones producto de una cierta tendencia espontánea a reducir la expresión a lo «afectivamente imprescindible». Y en sentido estricto, lo afectivamente imprescindible en la expresión del dolor puede ser *¡ay!,* o *¡Dios!,* o *¡mierda!;* todo lo demás es gesto, mímica, sentimiento personal. La sola entonación exclamativa hace innecesarias más palabras en casos así: basta con una, y casi podría servir una cualquiera de entre las que tienen connotaciones negativas. Sin embargo, en honor a la verdad, las interjecciones, que suelen aparecer exclusivamente en el plano de la interacción (presentando o señalando) [27], sintácticamente aisladas y con entonación exclamativa, raramente aparecen solas: constituyen casi siempre el umbral que da paso a la información explícita de la causa que ha provocado en el hablante su proferencia (plano de la «conceptualización) de tal interjección:

> *¡Mierda!... qué daño, qué daño me he hecho en este pie...*

Bien es verdad que basta la interjección para que podamos conocer con bastante precisión el estado de ánimo del hablante. Y aún más: a solas, sin un interlocutor que le prestara atención, la misma persona se habría conformado con su *¡Mierda!* incontenida y, a lo sumo, habría «pensado sin voz» todo lo demás. La relevancia expresiva de la interjección no radica tanto en que se trate de un enunciado de término único cuanto en su espontaneidad (incontenible), en su aislamiento sintáctico y, sobre todo, en la entonación que la caracteriza. Creemos, en efecto, que

> Las formas exclamativas son las que, de preferencia, recogen con eficacia el rasgo sentimental; y es natural que cuando éste es el que buscamos poner de relieve se ocurra [sic] a la expresión exclamativa donde al propio tiempo que se respeta el aspecto de la comunicación de las ideas, se consolida y afianza el matiz emocional. En la lengua oral se aprecian estos matices mejor que en la lengua escrita, porque la entonación es elemento definitivo por el que encauza la expresión sentimental [28].

Las interjecciones «propias» *(ah, ay, bah, caray, oh, huy...)* son, como es sabido, términos carentes de significado intelectual, sancionados por el uso, que se fijan, estereotipados, en la lengua [29]. Constituyen, por ello, auténticos índices de la subjetividad del hablante. Se ha considerado, en general, que equivalen a oraciones (sentido completo, entonación independiente) y no a «partes de la oración», pues no cumplen en ella ninguna

---

[27] Ramón Almela les asigna carácter *factitivo:* la interjección «*hace lo que* designa y *al mismo tiempo que* lo designa» *(Apuntes gramaticales sobre la interjección,* pág. 117; nos interesa particularmente el cap. IV). Con cierto detenimiento se ocupa de la interjección también Gemma Herrero, en el cap. III de su tesis doctoral (inédita).

[28] L. J. Cisneros, *Formas de relieve,* pág. 65.

[29] Argumenta Almela (ibídem), con toda razón, que las interjecciones cumplen —a su modo— con todas las peculiaridades que se atribuyen al llamado *discurso repetido* o «reproducido» (son *lexismos;* cp. «modismos»).

de las funciones descritas por las gramáticas. Como no tienen significado intelectual, especifican circunstancialmente su sentido por medio de la entonación (independiente, como de elemento aislado) y el contexto en el momento de la actualización comunicativa (sorpresa, ira, desencanto, pudor, alegría, tristeza, dolor, bienestar, enfado, disgusto, contrariedad...): de ahí su frecuencia y su alta rentabilidad en la lengua espontánea.

Las llamadas interjecciones «impropias» o secundarias son términos desemantizados (sustantivos, verbos, frases...), que pueden proceder de cualquier esfera vital (preferentemente, de la sexual y la religiosa). Aisladas también entonacionalmente, sirven como las anteriores para el momentáneo desahogo emocional (del más diverso signo) del hablante y especifican también circunstancialmente su sentido en el momento de la actualización. Aunque, quizá porque pueden identificarse inequívocamente como palabras con significado, parecen tener más especializadas sus limitaciones emotivo-semánticas: *¡Hostias!, ¡La hostia!, ¡Dios!, ¡Rediós!, ¡Señor!, ¡La Virgen!, ¡Demonio(s)!, ¡Coño!, ¡Cojones!, ¡Leche!, ¡Y una leche!, ¡La leche!, ¡Porras!, ¡Mierda!, ¡Madre mía!, ¡Vaya!, ¡Venga ya!, ¡Anda ya!, ¡Joder!, ¡Ahí va!* [pronunciado «*ahivá*»], *¡Y dale!, ¡No te fastidia!, ¡No te jode!, ¡Será posible!, ¡Encima!...* Algunas como *¡Hombre!* y *¡Mujer!* conservan en el uso algo de su sentido original: el término femenino raramente aparece aplicado cuando el interlocutor es masculino (al contrario sí puede ocurrir con cierta frecuencia).

Y más allá del empleo aislado de las formas tradicionalmente consideradas interjecciones propias e impropias *(¡Ah!)* o de su empleo como refuerzo funcional o semántico *(¡Ah, pillo!),* se pueden encontrar las que llamaremos «interjecciones expandidas»: aquellas que constituyen oraciones interjectivas y originan, como término regente, dependencia en la cadena sintagmática en que aparecen (y que conforman):

> *¡Vamos con el niño!
> *¡Caray con tu amigo! [30].

Por lo demás, aunque no nos interesa ahora especialmente la interjección, no debemos olvidar que, como advierte Seco (1973, pág. 375), «en las interjecciones, la expresión emocional tiende a ser pantalla de una intención enfática con la que se busca golpear la conciencia del 'tú'».

---

[30] Cf. Almela, *op. cit.,* págs. 104-111, de quien tomo los ejemplos (pág. 106).

ENUNCIADOS SIN RELACIÓN PREDICATIVA

Más allá de la mera interjección (desemantización), cualquier término, independientemente de su función y en conexión con el contexto interlocutivo, se puede convertir en índice emotivo del hablante, relievado y aislado sintáctica y entonacionalmente (esta entonación «emocional» suele reproducirse en la lengua escrita con signos de exclamación, que sirven para «señalarla», a pesar de que en la realidad sólo excepcionalmente coincide con la entonación propiamente exclamativa):

   *¡*El arroz!*
   *¡*En casa!* Pues vaya invento...
   *¡*A mi marido!* En eso estoy yo pensando...
   *¡*Del instituto!* ¡Encima!* Por si faltaba algo...
   *¡*Hasta Santiago* [andando]! Imagínate.
   *¡*Por fin!*

Se trata, como puede verse, de secuencias unitarias «que funcionan igual que las interjecciones», pero en las que, «eliminado el contorno melódico que las unifica como enunciados sintomáticos», podríamos encontrar que cumplen una de las funciones oracionales si estuviesen insertas en una oración [31]; es decir, actúan simultáneamente en el plano de la interacción (enunciación-enunciado) y en el nivel sintagmático del discurso.

En realidad, todos estos enunciados podrían ser considerados como el producto peculiar de la síntesis de dos tendencias sintácticas complementarias en la expresión espontánea de la subjetividad: la dislocación expresiva y la condesación. El hablante dice en primer lugar aquello que más le interesa, pero no lo expresa en su forma lógica completa, sino que lo reduce a sus términos mínimos

[31] E. Alarcos, «Enunciados sin verbo», pág. 31.

y lo aísla sintácticamente, confiriéndole independencia de enunciado completo (desde el punto de vista de la comunicación) y un mayor relieve [32].

ENUNCIADOS EXPRESIVOS ESQUEMÁTICOS

Menos claros tal vez como expresión de la afectividad, pero más interesantes desde el punto de vista sintáctico, nos parecen esos enunciados que resultan (oscuramente) expresivos porque, en su condensación (elipsis formal), sintetizan diversas percepciones, sensaciones, intenciones, etc., que el hablante ha experimentado (o experimenta) mucho más deprisa de lo que es capaz de expresar, de ahí sus «alusiones bruscas a los puntos culminantes», que requieren a veces complicadas explicaciones. Algunos de nuestros ejemplos son muy representativos en este sentido:

*La pared, yo de mi baño así está. Ésa es muy buena; no hagas taladro; yo la tengo ¡añísimos!

A un anacoluto inicial perfectamente comprendido por el interlocutor *(La pared, yo de mi baño así está),* en el que se segmenta (se «topicaliza») el elemento objetivo de la enunciación y se expresa innecesariamente el subjetivo [yo tengo así la pared de mi baño y así está], se suman otros tres enunciados «condensados»:

---

[32] Por lo demás, estamos de acuerdo con Ofelia Kovacci («Función y contexto») en que oraciones como *¿Miedo yo?* (o *¡El timbre!)* no son elípticas, a pesar de no tener verbo, pues no precisan acudir a ningún contexto para precisar su sentido (contienen y permiten por sí mismas la información completa). Esto quiere decir que, al menos en lo que concierne a la lengua hablada, pródiga en este tipo de enunciados (pero también a la escrita, creemos), debemos considerar —como hace la autora— que existen en el sistema «oraciones de predicado no verbal» (en este caso, Sujeto-Predicado objeto). Lope Blanch *(Análisis)* propone el nombre de *frase* para este tipo de enunciados sin relación predicativa y el genérico de *cláusula* para toda expresión (tenga la forma que tenga) con autonomía elocutiva, derivada de su plenitud conceptual.

1. *Ésa* [barra para la cortina del baño, que se fija con ventosas a la pared] *es muy buena;*
2. *No hagas taladro* [síntesis-cruce de «no hagas agujeros» y «no taladres la pared»: consejo personal];
3. *Yo la tengo ¡añísimos!* [yo la tengo desde hace muchísimos años y aún no se ha caído, no parece que falle, yo te la recomiendo].

No hay en este ejemplo, como puede apreciarse, ni un desarrollo lineal del pensamiento lógico del hablante ni nexos lógicos explícitos de su ritmo proposicional (ni un solo enunciado que esté completo, desde el punto de vista gramatical). Si su enunciación ha sido posible tal y como la mostramos y su sentido completo y perfectamente comprendido en la comunicación es porque, en ella, hablante e interlocutor, en virtud de la covivencia y del contexto compartido, pueden hacer las implicaciones necesarias para el mutuo entendimiento.

En términos generales, estos enunciados coinciden formalmente con el concepto de oración sincopada de Manuel Seco. Se trata, en efecto, de enunciados que carecen de ciertos elementos (es decir, sintácticamente no completos), pero en los que «no queda nada suelto: simplemente, el mensaje se reduce a un esquema que deja descarnados sus términos mínimos, organizados según una sintaxis radicalmente estilizada» [33].

Formalmente se trata, pues, de *enunciados fragmentarios,* término empleado por Dubsky (1970) para designar los enunciados incompletos «por una excitación emocional» y por Luis Cortés Rodríguez (1982, 1986) para los enunciados elípticos con «integridad contextual» (motivados en gran parte por la rapidez, la expresividad y sobre todo el contexto), a los que asigna un papel importante en el diálogo (15% del total). Constituyen, en suma, lo que Hofmann (1958) denomina *oraciones afectivas esquemáticas* y que nosotros, actualizando la terminología, denominamos *enunciados expresivos esquemáticos.*

---

[33] «La lengua coloquial», pág. 369.

Como es imprescindible que en estos enunciados «no quede nada suelto» y que su sentido sea subjetivamente completo y así aparezca para el interlocutor, los «saltos internos de significado» aparecen vinculados, lógicamente, en la expresión, a los signos lingüísticos que poseen contenido semántico (sustantivos, adjetivos, verbos y adverbios, fundamentalmente) y a la relación (no siempre clara) entre las diversas partes del enunciado.

a)   Por eso, lo normal es que la condensación afecte a la articulación en uno solo (por síntesis-cruce) de pensamientos que seguramente han tenido lugar en ráfagas distintas, pero poco menos que simultáneas para el hablante:

*Tiene *un puesto muy responsable* en la central [de mucha responsabilidad]

*Seguro que si voy a graduarme he perdido por lo menos una [dioptría]. Se ve que de mirar todo el día *cosas cercas*. Lo noto ya desde hace dos meses [de cerca]

*¿En qué te *has dormido pensando?* [¿en qué pensabas cuando te has quedado dormido?]

*—¿Y cómo lo...?
—Hazlo *como te dirán* allí [allí te dirán cómo hacerlo + hazlo como te digan: impaciencia]

Si vendrás de una puñetera vez... [irritación: sé que acabarás viniendo, pero no a tiempo/cuando debes]

*—Como tutor vuestro, deseo que esto no suceda
—*Y nosotros tampoco*

*—Y yo soy incapaz de reproducir ninguno
—*Yo tampoco* [Yo también soy incapaz... + Yo tampoco soy capaz de...]

*En su momento sí sé que me dijo «Oye, prefiero que no lo digas», porque yo *me llevaba mucho* con ella [me llevaba muy bien + hablábamos mucho]

*Y ella tenía un nombre raro. Bueno, no es raro, *porque no me acuerdo*. Y dice, dice... [he dicho que era raro porque..., pero en realidad...]

*—Ha quedado muy bonito el jardín
—Sí, *lo han quedado* muy bonito [condensación causa-efecto] [34]
*—¿Nos vamos con los niños?
—Espera un poco
—Es que igual se van ellos...
—*¡Llamarlos!* [irritación: pues lo que tienes que hacer es llamarlos]
*—Pero si no tenías que venir
—*Haberme llamado* [reproche: si me hubieras llamado, no habría
venido innecesariamente] [35].

b) Y afecta también (con tal naturalidad, que cuesta percibir-
la) a las diversas relaciones entre las diferentes partes del enunciado, que aparecen desglosadas, pero sin la especificación lógico-
semántica de los pasos intermedios que las han producido *(síncopa)*. Intento reconstruir entre corchetes el análisis lógico-expresivo
que da lugar al enunciado sincopado del hablante:

*—¿Qué te pasa?
—*Mi novio, que viene esta noche y estoy nerviosita ya* [que estoy
nerviosa porque esta noche viene mi novio + y ya sabes que
cuando él viene me pongo muy nerviosa desde que me entero]
*No hace falta que la coja [la aspiradora], *basta con que la aprenda
a dirigir* [no hace falta que coja del asa la aspiradora + puede
arrastrarla de las ruedas siempre y cuando la dirija sin chocar
con las puertas + pero para eso tiene que aprender a dirigirla
+ que ya estamos viendo que no sabe]
*—Bueno, no te desanimes...

---

[34] Este tipo de contrucciones se revisa con cierto detalle en el apartado dedicado
a las interferencias activa-pasiva (parte segunda).

[35] Estamos de acuerdo con Emilio Lorenzo, que interpreta («La expresión de
ruego y de mandato», pág. 306) que esta «construcción elíptica de infinitivo de
pretérito» podría considerarse «como una especie de mandato referido al pasado»,
a pesar de que «esta expresiva frase truncada puede ir cargada de numerosos sentidos» y de lo paradójico de tal interpretación («substancialmente un ruego o un
mandato van proyectados hacia el futuro»).

—*¡Sí!: febrero, y todavía no llevo ni la mitad...* [Cómo no voy a desanimarme, si ya estamos a febrero y...]

*—¿Habrá boda?

—*Os invitaremos con unos días de anticipación para que tengáis tiempo de los trajes.*

—¿Irás de blanco?

—Iré de rosa

[sí + no te preocupes, que os invitaremos y con suficiente tiempo para...].

(Rev. *Diez Minutos,* 25-7-81, diputada R. Balletbó)

Bajo a las once: ni un dios; a las once y media: ni un dios; a las doce: ni un dios; ya voy al bar de Filosofía y... [bajé a la hora que habíamos quedado, a las once, y no hay absolutamente nadie + no tienen ninguna formalidad + menudo cabreo me cogí + pero todavía hay más + vuelvo a bajar a las once y media...]

*Yo tenía razón, *pero mi madre, claro* [Yo tenía razón en enfadarme, pero por supuesto mi madre no cedía]

(HM, XVII, 310)

¡Un momento, un momento! Eh, en cuanto toque, cinco minutos, buscas la llave, Julio, y en la sala de usos múltiples, ¿de acuerdo? [Todavía no he terminado, esperad un momento, no os vayáis aún + que no pase ni un minuto más de la cuenta desde que toque el timbre hasta que hayáis hecho todo lo que voy a deciros + (orden directa:) Julio, pídele la llave de la sala de usos múltiples al conserje + abre la puerta + instalaos allí + que quede bien claro lo que tenéis que hacer]

*O sea, llego [a mi casa] y me voy, vamos, o sea. Llego, nada; todo hecho, me marcho, y...

(HM, XXIV, 421)

*[Me han regalado] cuatro bandejas de plata que no te sirven para nada; te sirve mucho mejor el acero inoxidable, pero... pero no tanto, porque a mí me han regalado así como dieciocho bandejas de acero inoxidable. Pero claro, no regalo ninguna eso sí; *a mí, todo lo que me regalan, nada*

(HM, VII, 119)

Esto está fatal. ¡Hija!, ¡si por lo menos!; yo creo que con un cuarto de hora o veinte minutos de diálogo, ya pueden captar perfectamente la forma de hablar de cada uno. —*Mira, eso, ¿tú no has hecho muchas veces con un cassette, de sorpresa, cuando hay alguna reunión familiar o de amigos?* ¡Ay!, nosotros lo hemos hecho, y luego te lo pasas bomba. *Sobre todo, a lo mejor en Navidades, me acuerdo una Nochebuena, mis tíos*

(HM, XXI, 401)

Pides un centro: cárceles; pides educadores: doscientos policías más en Entrevías; pides...

(TV, «Vivir cada día», 20-4-88)

Como puede verse, se unen en estas «oraciones sincopadas» varias características que acentúan su relieve y que hacen que cualquier análisis sintáctico-lógico traicione su auténtico sentido:

a) la condensación de varios procesos «afectivos» expresados en un solo enunciado,

b) el orden en que la expresión se articula (que responde a los «relámpagos» culminantes de la subjetividad del hablante), y

c) el hecho de que, siendo «lógicamente» incompletos, no sólo permiten la comunicación, sino que la «completan» con su expresividad.

Como el hablante «siente» que sus enunciados están completos y su interlocutor no echa nada de menos en ellos, la noción de *elipsis* que el lingüista aplica *a posteriori* a este fenómeno de condensación y síncopa expresivas es una noción puramente formal, de descripción gramatical. Nos sirve para justificar gran parte de los enunciados *nominales* (que no tienen verbo explícito) y los que tienen como núcleo un verbo en forma no personal (infinitivos, gerundios, participios independientes), que son característicos de la lengua coloquial (en su vertiente expresiva). Tanto en unos como en otros, reducidos a la expresión de lo esencial, tiene lugar una condensación de énfasis en la que la ausencia de precisiones de tiempo, modo y persona confiere un cierto valor de carácter general a lo expresado.

C) «TENDENCIA CENTRÍFUGA»

Para el hablante —ya hemos podido apreciarlo—, la relación entre los diversos elementos en el interior de su mensaje y entre las diversas partes de su enunciación (es decir, inter-enunciados) es tan evidente, que no necesita explicitarla. En su conciencia, la imagen verbal gira en torno a una intención de comunicación bien definida, y se desarrolla (e integra) en sucesivos impulsos expresivos. Y así presenta su mensaje a su interlocutor: limitado a sus rasgos más significativos (condensación y síncopa) y estructurado de acuerdo con sus subjetivos ritmo y jerarquía (dislocación sintáctica). Por eso, «los elementos de la frase tienden a flotar separados unos de otros, ajenos a una estructura orgánica, liberados de un centro magnético que los engarce en una oración unitaria» (Seco, 1973, pág. 370). A este aspecto, complementario de los otros dos en lo que a organización expresiva del mensaje se refiere (o el mismo en realidad, pero trasladado a la relación nexiva entre unidades superiores del enunciado), es al que, con palabras tomadas de Manuel Seco, denominamos «tendencia centrífuga» de la sintaxis coloquial.

Esta tendencia, que ha sido repetidas veces comprobada en la lengua hablada espontánea, se manifiesta en la *fragmentación del mensaje en unidades (aparentemente) independientes,* aisladas entonacionalmente, incluso cuando existe entre ellas relación semántica clara y explícita. Y más concretamente, en lo que tradicionalmente se ha descrito como: a) *predominio de la yuxtaposición* sobre la expresión relacional con nexo explícito; y b) *preferencia por la coordinación* o parataxis sobre la subordinación o hipotaxis.

Todo ello produce una «cierta liberación sintáctica de los enunciados conversacionales», cuya relación, completada por medios entonacionales y contextuales, es expresada, en general, «con mayor *implicación* que en otros estilos funcionales» (Dubsky, 1970, página

51). La razón de esta «sintaxis básicamente *acumulativa*» debe buscarse en «la falta de un diseño previo de los enunciados»; pero en lo esencial «se trata de una técnica muy distinta de la conocida como yuxtaposición, y desde luego muy alejada de lo que los gramáticos se limitan a calificar de oraciones 'independientes'» (Narbona, 1988, pág. 103). Y —una vez más de acuerdo con Narbona— creemos que éste es uno de los capítulos en que más se echa en falta la existencia de una terminología y concepción específicas para el estudio del lenguaje coloquial. ¿Qué otros nombres podríamos dar aquí a estos fenómenos, que como tales «yuxtaposición» y «coordinación» resultan descriptivos *sólo por aproximación* en el estudio de la lengua coloquial?

A pesar de tal «liberación sintáctica», más que de una sintaxis *suelta* (Badía Margarit, 1960), se trata —como aclaran Narbona y Morillo-Velarde (1987)— de una *sintaxis parcelada,* de una «andadura sintáctica que parece fruto de una mera acumulación de secuencias que se agregan unas a otras sin responder a una estructura superior clara» (pág. 114), pero es, en realidad, «una forma de alcanzar el sentido global del todo, [...] acentuando la identidad de los miembros constituyentes» (pág. 122). Más que transmitir una relación lógica bien definida, al hablante le interesa lograr comunicar todo lo implicado (con frecuencia, mucho más complejo) en su realidad psíquica. Quede claro que se trata, pues —como estos autores defienden con pasión—, no de una sintaxis más simple, primitiva o pobre (que la estándar, base de comparación), sino de «otra clase de articulación de las frases, permitida y favorecida por la misma actuación comunicativa coloquial» (pág. 115).

Cuando, *a posteriori,* aplicamos el raciocinio lingüístico a los múltiples ejemplos que el lenguaje coloquial proporciona de esta «sintaxis parcelada» y afirmamos tendencias concretas de carácter general como las del predominio de la yuxtaposición o el de la coordinación sobre la subordinación, no hacemos más que simplificar las cosas, para hacerlas accesibles. Lo cierto es, en realidad, que raramente podría hacerse coincidir el sentido de estos enunciados con el significado que, linealmente desarrollado, les atribuimos en el análisis.

Para el hablante, las cosas no siempre son enteramente blancas o negras, totalmente claras. Por eso seguramente, «la sintaxis coloquial no sólo es menos trabada, sino que prefiere servirse de esquemas que no constriñen por anticipado el significado de la relación entre los miembros de un período y de la que inmediatamente contraen éstos con la unidad global resultante» (Narbona, 1988, página 104). El empleo de un nexo «final», por ejemplo, le obligaría a delimitar como una intención el *significado* de su mensaje, que tiene para él un *sentido* más complejo (el cual, por otra parte, tampoco tendría tiempo de precisar). La mejor manera de dejar abierta a su interlocutor la interpretación de este sentido es seguramente la no-especificación; el oyente suple oscuramente el nexo, de acuerdo con los índices que factores como la entonación o el gesto del hablante le proporcionan y con su particular vivencia de la situación concreta de comunicación.

SEGMENTACIÓN

Aunque se trata de un procedimiento genuinamente sintáctico, la *segmentación* del enunciado *en sucesivos fragmentos* se asienta en la entonación [36], que les confiere un cierto aislamiento, de *expresión discontinua:*

> *La Universitaria, lo que pasa, es que tiene muy pocas, y como para jugar al tenis tienes que hacerte socio...
>   (HM, XVII, 311)

---

[36] Suscribimos plenamente la opinión de A. Narbona («Sintaxis coloquial», nota pág. 95): «Así [...], la afirmación de T. Navarro de que 'la extensión de la pausa se da regularmente en relación inversa con el grado de enlace ideológico en que aparecen los grupos sintácticos entre los cuales la pausa se intercala' puede ser válida en relación con lo que él llama 'desarrollo *normal* del discurso', pero no me parece aplicable al coloquio habitual».

*Yo tampoco; pero es que, *lo que me parece mal,* es que haya que pagar noventa pesetas

(HM, XVII, 311)

*Porque, tú, pagando la matrícula, ahí está reunido todo, las asignaturas. Entonces, tú, porque vayas a dar, aunque sea deporte, tú vas a aprobar la gimnasia, que tengas tú que pagar equis pesetas, lo veo...

(HM, XVII, 311)

*Entonces, *no puedo decir, estos señores de mi misma edad aproximadamente,* cómo piensan ante la vida.

(HM, II, 37)

El aislamiento, sin embargo, es en casos como éstos sólo aparente, porque incluso cuando no hay expresión de la ligazón entre los diversos elementos, todos ellos responden a una ligazón «mental» en el hablante, y el interlocutor establece intuitivamente sin dificultad los enlaces de relación en el conjunto recibido.

Para Bally, que propone ejemplos como *Este pájaro, se mueve,* la segmentación es en realidad el fruto de la *condensación* (en una frase única) de dos coordinadas:

Allí hay un pájaro y (este pájaro) se mueve,

cuya soldadura es imperfecta y permite distinguir dos partes: *thème* (A) y *propos* (Z). El *thème* parece corresponder a la parte nominal y el *propos* a la verbal. La pausa mediana, la melodía y las inflexiones de la voz permiten distinguir la secuencia AZ («Este pájaro, se mueve») de ZA («Es muy infeliz, el pobre»). Considera Bally que este de la segmentación es un procedimiento eminentemente expresivo, característico de la lengua oral, que pone de relieve a las dos partes (tanto al *thème* como al *propos).*

Para Luis J. Cisneros, éste es el más frecuente de los recursos que expresan afectividad, y se basa en el *contraste* entre la melodía de la frase segmentada («Este pájaro, se mueve») y la melodía habitual de la lengua («Este pájaro se mueve»). Sigue en esto el autor a Marie Louise Müller-Hauser [37], que «asigna a la segmentación la función de despertar en el oyente una tensión al proponerle, mediante este procedimiento, un enigma, ya que la parcelación con que se va recibiendo la frase tiene que intrigar al oyente y lo invita, así, a concentrar su atención en aquellas otras palabras destinadas a completar la idea y el sentido general» [38].

Nosotros, que en líneas generales estamos de acuerdo con las afirmaciones de ambos autores, queremos extender la designación de *segmentación* a esas manifestaciones coloquiales en las que la parcelación es más rotunda. Aunque sus diversos fragmentos presentan una relación evidente (de significado, de sentido o de intención), la actualización entonativa y con pausa bien definida entre ellos sugiere claramente una transcripción mediante punto (u otro signo ortográfico «fuerte»). Sin embargo, no constituyen realmente enunciados independientes, sino que siguen siendo elementos separados y diferenciados, pero ligados mentalmente en el hablante, cuya relación intuye sin dificultad su interlocutor, que alcanza espontáneamente la comprensión del conjunto.

En un sentido más amplio, pues, consideramos que hay *segmentación expresiva* en los enunciados en que, por afectividad, el hablante aísla e independiza uno (o más) de sus elementos funcionales (a veces directamente inducido por el desplazamiento expresivo —hipérbaton—), cuando, en realidad, parecen pertenecer claramente a una misma unidad sintáctico-lógica:

> *Muy respetuoso no eres, no... Ni con la religión ni con las cosas sagradas.
>
> *¡Para mi padre...! ¿Ahora me lo das?
>
> *¡Cojones con la independencia! Todo va a cuenta.

---

[37] *La mise en relief d'une idée en français moderne*, Zurich, 1943.

[38] Luis Jaime Cisneros, «Formas de relieve», págs. 57-58. De este tema trata también Luis Cortés Rodríguez en su tesis doctoral: *Segmentación y caracterizaciones sintácticas: un ensayo de método sociolingüístico*, Univ. de Salamanca, curso 1982-83.

Claro que no siempre es fácil establecer el límite (o las diferencias) entre este tipo de segmentación y la mera yuxtaposición, con la que, por otra parte, aparece mezclada con frecuencia:

> *No, si no era nada. Puntillita aquí, puntillita allá... Un telar para
> un niño para el colegio. Así de pequeño [el telar]. Te pones
> a clavar y no es tan fácil. Tres horas me tiré con él. ¡Madre
> mía! Acabé... hasta el moño, del telarcito.

Mientras la segmentación parece clara entre ciertos fragmentos;

> *Un telar para un niño para el colegio. Así de pequeño [un telar
> así de pequeño para un niño...]
> *¡Madre mía! Acabé... hasta el moño, del telarcito,

otros, por su posición o por su carácter nominal, parecen yuxtaponerse:

> *Puntillita aquí, puntillita allá... *[Pero]* Te pones a clavar y no es
> tan fácil, etc...

De este modo, muchas veces se hace cierta la afirmación de Vendryes: «El límite de las frases gramaticales es aquí tan fugaz, que mejor sería renunciar al intento de contarlas» [39].

Hay también segmentación expresiva, muy frecuentemente, entre enunciados que tienen entonación independiente, cuya relación lógica aparece, sin embargo, especificada con nexo explícito. De este modo, siguiendo los impulsos del pensamiento del hablante, los enunciados no aparecen realmente trabados, sino «sueltos»:

> *Pienso irme [de viaje] siempre que pueda. *Para* conocer mundo.
> *Antes de que* se me pase el tiempo.
> *Aquí está. *Así que* cuando quieras me la pides, ya sabes.
> *Se saldrá con la suya. *Aunque* tú digas que no. Seguro.

---

[39] *El lenguaje*, pág. 190.

*[A Juani] no la he visto. *Desde que* estuvimos la última vez en la piscina.

*Pero es que su madre, todo es quejarse y lamentarse. *Cada vez* que la llamo. *Que* ay si mi hija, *que* como mi marido está así, *que*... Vaya rollo.

Como buscar una aguja en un pajar. Es difícil, eh.

*Al final lo acabarán concediendo. *A* todos los que lo han pedido. A ti y a mí no, claro.

YUXTAPOSICIÓN

La *yuxtaposición por asíndeton* (es decir, con elipsis del nexo entre las proposiciones, y no simplemente entonativa —segmentación—) es asimismo muy frecuente en la lengua coloquial tanto para lo que describiríamos como subordinación como para la coordinación. No sólo por comodidad, sino principalmente porque, como explicábamos, la imprecisión es, aunque parezca contradictorio, *menos inexacta* que la especificación, y además más sugeridora cara al interlocutor. De este modo, «la relación conectiva, no sólo no se debilita por el hecho de que los enunciados se yuxtapongan, sino que es precisamente la yuxtaposición la que consigue en ocasiones potenciar la ligazón entre los mismos» (Narbona y Morillo-Velarde, 1987, pág. 123).

De la ausencia de nexo nace, en efecto, muchas veces la expresividad (siempre y cuando las restricciones del sistema de la lengua no lo impidan). La (coordinación) adversativa, por ejemplo, intensifica en el desnudo contraste de la yuxtaposición su valor; junto a ella, la (subordinación de) causa y la (de) consecuencia y la (coordinación) copulativa se suman, sin nexo, al sentido global como una pincelada más de esa excitación emocional que embarga al sujeto cuando habla. Sin embargo, la «reconstrucción» que podamos hacer con nexos coordinantes o subordinantes (casi siempre de alguna de estas cuatro categorías mencionadas) no sólo no sería exacta, sino que ni siquiera para los propios interlocutores sería preferible a la yuxtaposición:

*¿Tú te imaginas esto, qué felicidad? No para no tener que molestar tú, *[sino para]* que no te molesten a ti, que es distinto

(HM, XVIII, 332)

*Japonés y ultraplano; *[así que]* mejor que los suizos, déjate

*Yo de la pensión no me quejo. *[Porque]* Gano más de lo que ganaba cuando trabajaba; *[así que]* estoy contento

*Ja, bostezas todo el tiempo. *[Pero]* No me convences, *[así que]* no te creas que me convences

*Me suspende, *[pero]* reclamo, *[y]* me dice... nada, porque no me da razones. *[Así que]* Aguántate si quieres, y si no también. ¿Tú te crees?

*Apaga la campana [extractora]. *[Porque]* Vaya ruido que hace

*Es absolutamente excelente. *[Así que]* No me extraña nada que le hayan dado los óscares a montón. *[Porque le han dado]* Ocho, ¿no?

*Me propongo vivir, ver mundo. *[Es decir]* No hacerme sedentaria tan pronto. *[Porque]* Luego te mueres y hasta ahí. *[Así que]* Que nos quiten *lo bailao*

*Procura que no te domine. *[Porque]* Creen que siempre tienen razón, *[y, consecuentemente,]* machacan, *[pero]* tú no seas menos. Cuando sea preciso, defiéndete, *[y]* ataca también, no le dejes.

Algunas veces (quizá por efecto de una curiosa dislocación lineal que conlleva una cierta condensación expresiva) ni siquiera podríamos atribuir nexo definido a la yuxtaposición:

*Sí ...V... *Es creo que la que más, «Gredos» me gusta*

(HM, IV, 81)

*La, la enseñanza ya está, está muy mal, ¿no? Yo creo que es la, la falta de vocación, *porque un señor que tenga vocación, ahí entra todo*

(HM, XVII, 306)

COORDINACIÓN INESPECIFICATIVA

La conocida preferencia de los hablantes por la coordinación es la mayor parte de las veces sólo una manifestación más de esta tendencia general a no explicitar la relación que une a las diferentes partes del enunciado.

Tal y como venimos explicando, en realidad coordinación y subordinación son simplemente criterios lingüísticos abstractos y reductores (desde el punto de vista formal y desde el semántico) aplicados *a posteriori* a la compleja realidad lingüística del habla. Si bien estadísticamente parece comprobado que en la lengua coloquial se emplean preferentemente nexos coordinantes, esto no significa, lógicamente, que el hablante confunda las relaciones semánticas de subordinación entre las diferentes partes de su enunciado con las de coordinación, expresando éstas en lugar de aquéllas. Bien al contrario: el hablante emplea espontáneamente en su conversación los recursos que la lengua le ofrece, despreocupado generalmente de lo que mandan las gramáticas oficiales; y espontáneamente lo interpreta su interlocutor, para quien tampoco las cosas suelen estar del todo claras en una comunicación en general tan imprevisible como la coloquial.

Y es que, aunque «todos parecen admitir que [la lengua coloquial] hace escaso uso de la subordinación», esto es algo todavía «no comprobado del todo», y «sería necesario aclarar previamente qué ha de entenderse por tal, pues resulta inapropiado identificarla con la mera presencia de un determinado 'nexo' o conjunción, cosa que suele hacerse» (Narbona, 1988, pág. 98). Y otro tanto podríamos decir de la coordinación.

En efecto, además de las relaciones reales de coordinación, el hablante expresa con nexos «coordinantes» numerosas relaciones complejas que, simplificándolas gramaticalmente, transcribiríamos como subordinación o bien no acertaríamos claramente a traducir. «Acudir a *y,* así como a otros conectores no específicos, a la hora de establecer una relación contrastiva, deja para el receptor la tarea de descifrarla, lo que, naturalmente, consigue con facilidad. Este juego de 'pseudo-ocultación' de los mecanismos gramaticales explícitos sirve para potenciar la contraposición o contraste entre los miembros conectados» (Narbona y Morillo-Velarde, 1987, págs. 118-119):

> *Te confías *y* te la arman por menos de na
>
> *Claro, yo sabía que les iban a pasar, porque las academias les pasan ¿no? *y* luego los llevaban al matadero, *y* *y* luego son los ayes, los degüellan allí ¿no? Entonces, a, a tres en concreto, yo les hice un examen, *pero* algo, facilísimo
>
> (HM, XVII, 301)
>
> *—Para usted, entonces, tienen que ser sagradas las amistades.
> —Bueno, las amistades, amistades, ciertamente sí, claro. Es que hay amistades y amistades ¿no?
>
> (HM, II, 32) [40]

Pero es el otro nexo coordinante (originalmente —como es sabido— adversativo) que, al igual que *y* (copulativo), funciona con mucha frecuencia como auténtico *conector no específico* de enunciados:

> *—¿Tú qué opinas de él [del Círculo de L.]?
> —Es fatal. Es una cosa horrible. Mira a mí, yo... ...V... veraneo, bueno, cuando veraneaba, ¡je!... en Málaga, *pero* mi familia es de Málaga ¿no? mis padres son de Mála, mi padre es de Málaga, ...
>
> (HM, XVII, 298)
>
> *Y no estaba descontenta yo con mis clases de música, que me estaban quedando bien. *Pero* yo ahora no te digo, empolladísima estoy en la historia de la música rock
>
> *[...] a mí me puede explicar lo que quiera, que me lo creo, ...
> V ... Claro, ¡si yo no tengo ni idea de las leyes de Kepler! Me

---

[40] Obsérvese además, en este ejemplo, la curiosa correlación: «las amistades, amistades... hay amistades y amistades».

suenan ¿no? ... V ... *Pero* este hombre se puso allí a explicar, hasta que se levantó un tío y dijo: «*pero* ¿oiga que usted qué está haciendo ahí?» ¡je, je!...

(HM, XVII, 303)

*—[...] pues, vamos, este hombre lo que hace es la colección del Guerrero del Antifaz ¿no?

—¡Je, je...! No, *pero* ... V ... lo que te quiero decir es que... *y* ese señor, es un señor que ha hecho toda una ingeniería naval, vamos, que no es ninguna chorrada ¿eh?

(HM, XVII, 305)

Se trata, en realidad, de una *coordinación sólo aparente*. Sugerida por la presencia del nexo, la relación significativa real entre las diferentes partes asociadas no la confirmaría. De hecho, ni *pero* ni *y* conservan su valor en estos enunciados. Y desde luego, como podemos apreciar en los ejemplos, no cumplen, salvo el de la independencia tonal, los requisitos que Bally [41] atribuye a la coordinación: *a)* retomar la primera frase en la segunda, por sobreentendido; *b)* estar caracterizadas por la entonación modal de frase independiente, que ha de ser la misma para las dos; y *c)* formar una serie abierta (normalmente, la segunda sigue lógicamente a la primera).

Como tales «conectores no específicos», estos nexos, como otros subordinantes que veremos a continuación, tienen por función primordial la de poner en (oscura) relación lo que se dice con lo que se viene diciendo, facilitando así el fluir discursivo de los interlocutores (y así los estudiamos, desde puntos de vista diferentes, en la segunda y tercera partes).

SUBORDINACIÓN INESPECIFICATIVA

Del mismo modo, hay nexos subordinantes que con frecuencia no se emplean con el exacto sentido lógico que les atribuimos. A

---

[41] *Linguistique générale*, págs. 53-60.

veces, éste puede «recuperarse» acudiendo al «contexto mental y participativo» de los interlocutores; otras, constituyen un buen nexo-comodín para expresar las relaciones más variadas y complejas, esas relaciones no demasiado claras que J. Polo describe como «neutralización de oposiciones sintagmáticas en zonas intermedias» [42]. Veámoslo en algunos ejemplos:

> *Claro, yo sabía que les iban a pasar, *porque* las academias les pasan ¿no? *y* luego los llevaban al matadero, *y y* luego son los ayes, los degüellan allí ¿no? *Entonces,* a, a tres en concreto, yo les hice un examen, *pero* algo, *facilísimo*
>
> (HM, XVII, 301)

> *[...] a mí me puede explicar lo que quiera, que me lo creo, ...V... Claro, ¡*si* yo no tengo ni idea de las leyes de Kepler!
>
> (HM, XVII, 303)

Lejos de su sentido temporal, el nexo *entonces* parece en el primer ejemplo un buen recurso para retomar el hilo comunicativo y poder progresar en la información; la función de *pero* es en este caso claramente enfática, no adversativa; y no actúa como nexo de proposiciones coordinadas (en igualdad de condiciones sintácticas o semánticas); en el segundo ejemplo, el nexo condicional *si* introduce, en realidad, la *causa* expresada como ponderación («a mí me puede explicar lo que quiera *porque* yo no tengo ni idea...»). Del mismo modo, en

> *—A todo lo que sale, sí, sí, sí; *si* no es por la tila ni mucho menos. Me tomo un agua caliente de ésas...
> —Je!, coci... cocinera buena sólo, sólo hay una y es... la madre ¡je!
> —Sí... no, *pero si* de todas formas, *si* yo creo que es una tontería ¿no?
>
> (HM, XVIII, 339)

si liga sintácticamente el enunciado con una posible objeción supuesta por el hablante en su interlocutor (humildemente intercepta-

---

[42] «Casuística gramatical», nota pág. 49.

da así). Con frecuencia, *porque* no indica la causa de lo dicho en el enunciado, sino más bien el porqué subjetivo del hablante:

> *Claro, pues entonces ¿por qué nos engañan? ...V... claro, *porque* nos están engañando
>
> (HM, XVII, 308)

Y el nexo subordinante *que* (¿De donde vienes *que* traes esa cara?) es quizá la estrella entre los no especificadores en esas «zonas intermedias» de sentido, subjetivamente más complejas que las que describen habitualmente las gramáticas. El propio José Polo [43] nos proporciona numerosos ejemplos de la lengua hablada y escrita (citamos unos cuantos a continuación):

> *Corre *que* se las pela [consecutivo-intensivo]
>
> *Está la vida *que* hay que ver
>
> *Un momento, *que* voy a entrar [causal]
>
> *Corre, *que* te pillo [causal-final]
>
> *¿Qué os pasa *que* armáis ese alboroto? [causal-consecutivo]
>
> *Lee estos versos, *que* te gustarán [causal-relativo]
>
> *Ven *que* te diga [final-causal]
>
> *Perdona, ¿no tiene *que* me cambie este billete? [más en Hispanoamérica; relativo-consecutivo-final]
>
> *¿Qué tal *que* [si] no hubiera ido? [anunciativo-condicional]
>
> *¿A *que* no vienes?
>
> *¡*Que* haya gente tan desgraciada...!
>
> *¡So sinvergüenza, *que* eres un canalla!
>
> *Imbécil *que* soy, ¿eh? [= ¡pues no soy listo ni «na[da]»!].

Etcétera.

---

[43] Ibídem, págs. 46-53.

D) AMPLIACIONES Y REDUCCIONES (EXPRESIVAS) DEL NÚCLEO DE COMUNICACIÓN

Al hablar, desmadejamos los elementos lingüísticos partiendo de una base conceptual subjetiva. Pero a medida que nuestras palabras, nuestros gestos y entonación cobran forma y van comunicando nuestros pensamientos o sentimientos, una o varias ideas nuevas, recuerdos, sinestesias o emociones pueden interferir el contenido de nuestra comunicación haciendo innecesaria la expresión completa del pensamiento, buscando un equilibrio entre lo expresado y la intención (real o nueva) de comunicación, o la adecuada concordancia entre su intención y los efectos de sentido, etc. De hecho, esto ocurre continuamente en la lengua coloquial sin que casi nunca los hablantes se percaten de ello ni sea obstáculo para su completo entendimiento. Todo ello redunda en ampliaciones o reducciones del núcleo comunicativo, de acuerdo con las necesidades subjetivas del hablante:

> *—Hija, yo es que si quiero dar un disgusto a mi marido no tengo que hacer más que no estudiar y que me suspendan. ¡Huy!, le dan las viruelas entonces.
> —¿Sí?
> —¡Huy!, ¡es una cosa!, no ves que... ¡Huy, es verdad!, le gusta mucho, ¡huy!; la cosa de... ¡mira!, es licenciado en Derecho por Salamanca y es...V... está ahora con la licenciatura de Políticas y Económicas, o sea, es de los que se dedica... ¡Oye!
> —¡Qué empollón! ¡Je, je!
> —¡Huy, sí! Es una cosa... el caso es que —no sé cómo decirte— no es de los que se pasa todos los días con el libro; no, no; pero... ¡pero es una cosa!, oye, que los estudios es que le privan. Sí, sí ¡es algo...!*
>
> (HM, XXII, 414)

A la afectividad se une el contexto, puntualmente compartido por los interlocutores en el coloquio, que posibilita una correcta y completa comunicación entre ellos. En el ejemplo, las suspensiones (inconscientes, afectivas) que dejan la frase inacabada se suceden en la hablante sin que su interlocutora llegue a pedirle en ningún momento explicaciones: prevalece en estos casos la «intención de comunicación» mostrada por el hablante (aceptada por su interlocutor) y pasa a segundo término la «cantidad» de información. Claro que, en todo caso, convendría

> [...] aclarar, en primer lugar, qué se entiende por enunciado «inacabado», pues muchas de las construcciones *suspendidas, sincopadas* o *incompletas* que ofrece la lengua coloquial no deben verse como simples acortamientos provocados por una voluntad de ahorro de esfuerzo o por falta de destreza idiomática; la mayor vinculación del coloquio a la situación, el constante juego expresivo de elusión y alusión (muy ligado a la intensificación elativa y potenciación de la expresividad), etc., ayudan a comprender que buena parte de esas secuencias aparentemente inacabadas han de verse completas precisamente en cuanto suspendidas [44].

Porque ocurre, efectivamente, que este progresar espontáneamente en la información al hilo de la subjetividad con la urgencia de la inmediatez, constituye una característica básica (y diferenciadora) de la lengua coloquial, que unas veces la complica y otras la simplifica, pero contribuye siempre a su perfecta comprensión. En la tercera parte, en el apartado dedicado a la «improvisación formal», se explica con cierto detalle este mecanismo, en el que no nos detenemos ahora.

RECAPITULACIÓN

Desconcertante por su versatilidad, poco estudiada y llena de dificultades para el investigador, la sintaxis coloquial responde, sin

---

[44] Antonio Narbona, «Sintaxis coloquial», pág. 102. Véase también, del mismo autor, «Problemas de sintaxis andaluza».

embargo, a unas pocas tendencias lo suficientemente constantes como para permitirnos establecer en ella ciertas «regularidades» o «caracteres originales» (que diría Bally) [45].

a) la sintaxis coloquial *presupone* la de la lengua usual (ésa que «abstraemos» y estudiamos los lingüistas), y se conforma a ella en la medida en que ésta responde a sus necesidades, adaptándola peculiarmente (o incluso transgrediéndola abiertamente) en todos los demás casos;

b) en la medida en que el hablante es, en su protagonismo espontáneo y activo, el elemento prioritario en la comunicación, su sintaxis tiende a expresar sobre todo su propia subjetividad, desde un horizonte «egocéntrico» que caracteriza, en conjunto, a toda su emisión;

c) al servicio, pues, de la subjetividad del hablante, la sintaxis coloquial tiende, por un lado, a fundir o condensar las relaciones sintácticas y de sentido sin expresar los nexos lógicos o los pasos intermedios; y, por otro, a la dislocación de la frase, desplazando en su interior, según la conveniencia del hablante, el elemento sobre el cual recae particularmente su atención o interés (con frecuencia, un elemento personal), atrayendo así, a su vez, la atención de su interlocutor;

d) el enunciado, más que en la linealidad discursiva (lógica), funda sus relaciones sintácticas y semánticas en otros medios (no siempre explícitos) que, superpuestos al mero orden de los elementos, permiten al hablante realizar de hecho sus funciones de comunicación, y a su interlocutor hacer una correcta contextualización de sentido: entonación, segmentación, nexos especiales, anticipación catafórica, recuperación anafórica, interrupción, etc.

---

[45] Véase particularmente, en su *Traité de stylistique française,* págs. 301 y sigs.

III

REALCE LINGÜÍSTICO

«Poner de relieve», «reforzar», «enfatizar», «intensificar»... y ahora —rebautizamos nosotros— *realzar.* Con todos los términos se pretende acotar un fenómeno complejo, difícil de delimitar, en cuyo análisis se procede —una vez más— por intuición: aquel por el que el hablante, obedeciendo a su personal impulso, destaca cara a su interlocutor una parte de su enunciado (que puede ser la acción, una cualidad, un objeto, un sujeto, etc.) o su propia actitud de comunicación.

Según Lázaro Carreter *(Diccionario de términos filológicos,* s.v. «relevación»), con *mise en relief* designan los lingüistas franceses «el medio de que se sirven el hablante o el escritor para fijar la atención del oyente o lector sobre algún pasaje de su discurso. Designa, pues, multitud de nociones: tonales, fónicas, gráficas, etc.». Nosotros reivindicamos para los medios de realce de la lengua coloquial, donde la reflexión rara vez aparece, una función fundamentalmente expresiva.

Entendemos, en cualquier caso, que si el hablante elige destacar una parte de su enunciado, esto es ya, en sí mismo, significativo. Claro está que al interlocutor, al lingüista, les llamará particularmente la atención cualquier elección por parte del hablante que no sea la corriente. Y siempre cabe preguntarse si aquélla es realmente más «enfática» que ésta o si simplemente lo parece.

Naturalmente, no pretendemos en este «Esbozo» hacer una exposición exhaustiva de los medios de que se vale el hablante para poner de relieve, intensificar o realzar su enunciado (o parte de él). Más aún que por la dificultad en precisarlos, porque su inventario sería tan amplio y las posibilidades de alcanzar una clasificación satisfactoria tan escasas, que es preferible aplazar tal pretensión para ocasión más inspirada (o depositarla en manos de especialistas más capacitados) [1].

A esto podemos añadir que las ideas de cantidad, grado e intensidad se entrecruzan frecuentemente en la realidad de la lengua conversacional [2]. Por eso no distinguiremos, por ejemplo, entre intensificación de la cualidad, de la cantidad, o mero énfasis expresivo de la globalidad, cuyos límites, en el uso coloquial, no están nada claros.

---

[1] Un inventario bastante amplio, referido al español, hace Hans Oster en *Die hervorhebung im Spanischen* (Zurich, 1951), trabajo del que se hace eco Luis Jaime Cisneros en su libro *Formas de relieve*, ya citado. El trabajo de Oster, del que da cumplida cuenta Fritz Kruger en una reseña *(NRFH,* 6, 1952, 379-387), se articula al parecer —no lo conocemos directamente ni está, que sepamos, traducido— de acuerdo con los siguientes criterios:

—Formas afectivas de la afirmación, pregunta, etc.
—Reforzamiento de una idea (esto es, de un determinado miembro de la oración: un adjetivo, un adverbio, etc.).
—Selección (formas de la inversión objetiva y afectiva).
—Formas de presentación («lo que ... es X»).
—Formas de segmentación.

[2] En nuestra misma línea, aunque concretando un poco más su ámbito de estudio, J. M. González Calvo titula su trabajo «Sobre la expresión de lo 'superlativo' en español». En él pueden encontrarse, ordenados con un criterio más «formal» que el nuestro, casi todos los fenómenos que presentamos aquí, y muchos más, procedentes de las obras literarias que toma como referencia. Este es seguramente el motivo (emplear obras literarias) por el que el autor no documenta una de las tendencias que me parecen más claras en el lenguaje coloquial (y de la que he llegado a acumular un mayor número de ejemplos): el (sobre)énfasis mediante la ruptura de las restricciones gramaticales y/o semánticas.

Por otra parte, creemos que tampoco los límites entre la intensificación de un *valor conceptual* y la de un *valor afectivo* son fáciles de precisar. Esto es, que mientras entre

> Tengo hijos

y

> Tengo muchos hijos

parece claro que hay una diferencia de *cuantificación,* es decir, lo que podríamos llamar una «intensificación de un valor conceptual» (gradación explícita de la cantidad en el segundo ejemplo), entre

> Tengo muchos hijos

y

> Cuántos hijos tengo

la diferencia se refiere a la *valoración personal de la cuantificación* por parte del hablante: esto es a lo que podríamos llamar «intensificación de un valor afectivo», o, con mayor propiedad, *intensificación afectiva* de un valor (también) conceptual.

Naturalmente, la cantidad (indefinida) «muchos» es también en sí misma valorativa de lo cuantificado, en la medida en que implica una relación comparativa: muchos ¿respecto de qué o quién?, ¿para quién o para qué?; muchos *vs.* pocos, etc. ... La valoración es, en cambio, claramente subjetiva con *cuántos,* donde a la cuantificación indefinida se une la ponderación: de alegría, porque es motivo de felicidad (siempre he deseado tener muchos hijos); o negativa, motivo de falta de libertad y de infelicidad, por ejemplo, o con cualquier otro matiz que nos permitiría conocer el contexto.

Aludiremos, en fin, sólo a algunos de los procedimientos más usuales del español coloquial, que podríamos dividir en dos grupos:

1) Procedimientos de realce de la actitud global del hablante en el momento de la actualización.

2) Procedimientos de realce de una parte (funcional) del enunciado (el sujeto, el verbo, el adverbio, el adjetivo...).

Prescindiremos, naturalmente, de los fenómenos de relieve que se basan en el orden sintáctico, que han sido ya atendidos en el apartado de «organización subjetiva del mensaje». Por lo demás, algunos de los procedimientos a que aludiremos en este apartado los hemos estudiado ya en nuestro libro *Aspectos del español hablado:* nos limitaremos a resumir aquí, con el correspondiente cambio de perspectiva y utilizando exclusivamente ejemplos tomados de la lengua oral, lo que tenía allí consideración más detallada [3].

A) PROCEDIMIENTOS DE REALCE DE LA ACTITUD GLOBAL DEL HABLANTE

CLICHÉ, EXPRESIÓN FIGURADA

El empleo del cliché, de la fórmula estereotipada (con sentido unitario e independiente) o de la expresión figurada es, si no uno de los más frecuentes, seguramente sí el procedimiento más sonoro y contundente por el que el hablante expresa su actitud (y casi sólo su actitud) ante algo presenciado o dicho.

Las expresiones a que nos referimos constituyen en sí mismas enunciados independientes, con sentido —que no significado— concreto, que adquieren en el momento de su actualización y en dependencia directa del contexto. En realidad, podrían incluso considerarse interjecciones impropias (algunas nos han servido para explicar la condensación expresiva de estos enunciados), porque suelen aparecer, como ellas, marcadas entonacionalmente.

---

[3] En *Aspectos del español hablado* dedicábamos la tercera parte a «Intensificación de la cualidad» y uno de los apartados de la segunda a «Expresiones de relleno cuya finalidad es esencialmente autoafirmativa (del hablante)». Los ejemplos procedían, salvo excepciones, de obras seleccionadas de Candel, Cela, Delibes, Martín Gaite, Sánchez Ferlosio y Zamora Vicente.

No hace falta insistir ya en que, naturalmente, estas dos concepciones no son excluyentes en un determinado fenómeno: «Y dale», por ejemplo, es a la vez una forma de condensación expresiva (por estereotipia) y una forma de realzar la actitud de impaciencia, cansancio, etc., del hablante. Así también:

> *Ah ¡sí? Con su pan se lo coma. Que le zurzan* [desprecio hacia algo que otro ha dicho o hecho, y quizá también hacia ese otro]
>
> *¡Toma castaña!* [casi siempre sorpresa; a veces ponderación, incredulidad, menosprecio...]
>
> *[Con aproximadamente el mismo sentido que el anterior:] Venga ya, Toma ya, Chúpate esa* [con acento y segmentación enfáticos en la primera sílaba y entonación mantenida al final]
>
> *Y yo me chupo el dedo* [incredulidad; pero, además, «no me tomes por tonto»]
>
> *De qué...* [desacuerdo y menosprecio; se anuncian además las objeciones que seguirán].

Aquí cabrían también las múltiples formas y fórmulas de negación y afirmación enfáticas, los enunciados irónicos, así como una larga lista de expresiones malsonantes que, contextualizadas, pueden resultar equivalentes a alguna(s) de las ya mencionadas, cuyo estudio es quizá más propiamente léxico-semántico que sintáctico:

> *Que te/le den por culo, Y un cuerno, Una mierda, Unas narices* (y variantes obscenas más o menos ingeniosas: *Y una polla, Y una polla como una olla, Y un cojón de mico, Y tres pares de cojones...), No te jode..., No te fastidia..., Sólo faltaba*, etc.
> ...

Autorreafirmación

Una de las maneras más comunes de dejar patente la actitud subjetiva en la transmisión del mensaje es el empleo de ciertas expresiones con carácter fundamentalmente autorreafirmativo, que actúan como auténticas añadiduras enfáticas y de las cuales se podría prescindir sin deterioro en la información objetiva.

Prácticamente todas están ya fijadas en el uso coloquial; funcionan como auténticos estereotipos a los que el hablante acude inconscientemente como medio de hacer visible su participación subjetiva en la comunicación, intentando imponer su propio yo e infundir sus razones (aunque no sean tales) al interlocutor. No puede hablarse, sin embargo, de fosilización, puesto que su significado puede variar según la circunstancia concreta en que aparezcan.

En el intento por parte del hablante de asegurar enfáticamente lo que dice (de modo que no quede sombra de duda o réplica posible), parecería un lógico procedimiento reforzar su opinión refiriéndose directamente a ello. Éste, que sería el modo más directo y sencillo de conseguir sus propósitos, no es, sin embargo, el más usado: el hablante prefiere generalmente encubrir su subjetivo afán de predominio refiriéndose al interlocutor (atribuyéndole en ocasiones lo que él mismo piensa o desea que piense) o a otros sujetos ajenos, que no son los protagonistas reales del hecho.

A falta de un criterio mejor para establecer una clasificación, consideramos éste de la aparición del sujeto gramatical, que acaso permita atribuir un carácter más o menos *implicado* a la expresión. Tenemos, pues, con valor expresivo:

a) *Autorreafirmativas propias,* o expresiones directamente atribuidas al yo-hablante, sujeto real.

b) *Atribuciones al interlocutor.*

c) *Autorreafirmativas encubiertas* en sujetos ajenos al yo y al tú.

AUTORREAFIRMATIVAS PROPIAS

Entre las primeras, el verbo más frecuente es *decir,* que suele aparecer en presente (el hablante alude a algo acabado de expresar o que va a referir inmediatamente). Lógicamente, el verbo aparece en primera persona (la del yo-hablante), salvo excepciones: el pronombre indefinido *uno,* o con algún verbo defectivo (por ejemplo, «a mí me *parece»):*

—A veces, se impone directamente la importancia, la autoridad del hablante, y el interlocutor parece obligado a dar por bueno lo que el otro dice, por ser quien es simplemente:

> *Eso [comer carne todos los días] no es bueno, *te lo digo yo.*

—Otras, se enfatiza sobre la sinceridad acerca de lo que se está diciendo, o sobre su fidelidad o exactitud:

> *Pues fue así. *Como me llamo Ramón* que fue el niño el que atrope-lló al coche y no nosotros a él
>
> *Una tortuga, *como te lo estoy diciendo,* aparece una cacho tortu-gona grandísima paseándose tan tranquilamente por la playa
>
> *No es porque yo lo diga,* pero el chico, *de verdad,* ni punto de comparación [el hablante parece insinuar que esa «verdad» es reconocida de forma general]
>
> *En el Seminario, *puedo decirle de verdad,* que a mí no me costó amoldarme en nada, y día que pasaba era día de mayor felici-dad, *se lo puedo asegurar*
>
> (HM, I, 18)

—A veces, anticipando la expresión, el hablante pone en aviso a su interlocutor de la importancia que le concede a lo que sigue:

> *Te lo digo,* en excedencia intelectual [está]
>
> *En el Seminario, *puedo decirle de verdad,* que a mí no me costó amoldarme en nada
>
> (HM, I, 18)
>
> *Estoy por decir que* va a llegar, pero tarde;

o lo pondera, dejando en el oyente la sensación de que hay algo más, muy importante, detrás de lo que dice:

> *No te quiero contar* lo que salió de allí [pero, naturalmente, se lo cuenta]

*Ah, aquellos tiempos. *Si yo te contara...*

**Qué te voy a decir a ti* de los horarios de los grandes almacenes.

**No hace falta que te diga* por qué los camiones descargaban todo
   allí en la misma puerta;

o, con el mismo efecto, remata:

*¡¿Cómo?! Acabó comprando el perro, *no te digo más.*

—Por inseguridad, se destaca con (falsa) modestia lo personal
del juicio emitido:

*Ella estaba entonces, [llevaba] mucho tiempo, en plan soviético,
   como yo digo.

—Se muestra un titubeo, un cierto freno a una afirmación demasiado rotunda o apresurada, o una cierta conciencia de no alcanzar o no haber alcanzado la expresión exacta o adecuada de lo que
se pretendía decir:

*—¿Son las mismas [niñas]?
   —No, son otras. *Digo yo.* Serán otras, *digo yo*

*Ésa, ésa es la razón, *creo yo*

*Todo el colegio tiene, *no sé cómo decirte,* una porticada y una
   claraboya, que parece un chalet de sierra de muy ricos, algo así

*Sí, pero la historia es siempre, *cómo te diría yo,* falseadora de la
   realidad

*Arreglar un problema metiendo ruido, yendo a huelgas, dando la
   nota, contestando mal... *¿qué le diría yo?,* yendo a casa a las
   tres de la mañana...

                                                                    (HM, I, 19)

ATRIBUCIONES AL INTERLOCUTOR

Éste de las *atribuciones al interlocutor* es quizá el procedimiento
que inconscientemente utilizamos con más frecuencia. Seguramente

porque, siendo tan cómodo como otros, ofrece además la ventaja de implicar directamente al interlocutor en lo que hablamos: obligándole a una reflexión sin ocasión de respuesta, comprometiéndole en la propia afirmación (a veces incluso en la que habla de uno mismo), haciéndole cómplice de aquello que decimos o pensamos... sumergiéndole como *sujeto* en un plural sociativo o, más simplemente, haciéndole protagonista gramatical absoluto.

Tres son los medios más normales por los que se suele invadir el terreno del interlocutor en beneficio propio:

a) *La interrogación retórica,* que sirve al hablante para confirmar o ponderar su opinión, obligando además en cierto modo al interlocutor, que no tiene opción de respuesta, al acuerdo:

> **¿Y a ti qué te parece?* Si quieres lo abandono todo para seguirla, no te fastidia... [con la interrogación retórica inicial anticipa el hablante lo disparatado de la solución que se propone a continuación, atribuida también —si bien condicionalmente— a su interlocutor, y luego despectivamente rechazada con el «no te fastidia...»]
>
> **Y si yo te digo que lo recojas, ¿qué tal?* [mandato-amenaza]
>
> **Pablo, un fanfarrón. ¿Tú crees?,* siempre hablando de los negocios de su padre, como si fueran suyos y él el jefe
>
> **¿Y sabes lo que te digo?* Que ya estoy harta yo también de hacer favores para luego que te paguen así
>
> **Hasta aquí hemos llegado, ¿estamos?* [plural inclusivo]
>
> **—¿No tiene usted gana de tomarse unas vacaciones?*
> *—¿Pues sabe usted que no?* A mí me mosquea no tener ganas.
>
> (P. Almodóvar, *Cambio 16,* 941/1989, pág. 172)

Aquí podrían incluirse también expresiones como *¿sabes?, ¿comprendes?, ¿entiendes?, ¿ves?,* que son para Ortega Olivares «apéndices (modalizadores) justificativos»: signos de cuerpo fónico reducido, emitidos siempre con entonación ascendente o ascendente-descendente, y que presentan la peculiaridad común de presentarse asociados a enunciados-base considerados típicos y de hacerlo normalmente al final de éstos [4].

Tales apéndices funcionan como auténticos «recursos de interacción» que «a duras penas admiten explicación 'descriptivamente'» (pág. 273) y que indican, desde el punto de vista pragmático, un tener en cuenta al interlocutor, con variados matices (ejemplos del autor):

> *¡No cojas más cerezas! *¿sabes?*
> *Estáte quietecita *¿entiendes?*
> *Ya se han caído los libros *¿ves?*

b) *Expresiones que indican mandato,* ya total o parcialmente desemantizadas en aras de la expresividad, con valor sobre todo ponderativo de la importancia de lo que se dice. El verbo aparece en imperativo (o en subjuntivo para la forma negativa) o en cualquier otro tiempo verbal que permita la expresión de la subjetividad del hablante implicando directamente a su interlocutor en la relación (fundamentalmente, el futuro):

> *Con el cilindro en la mano, *date cuenta,* mientras el otro buscaba por allí como un loco
> *[Y ella] ni idea de lo que estaba diciendo, *fíjate,* que se lo había oído mil veces y ni se había enterado
> *... porque si hace las cosas así, *no me digas,* ni jefe ni na
> **No me vas a decir tú a mí* que has hecho algo en toda la mañana...
> *Mandaron a un catedrático de taurología, *no se lo pierdan,* a defender y a cantar las excelsitudes de las corridas de toros
> (TV, «Y usted ¿qué opina?», junio de 1987)
> *Se muere su hermano, y ella, *tú verás,* con nueve años más que tiene...

c) *La expresión de lo consabido:* auténticas atribuciones gratuitas del que habla a su interlocutor, en virtud de las cuales el

---

[4] «Aproximación», pág. 272.

hablante da por sentado que su interlocutor conoce de antemano aquello a que se refiere, ponderando así su importancia o intentando mostrar una gran seguridad en su juicio:

> *Los trenes, *como tú comprenderás,* salen cuando pueden, no cuando... deban
>
> *Después *si quiere que le diga la verdad,* cuando uno empieza a entender, uno empieza a hablar, se acuerda de la familia, se acuerda del ambiente
>
> (HM, I, 17)
>
> *Pero sí, *ya sabes,* se oye todo lo que dicen los vecinos
>
> **Ya me entiende,* no se puede estar en todo
>
> *Yo [soy capaz] de mirarlos con ojos de matarlos, de resoplar, de gritarles y *si me apuras mucho* de darles un pescozoncillo, pero más no
>
> *Pero yo pienso que ahora que está flaca... pero *que te lo crees tú,* quiere quedar palo, palo, no flaca, y sigue a régimen
>
> *Sí, sí, claro que tengo que decirte que somos nada más que dos personas y éramos cinco, o sea, que *te puedes imaginar...* pues porque una señora está enferma, otra se ha casado y otra se ha dado de baja
>
> (HM, VII, 127)

Son expresiones que pueden aparecer en cualquier lugar del enunciado y que tienden a hacerlo sintáctica y entonacionalmente aisladas, de modo que si prescindiéramos de ellas, la información seguiría siendo completa («Los trenes [ ] salen cuando pueden, no cuando... deban»). Pero pueden insertarse en la oración de que forman parte a modo de verbo principal, y en estos casos aparece un nexo subordinante que convierte el juicio del hablante en algo pensado, dicho, creído, sabido... por su interlocutor:

> *Usted sabe además como literato,* DE QUE hoy la literatura de lengua española es mucho más vigorosa, poderosa e importante la... americana que la española
>
> (HM, X, 180)

> *Daniel no, *tú sabes como yo* QUE ese defecto no lo tiene
>
> *Ahora hemos quedado en que le limpio el polvo al piano, alguna vez, sí, alguna vez me acompaño un poquito ahora en Navidad; tecleo por ahí, *pero usted se cree que* a mí me da tiempo, *además usted sabe* qué ingrato es el dichoso piano. Es uno de los instrumentos que...
>
> (HM, XII, 208)

AUTORREAFIRMATIVAS ENCUBIERTAS

Autorreafirmativas encubiertas, frecuentemente en un sujeto anónimo, siempre ajeno a los interlocutores, lo que da cierto carácter de validez general a la aseveración del hablante (el procedimiento equivale, en cierto modo, a una apelación coloquial al «argumento de autoridad»):

> *Cada uno tiene lo que se merece, *ya se sabe:* esto nos mereceremos nosotros
>
> *—Algunos se declaran todavía dispuestos a hacer locuras a los 70 y a los 80 [años].
>
> —*Como dice mi hijo, ¿qué es la vida?*: un oasis, en el desierto
>
> *La ruina, *por lo visto,* le llegó por el fraude a la Seguridad Social.
>
> *Las matemáticas son mentiras exactas, *toda la vida se ha dicho.*

Si, por fin, quisiéramos proceder a un análisis sintáctico riguroso de estos enunciados, encontraríamos toda clase de dificultades para asignarles un lugar en la gramática instituida (tradicional o no).

La primera dificultad estriba en la imposibilidad de «transcribirlos» con un sentido lógico preciso que nos permitiera encuadrarlos: pese a su apariencia formal, *si ya se sabe* está lejos de expresar condición o temporalidad respecto del núcleo de sentido del enunciado. Se trata simplemente (o mejor: para mayor complicación) de segmentos de autoafirmación subjetiva, que con frecuencia permanecen aislados por la entonación dentro del enunciado (pero no siempre, como puede apreciarse en nuestros ejemplos), a modo de (falso) paréntesis, como un grupo «aloracional», pero cuya característica esencial es la de *superponerse a la modalidad expresiva del enunciado,* contribuyendo a la transmisión del sentido subjetivo y global del mensaje. Se trata, pues, aunque parezca contradictorio, de una forma *explícita* de expresividad que se basa en la *implicación* (superposición de sentido, que el oyente debe, por su parte, dilucidar).

B) PROCEDIMIENTOS DE REALCE DE UNA PARTE DEL ENUNCIADO

Algunos autores hablan de «poner de relieve una idea» del enunciado. «Idea», sin embargo, nos parece término demasiado abstracto, e implica, creemos que erróneamente, que hay más «ideas» en el enunciado además de ésta que señalamos como realzada (lo cual no tiene por qué ocurrir necesariamente). Quizá tampoco «parte» sea un término muy preciso, pero nos parece, por el momento, más adecuado, dado que, a su vez, no siempre podremos decir que la parte realzada constituye una «idea».

El realce puede estar referido

a) a una parte funcional del enunciado: *énfasis funcional;*
b) al significado de alguno de sus elementos (por ejemplo, el sustantivo): *énfasis semántico.*

Bien entendido que no tendremos en cuenta aquí los procedimientos fónicos de realce del tipo

*¡No sé los pisos que subí! [realce cuantitativo del sustantivo, basado en la entonación]

*—¿Y sabe hacer eso?

—¡Bue... nooo! [«desde luego que sí, y muy bien»: realce cualitativo y modal basado en la segmentación y en la entonación].

Énfasis «funcional»

El que llamamos «énfasis funcional» se basa en el criterio de realce de un elemento o parte del enunciado *en su calidad de*. A primera vista (aunque un examen más detenido puede ampliar la repercusión de este concepto en el realce coloquial), el hablante destaca en su enunciado sobre todo los *elementos personales* en él implicados, y muy particularmente a sí mismo, sujeto proposicional, y a su interlocutor. De ahí, por ejemplo, la frecuentísima redundancia pronominal que podemos encontrar en la lengua coloquial, en la que se combinan y repiten sin piedad pronombres personales sujeto y objeto, repitiendo innecesariamente el concepto de persona implicada en el juicio, en la acción, en la posesión, etc.:

> *Cuénta*me*lo tú. Yo te* lo cuento *a ti* si *tú me* lo cuentas *a mí*
>
> *Su* mundo *de usted* era distinto. Eran otros tiempos.
>
> *A mí* no *me* digas que *a ti te* da el sueño. *A mí me* lo dices para que *yo me* haga la fuerte. Pero *a ti* el sueño no *te* da
>
> *Te* voy a ver*te* primero *a ti*
>
> *Te* lo lleva a *tu* casa si *tú te* parece bien.

De ahí también la abundancia de pronombres «afectivos», particularmente en primera persona:

> *¿Qué te puedo dar que no *me* sufras?
>
> ¿Qué te puedo dar que no te hundas?
>
> (Canción de Víctor Manuel «Qué te puedo dar»)
>
> *Este hijo mío no *me* come nada. No sé qué hacer con él
>
> *Y a mí me... me vuelven loca, porque *me* he escrito así como ya sesenta o setenta cartas, reclamándolos, pero en fin, paciencia
>
> (HM, VII, 126)
>
> *Entonces, claro, una persona de Letras, todo el mundo se *me* extrañaba, que una persona de Letras cogiera un tiralíneas
>
> (HM, II, 25)

*Ve*me* allí al comedor a por las tijeras
*No te *me* pongas así, que no es para tanto, macho
*También *me* han sacado [mis hijos] *mis* matrículas de dibujo
                                                    (HM, XII, 210)
*No suelo dedicarme a leer*me* todas [las revistas], ya digo que me
    he centrado en dos o tres nada más
                                                    (HM, II, 40)
*Entonces, mamá, claro está, está perenne con ella. No *me* puede
    venir a quedarse con la niña
                                                    (HM, XXIII, 424)
*No creo que *le* tenga prisa [posible cruce con «que le corra prisa»].

Y de ahí, paradójicamente, la tendencia a la indefinición o el encubrimiento (gramatical) del sujeto que se manifiesta constantemente en la lengua coloquial. Normalmente, este procedimiento, lejos de indicar una supuesta modestia, persigue la extensión o generalización de lo que el o al sujeto se atribuye, de modo que en realidad el hablante refuerza cara al interlocutor su adhesión personal a lo manifestado:

Te descuidas y *te* la pegan [segunda persona encubridora; este procedimiento presenta además la ventaja de implicar directamente también al interlocutor en la generalidad] [5]
*Yo creo que todavía no estamos preparados para coger una cosa u otra, por ejemplo *te* pones a escoger entre la escultura zen y la escultura búdica en la India y Museología y Musicología... son cosas que no tienen ninguna relación; *tú* no sabes por dónde tirar*te*
                                                    (HM, III, 44)
Se conoce que todavía no has aprendido [expresión impersonal]
*Ya *se sabe* que no siempre *se puede* tener razón [pasiva refleja generalizadora + expresión impersonal]
Uno no sabe qué hacer en esos casos [pronombre indefinido «uno»]

---

[5] Vid. María Rosa Vila, «La segunda persona gramatical en función no deíctica».

*Porque... claro, luego se mete *uno* ya, en plan ya de... de... trabajo, de ganarse la vida y a lo mejor una cosa que no *se vaya
uno* a utilizarla ¿no? pues, quizás a la hora de la verdad no
sea realizable [combinación incorrecta de impersonal y sujeto
encubridor]

(HM, II, 23-24)

Reproduzco a continuación una «minientrevista» a Manolo Otero (Suplemento de *Interviú,* 127/1978), donde usa profusamente de este procedimiento, en sus más diversas modalidades:

—El éxito en tu profesión te sonríe, pero tu vida sentimental
parece que está a punto de irse al garete, ¿no?
—*No es nada nuevo* que mi mujer y yo estamos bastante distan-
ciados [se escuda en lo ya conocido por todos].
—¿Con ruptura definitiva a la vista?
—Tal vez, si no hubiera un hijo de por medio al que *hay que*
procurar hacer el menor daño posible.
—Al margen de otros dimes y diretes, *se ha rumoreado* insisten-
temente que el fin de vuestro matrimonio viene motivado por
tu falta de capacidad amatoria.
—Difícilmente puede ser esto cierto cuando no *compartes* la ca-
ma con *tu* mujer.
—¿Habrá separación legal u os conformaréis con el ahí te quedas?
—*Se buscará* la mejor solución para todos.

ÉNFASIS «SEMÁNTICO»

Como muy bien advierte Vidal Lamíquiz (1971), las únicas categorías gramaticales que admiten matización gradual de intensidad
significativa son precisamente las cuatro que tienen soporte semántico; esto es, sustantivos, verbos (categorías primarias, susceptibles
de modificación), adjetivos y ciertos adverbios (categorías secundarias, modificadoras). Mientras que el valor semántico de las categorías secundarias podría matizarse en gradación cuantitativa (con *muy:*
muy feo, muy tarde) y cualitativa (con el sufijo —*ísimo:* feísimo,

tardísimo), el de las categorías primarias, al menos a primera vista, únicamente aceptaría la gradación cuantitativa *(demasiados* obstáculos; ve *poco).*

Hablamos, naturalmente, de la superlación estándar, la que se describe normalmente en las gramáticas (con *muy* y otros adverbios, o -*ísimo).* Pero no todo «realce» se limita a superlación (con constituir ésta uno de sus aspectos fundamentales) ni todos los procedimientos tienen un comportamiento tan ortodoxo como el descrito más arriba. Más bien al contrario. Porque en la lengua coloquial, que posee y ofrece la máxima diversificación de procedimientos para la intensificación semántica, éste estándar no es necesariamente el más utilizado. Como la descripción de todos ellos es poco menos que imposible —y tampoco es un objetivo prioritario para nosotros aquí—, nos limitaremos a continuación a señalar unas pocas tendencias de carácter general, que suelen responder a la necesidad de enfatizar más y mejor o incluso donde lógicamente no correspondería, y algunos de los muchísimos procedimientos usualmente empleados.

ITERACIÓN, FÓRMULAS PLEONÁSTICAS

Sin duda, uno de los procedimientos de realce más productivos en nuestra lengua coloquial es el que consiste en la *repetición insistente y redundante* del término o valor intensificado (procedimiento muy usado por los niños y consagrado en las cristaleras de muchos bares populares: «Pase aquí. Tomará un *café café»).* Podemos encontrarlo aplicado según múltiples variantes y prácticamente a cualquier elemento (sustantivo, adjetivo o adverbio) o segmento (significativo) del enunciado:

a) en términos aislados *(No, no* y *no)* o unidades mayores:

*De ningún modo, de ningún modo
Si fueras como debes... Si fueras como debes, maldita sea;

b) de forma continua (como en los ejemplos anteriores) o discontinua:

>*Mira, *como ésta,* una colcha *como ésta* tengo yo en mi cama
>
>*Lo dice y nadie la cree;* no tiene la culpa, ella *lo dice y nadie la cree* [6];

c) con los términos unidos asindéticamente (ejemplos 1, 2, 3), por yuxtaposición (separados sólo por pausa: ejemplo 4), o mediante nexo (ejemplos 5 y 6) o nexo y pausa (ejemplo 6):

>1 *La blusa estaba *gastada gastada,* se transparentaba toda
>
>2 **Nieve nieve* no ha caído, pero aguanieve
>
>3 *Pero si es *fácil fácil,* no sé por qué le ves problemas
>
>4 *... porque yo he ido con dos grupos... yo he ido con dos grupos. Uno de ellos se lo tomaba *muy en serio, muy en serio, muy en serio* ¿no?
>
>   (HM, XIX, 351)
>
>5 *Por fin hace sol, después de *días y días de lluvia*
>
>6 *Eso sí, su comportamiento fue *excelente, pero excelente,* eh;

d) sin modificación alguna en los términos repetidos (como en los ejemplos anteriores y en 7) o con el último de ellos adaptado morfológicamente (ejemplo 8) o también intensificado (ejemplos 9, 10, 11 y 12):

>7 *Y *andando andando,* llegamos al fin hasta la maldita finca
>
>8 *Hace un rato *haber no había*

---

[6] Cf. C. M.ª Ariz, «Bosquejo», pág. 194: «Según Rabanales, la iteracción [sic] puede ser *semántica*: *no, no, sí, sí, ya, ya* o *sintagmática*: '*Este compadre, este compadre*'; y ambas: *sustantivas*: 'Manuel, Manuel'; *adjetivas*: 'Grande, grande', 'Bueno, bueno'; o *adverbiales:* 'bien, bien', 'Bastante bien, bastante bien'. *Continua*, como en los ejemplos anteriores, o *discontinua*: 'Andate, no quiero verte aquí, andate'. La continua a su vez, puede ser *asindética*: 'aprende, aprende'; o *sindética*: 'Palo y palo', 'Dale que dale', 'come que come'; según que los elementos vayan ligados o no, mediante un elemento lexical». (Respeto en la cita el error en la ortografía de «iteracción» y la puntuación —un tanto confusa— del original).

9 *Pero desde entonces, *años, años y más años* de monotonía

10 *Estás tú *lista y bien lista* si piensas que voy a hacerte caso

11 *La sábana la tienen *destrozada destrozadísima*

12 *Es una *mujer mujercísima* de su casa;

e) y forma parte, con variantes prepositivas o conjuntivas, de numerosas fórmulas fijas de relieve:

*Es *el absurdo más absurdo*

*Vigencia permanente *por los años de los años* [cp. «por los siglos de los siglos», del *Padrenuestro:* la fórmula se repite casi con cualquier variación léxica también en el siguiente ejemplo).

**Lo mejor de lo mejor de lo mejor* y *todo de todo*

*Por fin hace sol después de *días y días* de lluvia

*Si se aprende de memoria, *mejor que mejor*

*Le levanto de una cama a las diez y me aparece en la otra *duerme que duerme* toda la mañana

*Hombre, *bien lo que se dice bien* no está, pero parece que mejora...

*El número uno rumano, Nicolai Ceaucescu, intenta mantenerse *de todas todas* en el poder...

(TV, «Telediario», 12-12-89)

*Y *por haberlos los hay hasta* incoloros

**Prohibiciones y venga prohibiciones* a punta pala

*No seas pesimista, hombre, que tú *lo que eres es* un pesimista

**Lo que es es* tonto, ese niño

Naturalmente, los matices de sentido son también muy variados [7]: desde el simple énfasis en la presentación («Mira, *como ésta,*

---

[7] Vidal Lamíquiz («El superlativo iterativo») estudia el caso de la reduplicación asindética de sustantivos, adjetivos y verbos («Es que a mí La Coruña *me encanta me encanta*»), cuya función esencial es —nos dice el autor— la de suplir a nivel de discurso la imposibilidad a nivel de lengua para superlativizar una designación semánticamente completa y lógicamente absoluta; aunque este superlativo es tan idóneo —advierte—, que se extiende sin dificultad a cualquiera de las categorías,

una colcha *como ésta* tengo yo en mi cama) a la cuantificación intensificadora («La blusa estaba *gastada gastada»),* la intensificación cualitativa *(«Nieve nieve* no ha caído, pero aguanieve», «Y *andando andando,* llegamos por fin...»*) o la autoafirmación intensiva (muy expresiva) que parece darse en los ejemplos de yuxtaposición (repetición mediante pausa):

> *Los programas... formativos de televisión [...] labor formativa *muy poca, muy poca, muy poca.*
>
> (HM, II, 39)
>
> *Y ya no es que sea caro, es que los productos son *malísimos, malísimos, malísimos,* puesto que como no hay competencia...
>
> (HM, VII, 124)
>
> *—¿Y parecido el Madrid de ahora al de entonces?
> —¡*Nada!,* ¡esto, *nada!,* ¡*nada!* ...Y... ¡*nada parecido!,* ¡*nada, nada, nada!*
>
> (HM, XVI, 269),

etcétera.

A veces la repetición se produce mediante el empleo de construcciones pleonásticas, que van normalmente introducidas por fórmulas estereotipadas que copulan los términos repetidos. Con pocas excepciones, estas fórmulas acompañan directamente al concepto verbal y alternan con un grado medio de expresividad muy semejante:

> *—¿Es lista?
> —*Que si* es lista (con clara entonación admirativa) [o simplemente: «que si es»] [8]

---

incluso cuando los términos admitirían (o admiten de hecho) la superlación estándar («Falta *muchísimo muchísimo* todavía»). El mismo fenómeno ha sido estudiado por Mª Victoria Escandell en su comunicación al XIX Simposio de la Sociedad Española de Lingüística (Salamanca, diciembre 1989), titulada *Reduplicaciones léxicas* (yuxtaposición sin pausa y coordinación mediante *y*). Ambos autores preparan en la actualidad publicaciones más extensas acerca del tema.

[8] Esta fórmula, «que si», no aparece con este valor ponderativo en el *Diccionario* de M.ª Moliner.

Hombre que si es [lista]

Vaya (que) si es lista

*—Yo no sé si sabe lo que se
—*Y cómo que si* sabe lo que se dice

*—Pero Miguel Ángel ¿estudia?, ¿realmente estudia?
—*Ya lo creo que* estudia, toda la mañana

*—Pero yo así a ojo no sé si esto es realmente una tautología.
—*Y tan* tautología; todo el razonamiento lo es.

Etc.

Estas mismas fórmulas de realce se utilizan también para la afirmación y negación enfáticas: «hombre que sí, vaya que no, ya lo creo que sí, y tanto que no, etc. ...». Alguna, para la ironía: «Anda que si llegas a ser rápido...».

Seguramente por desgaste expresivo, van siendo esporádicamente sustituidas por otras más atrevidas que, aunque no sea más que por momentáneo contraste, resultan más expresivas y acaparan más fácilmente la atención sobre lo realzado; me refiero a fórmulas como *coño (que) si, cojones (que) si, joder (que) si,* etc., con sus términos todavía hoy malsonantes, y otras por el estilo que pueden escucharse.

Por otra parte, aunque muchas veces la iteración parece ser el resultado de un desdoblamiento mental, es decir, sólo una casualidad, fruto de una cierta redundancia semántica para la que el hablante no encuentra expresión diferenciada, como en los ejemplos siguientes:

*Oye, si seguimos así *bien bien* vamos

Acabo de acabar

Es urgente urgir al gobierno...

(Radio)

... ha conseguido conseguir la información

(Radio)

*La situación *económica* actual [de las cofradías] es, *económicamente,* muy deficiente

(entrevistado, TV, 16-2-78)

*... *especializado especialmente* en temas de comics

(Manuel Hidalgo, TV, «Tal cual», 18-5-88),

lo cual cabe achacarse más a «comodidad» que a expresividad, lo normal es que el hablante acuda continuamente a la redundancia (formal o semántica) como medio de realzar una parte de su enunciado [9]. Lo veremos en muchos de los procedimientos que mencionaremos a partir de ahora.

INCUMPLIMIENTO DE LAS RESTRICCIO-
NES GRAMATICALES Y/O SEMÁNTICAS

En su afán enfatizador, el hablante llega continuamente, de forma inconsciente, al *incumplimiento de las restricciones en la aparición de marcas intensificadoras.* El fenómeno está tan extendido en la lengua espontánea, que no sólo es uno de los claros constituyentes específicos de la (sub)norma coloquial —aunque ha pasado también a registros más cuidados e incluso de la lengua escrita—, sino que pide además una consideración nueva.

Empleados constantemente por el hablante común, automatizados y desgastados parcialmente por el uso, adjetivos, adverbios y sufijos enfatizadores y superlativos se trasladan a contextos semánticos nuevos, conservando su valor de realce. Con el tiempo, como ocurre con casi todos los procedimientos que veremos en este apartado (agrupados en unas pocas tendencias de carácter general), que corresponden a una aplicación analógica del estándar del sistema, se reducen a funcionar como meros útiles expresivos de intensificación o realce (es decir, han perdido ya en parte su significado original y están en mayor o menor medida *gramaticalizados).*

---

[9] Vid. Lars M. Fant, «Procesos anafóricos».

Pero una vez más estamos utilizando como referencia un criterio «normativo», abstracto, del que —como de muchos otros que ya hemos visto y veremos— no se encuentra correlato en la lengua coloquial: las «restricciones» a que nos referimos en la descripción inicial de este fenómeno son, desde luego, previas al uso y ajenas a la realidad lingüística que éste comporta. El hablante incumple estas supuestas restricciones inconscientemente, consigue su objetivo de realzar una parte de su enunciado y no causa, además, extrañeza alguna en su interlocutor, que las incumple como hablante también, y con las mismas consecuencias. Veamos algunas de las maneras de hacerlo:

En las diferentes categorías gramaticales. — *Quebrantando las reglas y restricciones de superlación* en las diversas categorías gramaticales. Por ejemplo, la que dice que verbos y sustantivos sólo admiten superlación cuantitativa adverbial y adjetiva (respectivamente), según los modelos «ve *poco*» y «*demasiados* obstáculos». Así, utiliza el sufijo —*ísimo* en ciertas formas verbales (no personales):

    *—Ufff, estás sudando
    —*Sudandísimo*
    *—¿Pero lo has buscado?
    —Lo he *buscadísimo* mil veces, cien mil, ¡un millón! Ya lo he buscado un millón de veces.
    *—Vaya, está lloviendo...
    —¿Lloviendo? ¡*Lloviendísimo*!... querrás decir.

Y forma también superlativos con sustantivos: lo que el profesor Piernavieja denominó *nombrísimos* en su Comunicación al Simposio de la Sociedad Española de Lingüística del año 1978. Los *nombrísimos* se popularizaron además en los diferentes medios de comunicación a través de ciertos programas de variedades: *Directísimo* en TV (José M.ª Íñigo); *Saritísima,* espectáculo de Sara Mon-

tiel en los teatros [10]; en la radio y en las revistas, las finales de
los concursos eran las *finalísimas,* el «*rock-and-roll*», con frecuencia, el *rollísimo...* Esporádicamente, pueden encontrarse en la lengua coloquial:

>*Ésa es muy buena, no hagas taladro. Yo la tengo *¡añísimos!*
>
>*Tuve yo un compañero que era idéntico a Luis. Tenía un *parecidí-
>   simo,* oye; yo cuando le vi por primera vez...
>
>*—Y así quedaba para mí
>   —¡Qué *ventajísima!* [irónico]
>
>*No fue un gol, fue un *golísimo*
>
>*Adiós. *Besísimos*
>
>*De cabo nada, *soldadísimo* raso
>
>*Sí, pues había una *colísima* de coches hasta dar la vuelta al recodo
>
>*Y una *manchísima* en to el pecho; como las que anuncian en la
>   tele: enormísima y imposible de quitar

Con buena lógica, superlativiza los sustantivos, verbos o, en general, cualquier expresión que emplea con voluntad calificadora:

>*Ser *muy domingo*
>
>*Agradezco su intervención *muy de verdad*
>
>*Aquí hablaban precisamente éstos de que ese cuento es *muy solo
>   para adultos*
>
>*... viene de rayones, con una falda *muy marcando cuerpo*
>   (Mariví Dominguín, TV, «1, 2, 3», 15-6-87)
>
>*Es muerte *muy que dan las Bellas Artes*
>
>*Sí, era *muy presidente* todavía
>
>*Es *un hombre muy hombre / un fútbol muy fútbol*
>
>*Está *muy a lo Willie Brandt,* se ha engordado, no vamos a poder
>   decirle «muchacho» ya
>
>*—¿Qué hora es?
>   —*Mucha hora*

---

[10] Véase Jacques de Bruyne, «Onomástica y elativos en *-ísimo*».

*No, hombre, llévala... Si es de *nochísima* ya...

*Noticia *bombísima*

*Estoy *pipiísima* [< «pipí»; curiosa construcción y creación léxica, equivalente a «me estoy meando a chorros» y no a «estoy meadísima»]

O bien quebrantando las reglas y restricciones de superlación en adjetivos:

*Y había cada hombre... Todos bien *vestidísimos,* claro

*No me hacía *ningunísima* gracia

*—¿Cuántas buenas?
—... de esas películas —ocho—, dos han sido buenas
—¿Y el resto?
—De ahora en adelante espero que sean *más buenas,*

y en adverbios:

*—Que bailen los dos un vals
—Uy, con lo *tantísimo* que nos queremos Jorge y yo. Encantados, ¿verdad que sí?

*Yo te lo he preguntado *muy antes*

*Vamos a comer *enseguidísima,* eh

*El coche está *atrasísimo*

*Qué va a estar respondiendo bien, joder, si se está quedando *detrasísimo*

*Fue *más después* creado para...

*Bueno, hijo, pues que te lo pases... no demasiado mal..., que trabajes *no demasiado mucho*... y en fin, que te salga bien esa conferencia

*—¿Meas normal ya?
—Incluso *demasiado menos*

*—¡Qué maaal [lo he hecho]! ... ¡*Qué peor* tú!

*—¿Qué te parece?
—Mal

—¿Y irme?
—*Más mal* aún [= peor]
—¿Entonces?

Énfasis más énfasis. — Añadiendo énfasis a términos o expresiones que están ya superlativizados o implican ya énfasis en su significado, con lo cual la marca enfática, que sugiere gradación significativa donde ya no es lógicamente posible, es redundante e incorrecta desde el punto de vista normativo:

> *El resultado se puede considerar en líneas generales *totalmente óptimo*
>
> (bombero, TV, 13-10-87)
>
> *Si además lo comparas con las dos versiones, pues *más mejor*
>
> *Bueno, después del Pascal... el chaval ha tenido resultados *muy magníficos*. Ha subido... en todo, creo yo, bastante...
>
> *Y tengo grandes esperanzas de que todo ha de desarrollarse *magníficamente bien* [quizá éste es un caso particular, en que «magníficamente», superlativo de «bien», atrae rítmicamente a éste: ejemplos similares así lo sugieren]
>
> *Que esto sea una postura de lucha, aunque sea *muy mínima*
>
> *... entonces levantar la casa..., o sea tienen unas cosas...
> —Curioso, ¿no?
> —*Muy curiosísimas* sí pero que..., que el pobre señor se lo cree
>
> (HM, III, 53)
>
> *Hay varios puntos, pero lo *más principal* es...
>
> *Se come muy bien, sin que sean los precios *demasiado abusivos*
>
> *Tiene *más menos* delicadeza...
>
> *Es *absolutamente excelente*. No me extraña nada que le hayan dado los óscares a montón. Ocho ¿no?
>
> *Empezó a sacar fórmulas, pero fórmulas tan *cojonudísimas* que...
>
> *Un personaje que me *fascinaba mucho*
>
> (Mario Vargas Llosa, TV, 28-2-78)

Todo esto supone seguramente (aunque la tendencia a la enfatización es tan grande, que no puede asegurarse que ésta sea la razón) una cierta pérdida en la noción de los grados en los adjetivos superlativos heredados y, en general, en los superlativos léxicos.

Graduación o énfasis en términos de significado absoluto. — Mediante la aplicación de matizadores, enfatizadores o «grados» a términos de significado absoluto; fenómeno éste al que podría darse una justificación similar a la del anterior: la pérdida, por parte de los hablantes, de la exacta noción semántica de tales términos, seguramente desgastados por el uso:

*Eso es *muy imposible*

*Las vitaminas nunca escasean cuando se come una comida *muy igual*

*... buscando una sociedad *más igual*

(Mensaje del Rey a las Cortes, 22-7-77)

*Permanece *bastante intacto,* a pesar de todo

*Quiero *el más absoluto de los silencios,* ¿ha quedado claro?

*Tenemos entendido que la Sociedad Geográfica Española tiene un archivo de valor incalculable, *totalmente incalculable*

(TV)

*Se ve *perfectamente bien*

*Salió por *unanimidad total y absoluta*

*No hay cosa *más mortal*

*Tiene *mucha muerte* esa espada colocada ahí

(Transmisión taurina, TV, 25-7-85)

*—Además es que Isidoro, en lo suyo, era malo
—Pobre, *qué muerto está*

*... y se *medio* morían

(HM, III, 49)

*Esto no es vida, esto no es ni *medio* vida

*—Este hombre está vivo
—Sí; y si no hazle cosquillas, verás... ¿Has visto? Está *vivísimo*

Breves minutos

*El sistema que ha diseñado el señor ministro no me parece mal, en absoluto: es *constitucionalísimo*

(un diputado)

*El *ultimísimo* LP del *triunfadorcísimo* dúo británico...

(Radio, FM, 27-9-86)

*Errores garrafales, *totalmente insostenibles*

*Es una asociación inesperada e inexplicable, porque imprevistas son *todísimas*

*Sí, pero la firma del preacuerdo ha sido una medida *totalmente unilateral* que han tomado los sindicatos

*¡Por favor, por favor! Tenéis mi *total permiso*

(TV, «Tarde para todos», 18-3-83)

*Y si esto es imposible, recuperarlo definitivamente es *todavía más imposible*

*Esto no se cambia por *absolutamente nada*

*Pienso que son mazazos en la *mismísima cabeza* de un mito muy extendido entre nosotros, *perfectamente falso* y más perjudicial todavía

(Gonzalo Torrente Ballester, 27-3-75)

*Sin duda, el gesto *más político* de toda la etapa del gobierno

*Bueno, es una solución *más definitiva, ¿*no?

Los ejemplos pueden ser, en fin, innumerables.

Seguramente a una misma impresión de desgaste se debe la *acumulación* obvia *de marcas intensificadoras* en ejemplos como:

*El asunto es ya a estas alturas *sumamente complicadísimo*

*Lógicamente, la colonia extranjera, que es *muy hipersensible* en esta ciudad [Trípoli]...

(Radio, corresponsal, 14-4-86)

*No, hijo, es *muy requeteprecioso,* está *muy requetebién*

*Los dos procesos son *profundamente muy* parecidos

(Leopoldo Calvo Sotelo, TV, 30-12-78)

*Muy bien, pero *tan poquitísimo...* [*poco* > poquito > poquitísimo]

**Cuantísimo* madruga usted, señor Emilio

*Sí, sí. A..., a Archibalde; era inglesa, nacida en La India, sabía muchas..., mucha religión hindú, era *muy cultísima*
(HM, XVI, 279)

*Ay, qué cojita estoy. ¡Dios mío!, *qué cojitísima* estoy

Impropiedad semántica en la asociación de los términos. — Mediante la *impropiedad semántica en la asociación de la parte realzada y de su elemento enfatizador.* Los ejemplos podrían también ser innumerables. Suelen deberse a la extensión en el empleo de ciertos términos que tienen originalmente valor ponderativo o son superlativos léxicos y que pasan a formar parte, como elementos enfáticos, de expresiones que no concuerdan con su valor. Así ocurre con los adjetivos destacados en los siguientes ejemplos:

*Con la *enorme* ayuda de la coreógrafo Sally...
(TV, «Entre amigos», 1987)

*Yo soy un *enorme* perezoso
(Buero Vallejo, 27-6-77)

*Neutralizando un *enorme* disparo de [...] a la portería

*La exportación de los recursos naturales ofrece un *portentoso* porvenir

*Y un *clamoroso* silencio, impresionante, ...

*Los niños españoles se van espabilando también a un ritmo bastante *importante*

*Hombre, sí, entre ellos hay una amistad *importante,* pero no quiero decir...

*Es un *increíble* idiota

*Es una *inmensa* actriz

*[La muerte de Pablo VI] ha resultado una pérdida *extraordinaria*
(Monseñor Tarancón, TV, 7-8-78)

*Aquí está también [X, Y..., Z], que está haciendo una *soberana* etapa...
(TV, «Tour», 13-7-88)

*Me dieron unos 40 premios [...]. Y premios *muy gordos,* además
(P. Almodóvar, Cambio 16, 941/1989, pág. 172)

Y otro tanto ocurre con los adverbios que se destacan a continuación, creados enfáticamente sobre adjetivos del mismo valor que
los anteriores, que complementan inadecuadamente al verbo:

>   *A los espectadores de Televisión Española les damos *enormemente*
>   las gracias por habernos atendido esta noche
>   (TV, «Debate», despedida de Victoria Prego, 5-2-87)

>   *Y además, creo *enormemente* que se pueden, que se deben mejorar
>   muchas empresas, y que...
>   (TV2, entrevistado, 26-2-86)

O bien modifican, con valor enfático pero impropiedad semántica, a otros adjetivos o adverbios:

>   *Una segunda parte en la que destacó *muy poderosamente* [Fulanito]
>   *Quiero ser *tremendamente* claro
>   (Felipe González. Sin duda, uno de sus adverbios favoritos)

>   *La violencia política en España es *tremendamente* marginal
>   (Ibídem)

>   *Y muchas gracias por esos aplausos tan... *tremendamente* fantásti-
>   cos, y espontáneos
>   (Javier Bergia, TV, «A media voz», 28-1-88)

>   *Canción *terriblemente* conocida y pegadiza
>   (Íñigo, TV, «Directísimo», 11-10-75)

>   *Es un personaje muy especial, *terriblemente* especial; va a llamarse
>   El Conseguidor
>   (TV)

>   *Es *perfectamente* posible/consciente/compatible...
>   *Y por tanto será *perfectamente* igual
>   *Y se queda lejísimos, *abismalmente* lejos, de las expectativas de...
>   (Felipe González, en la *BBC,* 26-2-75)

>   *En un partido *altamente* de matices ofensivos [la clave está, quizá,
>   en el desplazamiento enfático del adverbio]
>   (retransmisión deportiva, TV, 19-7-86)

>   *Pero su estado de conservación es *eminentemente* muy malo
>   (TV, 3-2-78)

*Pásenselo *rabiosamente* felices.

(Despedida habitual —pero no espontánea— del programa de TV —de dudoso título— «Directo en la noche»)

En algunos ejemplos puede apreciarse un desglosamiento del énfasis del hablante en dos términos léxicos que, quizá por presión sistemática del código, se reducen a un solo sintagma, mediante la conversión del primer adjetivo, ya enfático o valorativo, en adverbio gradativo del otro adjetivo:

*Era *increíblemente* extraordinario

*Un gol *hermosamente* espectacular

*Yo la llamo Orense la bien vestida. No sé si será por lo de Adolfo Domínguez o qué, pero precios *alucinantemente* elevados; la gente gasta... madre mía

*... hacen *urgentemente necesario* recurrir a...

Redundancia semántica. — Por la *redundancia semántica* o repetición enfática del concepto que se quiere realzar:

*Y por fin pude verla en versión original y *totalmente íntegra*

*Tú lo que tienes que hacer es callarte la boca para que *no te contradigan ni te lleven la contraria*

*No sabemos si podrá jugar *el partido entero completo*

(Radio, retransmisión deportiva)

*En esto todos los árbitros han mantenido una *unanimidad total*

*Salió por *unanimidad total y absoluta*

*Corría así por *toda la totalidad* del campo

*No abundan las personas que *dominan completamente* una lengua

*Dominar el francés *correctamente* a los 14 años es perfectamente posible; pero si...

*Tuve un profesor extraordinario, *dominaba muy bien* la lengua alemana y, además, ...

(HM, I, 7)

*No saben nuestro idioma o lo *dominan muy mal*

*La normativa electoral formaba una trama difícil *de penetrar en ella*

*Para tratar de llegar a *un acuerdo común*

*Pero hombre, ¿ustedes son *personas humanas* o qué son ustedes?

*... que los ministros también somos *personas humanas*

(Javier Solana)

*La suerte de varas es *una de las bellezas más bonitas* que existe en la fiesta

(TV, «Debate: Toros», 28-5-87)

*Manolo y yo *siempre* hemos sido amigos *de toda la vida.* Lo demás carece de veracidad

(M.ª José Cantudo)

Carecen en absoluto de problemas [además, la doble negación —verbo más locución— es incorrecta, contradictoria]

*Es verdad, *pero, sin embargo,* perfectamente posible

*Ya nadie piensa que el mayo del 68 fuera un *hito relevante* en la historia de occidente.

Incompatibilidad semántica. — Y, con cierta frecuencia, insertando la expresión enfatizadora en un contexto lingüístico que evidencia la falta de sentido de ésta por *incompatibilidad semántica* de los términos asociados. Ocurre particularmente con la hipérbole:

*Yo creo que esta paciencia *ya ha sido infinita.* Nos dijeron ustedes cinco días y estamos ya en el dieciocho [la paciencia puede ser —o parecer— «infinita», pero, situada en el pasado, está, por definición, «acabada»]

*Nos *hemos tragado infinitas* ofensas

*Porque yo, en el Instituto Nacional de la Salud *eran interminables* las ventanillas que yo *he visitado*

*O sea, *que se muera, pero poco;* o sea, que le pille, pero que no se muera

(TV, «¿Y usted qué opina?: Los toros», 25-5-87)

*Luego ya en la carrera *hubo otro equipo inexistente, ya que X* [ciclista] *apenas existió*

*Los que sabemos esperanto *somos nadie,* porque en realidad *somos tres gatos*

*Todo va a ser agradable, va a ser una *sonrisa casi casi eterna, durante una hora y pico*

(Jaime Azpilicueta, TV, «La tarde», 13-10-87)

*Esto provocó un *innumerable número* de muertos

*Y un *largo sinfín* de países que...

OTROS PROCEDIMIENTOS

Pero además de todas estas rupturas sintácticas y lógicas, el lenguaje coloquial dispone de numerosos procedimientos diferentes para realzar semánticamente una parte de su enunciado; procedimientos que van desde la modificación o la derivación morfológica hasta el empleo de ciertas «figuras de pensamiento» (hipérbole, comparación y metáfora fundamentalmente), pasando por el aprovechamiento del llamado «discurso repetido» (expresiones hechas, clichés, estereotipias...) y por recursos más propiamente sintácticos (perífrasis oracional, etc.).

Todos ellos tienen en común el que alteran la estructura de modificación enfática expresiva considerada «normal»: la del empleo directo de ciertos adverbios modificadores y sufijos de superlativo. Además, la expresión de estos procedimientos suele ir acompañada en el coloquio de una cierta entonación especial, no exactamente exclamativa, que evidencia, más allá del contenido objetivo del mensaje, el espontáneo énfasis expresivo del hablante.

Como no hay a primera vista un criterio unificador que nos parezca claramente preferible, hemos agrupado esta multitud de fenómenos atendiendo a su «complejidad expresiva». A veces, el relieve se realiza a través de complicadas abstracciones mentales, sintetizadas en un significante tópico, que viene a ser normalmente una perífrasis en su doble sentido de rodeo (referencial) y alargamiento en la expresión. En estos casos, no sólo no se modifica, por ejemplo, el adjetivo mediante el adverbio, como sería lo más normal, sino que incluso la propia cualidad puede llegar a asignarse por medios diferentes al usual (que sería el empleo del adjetivo), resultando así una expresión síntesis de la cualidad, más su gradación cuantitativa, no expresadas. De este modo, la modificación expresiva llega en ocasiones a procesos tan complejos, que parece sobrepasar los límites de la simple descripción formal y de una precisa interpretación semántica. La máxima diversidad y la máxima dificultad la presenta, sin duda, la intensificación de la cualidad. Naturalmente, en el acto espontáneo de la comunicación no solemos darnos cuenta de esta complejidad conceptual; y ni siquiera de la formal, pues todos los recursos que mencionamos pueden considerarse tópicos en la lengua coloquial.

En contra de lo que pueda parecer, los que podríamos llamar procedimientos más sencillos no son quizá los más usados, lo cual tiene fácil explicación, dada la gran variedad de recursos de que se dispone para elegir. Cada hablante tiene seguramente sus favoritos, aunque disponga de todos en su caudal expresivo y todos le sean familiares e inmediatamente reconocibles al oído. Veamos algunos.

Insistencia, gradación. — La insistencia mediante sinónimos aproximados y/o la enumeración, que provocan generalmente una *gradación* en la expresión de lo ponderado:

> *Y si no, tengo el autobús treinta y nueve, con un servicio *fabuloso,* que todo hay que decirlo, que va desde San Ignacio, que es mi colonia hasta Ópera y, un servicio realmente... *buenísimo, buenísimo.* [...] Tiene la cocina completamente puesta de armarios, que me la dieron, es *ideal, monísima,* empapelada, porque eso, *es muy mona, muy mona es.*
>
> (HM, VII, 118)

> *porque te ponen la casa, eso sí; me han regalado una lámpara *preciosa, pero muy bonita,* de estas que son talladas en madera,

haciendo estrías, *francamente bonita,* con la pantalla en pergamino

(HM, VII, 119)

y... después, ¿qué más me han regalado?, cantidad de dinero, pero muchísimo dinero

(HM, VII, 120)

Adjetivos irónicos. — El empleo irónico de ciertos adjetivos valorativos, que va unido a un orden enfático, fijado: adjetivo + sustantivo + expresión verbal:

*—¡Podemos hablar del Consejo de Ministros de ayer!
—¡Menudo discursito dio el tío!, ¿eh?
—¡Menudo discursito!*

(HM, XXI, 403)

*Valiente bobada será
*Bonita manera de hacer las cosas, sí señor
*¡Huy, ése! Buen vicioso que es.

Adjetivos adverbializados. — El empleo, muy extendido de un tiempo a esta parte, de adjetivos adverbializados, que está considerado incorrecto, pero que —como se ha dicho— no repugna en absoluto al oído del español medio:

*El tío se portó *descomunal*
*Lo podemos pasar *estupendo*
*Yo lo pasé *bárbaro,* desde luego
*El que baila *fenómeno* es ése de la derecha.

E incluso de algún sustantivo («calificador») adverbializado:

*Quedaron *cerdamente* con nosotros.

Duplicación de la categoría gramatical. — La duplicación de la categoría gramatical (adjetivo + adjetivo, adverbio + adverbio, verbo + verbo o sustantivo + sustantivo), aportando el énfasis siempre el elemento que precede, sea o no redundante. Así, algunos adjetivos como *puro, verdadero, todo,* etc., se emplean con bastante frecuencia para modificar a otro adjetivo: estos adjetivos conllevan de alguna manera en su significación la alusión intensificadora que aportan a la expresión. Si en el empleo irónico de adjetivos como «buen» y «valiente» se podía considerar preferentemente en función sustantiva al segundo de los adjetivos, en estos casos parece clara la adverbialización del primero de ellos :

> *No sé cómo no engordo de *puro* tragona que soy [obsérvese cómo además, en este ejemplo, el primer adjetivo, funcionando de hecho como un adverbio, no respeta la concordancia con el segundo]
>
> *A cambio, eres un *verdadero* vicioso del tabaco
>
> *Y le veo al pobre *todo* desesperado por salir...

Del mismo modo, el adverbio *bien* sirve con frecuencia para intensificar a otros adverbios modales:

> *Bien* mal lo están haciendo, para ser los campeones,

y *muy* puede aparecer en la combinación *muy mucho:*

> *Ya te guardarás *muy mucho* de hacer semejante cosa.

Y el infinitivo verbal sirve para enfatizar la propia acción, designada y precisada por la forma personal que lo acompaña:

> *No anda, pero *gatear* gatea...
>
> *Comer no come,* pero *correr* corre como un perdigón.
>
> *Hace un rato *haber* no había.

Partículas (+ entonación expresiva). — Ciertas partículas (preposiciones, adverbios, conjunciones, artículos), precediendo a sustantivo, adjetivo, verbo o adverbio, imponen una cierta entonación especial al discurso, de enunciado inacabado, como si algo de esa ponderación que significan quedara pendiente por decir:

*Hace yo... cuatro años o así, asombraba a la gente *de* lo que comía...

*No sé si creérmelo, oye, me está saliendo *de un* bien...

*Le ha cogido *un* cariño a Héctor...

*Tiene *más* cara... Está *más* contenta...

*Lo cuenta todo *tan* bien, *tan* sin alterarse... [también como adjetivo: Sí, pero tiene *tantas* canas...].

Qué agradable es...

Qué volar *tan* precioso tiene el águila... Es admirable.

Este recurso *(qué + adj...)* suele considerarse normalmente como una simple interjección. Aunque este concepto no eliminaría la alusión o al menos descripción enfática intensificadora, creemos que no puede considerarse así en otros ejemplos:

*—Bueno, ¿y qué?

—Nada, que *qué* descuidado anda siempre, que *qué* despiste tiene encima

Algunas de estas expresiones pueden justificarse por elipsis (de esa parte de la ponderación que queda pendiente): por ejemplo, «Lo cuenta todo *tan* bien, *tan* sin alterarse, *que me entusiasma*». Con frecuencia, el juicio subjetivo de la ponderación, admiración, etc., aparece explícito a continuación, como en el primero y penúltimo de los ejemplos («Me encantó», «Es admirable»). Con la conjunción *pero* o reforzada *pero que,* la entonación se limita a ser enunciativa y no presenta suspensión alguna:

*No, ese coche se ha llevao un castañazo... *pero* bien, pero hace tiempo. Y ese coche lo he arreglao yo y estaba teta, pero ahora, y...

*No señor, está usted *pero que* muy equivocado

*Ha engordado seis kilos y está felicísimo, sí, sí, y come *pero* de todo, de todo

(HM, VII, 123)

*Yo, cuando me vino la niña se me vi... se me vino el mundo encima, *pero* totalmente

(HM, XIX, 343)

*No, no, no, no. Y entre otras cosas tenemos médicos muy competentes, *pero* bastante competentes

(HM, VIII, 138).

«Cantidad». — La mención de términos o expresiones que indican «cantidad» [11] sirve también para realzar una parte del enunciado, a pesar de la inadecuación semántica que puede producirse:

*Está fría [el agua] *en cantidad*

*Me gustó *cantidubi*

*Y haces grandes am... amigos o sea, vienen *cantidades* de chicos muy simpáticos y haces muchos amigos

(HM, VII, 126)

*Me has ayudado *una enormidad*

*Mi hijo Antonio es *exagerao* de bueno

(Lola Flores)

*Es el más tonto de Málaga, pero *con diferencia*.

Y, en sentido figurado:

*Había *una burrada* de gente

*Le quiere *una barbaridad*.

Morfología flexiva. — *Modificaciones expresivas* (no siempre inconscientes) en la forma de las palabras. Con cierta frecuencia, se adapta el género de adjetivos invariables y sustantivos calificadores al de la persona aludida; la aparición imprevista de la deformación hace más llamativa la expresividad:

*Yo, *zoqueta* total para esto de la música

*Me has asustado, *idioto*

*Ese chico es un *cotorro*

---

[11] Véase J. M. González Calvo, «Sobre la expresión de lo 'superlativo'», pág. 186.

*Y la chavala, una *monumenta*

*Un *palabro* durísimo le dijo

*Menuda *individua* nos salió cuando llamamos...

Con voluntad enfática, se hace también adaptación genérica en ciertos sustantivos invariables:

*Los árabes, joder, son demasié. Y las *árabas,* no me digas.

Pueden aparecer también plurales poco usuales, aunque su intención enfática es dudosa (si no van acompañados de entonación afectiva):

*Los *cafeses* no me sientan bien

*Estuvimos de *pubes* hasta las cuatro.

La asociación de sentido en términos de significante similar puede dar lugar a expresivos enunciados:

*Eres un obseso, tío, un auténtico *obsexo* [pronunciado enfáticamente *ob-sek-so].*

En algunos términos, la deformación llega a lexicalizarse, con el consiguiente desgaste:

*Los árabes, joder, son *demasié* [contracción]

*El *cátedro*

*Yo cuando nos casamos y enseguida me quedé en estado, ¡bueno!, sufrí un trauma *tremebundo* [alargamiento, asociado probablemente con el modelo expresivo «nauseabundo»].

(HM, XXIII, 432)

Y el diminutivo es empleado con frecuencia para enfatizar irónicamente:

*Mi padre dice que soy una hereje porque como él es muy *cristianito* y muy así...

(HM, III, 52)

Sufijación «peculiar». — Sufijación «peculiar» para la ponderación o el énfasis, que va desde sufijos ya antiguos como los clásicos *-ón, -aco* y *-azo* [12] de aumentativo, a otros más nuevos o incluso improvisados, en general menos desgastados. Con ellos, la cualidad realzada se expresa en el sufijo del sustantivo:

> *Esta casa tiene un *vistón...* (un vistazo, una *vistaza...)*
>
> *Si es que se mete por Zarza y tarda mucho, ¡da un *vueltón!*
>
> *Joder, tiene que hacer un *resuminzón* espantoso, para dejar de 800 páginas en ciento y pico
>
> *Tié un *depresionzón* [con interfijo *-z-;* como en los dos primeros ejemplos y en el que sigue, con el sufijo enfático se cambia el género de la palabra]
>
> *Me dio de pronto un *jaquecón,* oye, que creía que me moría, de dolor
>
> *De joven era un *mozazo, zancudón* y requeteguapo
>
> *Nosotros éramos muy *discutones* en el colegio
>
> *Madre mía, qué *traficazo*
>
> *Pero de todas maneras tenía un *ritmazo...*
>
> *Yo llevo la [luz] corta... Si le meto un *largazo* le dejo seco [13]
>
> *Ah, no creas, yo siempre he sido muy *soñanchín*
>
> *Bueno, yo... proponía hacer un *cinete*
>
> *No me gusta nada la voz; es que es especialmente *pitidosa,* eh
>
> *Se oía el ruido *molestoso* de una gotera
>
> *Vaya *sandiacas* que tenéis hoy, ¿no?

En plural, el sufijo *-azos/as* se ha lexicalizado para calificación peyorativa [14]. Formalmente, el género del sustantivo calificador sufijado viene dado por el género gramatical de la palabra; el del

---

[12] Véase Félix Monge, «-ción, -sión, -zón y -ón».

[13] Véase Félix Monge, «Sufijos españoles».

[14] Véase J. de Bruyne, «Acerca del sufijo -azo».

destinatario es precisado por el determinante, aludido en otras palabras del enunciado o sobreentendido en el contexto:

> *Vaya *calzonazos* que estás hecho
>
> *Buena *manazas* eres tú
>
> *Pero mira que eres *bocazas,* eh

Otro tanto ha ocurrido con el plural femenino -*eras,* que se ha lexicalizado en la formación de sustantivos calificadores sobre adjetivos calificativos originales:

> *Un cuchillo, *sorderas,* que te traigas un cuchillo
>
> *Es un *flojeras,* un *guaperas,* un *golferas,* un *soseras* , un *tonteras...*
> [siempre así cuando se refiere a sujeto masculino: con falta de concordancia entre el sustantivo, aparentemente femenino plural, y su determinante, masculino y singular],

y ocasionalmente el sufijo -*etas:*

> *Que tú eres un *vaguetas...*

Todos estos sustantivos calificadores *epicenos* (en la terminología académica: manazas, sorderas, guaperas, vaguetas...) tienen la peculiaridad de ser morfológicamente invariables tanto en género como en número, que vienen señalados normalmente por sus determinantes o por el contexto. En su *Morfología histórica del español* (pág. 50), Alvar y Pottier explican:

> En íntima relación con los masculinos en -a [procedentes de neutros latinos en -*a]* se presentan otros masculinos que tienen -as en su final (acusetas 'soplón', baldragas 'hombre flojo', bragazas 'hombre que se deja dominar por las mujeres'). Al parecer, el origen de estas formas está en los nombres que indican una 'habilidad del sujeto', derivada, precisamente, de un nombre abstracto. Entonces, para obviar la homonimia entre el abstracto mismo y su derivado [...], se dota a éste de un final en -*as,* en el que la -*s,* por ser índice de pluralidad, sirve para dar una expresividad mayor al nombre a

que se aplica. Este grado de expresividad mayor es patente en los apodos e insultos: ser *un piernas* 'un don nadie', *un patas, un patillas, un melenas.*

El sufijo *-ero* es hoy en general muy fértil con muy variados valores: renovada designación de oficios en

*Pues a mí me lo dice mi *microlentillero;*

modificación expresiva comodín en:

musiquero [referido al equipo de música, al ruido o sonsonete de la música que suena, o a la persona que gusta de la música];

con valor simplemente enfático en:

*Museo muy *pobretero* (profesor de arte)

*Hay una *montonera* de cosas ahí

*Ay, pero este año, qué *hartera*

*Ay, qué *atasquera,* madre mía, de mocos. Madre mía, qué *mocaera*

*Ahora me voy a ir yo, con la *calorera* que hace

*Hay que joderse, no veo nada de lo que hay en pantalla, absolutamente nada. Qué *cegatera,* Dios mío

*Qué *trabajera,* es un *mataero;*

o, con mucha frecuencia, para calificar la «afición a»:

*Yo he sido *chiquero* al máximo, eh [chicos, niños]

*Yo de pequeño era muy *florero* [< flores]

*Soy muy *postrera* [< postres]

*Nunca he sido yo muy *discotequera* ni muy *bailera;* si fuera el cine...

Y muy extendidos están también, especialmente en el habla juvenil, los sufijos *-ata* y *-ota* (ya antiguos y totalmente impuestos en términos como *bocata, cubata* o *tocata),* que pese a su apariencia femenina sirven para designar a los dos géneros o aplicar a sustantivos de ambos géneros gramaticales [15]:

> *Drogota* o *drogata* es el que se droga (hombre o mujer); la *fumata* es siempre «drogota» (de alguna droga); *picota* es el que se «pica» o pincha droga; *passota,* el que 'passa'; y una *polvota* se ha realizado después que «se han echado (sucesivos) 'polvos'».

El sufijo *-amen,* que Camilo José Cela *(Diccionario secreto,* I, pág. 106), a propósito de *testiculamen,* considera «macarrónico» todavía poco desgastado y muy expresivo, aparece siempre en palabras formalmente masculinas, y a menudo también en labios masculinos, referido a alguna parte de la fisonomía femenina; suele tener valor enfático o despectivo, o voluntad abarcadora:

> *Iba ostentando bien el *tetamen*
> *¿Has visto, has visto qué *culamen?*
> *Pero vamos, debía de ser de fácil *chollamen*
> *También: *piernamen, muslamen, pechamen, caderamen...*

E. Montero Cartelle (1978), que lo considera «de gran difusión de unos años acá, en la lengua erótica popular española» para referirse a «las partes erotizables del hombre o de la mujer» explica que no se trata de un sufijo «macarrónico» de nueva creación:

> Por el contrario, estamos ante un sufijo culto, cuya evolución normal en español es *-ambre* y así se ha heredado. Como tal es de mayor uso que el culto *-amen.* Pero el significado de ambos es muy próximo. En efecto, los dos tienen un claro valor colectivo o de abundancia. [...] Este valor colectivo, junto al carácter culto del sufijo y su poco uso, han contribuido, sin duda, al nacimiento de estas formaciones festivas españolas en *-amen.* ¿Pero cuál ha sido el punto de unión con el campo erótico? ¿En qué momento y circunstancia se ha producido la conexión...? [16].

---

[15] Véase Manuel Casado Velarde, «Un sufijo de la lengua juvenil: '-ata'».
[16] E. Montero Cartelle, «El latín y el humor», págs. 401-402.

Desde el campo erótico, el sufijo se ha extendido a otros términos (para simple énfasis o con el valor colectivo, de abundancia):

*Joder, qué *morramen* [También: *rostramen, caramen*]

*Ese tío es un *cocamen*

*Pesa la maleta un *huevamen*, ¿no?

*Pues hace todos los días un *taquillamen* de más de veinte mil pelas

*Me dice «¡vale!» después de todo el *fotocopiamen* que le he sacao... ¡Tendrá morro!

*Joder, nos había dao un *temamen* de casi 200 folios, y luego va y pregunta esa simpleza.

Locuciones. — La *expresión estereotipada,* el cliché trasladado de contexto semántico, el idiotismo, resultan particularmente expresivos, funcionando casi siempre como locuciones adjetivas o adverbiales (o adjetivo-adverbiales simultáneamente). Ahora bien, antes de seguir adelante conviene advertir qué entendemos por «locución», saliendo en cierto modo al paso de las definiciones que del concepto se pueden encontrar en los diccionarios (M.ª Moliner, Fernando Lázaro, Julio Casares).

Hemos reservado este término para designar determinadas fórmulas fijas de sentido unitario que, aun no pudiendo justificar éste por la suma del significado normal de sus componentes, son significativamente autosuficientes. Esto es, constituyen algo más que un mero soporte significativo de realce, tienen identidad independiente en el mensaje, pueden aparecer aisladamente sin merma en la expresividad, y están más cerca de la lexicalización que de la mera gramaticalización (de hecho, la mayor parte de ellas ni siquiera tienen referencia semántica de intensidad cuantitativa). Así, realzando enfáticamente el adjetivo o a un adverbio o cuantificando el verbo *(locuciones adverbiales),* podemos encontrar numerosas expresiones:

*Adémas, esos pantalones son *la mar de* originales

(HM, XXII, 411)

*Le ha dao *un rato* fuerte, le ha dejao *hecho una pena* [también: *hecho unas bragas, unos zorros*]

*Sí, pero es que para prohibir, como hacen los testigos de Jehová, las transfusiones hay que ser fanáticos *con ganas*

*Anda, que eres tonto *cum laude,* hijo [empleo inesperado de un cliché —cultismo— usado sobre todo en el registro normal —académico—]

*—Porque tengo la Historia de segundo todavía
—¡Sí?
—¡Huy, hija!, si tengo yo *la tira;* no me privo de nada
(HM, XXII, 416)

*Yo soy la persona que menos piensa en el éxito [...], me lo merezco *por un tubo,* pero no pienso en ello
(P. Almodóvar, *Cambio 16,* 941/1989, pág. 172)

*Se ponen calentorras *una cosa mala* [además, el sufijo en «calentorras»].

Con frecuencia, se construyen con preposición introductora, particularmente *a* y *de:*

*—Qué cursis ¿nó?
—Qué cursis *de mierda,* sí

*Con las rebajas están siempre llenos *de bote en bote*

*Lo sabes *de sobras*

*Le han zurrado *de lo lindo*

*Dos guapas *de respeto*

*Todo lo que sea trabajos manuales los hace *de maravilla,* todo lo que no sea usar la cabeza...

*Está *de pecado* el Miguel...

*Suenan *de fábula,* ¿verdad?

*Víctor, ¡que te pego! Si te pones tonto te pego *a base de bien,* ¿sabes?

*Es guapo *a rabiar*

*No, si va a llover *a tajos,* está la tierra achicharraíca [más frecuentemente: *a cántaros*]

*Prohibiciones y venga prohibiciones *a punta pala*
*La morcilla le gusta *a perder.*

Otras locuciones, por su sentido, no sólo ofrecen en él implícitamente la cualidad (son, pues, adjetivas), sino también la gradación cuantitativa implícita de esa cualidad. Se trata, pues, de locuciones que constituyen sustitutos significativos de ambas cosas, y en este sentido podemos considerarlas *locuciones adjetivo-adverbiales* intensificadoras de la cualidad:

*Es un joven *de mucho cuidado*
*Chapuza *de pronóstico*
*Me casqué una ceremonia terrible porque hacía un calor *de narices*
                                                                    (HM, VII, 112)
*Hasta que ya por fin tropecé con las llaves..., entonces, ya me llevé una desilusión *de miedo,* pero vamos... menos
                                                                    (HM, III, 51)
*Y, claro, se armó follón *de primera especial,* como estaba mandado
                                                                    (Radio, fútbol, 12-5-80)
*Un motín *en toda regla*
*Me puse *a morir* precisamente el jueves santo, día en que cumplí 84 años
                                                                    (M. Sánchez Albornoz, *Informaciones,* 14-4-77)
*Ya, hija, pero es que tú tienes un marido *que bueno*. Para mí lo quisiera yo
*He visto un chevrolet *de quitar el hipo*
*Un corte *de la hostia.*

Con diversos matices y en contextos variados: *a mantas, a tutiplén, a más no poder, a manos llenas, a machaca-machaca, a lo tonto, de miedo/espanto/horror, de campeonato, de órdago (la grande), de padre y muy señor mío/nuestro, de perlas, de película, de rechupete, de morirse, de descojonarse, de chuparse los dedos, de quedarse loco, de caerse p'atrás, de no te menees, de aquí te espero, de no creérselo, de mírame y no me toques,* etc, etc, etc. ...

Uno de los recursos más frecuentes consiste en sustantivar el adjetivo con la presencia del artículo indeterminado y realzar al «sustantivo» con una locución a la vez calificadora e intensificadora:

*Siempre ha tenido un genio... Siempre ha sido *una soberbia de aúpa*
*Yo soy *una racista de miedo,* me dan como asco, huy, tan... no sé...
*Está *de un tonto...* [17]
*Te hablo de un pesao auténtico, *un pesao de cuidao.*

En ocasiones, el realce se lleva a cabo por la inclusión más o menos directa (mediante la expresión o la estructura cliché) de lo realzado en el conjunto a que pertenece:

*Honrado y bueno *si los hay* es el primo Paquito
*[Es] insociable *donde los haya,* huidizo, miedoso...
*Con lo feíta que era, y ahora está *de lo más* guapo
*Y aun así, es *de lo mejorcito* que vas a encontrar
*El escondite era *bueno entre los buenos*
*Ése ya lleva *lo suyo* [18].

O por medio de la fórmula autoafirmativa:

*Total, que entre pitos y flautas es que caías en la cama tronchadita, *lo que se dice* deshecha
*Motivos tiene *todos los que quieras* [atribución al interlocutor].

Y a veces basta con la voluntaria ruptura del cliché:

*¿Ha pasao ya Jose Lorenzo?
—No sé
—Anda, *echa un ojito...*
*... antes de que te pongas *de mal yogur.*

---

[17] Véase M. Fernández Lagunilla, «El comportamiento de *un*».
[18] Vid. Emilio Alarcos, «¡Lo fuertes que eran!» (1962), recogido en *Estudios de gramática funcional del español,* págs. 235-248.

Adjetivo de «identidad». — La cualidad expresada por un sustantivo abstracto o genérico puede realzarse añadiéndole un adjetivo de identidad:

> *Si es *la misma bondad,* el pobre.

Relacionada con esta forma está aquella que añade al sustantivo la «personificación», aludiendo a una cualidad especialmente esencializada o pródiga en el sujeto:

> *Es *la bondad personificada.

Imprecisión. — Se puede poner énfasis en la descripción imprecisa o impersonal:

> *Cómo* está el tráfico
> *Mira *qué* aparente queda esa figura ahí
> *Ahora *sí que* no me muevo
> *Hay que ser bestias...*

Esquema sintáctico propio. — Con frecuencia, la fórmula de realce de la cualidad impone el esquema sintáctico que ha de seguir la oración, perifrástica:

> *Y *lo* bien colocado *que* está todo, que lo ves de un golpe de vista
> *Ay, no, ¡con *lo* cansada *que* estoy!
> **Vaya* bromitas *que* te gastas [con intención irónica, reafirmada en el diminutivo]
> *Hombre, *sí que no* tiene morro *ni ná,* el tío [curiosa afirmación-negación]
> *Jo, *llena* de chorizos *que* está [la zona madrileña de Malasaña]
> *Si es que me dice *cada* cosa, *que* no sabe uno qué pensar.

Proposición consecutiva. — El empleo de la proposición consecutiva, realzadora, es un procedimiento muy corriente, que permite una cierta libertad de elección por parte del hablante. Algunas están ya consagradas en relación a ciertas expresiones (como en el último ejemplo) y pueden comprenderse incluso con elementos elípticos:

> *Huele *que alimenta*
> *Está [el niño] *que da gloria verlo*
> *Son todos ustedes *de un* retorcido *que da asco*
> *Esto está *de un* aburrido *que mata*
> *Tiene un sueño *que se cae*
> *Tengo un hambre *que me muero*
> *Y los [extraterrestres] que hay en la tierra han aprendido español y hablan todos español *que se las pelan,* creo
>
> (HM, III, 54)

Otras, menos frecuentes, se improvisan o viven una moda efímera:

> *Le pego una hostia *que le vuelvo obispo*
> *Tengo tanto sueño *que me pesan las pestañas*
> *Tienes un mechón rubio aquí atrás *que te cagas.*

Valor aproximadamente consecutivo parecen tener otras expresiones, fijadas en la coordinación copulativa y separadas mediante breve pausa. Son esas mismas expresiones cuyo nexo coordinante permite traducir lógicamente una oración compuesta por una primera proposición subordinada adverbial condicional y la segunda, principal y enfatizadora:

> *Te doy una torta *y vuelas*
> *Te pasa a ti *y te mueres*
> *Lo ves *y no te lo crees.*

Hipérbole, metáfora, comparación. — De gran expresividad resulta el empleo de ciertas *figuras de pensamiento,* que permiten la creatividad del hablante y propician la imaginación del interlocutor. Así, por ejemplo, la hipérbole:

*Era uno de los sitios *donde más se mentía del mundo*

Están por las nubes en este barrio los pisos

*No, hombre, no la pongas tan arriba [la grapa]. Te queda *a millones de kilómetros del texto*

Yo soy la persona que menos piensa en el éxito

(P. Almodóvar, *Cambio 16,* 941/1989, pág. 172)

*[Saca] un balón muy alto, *casi baja con nieve*

(TV, Final Copa UEFA, Bayern-
Leverkussen/Español, 18-5-88)

*—... a... andar otra vez, es, es que eso ni es montañismo ni es nada...
—*Eso es matarse*

(HM, XIX, 352),

que está a veces ya estereotipada:

*Yo cuando me vino la niña se me vi... *se me vino el mundo encima,* pero totalmente

(HM, XIX, 343)

*Mi contacto con él [con el inglés] había sido nulo hasta entonces,
¿no? Entendía lo que se dice *ni una sola palabra*

(HM, I, 11)

La metáfora:

*Qué *joya* esa chica, no la dejes escapar

*Lo que tiene es su capacidad *camaleónica,* increíble

*Vaya *empanada mental* que tienes hoy. Anda, hijo, que *te estás
empanando*

*Es muy noble. Es *un sol,* de verdad; le quiero mucho

*Te creerás que esto es también *coser y cantar*

*A las cuatro de la madrugada estoy yo *hecha unos zorros* [también:
unas bragas, una pena, etc.]

*Anda, que *me meo* de la risa

*Ciento y pico mil pelas... yo se me pusieron los ojos *de color poleo...*

O la comparación, procedimiento muy popular, que se ha fijado en algunas expresiones y que puede sorprender, en sus diversas modalidades, con las más curiosas o disparatadas asociaciones. A veces el concepto-referencia está ya metaforizado o es irreal, inexplicable desde el punto de vista lógico. Comparaciones de igualdad:

*Una gilipollez *como la copa de un pino*

*Trabaja *como un negro* [origen esclavista]

*Se divirtieron *como locos/como enanos*

*Porque nada más era llegar, bajar del autocar, ¡ yi, yi!... como, *como locomotoras,* ¡hale!, a... arriba. Cuando estábamos arriba, comíamos, como... *como verdaderos locos,* a... andar otra vez

(HM, XIX, 352)

*Un mentira *como una casa/como un piano*

*Pues una tontería *como otra cualquiera,* tú me dirás

*Pero tan mueble *como el que más*

*Comer no come, pero correr corre *como un perdigón*

*¿Y cómo lo sabes?

—¡Ja!, pues porque te conozco *como si te hubiera parido*

*Anda, que *pareces un estropajo* [siempre restregándote];

lógicamente, las comparaciones de superioridad, fosilizadas *(más preñá que una rana, más sucio que el palo de un gallinero, más tonto que Abundio, más fácil que mear, más visto que el TBO...)* o no, son las más frecuentes:

*Anda, que eres *más paliza(s) que todas las cosas*

*Hombre, es que esto es *más aburrido que mirar jugar al cinquillo y no poder seguirlo*

*Es *más complicado que la hostia*

*¡Bueno! *Más alta lleva la cabeza que la Martirio*

*Tiene los zapatos *más arrugados que la cara de una vieja*

*Lo que han hecho con nosotros ha sío *peor que los rojos, peor que los rojos*

(TV, gitana del pueblo jiennense de Martos,
a raíz de los disturbios racistas, 19-7-86);

y comparaciones de inferioridad, las menos usuales:

> *¿Tú? Menos que Peret* sabes tú [Peret cantaba, en su momento,
> aquello de «Borriquito como tú/ tururú/ que no sabe ni la *u...*»;
> además, hipérbaton]
>
> *Es verdad, últimamente te veo menos aún que a mi marido*
>
> *Menos me besa que a un esturión.* Y eso a mí [conque imagínate
> a otros].

RECAPITULACIÓN

Aunque, al ejemplificar estas tendencias de carácter general, no hemos distinguido formas de realce particulares para las diferentes categorías (sustantivo, verbo, adjetivo, adverbio) ni nos hemos detenido en explicaciones propiamente gramaticales, un rápido repaso a nuestros ejemplos nos permitiría hacer ciertas consideraciones que pueden ser útiles para investigaciones posteriores, más detalladas:

a)   Para el realce, en general, habría que distinguir entre la intensificación semántica por procedimientos léxicos y la intensificación por procedimientos morfológicos y sintácticos (aquí tendría cabida la superlación estándar), que no son, como hemos visto, incompatibles en el lenguaje coloquial.

b)   Si nos fijamos bien, en casi todos los apartados que hemos hecho podemos encontrar ejemplos de sustantivos, verbos, adjetivos y adverbios realzados: son ejemplos que, estilísticamente, responden a una misma causa y a una misma intención, pero que, lógicamente, adaptan los procedimientos formales de énfasis a las categorías que modifican (**Dominar** el francés *correctamente;* Corría así por *toda* **la totalidad** del campo; En versión original y *totalmente* **íntegra...**). El mayor número de ejemplos corresponde a sustantivos y adjetivos; el menor, a verbos. Aunque, en honor a la verdad, muchos procedimientos (sintéticos) no pueden ser clasificados con un criterio puramente morfológico o sintáctico («Anda, *echa un ojito...»,* «Tienes un mechón rubio aquí atrás *que te ca-*

*gas», «*Te doy una torta *y vuelas», «*Era uno de los sitios *donde más se mentía del mundo»...*).

c) A la vista de los múltiples y variadísimos ejemplos que la lengua coloquial ofrece, no tenemos más remedio que unirnos a la vieja queja que considera insuficiente el establecimiento de sólo tres grados de cuantificación (en el adjetivo: positivo, comparativo, superlativo —y sigue sin resolverse la «graduación» de sustantivos, verbos y adverbios»— [19]), sin tener en cuenta las grandes posibilidades de la intensificación, el énfasis o el realce.

Ciertamente, aunque no hemos pretendido agotar los procedimientos de realce lingüístico, parece claro que en la lengua coloquial se tiende constantemente al énfasis, o, mejor, al sobreénfasis y a la ruptura de las restricciones semántico-gramaticales en la intensificación, mediante los más variados procedimientos y con no poca creatividad.

---

[19] Para lo relativo a los adverbios, véase Mª Isabel López Martínez, «Notas.»

PARTE SEGUNDA

COMODIDAD

INTRODUCCIÓN

Definíamos más arriba la «comodidad» como la tendencia espontánea del hablante al menor esfuerzo para alcanzar la comunicación. Y advertíamos ya que no queríamos restringir el sentido del término al de economía, principio reiteradamente aludido cuando se estudia el lenguaje hablado, de acuerdo con el cual se tiende espontáneamente a abreviar la expresión en el uso oral.

Nos parece bastante claro que lo que el hablante busca (inconscientemente y de forma espontánea casi siempre) en el uso coloquial es *comodidad* y no economía, y que es ésta la que sirve a aquélla, cuyo alcance es mucho más amplio. Claro está que en la lengua con mucha frecuencia lo más económico es también lo más cómodo. Pero no siempre. Tal y como lo concebimos, el principio coloquial de comodidad está directamente relacionado con ese otro más general que hemos denominado «primacía de la comunicabilidad»: para el hablante, lo más cómodo es, sin duda, aquello que le supone el *menor esfuerzo* para obtener una comunicación rápida y fluida, sea o no lo más económico.

Esto supone una importante matización al concepto tradicional de *ley del menor esfuerzo* manejado en lingüística, entendida casi siempre como la tendencia de los hablantes a reducir al mínimo (por «inercia de la memoria y de la acción articulatoria» [1]) su actividad mental y física.

---

[1] Así lo considera Martinet, a quien corresponde, en lingüística, la elaboración de este concepto: «Lo que puede llamarse economía del lenguaje es esa aspiración

Atribuir una especial «pereza mental» a los hablantes en su comunicación espontánea, como suele hacerse, no es sino un signo más de esa manera llena de prejuicios de enfocar el estudio del lenguaje hablado. Habrá, sin duda, mayores y menores «perezosos» en cualquiera de las posibles modalidades de realización. La coloquial, condicionada por la necesidad de ser inmediata e irreflexivamente comprendido por el interlocutor, marcada por la fugacidad y forzada a un alto grado de espontaneidad, predispone a la comodidad en la actualización lingüística. Pero tal comodidad no es tanto una actitud subjetiva del hablante cuanto la consecuencia natural de una comunicación con estas características. No es reductible a pereza (mental) ni a economía (material), ni a ambas cosas. Y ni siquiera justifica mejor que los otros dos principios de actuación coloquial (expresividad y adecuación-contextualización) el pretendido *descuido* en el empleo del código ni el alejamiento de la norma con que suele caracterizarse a la lengua conversacional (ya hemos visto cómo la expresividad era la causa de numerosos anacolutos afectivos y énfasis inadecuados).

El principio de comodidad no hace referencia a la conciencia o actitud subjetiva del hablante ni guarda relación bien definida con la llamada norma lingüística. Se refiere estrictamente a la actualización verbal y debemos entenderlo como una *tendencia por la cual el hablante,* en respuesta a las exigencias de inmediatez coloquiales, *no se detiene ni a estructurar con buena lógica y de forma correcta su lenguaje, ni a corregir sus incorrecciones* (suponiendo que pueda percatarse de ellas, y si se percata, que pueda corregirlas), *ni a buscar la forma más exacta y precisa para la expresión de su significado.* Y esto ocurre, ciertamente, porque el hablante, capaz de alcanzar la comunicación prescindiendo de todo ello, no siente la necesidad de hacerlo. Y, por descontado, tampoco su interlocutor.

permanente a un equilibrio entre necesidades antagónicas, que han de ser satisfechas: por una parte, necesidades comunicativas y, por la otra, inercia de la memoria y de la acción articulatoria» (citado por W. Abraham, *Diccionario,* s.v. «economía»).

La «comodidad» es, pues, a la vez origen y resultado de esa pretendida *eficacia* en la relación coloquial con vistas a obtener una comunicación fluida y lo más cerca posible de la intención expresada. Para el hablante, a quien pertenece por iniciativa la intencionalidad de comunicación y que cuenta con la no trascendencia de su mensaje (fugacidad), representa a la vez una *necesidad* (emanada de la inmediatez y urgencia de este tipo de comunicación oral) y el mejor *instrumento* para su realización; pero sólo gracias al receptor (oyente o destinatario activo del mensaje), que comparte con él esas expectativas de comunicación eficaz, ésta es posible. Dicho de otro modo: la relación entre el principio de comodidad y el de «primacía de la comunicabilidad» es tan estrecha como la de este último con otro con el que se cuenta de antemano en toda comunicación: el de *cooperación.*

Ocurre a veces que esa particular intencionalidad de eficacia comunicativa entra en conflicto con la norma, o con el supuesto precepto de economía verbal, o con la estricta lógica... Y es en estos casos, en los que el hablante suele elegir espontáneamente formalizar su mensaje adaptándolo a sus circunstancias concretas de interacción comunicativa, cuando la acción del principio de comodidad se hace particularmente visible en el lenguaje. Por eso, entre los fenómenos que facilitan la formalización-actualización del lenguaje, encontraremos algunos que parecen tener, efectivamente, su base en la economía lingüística, en el «ahorro» de palabras o de medios por parte del hablante (ciertos anacolutos y fenómenos de supresión); otros, por el contrario, parecen por definición antieconómicos, y no sólo porque constituyen recursos perifrásticos o se basan en la redundancia (como muchos de los empleados —casi todos— para la intensificación de la cualidad), sino también porque muchos son, en sentido estricto, auténticas añadiduras innecesarias (el caso de las preposiciones «fantasma», por ejemplo: «Me has hecho *de* correr»), o *expresiones de relleno* que no añaden ninguna información objetiva al mensaje y de las cuales se podría prescindir sin que el significado se resintiera (no así el *sentido,* desde luego);

y muchos, por fin, parecen responder a una simple mayor facilidad (justificable) en la actualización lingüística (cambio de régimen preposicional, discordancias, etc.).

Esta tendencia espontánea a la comodidad en el transcurso de la comunicación opera principalmente en tres frentes:

a)   en la formalización del lenguaje a la hora de actualizarlo;

b)   en el mantenimiento fluido del canal;

c)   en la expresión del sentido global (y decimos «sentido global» y no «significado») del mensaje.

I

ACCIÓN DEL PRINCIPIO DE COMODIDAD
EN LA FORMALIZACIÓN DEL LENGUAJE COLOQUIAL

A) EXTENSIÓN ANALÓGICA DEL SISTEMA

Para Frei (1929, págs. 33-34), que habla de *instinto analógico,*
la analogía es un hecho de memoria (de «asimilación memorial»)
que tiene su contrapartida en el discurso en la «asimilación discursiva» (que él llama *conformismo* —de los elementos que se siguen
en la cadena hablada: concordancia, etc.—). Ambos fenómenos,
en efecto, parecen responder a un mismo principio de «asimilación» lingüística, aunque nosotros más bien matizaríamos la concepción de Frei: se trata, en el caso del *conformismo,* de una asimilación que le viene ya dada al individuo por el sistema y la norma
de la lengua; por el contrario, es la *analogía,* producto del «instinto
analógico», la que constituye un auténtico fenómeno de *asimilación
discursiva* personal y puntual del hablante.

Y creemos que, sin duda, el aspecto que con más claridad manifiesta esta tendencia espontánea del hablante al menor esfuerzo y
a lo más cómodo en la comunicación es *la extensión analógica del
sistema* (código) de la lengua en su empleo coloquial; extensión que
hablante y oyente, que han «interiorizado» inconscientemente
desde niños las reglas de la gramática, hacen sin ninguna dificultad.
De ahí la frecuencia, entre otros, de fenómenos como:

a) *Regularización e irregularización incorrecta de las formas verbales:*

> *Yo *conducí* un 1.500 y era la gloria
>
> *Peor sería si *andara* [el niño]
>
> *Murmulleó* por lo bajinis
>
> *Simplemente se me había *suelto,* y es que se ve que el broche yo qué sé [irregularización]
>
> *¡Por Dios!, se *eternece* este hombre [eterniza]
>
> *No puede hacer frente a los numerosos problemas que cada vez se *agudecen* más [agudizan]
>
> *Nosotros, por ejemplo, en este caso, *obtenimos* unos resultados muy interesantes
>
> *Y yo, *preveyendo* lo que iba a pasar, ... [También: *riyendo, friyendo...;* cp. «trayendo»]
>
> *A los ciudadanos a los que se quiere *agreder...*
>
> *En los límites de lo *permitible* [se trata en realidad de un adjetivo verbal, que se forma analógicamente con su verbo: «permitir»]
>
> *... puede ir también a ver este «hospice» inglés porque también él *deshacería* su... su...

(TV, «Debate: Eutanasia», 4-6-87)

Curiosamente, dado que el sistema verbal español dispone de formas específicas para la apelación de mandato y que la presencia de estas formas verbales es, lógicamente, bastante alta en el lenguaje coloquial, el modo imperativo tiene poco rendimiento, y muy vacilante, en español. En realidad, el hablante medio parece sentir que «sentaos» es muy afectado, y tiende a decir «sentaros» (o incluso «a sentarse»). Pero además de esta semejanza formal entre el imperativo y el infinitivo con el pronombre enclítico, la imposibilidad de usar el modo imperativo para la orden-negación ha contribuido, sin duda, a los múltiples empleos analógicos e hipercorrecciones que se pueden encontrar en la lengua coloquial (particularmente en el plural) [1]:

---

[1] El fenómeno llama desde hace tiempo la atención de los lingüistas. A. Llorente, en sus «Consideraciones» lo presenta como ya bastante extendido.

*Haced el favor, *no buscad* más excusas. *Poneros* el pijama y a
la cama

*No desnudarse todavía

*No comeros eso, eh.

b)   Un error frecuente (por analogía fónica) es el empleo del
pretérito imperfecto (auxiliar) en lugar del condicional, con lo que
tiene lugar una proyección «lógica» hacia el pasado que no es teni-
da en cuenta por los interlocutores:

**Sí, *debía* concentrarse más Boris Becker, está demasiao enfadao
con sí mismo

(TV, 4-7-88)

**El hombre lo que *tenía* que hacer es parir, y embarazarse, a ver
si así no hablaba más tonterías.

c)   *Empleo incorrecto de los posesivos* (falsos posesivos) *o de
pronombres personales en su lugar.* Esta irregularidad responde seguramente a una posible ambigüedad del código, que nos permite,
en la tercera persona, expresar la posesión mediante el empleo de
la preposición *de* seguida del pronombre personal sujeto (él, ella...).
Así, podemos decir «esta casa es suya» o «esta casa es de él/ella...»,
pero no «esta casa es de yo/mí/nosotros...» El hablante, sin tiempo para reflexionar sobre lo que dice, hace la extensión de esas
dos posibilidades a las diferentes personas y a enunciados cuya relación no es exactamente posesiva:

**Si además estaba detrás *mía* la señora, yo qué sabía si la pillaba
o no [síntesis frecuentísima en las referencias deícticas de lugar;
puede aparecer también *detrás mío,* con o sin concordancia con
el «yo» de referencia]

**Entonces yo voy detrás *tuya* porque todavía no he empezado a
darles el tema tres

**... porque entonces ves a la plebe o a la masa enfrente *tuyo,* que
te sonríe

(HM, VII, 112)

*Y allí comparecieron dos personas desconocidas *nuestras* [para nosotros]

*Ya han desaparecido muchos *de nosotros* [de los nuestros]

*Yo apelo a la conciencia *de vosotros* los marteños, y por favor, hemos dao un espectáculo que yo creo que se avergüenzan todos los marteños

> (TV, Alcalde del pueblo jiennense de Martos, a raíz de la quema de varias casas de familias gitanas, 19-7-86).

d)   A una duplicidad similar del código responde, aunque es menos frecuente, el *mal uso de los pronombres «término de preposición»* (u otros en su lugar):

*Sí, debía centrarse más Boris Becker, está demasiao enfadao con *sí mismo*

> (TV, 4-7-88)

*El alférez de complemento trata como un compañero más *a nosotros* ¿no? ya que el día de mañana seremos lo que es él

> (HM, V, 95)

*—Pues si te quedan [los pantalones] casi más cortos que *yo*
—Y dices que eres tú más alta...

Estos dos últimos ejemplos parecen responder a esa tendencia «egoística» del hablante que le lleva a hacerse presente en su enunciado (y centro de él) en forma de *yo*. Diferente parece, sin embargo, el fenómeno de ultracorrección que tiene lugar en:

*Entre *ti* y *mí* siempre ha habido grandes diferencias, te advierto,

donde el hablante emplea con buena lógica gramatical, pero en abierta contradicción con la norma, *ti* y *mí* como términos de preposición [2].

---

[2] Menos probable sería —sospechamos— el empleo de «entre ti y mí» si los pronombres coordinados indicaran sujeto: «*Entre tú y yo* lo haremos bien». Se trata, como puede verse, de un sujeto excepcional desde el punto de vista gramatical (coordinado y con preposición), que convierte a los pronombres personales (que conservan su función de sujeto) en «términos» de preposición.

e) *Faltas analógicas de concordancia* del tipo:

*Acuérdate: está el aceite *puesta* pa freír un huevo

*Tengo *mucho* hambre, de verdad

*En la Moheda se veían *unos* águilas *grandísimos.* Serían *ibéricos,*
digo yo

*—¡Si está hirviendo *l'*aceite *esa!*
—*Qué va a hervir: está fría* el aceite

*Bueno, vamos a empezar con *la agua* [ultracorrección]

*Me tomaba el agua caliente *aquel,* pero me volvía a acostar
(HM, XVIII, 339)

*¡No, perdón, perdón! Yo creo que no se puede aprobar el acta *ese*
así *escrito,*

donde el hablante (que seguramente no ha sido nunca consciente
de ella) extiende la norma de empleo del singular masculino *(el,
un, algún, ningún)* con sustantivos en *a-* tónica a otros determinantes *(«mucho* hambre») o modificadores del sustantivo («el acta *ese*
así *escrito»),* hipercorrige *(«l'*aceite esa»), o la traslada a los correspondientes plurales *(«unos* águilas *grandísimos»)* [3]. Analógica es también la creación *actora* sobre el masculino «actor» (cp. «doctor/a»):

*—Pero es que tú me cambias mi escena
—¡Claro!
—Pero es que yo no soy *actora...*

f) Los fenómenos de *laísmo, leísmo* y *loísmo* han sido ya ex-
plicados como un paso desde la diferenciación funcional (OD feme-

---

[3] El fenómeno ha sido tratado por Juan Martínez Marín: «*Este agua*». Destaca
el autor «en la situación actual del fenómeno [...] dos aspectos: por un lado su
fuerte presencia en la lengua hablada de distintos grupos socioculturales —la norma
culta recibe una enorme presión desde el uso considerado incorrecto—, con manifestaciones muy sintomáticas de su avance en la lengua escrita; de otro, su extensión
a determinantes —e incluso a adjetivos— a los que no afectaba tradicionalmente
(al menos por lo que nos revelan las noticias de que disponemos sobre este hecho)»
(págs. 41-42).

nino para *la* y masculino para *lo;* OI masculino y femenino para
le) a la distinción de persona *(leísmo* de persona, antietimológico,
pero ya totalmente extendido y admitido) y a la especificación genérica (laísmo frecuentísimo). De este modo, se hace con frecuencia
la extensión analógica de *la* a todo complemento (directo o indirecto) de género gramatical femenino:

> *Y mi hermano influyó, a mi madre se *la* quitó el miedo, y entonces
> dieron el consentimiento
>
> > (HM, I, 6)
>
> *Y yo como loca por dar*la* ya... puerta, por largarla...
>
> *Por lo pronto, se *la* debe dar a la mujer una autonomía, digamos
> de tipo económico, ¿no?
>
> > (HM, IV, 68)
>
> *Y yo *la* he preguntado y lo que ella hacía allí era más bien de
> enfermera
>
> > (HM, VIII, 140)
>
> *No suelo dedicarme a leerme todas [las publicaciones], pero sin
> duda, *las* atribuyo un papel muy importante en la formación
> del pueblo
>
> > (HM, II, 40)
>
> *Me gusta mucho «Alianza Editorial»... Aunque... V... claro, se
> *la* ve desde el principio la tendencia a...
>
> > (HM, IV, 81)
>
> *¡Dala!, tienes que dar*la* antes [a la pelota, en clase de tenis],

y la de *le,* admitido ya para OD de persona, a cualquier OD masculino (además de usarse, como le es propio, en función de objeto
indirecto):

> *A ver este chicharrito, márcame*le*
>
> *Creo que no es tan fiero el león como *le* pintan
>
> > (HM, I, 18)
>
> *Dice que es posible que se *les* lleven para experimentar con ellos
>
> > (HM, III, 49)

> *... no solamente practicar un idioma, sino aprender*le* de nuevas si es posible
>
> (HM, IV, 69)
>
> *Pues este crecimiento en Madrid yo *le* veo normal ¿no?
>
> (HM, V, 91)
>
> *Pues del Ateneo ...V... a mí me hubiera gustado conocer*le* en su época brillante
>
> (HM, V, 97);

mientras *lo* tiende a desaparecer en su función de OD (al menos entre los leístas) y aparece ocasionalmente como OI:

> *Yo a él hay una cosa que siempre *lo* llamaré: irresponsable
>
> (HM, I, 18)
>
> *... y puede haber también otros seres racionales... [...] que no tengan nada que ver con él y Dios no *los* ha puesto ninguna prueba ni nada, o sea...
>
> (HM, III, 50)
>
> *He dicho y he reiterao en muchas ocasiones, que no hay negociación [...] ni nada que se *lo* parezca [...] con la organización terrorista ETA
>
> (Ministro J. L. Corcuera, TV, «Telediario», 29-9-88)

Esta misma tendencia parece justificar la incorrecta concordancia de número en el OI *le,* tan frecuente en español, que incluso cuando se identifica cuesta reconocerla (véase, más adelante, el apartado de concordancia de número):

> *Hay muy pocos que vienen a consultar tus libros, a preparar sus tesinas, te preguntan, te piden consejo y tú *le* das lo que puedes ...V...
>
> (HM, VII, 127)

g) *Tendencia a expresar todo sujeto gramatical no determinado con «quien»:*

> *Nos tomaremos tres cervezas *cada quién*
>
> *Cada *quien* se paga lo suyo,

incluso cuando no es personal o animado:

> *¿Sabes a *quién* vi hoy remolcando una [una caravana]? A un Ford Fiesta
>
> *En esos casos *quien* manda es siempre la máquina
>
> *Eso *quien* lo tiene todo es el centro de proceso de datos,

e incluso cuando, por el sentido o por la presencia determinante de un antecedente u otra expresión concordada, correspondería «quienes»:

> *Se muestran a ustedes siendo realmente *quien* son
>> (Mercedes Milá, TV, «Jueves a jueves», 13-2-86)
>
> *No sé si nuestro compañero Emilio Tamargo [...] podrá distinguir *quién* son los hombres que los inician...
>> (TV, «Vuelta Ciclista» 14-5-88)
>
> *Pues yo lo que pensaba es que *quién* son ellos para hablarnos así
>
> *¡Ay!, ¿sabes *quién* va a venir? Los Simple Minds
>
> *Son más las personas viejas *quien* todavía piensan en eso
>
> *... siempre tendrán una dimensión humana en lo que han hecho y que esto serán los tribunales *quien* lo tienen que apreciar
>> (Abogado Joaquín Ruiz-Jiménez
>> Aguilar, TV, «La clave», 15-2-85)
>
> *¿*Quién* son los dioses de nuestro tiempo?
>> (Jesús Quintero, TV, «El perro verde», 28-9-88)

Este mismo fenómeno tiene lugar en una conocida canción de éxito de Víctor Manuel («Soy un corazón tendido al sol»), sin que, al parecer, como suele ocurrir en la propia lengua coloquial, nadie se dé por enterado:

> Aunque soy un pobre diablo [...], sé *quién* son amigos de verdad, sé bien dónde están, ...

h)   Seguramente es la analogía la que actúa de fondo en la frecuente aparición «fantasma» de la preposición *de* (asemántica e incorrecta), fenómeno claramente antieconómico, pero muy extendido en la lengua hablada de todos los niveles:

> *Pero sin embargo hay otros transeúntes, hay otros mendigos *de* que a las tres de la tarde están pidiendo entrar en el albergue
> (sacerdote, TV, «Debate: La mendicidad», 1987)

> *No bebas cosas demás *de* frías, que es muy malo [construcción anómala, en sustitución de «demasiado»]

> *Deseandito estoy *de* que se acabe esta huelga

> *Simplemente, sólo decir *de* que si este mecanismo nos muestra a nosotros... [se trata aquí, como en los siguientes ejemplos, del famoso y muy criticado «dequeísmo», con verbos «dicendi» y de opinión]

> *El ministro dice *de* que las clínicas privadas pueden abortar, porque se ha presentado...
> (Isabel Tocino, TV, «Debate: Aborto», 15-1-86)

> *Entonces, no puedo juzgar *de* cuál es el... o sea, el modo de pensar y el nivel de estas personas, vamos
> (HM, II, 38)

> *... porque resulta que la habían llamado *de* que no había clase...
> (HM, XXIII, 434)

> *Usted sabe además como literato, *de* que hoy la literatura de lengua española...
> (HM, X, 180)

> *Entonces yo creo —¡un momento!— *de* que esto tiene solución si se quiere
> (TV, «Debate: La mendicidad», 1987)

A. Llorente Maldonado de Guevara (1980) considera que la aparición «fantasma» de la preposición *de* precediendo a un infinitivo es muy frecuente en Andalucía. Creemos que el fenómeno, tanto si se trata de «dequeísmo» como si reproduce el modelo *adjetivo + de + infinitivo* («difícil de precisar», «agradable de escuchar»), está generalizado en el español conversacional. Tiene, además, una lógica (analógica) que concuerda perfectamente con esa irreflexión que la lengua espontánea favorece (y hasta impone) en el hablante

en el momento de la actualización. Se trata de un caso más en
que la diferencia (que es la que provoca el cruce expresivo) pertenece al sistema de la lengua, pero, por diferentes motivos, no es espontáneamente asumida por los hablantes. La clave está en el orden de los elementos en el enunciado. Si decimos:

  a) Esto es difícil de precisar,

gramaticalmente, analizamos *esto* como sujeto, *es* como verbo copulativo, y *difícil de precisar* como atributo (compuesto por adjetivo y complemento preposicional). En cambio, si concedemos prioridad a la expresión verbal sobre la nominal (aquello de lo que
se predica), decimos:

  b) Es difícil precisar esto,

enunciado que analizaríamos como expresión verbal con sentido unitario *(es difícil)* y carácter impersonal, más sujeto gramatical proposicional *(precisar esto),* lógicamente, sin preposición. Como se
comprenderá, el hablante no dispone de tiempo para detenerse en
tales disquisiciones, y seguramente comparte con su interlocutor la
impresión (no consciente) de que «Esto es difícil de precisar» y «Es
difícil precisar esto» son —significan— sustancialmente lo mismo,
y dice:

  *Es muy fácil *de* meter a los ancianos en un asilo
  *Pero se hace pesadísimo *de* leer el «Ulises»
  *No está tan claro *de* ganar ese partido, me parece a mí...
  *Cuanto más nos conozcamos como persona, más fácil será *de* aportar
    esa experiencia al personaje,

y extiende la preposición a otras construcciones en que aparece el
infinitivo (verbo principal + infinitivo subordinado):

  *La vi *de* venir
  *Puñetero, que vengo sólo por verte *de* comer
  *Pero con tantas vueltas no me dejas *de* descansar a gusto

*¡ Ay...!, me has hecho *de* correr [la preposición interrumpe en estos casos la perífrasis verbal]
*Vaya ganas de hacerle *de* rabiar
*Lo hace sólo para hacerte *de* reír.

i) A veces la expresión parece el resultado de un simple «*cruce*» *entre estructuras diferentes*, pero de significado equivalente: una analogía, pues, formal, basada, como la anterior, en la igualdad de significado:

*... un día, sin pensarlo, ¿no?, te pregunta el profesor: ¿Cuántas horas de baby has hecho? *Me recuerdo* ésta fue la primera pregunta que me hizo a mí cuando [«recuerdo»/«me acuerdo de»]

(HM, I, 8)

*Uno de ellos estuvo en España *en dos veces,* y estuvo las dos veces aquí dando clases de inglés [«dos veces»/«en dos ocasiones»]

(HM, I, 14

o el resultado de un simple error (analógico):

*Pues para mí las azafatas nunca han formado parte de la *tripulancia* de un avión
*Claro, si te dejas *influenciar* por todo el mundo
*... de su buena capacidad de *operancia* depende ahora todo lo demás

B) ECONOMÍA: ELIPSIS POR COMODIDAD Y ABREVIACIÓN MORFOLÓGICA

Nos referiremos aquí a dos aspectos bien diferentes de la economía lingüística que tiene su base en el principio de comodidad: uno que opera fundamentalmente a nivel de organización discursiva (elipsis); el otro, morfológico, que se inserta en el discurso ocasionalmente.

Entre los diversos procedimientos de organización económica del discurso hay uno que manifiesta un claro ahorro verbal (cuantitativo) por parte del hablante en su línea de enunciación: el de *elipsis* [4].

En general, la llamada elipsis es muchas veces, tanto como un recurso «cómodo» y económico para el hablante, una forma de adecuación y contextualización del mensaje; un auténtico procedimiento de organización discursiva, decisivo en la progresión textual. No en vano se viene considerando tradicionalmente que la elipsis es un fenómeno de habla cuya característica fundamental consiste en no impedir ni alterar el significado ni la comprensión del enunciado en que tiene lugar; para ello, hay que contar con la acción del contexto y/o la situación, que permiten deducir, reconstituir las unidades ausentes.

Ocurre, sin embargo, que esta concepción autoriza de hecho a utilizar la elipsis como recurso de justificación gramatical de prácticamente todos los fenómenos de reducción formal que puedan encontrarse; lo cual, evidentemente, deja sin explicar muchos de ellos. Ya hemos visto en el capítulo de Expresividad cómo *condensación, síncopa* y *suspensión* se basaban en procedimientos de elipsis formal o de saltos en el empleo explícito de los medios o pasos empleados para progresar en la información. En todos ellos, sin embargo, se producía sin dificultad la comprensión del enunciado, por efecto del contexto actualizador (lingüístico y extralingüístico) compartido por los interlocutores. ¿En qué se diferencian, pues, esos tres fenómenos expresivos de esta otra elipsis que proponemos aquí como recurso básico de comodidad? ¿Cuál es la referencia con rela-

---

[4] Henri Frei (*La grammmaire des fautes*) señala además otros dos que nos parecen discutibles desde el punto de vista de la economía, si bien no desde el de la «comodidad»: la «fijación» o braquisemia (empleo de frases hechas) y la «representación» o uso de proformas («*Algo* se mueve ahí fuera»).

ción a la cual consideramos que un enunciado elíptico es pertinente desde el punto de vista de la «comodidad» coloquial?

La elipsis supone siempre una cierta inadecuación entre el orden estructural (lógico) y el crden lineal (real) de la cadena hablada. Ahora bien, no todos los casos de reducción formal proceden por los mismos mecanismos, responden a las mismas necesidades ni permiten la misma interpretación.

Si partimos de un modelo teórico previo, que suele ser el de una unidad discursiva completa (oración o enunciado con todos sus elementos explícitos), son muchos los elementos que pueden faltar, bien porque se *callen,* se *supriman,* se *subentiendan* o se *impliquen.* Se podría hablar, pues, de dos tipos fundamentales de elipsis: *la propiciada por el propio código de la lengua,* que, basándose en los signos explícitos, permite callar o subentender determinados elementos (ejemplo: El jardinero siempre riega [*el jardín*] a las ocho; [*Yo*] quiero comer; Tenemos un niño y [*tenemos*] una niña, etc.), y la que acontece por efecto de las concretas condiciones (extralingüísticas) de actualización del lenguaje *(elipsis de supresión y de implicación)* [5]. La tendencia que hoy se está generalizando, no obstante, es la de intentar acotar «científicamente» el campo de la elipsis, de manera que no se emplee como un fenómeno que opera indiscriminadamente cada vez que algo puede ser restituido a la oración para explicitar su estructura semántica completa *(catálisis* [6]):

---

[5] De manera similar, Bonifacio Rodríguez Díez («Sobre las lagunas del enunciado»), por ej., propone distinguir dos tipos de decursos elididos: *a)* aquellos en que contexto y situación están presentes para hablante y oyente: *elipsis semántica;* y *b)* aquellos en que falta un elemento sintácticamente necesario (independientemente de que pueda ser identificado gracias al contexto y la situación): *elipsis gramatical o funcional.* Para él, el primer tipo de decursos elididos no precisa ser resuelto y es el segundo el que, como lingüista, le interesa (se trata de una elipsis —«laguna del enunciado», dice el autor— con relación a la estructura o sistema de la propia lengua tal como lo hace explícito la teoría gramatical).

[6] Hjelmslev (y en general en la Glosemática, desde donde se ha extendido a toda la descripción gramatical) designa con este término, *catálisis,* al procedimiento gramatical de explicitación de los enunciados elípticos. La catálisis: *a)* no debe alte-

El más elemental sentido de rigor impone a la teoría de la elipsis
la condición de plena seguridad y unanimidad en cuanto a los elementos elididos, si queremos que el concepto de elipsis opere con
rigor en teoría sintáctica [...] Separado lo no lingüístico, lo situacional, hemos propuesto limitar el concepto de elipsis a los casos de
ausencia de algún constituyente oracional inmediatamente recupera-
ble y, por lo tanto, interpretable, en relación con el contexto lingüístico presente [7].

Consideramos, sin embargo, que en una modalidad de habla
como la coloquial, en que el entorno de comunicación opera con
un valor informativo decisorio y superior al de otras modalidades,
todos los casos de *elipsis* —si aceptamos denominarlos globalmente
así— son interesantes como fenómenos concretos de un importantí-
simo *procedimiento de organización económica del discurso,* si bien
desde diferentes puntos de vista. Así, en un posible capítulo monográfico (que posponemos), el estudio de los fenómenos de elipsis
coloquial podría aparecer dividido en cuatro apartados, según su
origen: *a)* elipsis por expresividad; *b)* elipsis por comodidad; *c)* elipsis contextual y gramatical; y *d)* elipsis situacional. Teniendo en
cuenta además que mientras *b)* y *c)* son elipsis de carácter esencialmente «formal», en *a)* y *d)* se trasciende la mera ausencia formal
y se suponen o implican nuevos o diferentes valores significativos
de los que los signos lingüísticos sugieren.

Hemos de insistir, una vez más, en que estos que llamamos principios
de actualización coloquial no son excluyentes, sino, por el contrario, coe-
xistentes en la lengua conversacional. Así, el fenómeno de condensación
y síncopa no sólo es un buen reflejo de la afectividad impulsiva del hablante (con sus alusiones a los puntos culminantes), sino también una forma

---

rar la estructura del enunciado catalizado, *b)* su resultante debe ser posible en la
lengua de que se trate; c) opera con entidades abstractas (sujeto, verbo...) y no
precisa, en rigor, de las informaciones de tipo semántico que situación o contexto
pudieran proporcionar.

[7] José M.ª Hernández Terres, *La elipsis,* págs. 274-275.

económica y cómoda para él de manifestarla; más aún: ya el simple hecho de abandonarse a la propia impulsividad, a la espontaneidad, es una forma cómoda —y natural— de enfrentarse con la comunicación hablada. Condensación, síncopa y suspensión suponían elipsis semánticas expresivas en que contexto y situación, compartidos por hablante e interlocutor, permitían la reconstrucción (siquiera psicológica) del sentido global originario (aun cuando muchas veces no es posible saber con precisión los elementos que deben reconstituirse) y, por tanto, la comunicación.

Si por un lado, como señalábamos en el capítulo de Expresividad, la estructura «lógica» del lenguaje resultaba ser un corsé demasiado estrecho para la expresión de los sentimientos, por otro —nos sugieren los fenómenos de elipsis que atribuimos a comodidad—, puede llegar a ser redundantemente explícita desde el punto de vista gramatical. Dicho de otro modo, el hablante puede prescindir de ciertos medios sintácticos sin que su comunicación se vea esencialmente alterada. Y esto incluso sin que la información del contexto y/o de la situación sea imprescindible para la comprensión del mensaje. Así, tanto para hablante como para interlocutor, el significado de

> Me alegro que te guste

es el mismo que el de

> Me alegro de que te guste,

por lo demás, equivalente en su conciencia lingüística a

> Me alegró que te gustara,

pese a que los gramáticos sigamos empeñados en considerar incorrecta la primera expresión porque reproduce en forma de sujeto, como la tercera (que es correcta), el complemento preposicional (suplemento), obviando la regla gramatical de que el verbo pronominal «alegrarse» rige preposición (con, de, por), imposición ésta que el hablante, que es el sujeto real (proposicional) de la expresión, olvida sin dificultad ni consecuencias.

La diferencia, pues, que justifica nuestra inclusión en uno u otro capítulo radica en que, mientras que en la *elipsis por comodidad* la ausencia de los elementos *no supone «nada más»* desde el punto de vista del sentido y se da de hecho una igualdad de significado entre la forma actualizada, reducida, y la reconstituida, completa (catálisis), *en la elipsis por expresividad* (condensación, etc.) *se implica* siempre una (otra) relación significativa, subjetiva y singular.

En teoría, se puede elidir cualquier elemento que permita cumplir esta condición, siempre y cuando no dé lugar a ambigüedades ni, lógicamente, a vacíos de sentido:

> *—¿Qué haces?
> —[ ] Comiendo [*estoy*]
> *Tampoco es bueno [ ] demasiada natación [*hacer*]
> *Pero [ ] eso [ ] mejor que no vayáis allí [*en cuanto a*] [*es*]
> *Nada, nada, no tiene nada; lo que [ ] no da golpe en todo el día, pero tener no tiene nada [*pasa es que*]
> *... V... No... tampoco no quiero arriesgarme [ ] porcentajes, por eso digo porque... es un poco hablar... [*a dar*]
>
> (HM, II, 31)

Sin embargo, nos vamos a limitar aquí a los casos más claros (y frecuentes) de *elipsis por supresión* en que el resultado es *en todo equivalente* a la posible versión completa: la desaparición sistemática de ciertas preposiciones (en teoría, nexos de relación) en la lengua coloquial:

a) Así, por ejemplo, en la relación entre el partitivo y el sustantivo determinado:

> *Tráete *un poco* [ ] *azúcar* pa'l café
> *Dáme *un cacho* [ ] *pan*
> *Anda, préstame *un piazo* [ ] *periódico* [a la deformación fonética de «pedazo» hay que sumar la impropiedad del partitivo con su sustantivo: efecto humorístico]
> *Hombre, tuve *algo* [ ] *miedo* por si me moría.

b) En la expresión de la posesión o relación de pertenencia (elisión muy antigua ya en ejemplos como «Lléveme a la calle Alcalá, por favor»):

*Ponlo en la *mesa* [ ] *el comedor* y tráete un poco azúcar pa'l café
*No vende ni una *bolsa* [ ] *pipas*
*Me voy a *casa* [ ] *la señora Agustina,* vengo enseguida.
*Lo que más asombra es *esa pinta* [ ] *bobo* que tiene el pobre...

c) O en las expresiones hechas, más o menos fosilizadas:

*[ ] *Favor,* fotocópiame el tomazo, anda...
*_Te acompaño_ [ ] *el sentimiento*
*¿Qué querías?
—Dame dos *danones* [ ] *chocolate* [por efecto de la publicidad.
Seguramente también el siguiente]
*¡Anda...! Os habéis comprao la *televisión* [ ] *color* antes que yo...

d) Con el adverbio «donde» raramente aparecen las preposiciones «en» y «a»:

*¡Señor! ¿*Dónde* vamos a parar?
*—¿*Dónde* está la maquinita?
— *Donde* tú la dejaste, en el cajón del mueble.

e) Ya vimos cómo, en su afán de personalización, el hablante desplazaba el OI (o el OD) y éste perdía su régimen preposicional (véase parte primera, «Dislocación sintáctica»):

*Porque dicen que [la llegada de los extraterrestres] en la tierra produciría una conmoción tremenda, que [ ] *ellos* les extraña mucho que el ser humano sea tan hostil

(HM, III, 54-55)

f) Es bastante frecuente la elipsis de la preposición con ciertos verbos o expresiones verbales que la llevan en su régimen, sobre todo cuando, de acuerdo con su sentido, se pronominaliza su suplemento como si fuera un objeto directo, perdiendo su régimen preposicional:

Fíjate [ ] *la* palidez que tengo [fijarse *en*]

*Bueno, cuando *os enteréis* [ ] *quién* tiene la culpa...[enterarse *de*]

*Aparte de que si *lo* renuncias este año, al año que viene no te llaman [renunciar *a:* al trabajo]

*—Es que la verdad, nosotros no disponemos de los mejores datos
—Ni *los* dispondremos nunca [disponer *de*]

*—Hasta yo dudo [de mi propia capacidad]
—Yo *la* dudo mucho [dudar *de*]

*Y aunque *la* hemos aludido de continuo, ... [aludir *a*]

A veces, el ordenamiento afectivo es fundamental en este tipo de ejemplos:

*Aquí [ ] *lo que se trata* es *de*... no sé, vivir el tiempo ¿no?
                                                      (HM, II, 35)

*Porque [ ] *lo que aquí se trataba,* es *de* una simple crítica...
                                                      (Diputado, TV, 20-4-88)

*Ahora, [ ] *lo que no me acabo de convencer* es *de* que alguna vez hayan estado en la *tierra*
                                                      (HM, III, 47)

*Entonces, [ ] *lo que sí confío* yo mucho más, la labor de la prensa, creo mucho más *en* ella con muchos peros
                                                      (HM, II, 39)

Y la pérdida de la preposición es altísima cuando a la expresión verbal sigue la conjunción *que:*

*Pero yo *tengo la impresión* [ ] *que* llevado por ese afán social...
                                                      (Comisario, TV, «Vivir cada día», 20-4-88)

Estoy segura [ ] *que* no lo sabe

*Que *no se enteren* [ ] *que* no lo tienes

*Oye, acabo de *darme cuenta* [ ] *que* llevo el jersey lo de atrás alante

*Soy consciente, *soy consciente que*... hablar de dopping...
                                                      (TV, «Derecho a discrepar», 18-8-88)

g) Es también corriente la elipsis de preposición ante el pronombre relativo, como en estas canciones de Víctor Manuel:

> *Medimos las palabras con un medidor, es algo *que* le llaman buena educación.
>
> («Desde el Pirulí se ve el País»)
>
> *Iba cargado de espejos *que* cuando te miras lo grande es pequeño.
>
> («El cuélebre»),

o en este anuncio radiofónico (1982):

> *«Esto es un aviso: Si sus amigos son de *aquellos* [ ] *que* les gusta el buen brandy»...

El tema ha sido estudiado por M.ª Luz Gutiérrez Araus, en un trabajo en el que pone de manifiesto la antigüedad del fenómeno (se encuentra ya en nuestras primeras obras literarias), su doble relación respecto del SN antecedente (del que es transpositor) y en tanto que integrante de la subordinada relativa (en la que desempeña su propia función), y su tendencia a sustituir a los demás relativos y a la gramaticalización (lo que lleva con frecuencia, según la autora, a la ausencia de la marca formal de su función en la subordinada) [8]. Aunque su trabajo se basa en un elevado número de encuestas del español hablado actual, dentro de la variante sociolingüística «culta» [9], las conclusiones que extrae la autora podrían ser, en términos generales, perfectamente válidas, a la vista de nuestros ejemplos:

a) La preposición *en* es claramente la de omisión más frecuente (72,2% del total) y la más fácilmente identificable, seguida de *a, con* y *de* (las tradicionalmente llamadas «vacías», que presentan un alto grado de polisemia, según el contexto):

---

[8] Véase M.ª Luz Gutiérrez Araus, «Sobre la elisión».

[9] Las encuestas han sido tomadas del proyecto (ya mencionado) de «Estudio coordinado de la norma lingüística culta de las principales ciudades de Iberoamérica y de la Península Ibérica».

> *¿Tienes la *parte* [ ] *que* se habla de Unamuno?
>
> *Y la verdad es que sigo recordando aquel bicho, aquel animal, aquella rapaz como *una de las piezas* [ ] *que* yo le he dado un poquinín de vida
>
> (HM, XIII, 218)
>
> *Ahí está *uno* [ ] *que* le dicen «Tomates»
>
> *Ésta iba *con otro* [ ] *que* han matao
>
> *Es una de *las personas* [ ] *que* más he aprendido [de ella].

b)   La elipsis es más frecuente cuando el antecedente del *que* relativo va introducido por la misma preposición que se elide, fenómeno éste que había sido ya apreciado por Bello como procedimiento habitual en nuestra lengua:

> *Pero *en la plaza* [ ] *que* estuvimos no había ninguna fuente
>
> *Con la primera cosa* [ ] *que* no estoy de acuerdo es con ésa
>
> (HM, IV, 67)
>
> *No he visto todavía *de ese ejemplo* [ ] *que* hablas ni uno solo
>
> *... *para un escritor,* un hombre [ ] *que que* la palabra es su elemento...
>
> (R. Alberti, TV2, «Muy personal», 3-7-88)

(Puede aparecer también el fenómeno contrario: «Acósale más, como [ ] *un enemigo al que* quisieras fastidiar».)

Aunque hay también muchos casos en que la preposición omitida es diferente a la de su antecedente:

> *Esas modas rompen, rompen con la estética, *con una armonía formal* [ ] *que* yo rindo mucho culto
>
> (HM, VI, 100)

y en esos casos su contenido suele ser espacial (y es precisamente *en* la preposición que falta):

> *Íbamos *a uno de los restaurantes* [ ] *que* mejor se comía y más barato, así en plan casero y tal.

c)   Cuando el antecedente es un SN no introducido por preposición, se puede producir una ambigüedad, que se resuelve introduciendo (anafóricamente) un elemento desambiguador (pronombre precedido de la preposición omitida, adverbio pronominal):

> *El Pozo [del Tío Raimundo] es *un barrio* [ ] *que* hoy en día estamos orgullosos de vivir *en él.*
>
> (TV, «Vivir cada día», 20-4-88)

(Además hemos documentado algún ejemplo más complejo, que participa particularmente de estas dos últimas tendencias: «Pues qué bien, porque es *una de las cosas que* más veces me quedo *sin ella*».)

Hay, además, entre sus observaciones, dos que nos interesan particularmente, porque ambas insisten en una de las características que estamos considerando esencial en el lenguaje conversacional espontáneo: la de la *irreflexión* (y consiguiente *comodidad* en la formalización lingüística). Una de esas observaciones se refiere al empleo de *que su* en lugar de *cuyo* por parte del idiolecto culto, que es el que produce las encuestas estudiadas por la autora («Un hombre *que su* única misión era...»):

> Si bien no podemos asegurarlo por no haber sido éste el objeto de nuestro estudio, creemos, por nuestra parte, que esta construcción se puede oír en boca de un hablante culto, si bien será difícil que salga de su pluma [10].

La otra se refiere a uno de los rasgos comunes a casi todos los casos que ella registra de ausencia indebida de preposición ante relativo («Como el primer año *que... en que* él estuvo en Oviedo»):

> Otro de los fenómenos comunes a todas las preposiciones omitidas es la aparición de ciertas *vacilaciones* en el hablante como elementos característicos de la enunciación y del nivel culto a que éstos pertenecen: al escucharse a sí mismos rectifican y ya no omiten esa preposición que en un primer momento, de modo automático, habían omitido
>
> *(op. cit.,* pág. 32).

Los hablantes, adultos, cultos, muchas veces estudiantes de Lingüística o de Filología, conscientes seguramente de la norma y conocedores casi

---

[10] «La elisión», pág. 35.

siempre de que participan como informadores en una investigación específicamente lingüística, autocorrigen su tendencia «automática» a la omisión preposicional [11]; del mismo modo, las facilidades que la lengua escrita da para la reflexión hacen improbable la aparición en un idiolecto culto del *que su* en lugar de *cuyo,* algo que sí puede escucharse en la espontaneidad de su conversación cotidiana (en realidad, de todos los niveles sociales).

ABREVIACIÓN MORFOLÓGICA

Entre los recursos de economía lingüística que tienen su base en el principio de comodidad no podemos dejar de mencionar la *abreviación morfológica* («bus»), y muy particularmente la apócope, que es tan frecuente en la lengua hablada, que ha llegado a fijarse en muchos de sus términos más usuales, propiciada siempre por el contexto general compartido por los interlocutores: el *boli,* el *cole,* la *seño,* el/la *profe,* la *carpe*[ta], un *insu*[ficiente], un *sufi,* un *sobre*[saliente], el *uni*[forme], la *tele,* la *bici,* el *frigo*[rífico], la *biblio,* la *disco*[teca], la *pisci,* las *vaca(s)*[ciones], la *comi*[da], el *desa*[yuno], la *torti*[lla], el *cuchi*[llo] (pero no la «cucha»), la *peli,* la *propi*[na], la *pelu*[quería], el *vesti*[do], los/las *zapa*[tos/tillas]... [12].

---

[11] Sería interesante comprobar si esta misma tendencia a la autocorrección aparece también en las encuestas secretas.

[12] «Basándose en hechos estadísticos, Zipf [G. K. Zipf, *Human Behavior and the Principle of Least Effort,* Nueva York, Harper, 1966] descubrió que la longitud de una palabra, lejos de ser producto del azar, se halla estrechamente vinculada a la frecuencia de su uso. Cuanto mayor es la frecuencia, más breve es la palabra. Por eso el lenguaje corriente tiende a abreviar «cinematógrafo» en «cine», «radiofonía» en «radio», «televisión» en «tele», etc. Por otro lado, «cuanto más complejo es un elemento del lenguaje desde el punto de vista fonético —con otras palabras, cuanto más difícil es de pronunciar—, menor es su frecuencia en el discurso» *(La comunicación y los mass media,* Bilbao, Mensajero, 1975, pág. 671).

C) CONCORDANCIA IMPROVISADA

Algunas de las incorrecciones más notables del lenguaje coloquial son atribuidas también a economía. Esto ocurre, por ejemplo, con todas las faltas de concordancia entre dos o más miembros de la frase, sobre todo de número, pero también de género, teniendo en cuenta que la flexión de género y número es redundante en español.

Sin embargo, hay muchos ejemplos que demuestran que el hablante no parece sentir como estrictamente necesaria para la comprensión del enunciado la concordancia numérica o la de persona, y algunas veces tampoco la genérica, sin que esté nada claro que el no hacerla o el hacerla incorrectamente suponga un «ahorro» para él. Y este «no sentir necesaria», en que coincide el oyente con su interlocutor, unido a la urgencia de la comunicación coloquial, hace pasar inadvertida en la vida cotidiana una de las incorrecciones que, previsiblemente, puede llegar a tener mayor trascendencia en la historia de nuestra lengua. Así lo sugieren los datos que proporciona la lengua escrita y los que en su estudio sobre la lengua española (culta) hablada en Madrid nos da Antonio Quilis [13].

Bien es verdad que la mayor parte de las veces las discordancias pueden justificarse en cuestiones de sentido que las convierten —si no en correctas— en razonables y usuales. Sin embargo, no siempre presentan una excusa clara; y a su gran frecuencia podemos añadir otros datos significativos de su importancia y posible trascendencia.

---

[13] Véase, para la lengua escrita, el trabajo de Gunnar Fält, *Tres problemas.* El de Antonio Quilis (*La concordancia*) se inscribe en el marco del «Estudio coordinado de la norma lingüística culta en las principales ciudades de Iberoamérica y de la Península Ibérica». En lo esencial, los datos que acerca de la concordancia verbal obtiene Quilis de la lengua hablada concuerdan con los de Fält (salvando, claro está, ciertas construcciones que no se ven favorecidas por el uso hablado).

Por ejemplo, el hecho de que éste de la concordancia sea uno de los aspectos en que la gramática tradicional se ha mostrado desde antiguo menos normativa, reduciéndose casi siempre a la descripción de lo que se hace (o se puede hacer) en el uso o a mostrar las predilecciones personales del gramático correspondiente al respecto. Por ejemplo, la alta penetración del fenómeno no sólo en la lengua literaria (en los casos semánticamente conflictivos: sustantivos colectivos, sustantivos determinados por complemento preposicional...), sino también en mensajes cotidianos:

> *La noche y la calle* también *es mía*
>
> (Cartel reivindicativo del Grupo
> de Mujeres de Leganés, 1987)

en las letras de las canciones:

> Aunque soy un pobre diablo [...] sé *quién son* amigos de verdad...
>
> (Víctor Manuel: canción «Soy un corazón tendido al sol»)
>
> ... *Todo el mundo* en la prisión *corrimos* a bailar el rock.
>
> (Traducción de la letra del famoso «Rock de la cárcel» de los años 50,
> popularizado por Miguel Ríos)

en la publicidad:

> *Consumir* productos La Leonesa *son* su mejor inversión en salud y belleza
>
> (Infusión adelgazante «Manasul»)
>
> *Una cuidadosa elaboración, garantizan* su perfecta digestibilidad y asimilación en todo momento, ya sea desayuno, merienda o cena [14]
>
> (Bote de Cola-Cao de 2 Kg., Mayo, 1982),

en los doblajes de las películas, en el lenguaje periodístico de radio, televisión y prensa escrita..., todo lo cual, sin duda, favorece ade-

---

[14] A la falta de concordancia en este ejemplo habría que añadir la coma ilógica (que separa sujeto-verbo) y la mala correlación que convierte a «ya sea desayuno, etc.» en aposición de «todo momento».

más su difusión. Y algo más que nos permite añadir la experiencia: ésta es, por el momento, junto al anacoluto (casi siempre causado por el «olvido» del régimen preposicional) una de las faltas más corregidas en la lengua escrita de los alumnos de Bachillerato.

La discordancia verbal es, con mucho, la más frecuente. Según los datos de Quilis (1983), los errores de concordancia verbal (sujeto-verbo; antecedente-consecuente) suman el 71,52% del total, mientras que los de concordancia nominal (determinante-sustantivo; sustantivo-adjetivo) representan el 28,48%. En el apartado de concordancia verbal incluye Quilis las *discordancias deliberadas* (plural de modestia, plural mayestático, etc.), que representan el 37,83%, y que nosotros no tendremos en cuenta por considerar que no son propiamente discordancias gramaticales (en el plano sintagmático), sino simplemente lógicas y estilísticas; esto es, utilizo la primera persona del plural para designarme a mí mismo, sujeto singular, pero, cuando lo hago, concuerdo correctamente la persona del verbo con el resto de los elementos que en el interior de la frase lo requieran (ejemplo: «No ha sido éste *nuestro* criterio cuando *hemos* intentado...»). Nuestro trabajo, con una orientación distinta, intenta justificar desde el punto de vista del principio de comodidad las múltiples «irregularidades» en la concordancia que pueden recogerse de la lengua hablada. En ella, el hablante, con poco tiempo para la reflexión y en la urgencia de ser inmediatamente atendido y comprendido por su interlocutor, *improvisa la concordancia formal* en sus enunciados condicionado por múltiples causas, que intentaremos desglosar.

Concordancia de número

Por motivos de carácter sintáctico

Algunas veces la explicación de la discordancia parece encontrarse en *motivos de carácter sintáctico,* pues determinadas construcciones favorecen, sin duda, la aparición (inconsciente) de este fenómeno.

a)   Así ocurre, por ejemplo, cuando en el SN el sustantivo va . acompañado de un complemento preposicional que puede «disociar» el núcleo (nombre) de su adyacente (adjetivo), o simplemente cambia su orden:

> *Se arreglan toda clase* de zapatos [zapatos de todo tipo]
> *Copos integrales* de avena
> *Dos aviones de *suministro estadounidense*.

Sin embargo, salvo casos como éstos (inusuales en la lengua coloquial), que parecen calcados de carteles comerciales o titulares periodísticos —lenguaje «cuidado», en suma, o poco espontáneo—, el adjetivo atributivo tiende automáticamente a repetir el género y número de su sustantivo. Y es precisamente esta tendencia la que seguramente provoca los errores de nuestros dos últimos ejemplos: desplazados de su lugar, «integral» y «estadounidense» adoptan mecánicamente el número del sustantivo precedente, que no es el suyo («Copos *integrales* de *avena», «Dos aviones* de suministro *estadounidense»)*. En general —como veremos—, la discordancia suele tener lugar entre sustantivo (o SN) y verbo, en adjetivos predicativos (separados del sustantivo), y en ciertos usos verbales impersonales.

b)   Muchos ejemplos presentan la falta de concordancia centrada en el verbo cuando éste lleva su *sujeto pospuesto:*

> *Cuando tú decías, como te he creído entender, que por ejemplo *no es comprensible unos plazos* para el aborto...
>
> (TV, «Debate: Aborto», 15-1-87)
>
> *Y en este sentido, pensamos que *es importante aspectos* que no se valoraron, para...
>
> (TV, 9-5-88)

Bien es verdad que ambos ejemplos se prestan a un análisis distinto: la elipsis podría justificar, por un lado, «no es comprensible [legislar] unos plazos para el aborto», y por otro, «pensamos que es importante [tener en cuenta] aspectos que...». En este caso, pues, la improvisación coloquial recae directamente sobre los elementos de la frase (elipsis) más que en la relación gramatical que guardan entre ellos (concordancia), de modo que la discordancia puede ser sólo aparente. Pero esta misma excusa no serviría en otras muchas ocasiones:

> *Para los que estriñen *va* muy bien *ciruelas secas*
>
> *Para sacar el título de la... la Licenciatura pues *hace falta dos idiomas*
>
> (HM, II, 29)
>
> *Claro, esto, yo creo que... es desilusionante... porque, *se viene abajo todos esos idealismos,* tanto de una parte como de la otra ¿no?
>
> (HM, IV, 65)
>
> *Pues este profesor... V... dice que él no se quiere pronunciar, lo cual a mí me parece muy mal porque lo que *tenían que decirnos alguno,* era de una vez, qué hay o qué no hay, para dejarnos en paz ya
>
> (HM, III, 52)
>
> *¿Los animales cómo los consiguen, los regalan, se los compra el Estado, se los *da* a ustedes *particulares...* les ofrecen para el museo...?
>
> (HM, XIII, 219)
>
> *... recorriéndonos el Retiro en... en berlina, que entonces se usa... *se usaba mucho los coches*
>
> (HM, XIV, 232)
>
> *Sólo *nos unen la música,* a los que estudiaron y a los que no estudiamos.

Y la discordancia puede justificarse —nos parece— con similares razones a las que utiliza Gili Gaya para argumentar ciertos casos de verbo en singular con varios sujetos:

> Si el verbo va [inmediatamente] detrás de los sujetos, la pluralidad es tan visible y próxima que es muy raro que se ponga en singular [...]. *Todo depende, pues, de si la totalidad de la representación ha estado presente en el momento de proferir el verbo,* o de si los sujetos han ido apareciendo en la mente del que habla después de enunciado el verbo [15].

---

[15] *Curso superior*, pág. 35 (la cursiva es nuestra).

Puede que el proceso analítico no sea tan claro en el caso de un solo sujeto con verbo antepuesto (como en nuestros ejemplos), pero parece claro que esa anticipación de la palabra al desarrollo de la idea (que es característica de la lengua coloquial) influye en estas discordancias improvisadas, y probablemente éste sea el motivo de que la misma tendencia se manifieste en otras lenguas: «Parece existir una fuerte tendencia en todas las lenguas a usar la forma singular del verbo en lugar de la plural (más que lo contrario) cuando el verbo precede al sujeto; en muchos casos la razón puede ser porque en el momento de enunciar el verbo el hablante no ha decidido todavía qué palabras va a añadir» [16]. Por lo demás, el caso contrario, la anticipación improvisada del sujeto, puede dar también lugar a irregularidades, como en este ejemplo:

> *Entonces, *yo con uno de clase jugábamos,* en las pistas, al tenis antes de...
>
> (HM, XVII, 309),

en que el sujeto *yo,* que jugaba *con,* hace concordar al verbo en plural, asociando en un curioso sujeto gramatical con preposición a los dos jugadores.

c)   A una posible *ambigüedad del sistema de la lengua* podemos atribuir las alternancias en la concordancia o no concordancia de ciertos términos que pueden usarse como adverbios (invariables) o como adjetivos (concordados):

> *Hombre, yo creo que hay *bastantes* pocos errores, podía haber *bastantes* más [el primero es adverbio concordado con su adjetivo; el segundo puede ser adjetivo correctamente concordado con «errores», que está elíptico en esta proposición]
>
> *Hemos hecho nosotros *muchos* mayores méritos que ellos
>
> *Los pájaros son *muy difícil* de hacer [adjetivo no concordado] [17]

[16] Otto Jespersen, *La filosofía de la gramática,* pág. 247.
[17] Véase, más arriba, 1.A.7.

*Puestos de trabajo, pagando, claro, no existen casi. O si existen, están *muy difícil* llegar a ellos

(HM, VIII, 129)

*Esta serie de cambios, en su origen, van a ser *muy difícil* de ser atajados

(TV, «La Tarde», 30-11-83)

*Hasta ahora hemos estao siempre con conflictos tangibles, y son *los más fácil* de abordar...

(Ministra Rosa Conde, 1-2-89)

d) El vicio (pues está tan generalizado que cuesta advertirlo) de utilizar *le* para OI plural es un error corriente (y antiguo) en español, seguramente reforzado desde el propio sistema de la lengua, que ha reservado este pronombre para esta función (a pesar del admitido «leísmo» de persona masculino), haciendo innecesaria la flexión de número para su identificación. El fenómeno se produce cuando el pronombre conserva su valor deíctico:

*—Claro, pero ellos están esperando y yo qué digo ahora...
—Di*le* que se mueran, joder

y cuando es una marca gramatical pleonástica, redundante, tanto si es anafórico como sobre todo si se anticipa (lo que podría interpretarse como uso espontáneo, sin previo análisis, del indicativo de función):

*Búsca*le* a Roge y a Paloma* las fotos
*Igual *le* digo *a Isabel y a Ana* que si *le* interesa
*Pero bueno, ¿*los embajadores* no hacen lo que *le* mandan los de aquí?
*Hay *muy pocos* que vienen a consultar tus libros, a preparar sus tesinas, te preguntan, te piden consejo y tú *le* das lo que puedes

(HM, VII, 127)

A mis padres no *le* cuentes nada, que no se asusten; ¡total...!

«El uso, que en materia de lenguaje más se deja guiar por la rutina del oído que por las conveniencias de la lógica, no se decide a prescindir de ese *le* pleonástico siempre que pudiera hacerlo. Especialmente en el lenguaje familiar pululan los *les* redundantes y no es posible huir de ellos sin incurrir en intolerable afectación. Las consecuencias de este abuso han sido que el pronombre, privado a cada paso de su función de tal, [...] ha venido a convertirse en algo así como una flecha o manecilla indicadora de dirección, que, señalando hacia atrás o hacia adelante, recuerda o anuncia el complemento indirecto, sin aspirar a representarlo propiamente» [18].

e) Los ejemplos que podemos encontrar con *verbos defectivos* cuyo sujeto gramatical no coincide con el real (conceptual) suelen presentar también —ya lo dijimos— el sujeto pospuesto. Como es lógico, el hablante adecua en lo posible la expresión de la forma verbal al sujeto que considera «temático» en su mensaje:

*Le *importa* un carajo *las oposiciones*

*Hay un poco de terror apocalíptico con esto de los marcianos y todo esto que a mí *me preocupa* mucho *los marcianos*
                                                                            (HM, IV, 80)

*Luego además, tú que eres un... fonetista me imagino que *te chiflarán* escuchar *los rodajes*
                                                                            (HM, IV, 80)

*—«Pues no, déjame a mí la mesa», «pues no, pues para ti»... y así estamos todo el día...
  —Es lo que *me pasa a mi hermana y a mí*
                                                                            (HM, XIX, 363)

*Bueno, pues toda [la música me gusta]; bueno, mucho, mucho, muchísimo, no; *me gusta más otras cosas*
                                                                            (HM, XI, 189)

*Sólo me *gustan estudiar* algunas asignaturas y no tengo facilidad para estudiar.

---

[18] Antonio Quilis y otros, *Los pronombres*, págs. 83-84.

Sin embargo, ésta del (des)orden lineal no parece en sí misma razón suficiente para justificar una mayor comodidad en la discordancia que en la concordancia, que sería lo normal. La causa última debemos buscarla casi siempre en diversas razones coadyuvantes que permiten a hablante e interlocutor considerar completa y exacta la expresión de su mensaje cuando éste, espontáneamente formalizado con una o varias faltas de concordancia (de número, de persona, o de género), no resiste un análisis lingüístico «lógico» o normativo. En el caso de los verbos defectivos de nuestros últimos ejemplos, seguramente era tan importante la adaptación del número verbal al del sujeto conceptual como la anteposición del verbo.

POR HÁBITO DE USO

a) Del mismo modo, probablemente *el hábito de uso* (en otras o similares expresiones) es más determinante que la ordenación verbo-sujeto en la aparición de las discordancias en:

*¡*Viva los quintos* del 47! [cp. ¡Viva España!].
Son la una menos diez [salvo la una, todas las horas requieren plural].

Así también:

*Son *unos cualquiera,*

en que la aparición de *cualesquiera,* con un plural «mediano», inusual, sería en circunstancias normales índice de cultura o de registro formal, cuidado.

b) En ocasiones, el hablante, arrastrado por las palabras de su interlocutor, es decir, por acción del contexto lingüístico previo más que por la ordenación verbo-sujeto, improvisa:

*—¿Cuál es el problema principal de la mujer española?
—Yo creo que *es varios.*

c) Ya vimos también cómo la tendencia a expresar todo sujeto indeterminado con *quien* provocaba la aparición irregular de este pronombre,

> *¡Ay!, ¡sabes *quién* van a venir? Los Simply Minds
> *No ha sido un autor, sino *varios quien* la escribieron
> *—¡Ay, qué bien!... ¡qué interesante todo lo que nos cuentas!, ¡eh!
> —¿A *quién os* lo cuento?
>
> (HM, III, 51)
>
> *Son más *las personas viejas quien* todavía piensan en eso [se trata en este caso del pronombre relativo, equivalente a un sujeto ya expresado por el sustantivo antecedente: «las personas viejas»]
>
> (entrevistada, TV, 19-7-86)

y la concordancia analógica en relación con los sustantivos comenzados por *a-* tónica (Tengo *mucho* hambre).

ATRACCIÓN POR EL «NÚCLEO TEMÁTICO»

a) Como ya ocurría en los ejemplos que expusimos con ocasión de los verbos defectivos, la *atracción por el núcleo semántico que el hablante considera más importante* en su enunciado parece ser la causa determinante de la concordancia incorrecta que aparece en los usos impersonales de ciertos verbos o expresiones [19]:

> *Y las cosas que *son necesario hacer* son tan socialistas como...
> (Felipe González, TV, 22-1-88)
>
> *... cambios que *no son posibles detectar* con...
> (Radio)
>
> *Y hay personas que *pueden que no tengan* relaciones con...
> (M. Herrero y R. de Miñón, TV, 16-12-86)
>
> *Y esos libros, ¿qué *se hicieron* con ellos?

---

[19] Me refiero a «impersonal» en sentido amplio; algunos de nuestros ejemplos tienen por sujeto gramatical un infinitivo (sujeto *no-personal*).

*Las conclusiones las tengo aquí, *son impresionantes* leerlas
(TV, 2-5-88)

*... y hoy en día, y si hubiera ejecuciones públicas, y *a ser posibles* con tortura...
(TV, «¿Y ústed qué opina?: Toros», 25-5-87)

*Cuando las puertas... las puertas de la Universidad estén verdaderamente abiertas... para el mundo obrero, que ahora *se dicen* que están, pero en realidad creo que no lo están
(HM, II, 38)

*Luego puestos de trabajo, pagando, claro, no existen casi. O si existen, *están* muy difícil llegar a ellos
(HM, VII, 129)

*—Los ejercicios esos que tenemos para hoy...
—*Son* mañana cuando los pido.

Y aunque seguramente el hecho de que ese «núcleo semántico» (al que el hablante concede prioridad conceptual) aparezca antes que el verbo influye en la incorrecta concordancia de éste, lo cierto es que el fenómeno tiene lugar también cuando la expresión verbal impersonal precede a ese sustantivo con el que se hace concordar:

*—No ha llegao agosto...
—Que *son* cuando son buenos los tomates

*En estos barrios *han habido* muchos cambios. Y *pueden haber* muchos aún [20]

*A lo único que juega *son* a juegos intelectuales

Se carecen de otras noticias
(Radio, 23-2-81)

*No *hacen falta saber* todos los detalles para adivinarlo

*—Pero... cuánto niño hay aquí hoy...
—Es que, como *son* el comienzo de las vacaciones...

---

[20] Quilis (*La concordancia*) señala que, en contra de lo que pudiera parecer, esta discordancia en el uso impersonal de *haber* es poco frecuente.

b)   La misma razón subyace en la concordancia del artículo neutro ponderativo:

>   *Con *los* crueles que pueden llegar a ser los chavales
>
>   *¿Habéis visto estos zapatos, *los* horribles que son? Pues son los reglamentarios del Ejército.

«AD SENSUM»

La llamada concordancia *ad sensum,* o concordancia por el sentido, a veces tan discutida, se basa en la conciencia semántica del hablante, que, al margen de la abstracción de la compleja norma lingüística, concuerda en la primera persona real (conceptual):

>   *Soy *un hombre* que *creo* en mi país [«yo soy» y «yo creo»]
>
>   *Un servidor pensé* para mí...

o identifica (por inclusión semántica) singular con colectivo (pluralidad), o a la inversa:

>   *Yo con los [*catalanes*] que me relaciono son muy buena *gente*
>
>   *Tendrán sus problemas. Hay que dejar a la *gente* en paz que se los resuelva *solos.*

a)   Lo más común es que el hablante, con buen criterio «lógico», interprete como pluralidad y concuerde espontáneamente con verbo en plural formas singulares que indican «más de uno»: sustantivos colectivos (especificados o no), sustantivos empleados con valor genérico y pronombres indefinidos (cuantificados, determinados o acompañados por el adjetivo distributivo) fundamentalmente. Y es que, a la vista de los numerosos ejemplos que la lengua hablada y escrita ofrecen, nos parece que el concepto que Gunnar Fält tiene de la «concordancia verbal» se adapta más a la realidad lingüística que el criterio formal que la gramática tradicional pretendía imponer:

La concordancia verbal es el fenómeno morfosintáctico por el cual la forma del verbo está determinada por la forma y/o el sentido del sujeto [21].

Según Gili Gaya *(Curso,* pág. 31), «favorece la concordancia en plural de los colectivos singulares la distancia a que se encuentran del verbo o adjetivo con que deben concordar. Cuando las palabras interpuestas son muchas, la posibilidad de concordancia en plural aumenta [...]; el alejamiento produce en el que habla olvido o debilitamento de la claridad de la forma gramatical empleada en el primer elemento, en tanto que permanece claro su sentido». Esto, que parece tan razonable, y que podría quizá justificar ejemplos como

*Todo *el equipo* que me acompaña, que *son* unos profesionales maravillosos, que precisamente...
(Chicho Ibáñez Serrador, Radio, 11-11-81)

*Hay una cantidad de *pueblo*... feno, fenomenal, que hoy *han ascendido*...
(Luis Francisco Esplá, TV)

*¿No cree usted que esta *generación* contra la cual usted está, no *son* más bien los más jóvenes de diecisiete años, de dieciséis... de dieciocho diría... es decir, menos de veinte?
(HM, I, 20)

La juventud se debería de meter en la cabeza que el fracaso no existe, que cuando *fracasan* no es...
(Emilio Botín, TV2, 7-1-87),

no puede comprobarse en general en los ejemplos que hemos recogido, tal vez por miopía personal, o quizá porque es muy normal que prevalezca en estos casos en la concordancia verbal el sentido sobre la forma gramatical. Y esto suele ocurrir tanto si el sujeto colectivo va delante del verbo, determinando su concordancia (o la de otros sintagmas):

---

[21] *Tres problemas*, pág. 12.

*Pero *España jugaron* a cuál mejor. Ni comparación

*Se come de la misma comida y *se son* de la misma familia [en este caso, el uso impersonal del verbo no impide la atracción numérica por el sentido con el sustantivo «familia»]

*Su *familia no eran artistas,* pero a ella le gustaba cantar

Él [el dúo Sergio y Estíbaliz] *han abierto* el programa...

(presentadora TV, «Directo en la noche», 25-3-86)

*M.ª José y yo no vivimos ni separados ni juntos; somos *un matrimonio* que *no estamos* dentro de los cánones establecidos

(Manolo Otero, *Semana,* 20-7-78)

*[Sigue lloviendo mucho] Si no, que se lo pregunten a *más de uno,* que *vienen* como una sopa [clarísimo: «más de uno» son, como mínimo, dos]

Todo el mundo me han pedido que...

La mayoría son de opinión de que...

*Y *la mayoría desaparecieron* en poco tiempo

*El 25% era *tarados.*

como si es el verbo el que se anticipa (concordado ya en plural) al sujeto colectivo:

*Huy por Dios, si es que *son* peligrosísima *esa gente* [obsérvese que el adjetivo —atributo— concuerda con el sujeto, desplazado]

*Abogaban que era, que era, que eran necesario dos Cursos de Comunes para que *tuvieran la gente* un poco...

(HM, XVII, 303)

*... y *volaban toda la bandada* p'allá... y p'allá es el norte, ¿no?

*Pero que nos lo hemos planteado bastante más tarde, de lo que *se lo plantean* ahora *la juventud* actual...

(HM, IV, 64)

*Allí *no estaban niguno de los dos.* Y esperé un buen rato, eh.

Lo contrario ocurre en el siguiente ejemplo, en que el sujeto no abandona en ningún momento el plural y su verbo aparece, no obstante, concordado en singular:

*Dijo que casi *las tres cuartas partes de los españoles no vivió* la guerra civil.

b) La concordancia incorrecta determinada por el sentido de los términos asociados se extiende a los casos en que el hablante se considera a sí mismo *incluido en la colectividad* de que habla, o considera a su interlocutor:

Cada uno tenemos una especialidad, y yo desempeñaré la mía en el puesto que me indiquen

(TV)

*Oímos una explosión muy grande y *cada uno nos refugiamos* donde pudimos

(TV)

*Porque soy de *los hombres* que *creemos* que...

El gitano tenemos la leyenda negra

(TV)

*Cuanto más *nos conozcamos como persona,* más fácil será de aportar esa experiencia al personaje

*Cuando yo decía antes que la *Federación consideramos* que [eso] es un fracaso de la planificación familiar...

(TV, «Debate: Aborto», 15-1-87)

Un grupo de colaboradores y estudiantes, bajo mi dirección, *hemos conseguido* ordenar un conjunto de cuestiones que...

(TV)

*Ahora, los programas... formativos de televisión, al menos los de... los de la tarde y noche, que son los que más *vemos la gente,* yo creo que...

(HM, II, 39)

*Pero que se enteren, que *el colectivo de docentes estamos* hasta el moño del señor ministro de Educación

*Ante todo, que *todo el grupo* de todos los vecinos *nos atrevamos* a tomar decisiones si queremos que sirva de algo esta asamblea.

El fenómeno es particularmente frecuente cuando la inclusión se expresa con el pronombre indefinido *nadie:*

*Y en caso contrario, pues... *nadie somos* imprescindibles
(TV)

*¿Y cómo es posible que *nadie* lo *hayamos* notado?

*Y también los trabajos que se pidan en conserjería con 24 horas de antelación. *Nadie* lo *hacemos,* pero que si nos surge...

*Señaló fuera de juego el árbitro y *nadie* lo *hemos visto*

*¿*No tenéis nadie* un boli para esta chica?, que se le ha acabao.

Y no falta algún ejemplo «irregular»:

*—¿Cuántos hermanos tienes tú?
—Conmigo somos cuatro
—*Yo también soy cuatro*

*¡Y cuidao!, que yo pongo notas, y *todo el mundo no son igual,* ¡me hay que preguntar a mí! [el motivo fue, en este caso, un brusco cambio de perspectiva del hablante, que pasó de la reproducción en estilo directo —«yo»— a la de estilo indirecto libre, para volver, en la última parte, a una versión seguramente personal de estilo directo].

c) Con frecuencia, el número del verbo copulativo es atraído por el de su atributo cuando el sustantivo sujeto funciona con valor «genérico»:

*_Los animales es_ lo mismo que las criaturas

*_Los villancicos es_ lo único que se canta en Cataluña

*_Los pueblos es_ lo peor del mundo

*Además, cuando *se son quince,* con mayor razón

*¿En el amor? ¿eh? Sí, por supuesto. ¡Cómo no! ¡Claro que creo en él! Ahora, el amor así, en abstracto, todo el mundo cree en él. Lo que no creo *son* en esos *amores* eternos
(HM, VIII, 141)

*Eso lo que *son es dos conceptos.* [La construcción es complicada, y el cruce semántico se manifiesta en la doble falta de concordancia]

d) Pero más allá de las relaciones sujeto-verbo en los casos que acabamos de ver (que son los tradicionalmente considerados de concordancia «ad sensum»), lo que hay de fondo en otras muchas discordancias que pueden escucharse en la lengua cotidiana parece ser también una cuestión de sentido, de interpretación subjetiva del hablante. Así, en

> *Se traga *todos los programas* [de TV], *vaya de lo que vaya,* no le importa, se los traga todos
>
> *[Los hombres] son *todos igual*
>
> *Mi hermano y yo* somos *capaz* de hacerlo
>
> *Creo que consigue muchas cosas por su inteligencia y *otras muchas cosas lo* consigue por su dinero [además, discordancia genérica],
>
> (HM, V, 97),

el hablante parece considerar individualmente a cada uno de los objetos o seres que forman el plural; tomados *uno a uno,* los adjetiva, pronominaliza o alude en singular, con clara discordancia formal. Inversamente, puede considerar como *un todo* (colectivo de conjunto, propuesto como contraste) lo referido por el plural, con similares resultados:

> *Por supuesto que ellos *las mujeres* siempre *la* ven como pediatra. Las mujeres dedicadas a los niños es lo que más ve la gente
>
> (HM, VIII, 131)
>
> *Por supuesto que merece la pena. cuando uno *hace feliz a los demás* se siente también feliz
>
> (TV)
>
> *Nos han vendido muchos más productos extranjeros en España que los que *nosotros* hemos sido *capaz* de vender fuera
>
> (J. M.ª Cuevas, TV, «Debate», 19-2-87)

La atribución de lo expresado por los verbos defectivos al sujeto conceptual (Le *importa* un carajo las oposiciones), la «personalización» de los verbos de sentido impersonal (Cambios que *no son posibles detectar)...* son también, nos parece, casos claros de *silep-*

sis en los que el hablante no realiza la concordancia por el género, el número o la persona gramaticales, sino inducido por su subjetiva interpretación conceptual del enunciado.

Otros ejemplos, de más difícil justificación, podrían ser simples errores circunstanciales que todos pasamos por alto en nuestra conversación cotidiana:

> *Yo no estoy de acuerdo que *los costos* laborales unitarios sobre las empresas españolas sean *menor* a los del resto de la Comunidad [la distancia entre el sustantivo núcleo y el adjetivo no parece razón en este caso, puesto que el plural no se abandona ni en la determinación del sustantivo ni en el verbo]
>
> (J. M.ª Cuevas, TV, «Debate», 19-2-87)
>
> *Abogaban que era, que era, que *eran necesario* dos Cursos de Comunes para que tuvieran la gente un poco...
>
> (HM, XVII, 303)
>
> *Y me gustaría que, pues que hubiéramos cogido el toro por los cuernos, como suele decirse, y tuviéramos perfectamente *delimitaos este término*
>
> (TV, «Derecho a discrepar», 16-3-89)
>
> *No sabemos a qué empresas afecta; no sabemos *cuál empresas* van a seguir, *cuál* no van a seguir
>
> (Alcalde de Jerez, TV, «Telediario», 24-2-83)

Alguna vez, el hablante, obligado a expresar linealmente lo que para él es una «totalidad con sentido», se hace un auténtico lío, alterando no sólo las leyes de la concordancia, sino también las de la lógica, sin que, al parecer, nadie se dé por enterado (es decir, sin ninguna consecuencia evidente en la comunicación):

> *... de diversos profesores, *incluido quienes le hablan* [incluido quien les habla]

Y es que, como afirmaba Jespersen, «de vez en cuando encontramos anomalías en el uso del número que son difíciles de explicar, pero que, en cualquier caso, muestran que los hablantes no son absolutamente racionales» [22].

Concordancia de género

Tanto *género* como *número* son *categorías sintácticas* del nombre, reconocibles en sus concretas manifestaciones en los fenómenos de concordancia, coadyuvando como marcas de *cohesión interna* (importantes en una lengua como el español, que —como hemos visto— no posee un orden sintáctico estricto) a la buena expresión y comprensión del mensaje. De este modo, su importancia se manifiesta fundamentalmente *a nivel de discurso,* no tanto como una exigencia «lógica», sino fundamentalmente gramatical (del sistema).

Ahora bien, mientras «la categoría gramatical de número corresponde evidentemente a la distinción que encontramos en el mundo exterior entre 'uno' y 'más de uno'» (Jespersen, *op. cit.,* pág. 50), es decir, aporta una información semántica, no hay correspondencia de la categoría gramatical de género con ninguna otra categoría externa de los hechos reales. Esto es, mientras que la realidad nos obliga a distinguir entre (una sola) *mesa* y *mesas* (más de una), no existe causa natural alguna para que algo (concreto o abstracto) sea designado como «*la* vez» o «*el* pez», en lugar de «*el* vez» o «*la* pez» (o «*lo* vez», «*lo* pez»): se trata en nuestro idioma —y en casi todos— de una pura convención (por la que el género aparece automáticamente ligado a la elección del sustantivo).

Para la Gramática Generativa, género y número (también caso, en las lenguas en que existe) están integrados en la estructura del «lexicón» y se añaden (en las últimas arborizaciones de la «derivación») al componente sintáctico de la lengua para producir una fra-

---

[22] *La filosofía de la gramática*, pág. 239.

se aceptable (en la estructura superficial). Sin embargo, mientras el número forma parte del componente transformacional de la gramática y es introducido por reglas gramaticales, como un rasgo léxico exigido por la concordancia, el género es un rasgo *inherente* al sustantivo e *inducido* desde él al artículo, el adjetivo y los pronombres. De esta manera se intenta zanjar un antiguo problema de la gramática: el de una categoría gramatical, la de género, que, frente a la de número (compañera de juegos en la concordancia), no disponía en los sustantivos de un morfema (o marca formal) característico.

Pero todo esto, en realidad, no parece influir en modo alguno en el funcionamiento real del código, quizá porque la mayor parte de los hablantes no posee amplios estudios lingüísticos ni vive como «problema» la atribución de un determinado género formal a sus conceptos ni de un determinado estatus a la categoría gramatical que utilizan. En la lengua hablada espontánea se impone la eficacia, y el hablante atribuye espontáneamente uno u otro género a sus palabras, *lo improvisa,* sin más pretensión que la de ser comprendido en términos generales por su interlocutor.

Y seguramente por eso no hay diferencias notables en español, a nivel de discurso (de enunciado coloquial), entre las discordancias de género y las de número, si no es la de la frecuencia (mucho más alta, tanto en la lengua hablada como en la escrita) de éstas. De manera que, aunque puede recogerse alguno de difícil justificación,

> *Hasta Bergamín se enfadó conmigo, y cuando vine a España tuvimos *una encuentro* muy bonito
>
> (Rafael Alberti, TV, «Muy personal», 3-7-88),

casi todos los ejemplos de discordancia genérica que encontramos en la lengua coloquial tienen su origen en el «sentido» y podrían agruparse bajo alguno de los epígrafes justificadores que ya hemos utilizado para explicar las discordancias de número:

a) Al hábito de uso podemos atribuir la discordancia de

*Con las *treinta y un personas* que...

*Veintiún mil *hectáreas* ha consumido el fuego sólo en...,

que no hacen sino seguir la norma del resto de las cifras (dos, tres, etc.), en las que no es posible la concordancia de género. A la frecuencia de empleo en las transmisiones deportivas, desde las que se extienden a la lengua común, la discordancia en:

> *—¿Cómo está [en la clasificación]?
> —Pierde por dos *victorias* a *uno* [cf. «Tres a uno para el equipo rojiblanco, que...]
> *Qué va, pero si juega de *extremo izquierda,* pero qué dices...

Al empleo habitual del término «hombre» como expletivo-exclamativo en otros contextos, la de:

> *Mamá...* ¿Cuándo vienes, *hombre...?*

A la posible atracción por la terminación del sustantivo, la discordancia en:

> *Te voy a poner de *las mejores coñacs* pa que no digas que no.

Etcétera.

b) En los cuantitativos y ordinales, es la posible *ambigüedad del código,* que permite su uso como adverbio (invariable) y como adjetivo (concordado), la que provoca las múltiples vacilaciones y alternancias (documentadas también por Quilis, *op. cit.)* en la lengua conversacional, en la que al hablante, más que la *función,* le importa el *sentido* del término:

> *Yo estoy *primera* [adjetivo en vez de adverbio]
> *Y vamos a ver qué ocurre al finalizar la *primer vuelta*
> (TV, «Final del Grand Prix de Bélgica», 9-5-82)
> *Pero era *media boba* la pobre [23]

---

[23] Cf. Ch. E. Kany, *Sintaxis hispanoamericana,* pág. 55: «Existe una tendencia general a hacer que el adverbio *medio* (con la significación de *no del todo, no ente-*

*La tenían *media caliente* ya

*¿Veis la parte superior, que las piedras ya no son iguales, son desiguales, *unas* es *muchísima* más grande, otras más, ...

*Pero tiene *mucha* más mala leche, sin comparación

*Tú puedes sacar *mucha* mejor nota

*Lo normal es que lo hagáis con *mucha* mayor claridad

*¿Él? Sólo [tiene] *poca* más [fe] que tú, pero *mucha* menos fuerza

*—¿Qué tal [la ensalada]?
—*Poco* sal, a mi gusto.

Y recuérdese que en estos casos el femenino no sólo es el género marcado, sino que el masculino singular coincide formalmente con el adverbio; de hecho, no hay tendencia a concordar incorrectamente en plural.

c)   La posposición del sujeto provoca seguramente la falta de «análisis» y la improvisación incorrecta de la concordancia en:

*Creo que es *catastrófico la subida*

(TV)

*... creo que ya pertenece a una generación de padres que, sin haber estado en su tiempo *tan extendida* como ahora *el afán por el estudio,* ¿no?, ...

(HM, I, 21)

*Tienen allí *las tres casas* los tres hermanos *juntos* [se trata aquí de una involuntaria *hipálage,* a la que sin duda contribuye la interposición del sujeto entre «casas» y su adjetivo].

d)   A motivos sintácticos y de atracción semántica podemos atribuir las discordancias que aparecen entre el sustantivo partitivo (núcleo) y su adjetivo calificativo cuando media un complemento del nombre disociador:

---

ramente, casi enteramente) concuerde como adjetivo por atracción de la palabra a la cual modifica, sea ésta un adjetivo, un participio pasivo o un nombre adjetivado: *media muerta* por *medio muerta, medios dormidos* por *medio dormidos*»

*Pero *el trozo* de frente se te queda *blanca* siempre

*Lo que pasa que si no lo haces, claro, también pierdes allí *un trozo* de pared *grandísima*

*Es la parte más ancha de la carretera; *el resto* de la carretera es más *estrecha*.

En estos casos, no es el partitivo, sino el sustantivo del complemento preposicional, el más importante desde el punto de vista de la información y el que induce la concordancia en el adjetivo. Lo contrario ocurre en otros SN, en los que el sustantivo núcleo atrae la concordancia del adjetivo correspondiente al sustantivo complemento:

*La labor de *tipo investigadora* es lo que más cuenta

*Se celebrará una reunión de *carácter extraordinaria*...

(Radio, 4-1-77)

Nótese, además, que «tipo» y «carácter», los sustantivos del complemento preposicional, son innecesarios: se podría prescindir de ellos sin merma alguna en la información («la labor investigadora es...», «se celebrará una reunión extraordinaria»).

e) El grupo más importante de discordancias genéricas improvisadas lo constituyen los ejemplos de concordancia *por atracción* del núcleo semántico que el hablante considera más importante en su enunciado, que alcanza también (como ocurría con el número) a ciertos usos verbales impersonales, a los adjetivos y a los participios verbales, a la pronominalización, y raramente a otros elementos (determinantes o adverbios):

*No es *necesaria* pensar en una manipulación

*No, ésa no, ésa *prohibida* sacarla de su sitio [participio con sentido «impersonal»]

*Yo creo que que cualquier canción es *linda* cantarla, es *linda*...

(TV)

*Ésta es la información que tenemos *prevista* emitir en estas cuatro
  horas

(Radio El País, 28-5-86)

*Y mañana no asistirán a la asamblea, que estaba *prevista* se cele-
  brase a las diez de la mañana

(TV, 12-9-86)

*Y a partir de ahí se me ha hecho una segunda pregunta que he
  olvidado. *La* lamento

(Felipe González, TV, 15-4-86)

*Puede ser una explicación, puede ser*la,* no nos vamos a arriesgar

(Felipe González, TV, 22-3-85)

*—Pues he visto yo un día a la vecina mía
  —¿A cuál?
  —A la que iba con ella
  —Ah, sí
  —Bueno, me pareció que *la* era
  —Ah, pero ¿no la saludaste?

*Ésa [copa de subcampeón] es mérito *mía,* que si no llego a ir yo
  hubieras ganao la otra [la de campeón]

*Será tanto más positivo *cuanta* mayor sea la independencia de los
  jueces

(TV)

f) Y pese a que el género puede considerarse, como se dice
en gramática generativa, *inherente* al sema del sustantivo, se pueden encontrar también ejemplos de concordancia *por el sentido* (silepsis), basada casi siempre en la tendencia (que Jespersen considera «natural» y atribuye a todas las lenguas, *op. cit.,* pág. 239) a
hacer coincidir el género con el sexo referencial:

*Lo que ocurre es que yo soy una *persona* muy *modesto,* muy
modesto...

(Arturo Fernández, TV, «La Tarde», 10-6-87)

*—[X y Z, baloncestistas de dos selecciones rivales] dándose un
achuchón...

—Pues dentro de poco se verán en el hotel, porque *todas las selec-ciones* están *alojados* en el mismo hotel

(TV2, 30-6-88)

Se trata casi siempre de adjetivos que, como en estos ejemplos, tienen como núcleo un sustantivo de referencia, en principio, se-mánticamente neutra, pero morfológicamente femenina («persona», «selección»); como el hablante sabe que la persona que habla (él mismo) es hombre y que los integrantes del colectivo *selecciones* (de baloncesto) son en su totalidad de sexo masculino, atribuye di-rectamente este género gramatical al correspondiente adjetivo [24].

g) Una cuestión de interpretación subjetiva del hablante parece la aparición del neutro (generalizador) *lo* en:

*[Filosofía] da [...] *esta facilidad* ... un poco *de* ...V... *captación* de los problemas y de expresión de los problemas que no *lo* dan otras carreras [¿o aparece la discordancia por olvido-lejanía del antecedente?],

(HM, II, 36)

así como la doble discordancia de género y de número en:

*Creo que consigue muchas cosas por su inteligencia y *otras muchas cosas lo* consigue por su dinero.

(HM, V, 97).

En realidad, todo esto forma parte de la única «ley formal» que, no sin excepciones, parece funcionar en castellano: ciertos significados (entre ellos, fundamentalmente, el carácter sexuado diferencial del ser) atraen la forma masculina o la femenina, del mismo modo que ciertas terminaciones (el morfema -*a*/-*as* en sustantivos y adjetivos, por ejemplo) tienden a ser reconocidas como femeninas. Esta «ley», que se verifica en general en la conducta lingüística de los hablantes del castellano, ha permitido a Guiller-mo Cabrera Infante hacer el siguiente «chiste» (en su novela *Tres tristes tigres* [25]):

---

[24] Cf. John P. Wonder, «Género natural, género gramatical».

[25] Guillermo Cabrera Infante, *Tres tristes tigres*, Barcelona, Seix Barral, 1971, pág. 342.

*[...] Pero te voy a hacer una cita penúltima. Tú la recuerdas —no me preguntaba, me decía—. «C'est qu'il y a de tragique dans la Mort, c'est qu'elle transforme notre vie en destin».

—Es bien conocida —dije con SORNA. *En estos casos procuro no estar*
      solo [el subrayado es nuestro],

donde la escritura mayúscula de la *s-* de «sorna» sugiere nombre propio; y su final en *-a,* género femenino para el hablante-lector común. Así pues, *Sorna* = nombre propio femenino: en casos como ése, el personaje «procura no estar solo».

II

CONSECUENCIAS DEL PRINCIPIO DE COMODIDAD PARA EL MANTENIMIENTO FLUIDO DEL CANAL

Éste que hemos llamado principio de comodidad coloquial atribuye al hablante la espontánea inclinación a intentar alcanzar la comunicación con el mínimo esfuerzo personal. En una modalidad de actualización como la coloquial, en que a la improvisación formal subjetiva están íntimamente ligadas la no trascendencia del mensaje verbal, su fugacidad y, consecuentemente, la necesidad de ser inmediatamente atendido y comprendido por el interlocutor, el empleo del lenguaje con intención fática no sólo es inevitable (aunque sea, en rigor, antieconómico), sino que cumple una importantísima función: la de asegurar la buena transmisión y comprensión del mensaje, cosas ambas que en el coloquio pueden ocurrir, como sabemos, al margen de la estricta lógica. En lo esencial, el valor que aquí atribuimos a la *actividad fática* coloquial coincide con el concepto de *comunión fática* desarrollado por Malinovski:

> En su criterio, la comunicación de la información, tal como se opera durante los intercambios verbales entre humanos, es un hecho secundario con relación al deseo de establecer y de mantener la solidaridad intersubjetiva y, más generalmente, la cohesión social, que fundamentan la comunión fática, gracias a la cual se puede «hablar de todo y de nada» [1].

---

[1] Citado por A. J. Greimas y J. Courtés, *Semiótica*, s.v. «fática».

Durante la comunicación, emisor y receptor establecen y mantienen una «conexión psicológica» que condiciona (o determina) su empleo del canal físico comunicativo. Esto es, existe entre ellos un lazo psíquico permanente, una «tensión», que los mantiene en contacto verbal «abierto», y ambos procuran espontáneamente que la conversación transcurra con fluidez. Esto es lo que Criado (1980) llama *conexión interlocutiva,* cuyo resultado es el coloquio.

Pero «fluidez» (verbal) no significa necesariamente «rapidez» en la elocución o en la sucesión de enunciaciones, dadas las múltiples diferentes condiciones en que puede establecerse y desarrollarse una conversación. Por ejemplo, mientras dos personas se relajan al sol en una playa solitaria, intercalan de cuando en cuando enunciados más o menos amplios: las dos, sin embargo, cuentan la una con la otra, a quien (respectivamente) saben su único interlocutor y en quien suponen un permanente estado de apertura al diálogo. Como el propio Criado aclara, mientras la conexión interlocutiva existe, las pausas suponen «interrupciones en la elocución pero no en la tensión, que sigue estando presente en ellas» (1980, pág. 20).

En este sentido, la lengua coloquial, más que ninguna otra quizá, está *orientada hacia el contacto.* Frente a lo que ocurre en la lengua escrita, en que la iniciativa de la comunicación corresponde al receptor, el hablante precisa en el coloquio *asegurar la atención de su interlocutor y garantizar la apertura (mantenimiento, verificación, consolidación o cierre) del canal de comunicación,* manteniendo el uso de la palabra hasta (por lo menos) haber acabado el enunciado programado. Y a ello dedica gran parte de su mensaje, constituyéndose la abundancia de elementos lingüísticos destinados a este fin en una de las características más propias y específicas de la lengua coloquial. Por eso —como se ha dicho—, en cierto modo, «estudiar la enunciación en términos de conversación equivale a privilegiar esta cuarta función de Jakobson» (Berthet, 1979, pág. 127).

Se trata siempre de elementos *marginales* desde el punto de vista de la información, con frecuencia aislados entonacionalmente, de los que se podría prescindir sin que el contenido «objetivo» del

mensaje se resintiera. Pero el que desde el punto de vista de la información se pueda prescindir de estos elementos marginales cuya finalidad es facilitar la transmisión oral, no significa en absoluto que sean prescindibles desde el punto de vista de la comunicación. Todo lo contrario. El hablante no podría articular su mensaje si tuviera que reducirlo a sus elementos estrictamente informativos; entre otros motivos, porque tanto él como su interlocutor precisan de un cierto tiempo para formalizarlo/decodificarlo y, además, porque la rotundidad del resultado traicionaría sin duda el sentido global subjetivo, siempre más matizado, más matizable o más matizador.

Tradicionalmente, la llamada *función fática* del lenguaje (que Jakobson toma de Malinowski) estudiaba estos elementos, si bien (dadas las borrosas fronteras teóricas establecidas para esta función) confusamente, a modo de «cajón de sastre en el que se incluyen la mayoría de los elementos marginales, no relevantes con relación al mensaje, sin una clasificación y estudio serio» [2].

Aunque todas las expresiones de este tipo que trataremos tienen en común el facilitar el hilo discursivo (o decurso), su aparición en los más diversos contextos y con las más variadas funciones y estructuras hacen difícil su sistematización. Hemos distinguido, en una clasificación que forzosamente hemos de considerar provisional, cuatro grandes grupos: las que sirven para iniciar o cortar (en términos absolutos) la comunicación; las que sirven al ocasional receptor para indicar su activa conexión interlocutiva al emisor

---

[2] Gemma Herrero, a quien pertenece esta última cita (*Aproximación*, pág. 410), ha dedicado el cap. III de su trabajo al estudio de las funciones del lenguaje. Para ella, la función fática, al menos en lo que respecta a los elementos verbales que sirven para atraer la atención del interlocutor (y asegurar el mantenimiento del contacto), es una función derivada de la apelativa: «el prestar atención a lo que se dice es la reacción práctica a la apelación hecha al interlocutor» (p. 408). Creemos, sin embargo, que aunque esto es cierto, cambia el punto de vista adoptado en la consideración de todas las demás funciones, trasladándolo desde el emisor al receptor, lo cual, en todo caso, parece innecesario.

(hablante-protagonista); y, por fin, las que emplea más frecuentemente el propio hablante *(estimulantes conversacionales)* [3].

Nos interesa aquí, más que traer a colación un gran número
de ejemplos o profundizar en el estudio de este tipo de expresiones,
mostrar la importancia fundamental que tienen en la conversación
cotidiana, donde aparecen continuamente y con toda naturalidad,
como parte fundamental de ella.

EXPRESIONES QUE SIRVEN PARA ESTABLECER O FINALIZAR LA COMUNI-
CACIÓN: EXPRESIONES DE APERTURA Y CIERRE

No hay ley, regla o norma que obligue al hablante español a
iniciar o acabar una conversación con una determinada fórmula
o palabra. Sin embargo, existen, fijadas ya convencionalmente, numerosas expresiones que le ayudan a hacerlo, de las que se echa
mano a menudo y que no permiten duda alguna acerca de su
finalidad.

Nos referimos, naturalmente, a las fórmulas de saludo y despedida: *Hola, Qué tal, Qué hay, Buenos días, Buenas tardes, Buenas
noches* (o simplemente *¡Buenas!), Adiós, Hasta luego, Hasta mañana, Hasta la próxima,* etc... [4].

---

[3] Otros muchos fenómenos que podrían haber sido encuadrados con propiedad
en la función fática han sido considerados desde el punto de vista del principio
de adecuación-contextualización (véanse, en la parte tercera, los apartados dedicados a «carácter inmediato de las relaciones» e «improvisación formal»). Con posterioridad a la entrega de este trabajo a la imprenta me he ocupado recurrentemente
de la función fática, con la pretensión de defender para ella un papel principal
—y aun prioritario— en el estudio funcional del lenguaje (particularmente del oral),
y de reunir en un esquema coherente, que permita acaso incorporarlas a la enseñanza conversacional de español a extranjeros, las diversas expresiones con función
fática explícita que aparecen aquí dispersas (y algunas más). Los dos trabajos los
incluyo, como referencia, en la bibliografía final.

[4] A las múltiples «Formas de iniciar el diálogo» dedicó W. Beinhauer el amplio
cap. I de su libro *El español coloquial*; y a las «Formas de rematar la enunciación»

A ellas habría que añadir ciertas fórmulas más o menos corteses que cumplen la misma función en contextos más reducidos. Por ejemplo, en los establecimientos públicos: *¿Le atienden?, Vd. dirá..., ¿Puedo servirle en algo?, Dígame usted...* (incluso *Soy todo suyo)* [5]. Además, la cortesía convierte a *Por favor* y *Gracias* en formas de apertura y cierre (respectivamente) de la conversación. Interjecciones, vocativos, pronombres personales (de segunda persona, la del interlocutor) e imperativos sensoriales se usan también específicamente para establecer la comunicación:

*Eh, vosotros, traeros lo que falta

*Lucas, lleva al niño a hacer pis

*Oiga, ¿sabe si abren hoy?

*Mami, decías antes que no se oían los aviones...

EXPRESIONES VERIFICATIVAS (O CONSTATATIVAS)

Aparecen también con bastante frecuencia en la lengua coloquial ciertas expresiones que sirven a los sujetos para hacer a su interlocutor (en estos casos, hablante-protagonista) una rápida constatación de que el canal sigue (por su parte) abierto y la atención despierta: son las que llamamos expresiones *verificativas* o *constatativas*.

Con ellas no se interrumpe el hilo discursivo del emisor; sirven, más bien, para animar a éste a que continúe con él. Lo común es que sean expresiones breves como *No, Sí, Claro,* o incluso ruidos

---

—que no coinciden con las que yo denomino «de cierre» de la conversación— el cap. V, mucho más breve.

[5] Obviamente, el tratamiento de *tú/usted*, el empleo del plural o del singular, del masculino o del femenino, dependen en cada caso del carácter de los interlocutores y de la relación que entre ellos se establezca. Para estas fórmulas de inicio, que permiten el paso del silencio a la palabra, propuso Malinovski el término (que Jakobson tomó) *sigétique.*

o sonidos no articulados *(Mmmmm...)*, que suponen un cierto acuerdo con el interlocutor. Además, se indica con ellas al emisor una buena comprensión, en términos generales, de su mensaje (o a veces simplemente se muestra cortesía para con él, no interrumpiendo ni cortando su comunicación). A estas expresiones de «sonidos no lexicales, paralingüísticos verbales» las denomina F. Berthet *pausas plenas* y destaca su importancia en el diálogo, actuando como señal indicadora de enunciado aún no completo y asegurando, mediante la «uniformación del flujo discursivo», la función de reemplazo en la ocupación del canal *(op. cit.,* pág. 140). Estas funciones pueden hacerse extensivas a nuestras expresiones «verificativas». Veamos algún ejemplo:

> *Inf. B.—[...] Está dando toda la parte de la Reconquista, que a mí no me gusta nada,
> Inf. A.—*Claro*
> Inf. B.—y toda la cuestión de las repoblaciones
>
> (HM, XXIII, 429)

> *— Mujer, aunque tengo una chacha que me ayuda un poquito, pero siempre tienes que...
> —*Sí.*
> —... que hacer cosas y que, a lo mejor, los domingos, que es el día que...
>
> (HM, XXII, 415)

Lo que decíamos puede apreciarse bien en la transcripción que se hace en esta encuesta de las palabras de los «informantes». Mientras la informante A intercala su «Claro» o su «Sí» (en el segundo ejemplo), su interlocutor (en el papel de hablante) no interrumpe en modo alguno su comunicación, como intentan reflejar la coma después de «nada» y la minúscula en la conjunción («y toda la cuestión de...», «... que hacer cosas»). Aunque la transcripción escrita casi no tiene más remedio que ser lineal, en la manifestación real suele tratarse (aunque no necesariamente) de dos cadenas paralelas y simultáneas.

Aquí podrían incluirse también las colaboraciones del oyente cuando completa con sus propias palabras las del hablante, sin pretender (al menos aparentemente) convertirse en emisor [6]:

*—Tenía una... una..., puesta una...
—*Una venda.*
—... una venda en la rodilla.

(Auto)estimulantes conversacionales

Expresiones retardatarias

Particularmente en la lengua coloquial, se utilizan casi continuamente expresiones cuya función es fundamentalmente la de «hacer tiempo», en un intento por parte del hablante de mantener abierto (sin rupturas) el uso del canal: *expresiones retardatarias.*

Son, lógicamente, las más abundantes, las más variadas y las más frecuentes. Pueden aparecer en las diferentes partes de la enunciación, incluso al final, en el supuesto de que el hablante no haya dado por terminado su turno de palabra y se vea inesperadamente «asaltado» por su interlocutor.

A veces, el hablante las utiliza *para comenzar* su enunciado, con el fin de no retrasar una respuesta o su esperada intervención, o de evitar un vacío discursivo al asumir la iniciativa de comunicación. De este modo, mientras no dice «nada significativo», dispone de un cierto tiempo, bien para evitar el despropósito al que podría llevarle la precipitación, bien para intentar lograr una mayor precisión, concisión o claridad en la inmediata transmisión de información:

*—¿Y hasta cuándo vamos a aguantarlo?
—*Bueno, mire vd.,* cuando durante años y años...
*Inf. B.—... y ahora, así tengo las cosas repartidas... La mitad

---

[6] En general, éstos y otros fenómenos relacionados con el uso alternante del canal de comunicación son tratados con cierto detenimiento en la parte tercera.

de las cosas y muchas veces me tengo que acordar: «¡Ay!, ¿dónde tengo esto? y ¿ este libro? ¡Ay!, lo tengo en mi casa». ¡Je!

Inf. A.—No me extraña.

Inf. B.—*Bueno pues, resulta esto ¿no?,* yo tengo mi habitación en casa de mi abuela, y yo no noto la falta de... de alguien ¿comprendes?, yo como... llego allí y me encuentro bien.

(HM, XIX, 367)

*—¿Y no podría ser que le mataban y por eso se acaba ahí la novela?

—*Vamos a ver, vamos a ver...* Sí, si la novela no estuviera contada en primera persona, sí. Pero claro, si *yo* cuento algo...

*—Pero si te gustan [los encierros]...

—*Vaya, bah, bueno,* una cosa es gustarme y otra...

*—Y a lo mejor hasta apruebas

—*Hombre, creo yo que* si de mí dependiera...

*—*Esto... ¿Qué iba a decirte yo...? Ana,* que si nos retrasas el examen al viernes, que hemos pensao que... si...

—Ni hablar

*—Hola. ¿Qué pasa?, ¿qué ha pasao?

—*Nada, ya ves,* que le han tirao la blindada y se lo han revuelto todo, los muy hijos de puta.

*—... pero yo no sé hasta qué punto eso es... eso es verdaderamente útil.

—No...

—*Sí, no, bueno, materialmente decir* en cuestión de especialización quizá, no...

(HM, VIII, 140)

*—Vaya, termina los deberes, por Dios...

—Espera, espera

—*No, sí, no, es que* ya estoy harta de esperar.

Como puede verse, estas expresiones (adjetivos, imperativos sensoriales, vocativos, pronombres, adverbios, interrogaciones retóricas...), marginales, irrelevantes desde el punto de vista de la estricta información, se caracterizan por su alto grado de desemantización. Realmente, si probáramos a eliminarlas en una segunda lectura, el significado del mensaje permanecería prácticamente completo, dentro de su gran concisión. No obstante, cada uno aporta un matiz diferente en la comunicación, con el que necesariamente contamos en la conversación espontánea: *Bueno, mire vd.*, en el primer ejemplo, una cierta displicencia (y distancia, quizá); los consecutivos *Bueno pues, resulta esto ¿no?*, un cierto deseo de retomar el hilo del núcleo de la información; *Vamos a ver, vamos a ver* es ya una objeción anticipada, antes de repetir y matizar la explicación; el vocativo *Hombre* añade valor apelativo-autoafirmativo al mensaje; *Esto... ¿Qué iba a decirte yo...?* *Ana,* declara y encubre a la vez el sonrojo de ser portador de semejante mensaje, previsiblemente rechazable por ese interlocutor (Ana) innecesariamente aludido por su nombre; en los últimos ejemplos, *Nada, ya ves, Sí, no, bueno* y *No, sí, no, es que,* reflejan el apresuramiento irreflexivo en la respuesta de los hablantes, que se conceden tiempo para alcanzarla, digamos, serenidad de ánimo que las circunstancias requieren...

Cuando aparecen *en el interior* del enunciado, intercaladas en medio de la información, se comportan como auténticos *estimulantes conversacionales* para el hablante (que puede usarlos para cubrir expresivamente huecos surgidos en su comunicación), y muchas veces también para el interlocutor, que aparece comprometido, involucrado en el diálogo por el emisor. Se presentan generalmente bajo la forma del imperativo o de la interrogación; bien la interrogación lexicalizada del tipo *¿No?, ¿Verdad?,* con la que parece hacerse una apelación al consenso del interlocutor, bien la interrogación retórica:

> *Inf. A.—Yo venía en el autobús, loca, *¿no?* Yo digo: «Oy, ¿qué pasa, que no, que no llega esto a tiempo?», y entonces a menos diez ya estaba aquí, *¿no?,* a la puerta. [...]
>
> Inf. B.—Yo es que, como no sabía dónde estaba... tenía una idea, *¿no?,* pero...
>
> (HM, XXIII, 420)

> *Es odioso ese niño. *¿Ves la contestación que me ha dao a mí hoy?:* «Pues yo estoy aquí esperando mi clase de inglés...»

*Entonces... ellos son también... eran compañeros de Facultad de
Filosofía, pero *vamos* hombres un poco... *¿cómo diría yo?* con...
con pretensiones

                                                              (HM, II, 30)
*No seas terco, *venga...* *Fíjate,* has ido mil veces y ahora no quieres.

SOPORTES CONVERSACIONALES (ENLA-
CES COLOQUIALES, NEXOS TEMÁTICOS)

A todas ellas deberíamos añadir aún todas esas partículas y expresiones que el hablante emplea a modo de «umbral» que da paso
a su comunicación o permite su continuidad y que no presentan,
aparentemente, voluntad «retardataria». Funcionan más bien como
soportes sobre los que el hablante puede «apoyar» la progresión
de su información. Entre estos *soportes conversacionales* [7] queremos destacar dos que tienen una función bien diferenciada en el
coloquio y son especialmente valiosos para el hablante: los «enlaces
coloquiales» y los «nexos temáticos».

a) Los que llamamos *enlaces coloquiales* son partículas expleti-
vas (términos únicos), caracterizadas por su frecuencia de uso y
porque son sintagmáticamente inseparables de la expresión en que
están inmersas. Términos tales como *que, pues, si, pero, y conque...,* sin carga significativa (y cuando la tienen ésta no se corresponde con la usual objetiva y queda poco definida, como fugaz
matiz) y gramaticalmente innecesarios, con los que el hablante inserta su mensaje (o parte de él) en un contexto sentido, pensado
o imaginado, expresado o no. Naturalmente, su valor ilativo viene
dado por el contexto en que aparecen. Algunos han llegado a sen-
tirse de tal modo integrados en determinadas estructuras coloquiales, que éstas casi no se conciben sin ellos:

    *—¿Y tú qué dices?
    —*Pues* que si ellos se empeñan, allá ellos

---

[7] Cf. Ana M.ª Vigara Tauste, *Aspectos*, 2ª parte, págs. 66-78.

*O sea lo que yo creo es que, desde luego, *que* existen y que puede ser que los ovnis sean de verdad *pues* seres extraterrestres porque... ¿tú qué crees?

(HM, III, 48)

*—Pero tú tenías que habérselo dicho
—*Pero si* yo no lo sabía ni yo
—*Pero* tenías que haberte enterao, coño
—¡*Pues* no sé cómo! *Pero* a ver, ¿cómo me enteraba yo...?
*—*Que* si quieres café; está hecho.

Funcionan, pues, como «expresiones de encadenamiento hilativo y ordenadoras del discurso» (Narbona, 1988, pág. 104), unas veces entre las diferentes premisas, otras en el interior del enunciado del hablante. Y

Aunque algunas de ellas se usen muchas veces como «muletillas» de escaso poder articulador, no vale calificarlas de elementos superfluos o de relleno, ya que constituyen auténticos asideros como engarces textuales. Incluso *y,* tan abundante en el coloquio, lejos de cumplir un mero papel coordinativo, sirve muchas veces para marcar el avance o progreso del discurso, a lo que a menudo cooperan otras expresiones de refuerzo [8].

Si decimos «superfluos» o «prescindibles» deberemos matizar siempre «desde el punto de vista lógico» o «desde el punto de vista gramatical», que no desde la perspectiva de la comunicación coloquial, en la que constituyen, como hemos visto, un «relleno» necesario para su progresión natural y fluida [9].

b) Los que llamamos *nexos temáticos* se emplean para introducir explícitamente una determinada orientación a aquello de que se habla. Puede ser una vuelta al tema (más o menos lejano),

*Y al principio, *como le digo,* la primera semana es dura

(HM, I, 17)

---

[8] A. Narbona, «Sintaxis coloquial», pág. 104. Véase además, del mismo autor, «Problemas de sintaxis andaluza».

[9] Alude, sin duda, Narbona a nuestra inclusión en *Aspectos* (págs. 39-77) de este tipo de expresiones entre las «de relleno».

> *Dices tú,* Margarita, cuando viniste el año pasado no te trajiste
> la paellera, porque no está en ningún lao... [También: *Como
> te iba diciendo, A lo que iba,* etc.];

la introducción a una información con la que se va a progresar
en una nueva dirección,

> *Nunca me habían dado tantas patadas ni tantos codazos ni tantos
> coscorrones... madre mía, de verdad, salí... *Total,* que llegué
> como pude a casa de mi tía y me dice...
> *Las dos mujeres cogieron mi coche y se fueron con el niño al hos-
> pital, tu padre en la playa con los otros niños y nosotros bus-
> cando hotel... *Y a todo esto,* noche: ya nos tuvimos que poner
> a...;

el nexo que da paso a una nueva información asociada con algo
de lo que se viene hablando,

> *... una bombilla de esas blancas de larga duración que dicen que
> no hace daño a los ojos
> —*Por cierto,* ¿cuánto has pagado tú de gas el último recibo?
> *—Y ¿dices que aquí hay temas que nos han propuesto?
> —Sí, hay muchísimos. La verdad es que abarca de todo: cine, de-
> portes... *a propósito,* ¿vas a ir esta tarde al cine o no?
> (HM, XX, 371)

o a una información nueva,

> *—¡Hace una ilusión eso del primogénito!
> —...V... ¡Sí te hace ilusión, pero vamos, por el capricho!
> —*A todo esto,* ¿como te llamas?
> (HM, XXII, 411);

el que da por terminado un tema con la clara intención de pasar
a otro *(Hablando de otra cosa..., Cambiando de tema...),* el que
anuncia la necesaria explicación de lo que se viene diciendo *(Es
decir, A saber...),* etc.

Hecha esta breve presentación, un fragmento de una conversación grabada secretamente [10] puede servirnos para ver la gran naturalidad con que se combinan este tipo de expresiones en la comunicación coloquial. Para distinguirlas, señalaremos en *cursiva* las expresiones retardatarias (iniciales o mediales), en VERSALITA las verificativas, y en **negrita** los soportes conversacionales:

Inf. B.—[...] Está dando toda la parte de la Reconquista, que a mí no me gusta nada,

Inf. A.—CLARO.

Inf. B.—y toda la cuestión de las repoblaciones...

Inf. A.—Es que es la Edad Media, ¿no?

Inf. B.—*Bueno,* sí, pero es que la asignatura es Historia Social. *Entonces,* te está metiendo más bien en política y más bien en las repoblaciones, un poco rollo.

Inf. A.—Claro, es que Historia Social es eso, ¿*no?*, por lo menos desde mi punto de vista.

Inf. B.—Pero podría haber dado una clase más bonita, porque *resulta que* nos vamos a quedar..., **pues** no vamos a pasar de..., del siglo XIII

Inf. A.—*Claro, pero es que eso...* yo me acuerdo que en..., en primero teníamos un señor que..., nada más dimos Historia Social de la Edad Media.

Inf. B.—¿Ah, sí?

Inf. A.—Porque... ¡sí, sí! Porque decía que era su especialidad.

Inf. B.—Sí. ¿**Y** quién era?

Inf. A.—*Bueno,* decía supongo que sería, claro. Era un... era un señor..., me parece que era no numerario... *¡Vamos!* No era el catedrático.

Inf. B.—Sí.

Inf. A.—*Y entonces, pues resulta que... que nada,* el señor se pasó toda, *vamos,* unos, unos programas amplísimos. Ibamos a dar —¡yo qué sé!— hasta la guerra...

Inf. B.—**Y** luego llegasteis ni a la mitad, ¡je, je!, como siempre pasa.

---

[10] Fragmento de la encuesta XXIII («Diálogos secretos»), reproducida en Manuel Esgueva y Margarita Cantarero, *El habla,* págs. 429-430.

Inf. A.—¡Cómo a la mitad! *¿A la mitad?* Conque nos quedamos
en... *espérate, ¿en qué nos quedamos?, te lo voy a decir. ¡Ah!*
ya, en... ¡je, je! ¡Si no me acuerdo yo ahora! No, no es que
no me acuerde, sino que no me sale la palabra. Los señoríos
y lo... el feudalismo, todo esto. ¡Fíjate tú dónde nos quedamos!
¿eh?, o sea, prácticamente...
Inf. B.—Muy poco.
Inf. A.—... no sé, al terminar la Edad Media, ¿no?

TIC-VERBAL

Por lo demás, cualquiera de los estimulantes conversacionales
(cualquier palabra o grupo de palabras, en realidad) se puede convertir en expresión *favorita* (o momentáneamente favorita) del hablante, que la adopta como *cliché personal* (o *muletilla)* y la usa
inconscientemente como un auténtico *tic-verbal* que aparece aquí
y allá, a modo de *estribillo conversacional,* para desesperación de
«lógicos», profesores y «correctores» en general. Esto ocurre muy
frecuentemente con *o sea:*

> **O sea,* yo creo, *o sea* que si, *o sea,* que cuando, *o sea, o sea* que...
> *o sea* que... bueno, que la mujer no tiene la culpa de que la
> violen ¿no?, *o sea* que, lo que dice Mario, *o sea* de que... (el
> ejemplo es de una alumna mía de 16 años, en un debate en
> clase, curso 87-88) [11].

Pero puede ocurrir —como decíamos— con cualquier palabra:

> **—Bien, ¿y no piensa repetir la experiencia quizá...? [...].
> —Bueno, tal vez; pero claro... V... *ya* si me dedico un poco *ya*
> al trabajo, es decir si ahora acabo Filosofía, *ya* salir en plan

------

[11] En su comunicación al XIX Simposio de la SEL (Salamanca, 1989), Luis
Cortés, que prescinde de su empleo como muletilla, distingue para «o sea» tres
grupos principales de funciones: conector (oracional y paragráfico), corrector y
expletivo.

de estudios, *ya* es un poco más difícil. Yo, claro, Sociología
es una cosa que francamente me interesa bastante, pero parece
ser, ahora *ya* en Madrid *ya* hay dos Escuelas.

(HM, II, 27)

*—¿Usted está decidido a... lavar platos en Inglaterra para aprender
el inglés?

—Pues, tal vez sí, *vamos.* No sé..., no tendría... *Vamos,* por prejuicio en absoluto, *vamos,* podría hacerlo perfectísimamente, lo
que pasa es que... claro, hay que buscar un poco..., *vamos,*
apetece quizás un poquitín llevar algún compañero o algo así...

(HM, II, 29)

e incluso con expresiones más amplias, del tipo *Sin duda alguna,
Qué te digo, Verdaderamente,* etc...

III

CONSECUENCIAS DEL PRINCIPIO DE COMODIDAD EN LA EXPRESIÓN DEL SENTIDO GLOBAL DEL MENSAJE

La imprecisión es, junto al descuido formal, una de las características de la lengua coloquial que no falta prácticamente en ninguna de las descripciones que de ella se hacen. Sirve como excusa —una más— para tildarla de torpe y pobre; poco merecedora, en consecuencia, de atención científica. Casi todas las «torpezas» que se le achacan están, sin embargo, explicadas en función del mecanismo de actualización coloquial, del que son consecuencia. Y la de la «imprecisión» no podía ser menos.

Si, como venimos suponiendo, lo que interesa al hablante en el coloquio es alcanzar el objetivo de la comunicación de una manera «cómoda» (es decir, de forma fluida y con poco esfuerzo), parece normal que, teniendo que improvisar al hilo de la actualización, no se detenga en precisar semánticamente su mensaje. Si lo hiciera, si intentara hacerlo sistemáticamente, el hablante se encontraría probablemente con que no dispone de forma espontánea de los términos que necesita (con los consiguientes vacíos discursivos), y sin duda también con que su capacidad fonadora es inferior a la que su ritmo mental requeriría [1]. De ahí la importancia de lo que hemos

---

[1] Cf. Ch. Bally, *El lenguaje y la vida*: «Dar a los objetos nombres exactos y no equívocos es propio de la ciencia, de la técnica, no del lenguaje corriente» (pági-

llamado «sentido global», que es siempre subjetivo y que pocas veces se ajusta de forma estricta a un significado lógico; el hablante dispone de numerosos procedimientos (de orden, de realce, apelativos, retardatarios...) que le sirven para no precisar lo imprecisable y, así, no traicionarlo. O mejor, para precisarlo pero a su modo, para dejar «difusos» los contornos de lo que tampoco está tan claro desde el punto de vista subjetivo y para poder «decir» sin que su lengua se vea amordazada por su propio «pensar/sentir» [2].

Todo ello se manifiesta:

a) mediante la tendencia a recurrir al empleo de expresiones hechas (o de estructuras ya fijadas), que no requieren un esfuerzo de creación individual momentánea por parte del hablante;

b) en la expresión sólo aproximada del sentido (imprecisa desde el punto de vista lógico, pero suficiente desde el punto de vista comunicativo);

c) por la tendencia a la creación espontánea de términos según los requiere momentáneamente su comunicación.

Debemos aclarar, sin embargo, que aunque *la precisión no forma generalmente parte de los intereses comunicativos del hablante en la modalidad coloquial,* la pretendida imprecisión es —como lo era el desorden— sólo aparente; más la consecuencia que el lingüista extrae de su fría observación que un hecho real en el intercambio comunicativo.

Bien es verdad que todos los fenómenos lingüísticos que presentaremos a continuación tienen en común el que con ellos el sentido se expresa por la no coincidencia entre el significado (conceptual

---

na 58); «La lengua corriente invierte los términos: lo que quiere es palabras que representen ideas simples, fáciles de manejar, pero asociándoles sin cesar delicados valores subjetivos y afectivos» (pág. 60).

[2] *La imprecisión, sino fatal del lenguaje* titula V. García de Diego una de sus *Lecciones de lingüística española.*

objetivo) y la expresión (forma gramatical). Pero, en todo caso, lo importante es, creemos, que ese sentido realmente se exprese, se realice; y lo peculiar, que se haga mediante tal procedimiento. Tiene lugar así un curioso «salto» en el proceso comunicador/decodificador de los (respectivos) interlocutores, produciéndose de hecho una conformidad entre la intencionalidad de comunicación del hablante y la «información» asumida por el receptor, que no se corresponde, en rigor, con el mensaje emitido y recibido (Ejemplo: Ángel, como los *caigas verás).* Hay, pues, en todos ellos un desplazamiento de la «carga semántica de sentido» desde un término o exprexión a otro u otra que los sustituyen en la actualización.

A) RECURSO AL CLICHÉ [3]

Para el hablante, es cómodo realizar ese desplazamiento de la carga semántica de sentido cuando, para expresar algo, dispone ya de una expresión (o de un «molde» previo) que lo ha fijado convencionalmente en la lengua o en el uso.

Mientras que las «expresiones libres» obligan a emisor y receptor a una actividad mental, respectivamente, de creación y decodificación individual momentánea (adaptada a la situación), estas «expresiones fijas» brotan de una sola vez en la mente del hablante y son interpretadas «en bloque» por su interlocutor [4]; ello supone, evidentemente, al menos por lo que respecta al hablante, una cómoda alteración en la realización de la linealidad discursiva. En términos más gráficos, la diferencia que hay entre uno y otro tipo de expresiones es más o menos la misma que habría entre dar una

---

[3] Empleamos en este epígrafe el término «cliché» en un sentido amplio, que abarca todo tipo de fijación o fosilización, prescindiendo del carácter «banal» o «trivial» que los diccionarios atribuyen a este tipo de expresiones.

[4] Véase Otto Jespersen, *La filosofía de la gramática*, págs. 7-15, particularmente.

orden comando a comando a un ordenador, o transmitirla presionando una sola tecla (que la tiene ya codificada en bloque).

No es extraño, pues, que en el lenguaje coloquial se acuda continuamente a estos «trozos de discurso ya hecho», «introducidos como tales en nuevos discursos» (Coseriu, 1977a, págs. 113 y 118), que el hablante puede extender analógicamente o por contraste a muchas situaciones, y que no sólo expresan (quizá no con total precisión, pero sí con suficiente rapidez y claridad) lo que él quiere decir, sino que, por su tradición y frecuencia de uso, son inmediatamente reconocidos y contrastados por su interlocutor. Y entre estas expresiones incluimos no sólo las que Coseriu llama *unidades de discurso repetido* («Todo lo que tradicionalmente está fijado como 'expresión', 'giro', 'modismo', 'frase' o 'locución'», *op. cit.,* pág. 113), sino también las *estructuras estereotipadas,* que se han fijado en la lengua y están en ella disponibles como un «molde» (que determina la forma del pastel, pero no su contenido ni el sabor).

EXPRESIONES ESTEREOTIPADAS

a) Metáforas, comparaciones, proverbios, máximas, sentencias, dichos, refranes... son, como aprecia Coseriu, equivalentes de otras oraciones e incluso de textos completos, que están ahí, formando parte del caudal lingüístico de los hablantes del español, disponibles para ser usados cuando se desee o se necesiten.

El hablante puede aprovecharlos adaptándolos a la situación, como en el siguiente ejemplo, en que (en un bar) un hombre (muy joven) propone muy afable un brindis a una mujer (no muy madura, y casada), con la que pretende «ligar»:

*—Vamos a brindar...
—¿Por qué brindamos...? Brinda tú
—Por que *la primavera nos altere la sangre*

(mayo, 1983)

O puede citarlos inalterados [5], que es lo que se hace con más frecuencia, cuando no se pretende (como en el ejemplo anterior) trascender su sentido convencional, sino que éste basta, porque se corresponde bastante aproximadamente con el que la situación requiere y el hablante desea transmitir:

*Para ser hermanos, *son uña y carne*

No es por nada, pero la carne de burro no se transparenta

Eso está más visto que el TBO

*Si él lo dice... *Con su pan se lo coma*

*No, perdona, *mi tiempo es oro*

*Es verdad que la vida en Inglaterra durante cinco meses fue una
vida un poco anormal, pero te acostumbras, creo que *no es
tan fiero el león como le pintan,* ni como la propaganda que
le hacen

(HM, I, 18)

*Pero de momento, *la pelota sigue en el tejado,* a la espera de nuevos acontecimientos

(Radio)

*Y hay esa cosa un poco triste de «*contra el vicio de pedir hay
la virtud de no dar*»

(HM, XXIII, 224)

*Pues *lo llevas claro. Vas de culo y contra el viento,* macho

*Y me gustaría que, pues que *hubiéramos cogido el toro por los
cuernos,* como suele decirse

(TV, «Derecho a discrepar», 16-3-89)

Dime con quién andas...

En realidad, como es sabido, muchas de estas expresiones (particularmente refranes) ni siquiera es preciso citarlas completas; basta con iniciarlas (suelen ser bimembres) y dejar al conocimiento
del receptor la tarea de completarlas mentalmente y reconocer, ins-

---

[5] Aunque «pueden ser, en parte, adaptables»: es decir, los verbos pueden conju-
garse; los pronombres y adverbios, acomodarse a la situación de comunicación.

talado en la situación de comunicación, su sentido. De hecho, así suele hacerse. Más aún: muchas veces se tiene la impresión de que, de tan sabido, el completarlas sería «redundante» [6].

b) Además de refranes, máximas, etc., cualquier término, sintagma o frase que tienda a la fosilización puede ser aprovechado por el hablante. Ya lo hemos visto en muchos de los procedimientos de realce, en fórmulas intensificadoras, metáforas, comparaciones, expresiones autoafirmativas, afirmaciones y negaciones enfáticas, etc.:

> *Y... los [extraterrestres] que hay en la tierra han aprendido español y hablan todos español *que se las pelan,* creo
> >(HM, III, 54)

> *Y mi padre no tiene absolutamente *ni puta idea* de lo que es la heroína...
> >(TV, «Vivir cada día», 20-4-88)

> *Está hecho un toro* [también: *la puñeta, una braga, unos zorros, un adefesio...*]

> *Tiene *una mala uva...*

> *Esta mañana me he tenido que subir la cuesta *a todo meter* y... aquí; y luego, por las tardes, aquí
> >(HM, XI, 192)

> *Nosotros nos pegamos unas palizas *de mucho cuidado*
> >(HM, XX, 377)

> *... porque tardan una hora, tardan una hora y, claro, si tardan una hora... no pueden tener más que dos autobuses para toda la línea. A mí que no me cuenten... *cuentos chinos*
> >(HM, XIX, 362)

---

[6] Pese a que desde hace mucho tiempo se viene anunciando la progresiva desaparición de los refranes en la lengua coloquial, es posible que muchos, al menos los de sentido más general y perdurable (por su relación directa con sucesos de la vida cotidiana), no desaparezcan nunca: *Mal de muchos..., Dime de lo que presumes..., Quien a buen árbol se arrima..., Aprendiz de mucho..., El muerto al hoyo..., Más vale pájaro en mano...,* etc.

*No te ha faltao *el canto (de) un duro* [también: *el grosor de una uña, ni un pelo...*]

*—No se callan...

—*¡Desde luego!* A estas horas... [asentimiento enfático].

*No, descuida, ése ya no gritaba *ni p'atrás* [negación enfática]

*¿Qué significa «desk», lo sabes?

—¿Cómo?

—«Desk», acabado en k

—*Ni zorra* [negación enfática] [7]

*Yo niego *en absoluto,* yo niego *en absoluto* que el presidente del Gobierno haya dado un apoyo a Enrique Múgica

(TV, «Telediario», 12-8-88)

*—¿Crees en los platillos volantes

—Ahí soy muy escéptica... *la verdad sea dicha*

(HM, IV, 76)

Lo hemos visto también en casi todas las expresiones que se utilizan en la actividad fática *(Bueno, vamos, o sea, ¿cómo te diría yo?),* etc. Pero el cliché puede ser aprovechado con cualquier función y resulta casi siempre muy expresivo. Veamos ahora otros ejemplos:

*Y aquí ¡un mosquito! *De pata negra...* Sí, en efecto, un mosquito *de pata negra* de excelente calidad, que no nos deja... empeñado en posarse sobre un bocadillo... de jamón york [cp. «jamón de pata negra»: el hecho de que el bocadillo sobre el que se quería posar el mosquito *de pata negra* fuera de *jamón* (york) pareció casual]

(Radio, en directo, desde una piscina, 20-8-88) [8]

---

[7] El español presenta una gran variedad de expresiones para la negación enfática: «Que no», «Ni hablar», «De eso, nada», «Ni por asomo», «Para nada», «Justamente en eso estaba pensando yo» (irónica), «Sólo faltaba [eso]»...; Véanse W. Beinhauer, *Español coloquial*, págs. 166-198; y B. Steel, *A manual*, págs. 58-67).

[8] Cito de memoria: la cita puede no ser exacta, pero es muy aproximada.

Échame una mano con el carrito

*Entonces, no tienen ganas de pelearse nunca, o sea, que ellos, que *no les cabe en la cabeza,* que son muy raros...

(HM, III, 55)

*Y por las tardes, *tres cuartos de lo mismo* [en realidad, lo mismo entero]

*Pero hay *una regla de tres* por la cual, cuando los equipos no funcionan se despide al entrenador, y punto [«regla de tres»: operación matemática de cultura general]

(TV, «Teledeporte», 7-10-86)

*Sí, todos los sábados os ponéis *de tiros largos*

(Vicky Larraz, TV, «Sábado noche», 20-8-88)

*¡Coño! *O somos o no somos.* ¿No ibas a venir por la mañana?

*Son *muy suyos* cuando se ponen misteriosos

*Nos llevamos los apuntes *y toda la pesca,* pero [fue] inútil

*Pero *¿a qué viene eso?* Eso *no viene a cuento.*

Y su uso constante y reconocimiento automático permite que pasen inadvertidas para los comunicantes las posibles deformaciones inconscientes, que no alcanzan a impedir la plena realización de su sentido:

*Por otra parte, me... me apetecería muchísimo que hubieran estado y si ahora dijesen ... que no existen los ovnis, a mí *me darían un jarro de agua fría por encima,* ¡ja, ja!, porque a mí me hace mucha ilusión [«me echarían...»]

(HM, III, 49-50)

*Eso sería *empezar la casa por la ventana* [cruce de «empezar la casa por el tejado» y «tirar la casa por la ventana»]

*Dicen que... la mujer española que es muy elegante, muy femenina pero, *todo es del cristal con que se mira* [«todo es del color...»].

(HM, V, 93)

ESTRUCTURAS ESTEREOTIPADAS

Pero a veces, como decíamos, lo que se ha fosilizado no es exactamente una expresión, sino el procedimiento, la estructura que aporta un determinado sentido, permitiendo expresar, con su molde, los distintos significados:

—*¿Y cómo es que + frase verbal?,* para pedir explicaciones acerca de la causa:

   *¿Y cómo es que te has venido sola?

—*¿A que + frase verbal?,* para interrogación autoafirmativa o «retadora»:

   *¿A que todavía no hemos pasado Callao?
   *¿A que no lo sabes...?

—*Ir de + sustantivo* (singular o plural), para indicar

   —a dónde se va: ir de verbena, de excursión, de viaje, de bares, de museos...
   —a qué se va: ir de pesca, de ligue, de compras, de mozas, de putas, de tapeo, de vinos...
   —cómo se va: ir de vacío, de luto, de gorra, de domingo, de punta en blanco...
   —o en calidad de qué: ir de intérprete, de invitado, de carabina, de observador, de tonto por la vida...

—*A + infinitivo* o *A + (todo) + sustantivo,* para crear locuciones intensificadoras:

   *Me puse a morir
   *La morcilla le gusta a perder
   *Llorar a mares (a moco tendido, a lágrima viva, a diluvio abierto, a todo llorar...)
   *A lo bestia, a todo trapo, a todo tren, a todo meter...

Etcétera.

REDUNDANCIAS SEMÁNTICAS

A fuerza de usar continuamente juntos términos semánticamente asociados, ciertas redundancias se han fosilizado en la lengua hablada: *paella de arroz, párpados de los ojos, subir p'arriba, bajar p'abajo, tonterías sin sentido...* Y una tan frecuente como innecesaria:

> *Me impresionó muchísimo, soy una *persona humana,* y... [...] y aunque sea una *persona humana* que tengo sentimientos...
> (Miriam de la Sierra, TV, «El perro verde», 2-11-88)

En realidad, la frecuencia de este tipo de expresiones es tan alta, que muy probablemente sería difícil para el hablante prescindir de ellas aunque se lo propusiera.

DEFORMACIÓN DEL CLICHÉ

Llegado el caso, el hablante no duda en deformar conscientemente el cliché (con efecto humorístico casi siempre):

> *Antes de que te pongas de *mal yogur...* [también: *de mal café*]
> *¡Coño! *No hay mal que no venga por el mismo sitio* [cp. «No hay mal que por bien no venga»]
> *Al mal tiempo... ¡angulas!*

O en extenderlo, por analogía, a expresiones asociadas con las de su uso correcto o normal:

> *—Hace sueño,* ¿eh?
> —No... lo que *hace* de verdad es *hambre* [sobre el modelo impersonal de «hacer ᶠrío/viento...» > hace sueño, hambre, pereza, miedo...]
> *Tiene que hacer caca, porque ayer no hizo *ni gota*
> *Pero es que la planta baja es que *queda* un poco *a desmano* [quedar a mano > quedar a desmano]

*Pues entiendo que lo principal, lo primero para mí es acabar estos
estudios y, *a correo seguido,* empezar a buscarme ...V... no sé,
algo que pueda resolver mi porvenir, ¿no?

(HM, II, 33)

*Na, 30.000 pelas y le *dan* de comer y *de dormir*
[dar de comer > dar de dormir].

De este empleo analógico del cliché puede surgir el absurdo,
la expresión ilógica, que, sin embargo, no llega a ser sentida como
tal por ninguno de los interlocutores en su circunstancia comunicativa (hasta tal punto está «fijado» su sentido y funciona el principio
de cooperación):

*Bueno, al trabajo, *que es gerundio*
    (José Polo, 1986; por «deformación profesional» seguramente)

*Tiene que hacer caca, porque ayer no hizo *ni gota*

*Tengo una sordera *que no veo* [la sinestesia contribuye de forma
    decisiva al absurdo]

*No se ve *ni gota*

*Con la que yo monto para freír *un huevo frito*

*En lugar de bajar al bar, por pereza, me he frito un huevo, pa-
    pas... *patatas fritas,* en fin...
                                        (Francisco Ayala, TV2, 7-1-87).

INTERTEXTUALIDAD

Dentro de esta tendencia a emplear «trozos de discurso ya hecho, introducidos como tales en nuevos discursos», podemos incluir
con propiedad la *intertextualidad.*

Tradicionalmente, ésta ha sido estudiada como un recurso característico de la lengua literaria, en la que se usa con profusión.
Es comprensible que, en contra de lo que ocurre en la lengua escrita, la intertextualidad no sea demasiado usada en la coloquial. Lo
normal es que para que un texto esté ahí, disponible para ser usa-

do, haya sido previamente «fijado» (en la lengua escrita, en letras de canciones populares, en eslóganes publicitarios, etc.). Cuando un determinado «texto» o fragmento se convierte en «fórmula hecha» o «cliché», pasa a formar parte del caudal de todos los hablantes, como un sobreentendido lingüístico que opera «automáticamente», y entonces se suele perder la conciencia de su origen. Entretanto, sus propios canales de difusión determinan en gran manera su presencia en una u otra modalidad y su vigencia más o menos efímera. Un hablante muy culto, por ejemplo, no conseguiría hacerse entender si intercalara en sus mensajes continuamente fragmentos de Einstein, Kant, Antonio Machado, etc. (pongo por caso)..., más que por los iniciados como él. Es decir, la *intertextualidad* como tal recurso exige en la lengua coloquial un contexto bien definido, una gran nivelación entre los interlocutores, y una capacidad de recuperación/identificación memorística del mensaje intercalado para la que este tipo de comunicación no es nada propicia. Sólo cuando se cumplen estas condiciones (o cuando hay tiempo y voluntad mutua para hacerse entender entre los interlocutores, con mediación de todas las explicaciones pertinentes) es posible la intertextualidad en el coloquio: raramente, pues, y en ejemplos que, para comprensión general, requieren no pocas explicaciones:

    *—Pues yo no sé [si he estado alguna vez enamorada de alguien que me haya correspondido]

    —Ya lo sabes... *Si el que amas no te ama, ama a quien está contigo.* Y confórmate

            (de la canción de Stephen Stills, *Love one you are with*)

    —Pero es que *el que queremos nos quiere, aunque no quiera querernos*

    —Eso quién lo dice

    —Juan Ramón [Jiménez], creo; algún modelno

    *¿Qué pasa por equivocarse o por hacer el ridículo delante de los compañeros? Pero si eso lo tenemos que hacer todos en la vida... *No pasa nada... ¡nada!* [la hablante acompaña con el gesto la reproducción de un conocido anuncio de tampones]

*—Pues a mí no [me gusta usar condones]

—Pues a mí me encantan

—Hija, ni a casi nadie, si los condones no le gustan a nadie

—*Será que no los habéis probado bastante* [de un anuncio de tónica: «Eso es que no la has probado bastante»]

**Con amigos así, ¿quién necesita enemigos?*

B) APROXIMACIÓN SIGNIFICATIVA DE SENTIDO

IINTERFERENCIAS EN LA ATRIBUCIÓN DE LA ACTIVIDAD/PASIVIDAD

Quizá uno de los fenómenos que antes ha dado la voz de alarma y que con más claridad manifiesta este expresar el sentido de forma sólo aproximada (pero suficiente), sea el de la tendencia a la desaparición de la voz pasiva en el español hablado. Pero el fenómeno forma parte —nos parece— de una tendencia más general, que se manifiesta en *continuas interferencias en la atribución semántico-gramatical de la actividad/pasividad* y que no se limita a la voz verbal, sino que se basa en el *sentido comunicativo* del verbo y afecta al empleo espontáneo de muchos de ellos.

Para Alarcos (1988), las oraciones llamadas de pasiva «son aquellas cuyo sujeto léxico es un sintagma nominal que designa en la realidad al ente afectado por la actividad denotada por el lexema del segmento verbal» (pág. 336). Pero en realidad, además de las expresiones que presentan la estructura pasiva perifrástica, otras muchas (que están en voz activa) cumplen las condiciones de atribución semántico-gramatical especificadas en esta definición. De ahí que las interferencias espontáneas entre la «acción» y la «pasividad» no se limiten —como decíamos— a la aparición formal de la diátesis verbal, sino que se extienden al uso de ciertos verbos que pueden ser semánticamente considerados de significado (más o menos) activo o pasivo o cuya actividad/pasividad está en ellos prefijada en una determinada dirección.

a) Desde hace mucho tiempo se viene reconociendo la poca incidencia de la voz pasiva en la lengua hablada, pese a los muchos méritos que los medios de comunicación hacen para su mantenimiento y difusión. Se ha dicho —no sin cierta razón— que en su estructura difiere poco o nada de la simple atribución [9], que sus restricciones gramaticales la ponen en desventaja frente a otras estructuras más sencillas que pueden ser empleadas en su lugar, que no supone cambio alguno en la relación lógica entre los elementos de la oración, sino sólo cambio del punto de vista psicológico adoptado en la enunciación... Nosotros no queremos entrar en discusiones de detalle respecto de todas estas afirmaciones. Nos interesa constatar algo que es característico de la lengua coloquial: la voz pasiva no sólo no se emplea prácticamente nunca, sino que no se echa de menos. Esto quiere decir, por una parte, que rara vez sienten los interlocutores necesidad de emplear la voz pasiva para alcanzar un determinado sentido y, por otra, que disponen para expresarlo de otros medios que les resultan más cómodos.

En lo esencial, en efecto, entre la voz activa y la pasiva no hay diferencia en lo significado, sino en el modo de significarlo, que choca frontalmente con los que son usuales en la actualización coloquial.

Por un lado, la atribución gramatical a un *sujeto pasivo,* que no está incluido ni como *yo* ni como *tú* ni como *él* en la situación

---

[9] Entre los que defienden que no hay en español forma lingüísticamente diferenciada para expresar los contenidos pasivos (la llamada voz pasiva con «ser» no es sino una estructura atributiva normal) se encuentran, además del propio Gili Gaya, Alarcos (1970, 1985), César Hernández (1971, 1982) y Salvador Gutiérrez (1986). La postura contraria (es decir, la existencia de una construcción perifrástica específica para ciertos contenidos pasivos) la defienden, por ej., Mabel V. Manacorda de Rosetti (1961), Félix Carrasco (1977) y F. Lázaro Carreter (1980). Ramón Trujillo, por su parte, considera que si bien no hay mecanismo significante que «muestre» la diferencia entre sentidos activos y pasivos (todo depende de la posibilidad de interpretación transitiva o intransitiva del verbo), se puede y se debe distinguir claramente entre construcciones adjetivas y construcciones de participio (que expresa el proceso verbal como resultado) («Sobre construcciones pasivas», *LEA,* 10, 1988, págs. 237-248)

(referencial) del discurso tal y como la viven los interlocutores, supone un necesario ejercicio de abstracción por parte del hablante. Éste cuenta, naturalmente, en su actualización, consigo mismo *(yo)*, con su interlocutor *(tú)* y acaso con ni-tú-ni-yo *(él, ella o ello; ellos, ellas)*, pero con todos en un plano de igualdad referencial. De modo que cuando se refiere a *yo, tú* o su casa recién terminada, estos son los sujetos que activan su información y se convierten en los centros de referencia para el resto de los elementos del enunciado (verbos, complementos...) [10]. Como puede elegir expresar y ordenar su mensaje dando prioridad al elemento que le parezca conveniente, puede decir *Creo que tengo una casa preciosa, Mi casa te parecerá un chalé, Ven a ver mi casa nueva,* etc., etc... Por eso, si quiere referirse a su casa y al poco tiempo que tardaron los albañiles, amigos suyos, en su construcción, no precisa decir *Mi casa ha sido construida en menos de dos meses por estos albañiles amigos míos,* donde tanto *casa* (por ser sujeto pasivo y, por lo tanto, no sentido como tal sujeto por el hablante) como *albañiles* (precisamente por no ser, como correspondería en la conciencia del hablante, el sujeto gramatical) pierden su carácter nuclear en la actualización subjetiva del enunciado. Puede elegir entre *Estos albañiles amigos míos han hecho mi casa en menos de dos meses,* si es la acción de los albañiles el objetivo prioritario de su información; *En menos de dos meses han hecho mi casa estos albañiles amigos míos,* si lo es el plazo tardado; *Mi casa la han hecho en menos de dos meses ...,* si le interesa destacar la casa; o bien, si no tiene interés en precisar el agente de la acción verbal, *Mi casa se ha hecho (o la han hecho) en menos de dos meses,* etc.

Estamos sugiriendo, pues, que, más allá de las restricciones gramaticales tradicionalmente aludidas para la voz pasiva (selección de verbo transitivo, imcompatibilidad del presente con el aspecto

---

[10] Ya hemos visto cómo los verbos defectivos cuyo sujeto real no coincidía con el gramatical («me gusta...») provocaban numerosas irregularidades en el lenguaje espontáneo.

perfectivo), es precisamente la gran libertad que el español ofrece al hablante para jerarquizar la información en su mensaje, adaptándola sin especiales dificultades al curso de su subjetividad, la principal razón gramatical para que en la lengua hablada espontánea raramente aparezca la voz pasiva. Una cosa es ignorar o encubrir el sujeto (por modestia, afán de generalización o autoafirmación) y otra muy distinta *eliminar* su participación activa en lo que se dice. Esto es precisamente lo que hace la voz pasiva y lo que, supuestamente, contradice esa conciencia lingüística de los hablantes por la cual interpretamos espontáneamente los verbos como «formas especiales del lenguaje con las que pensamos la realidad como un comportamiento del sujeto» [11] y requiere un esfuerzo suplementario por su parte: seleccionar un verbo transitivo con su correspondiente perífrasis verbal, aplicarla a un sujeto no lógico, y explicitar de forma no usual el agente (sujeto gramatical subjetivo), cuando lo hace. Previsiblemente, «el esfuerzo de reflexión que supone, por parte del sujeto hablante, toda operación que desvíe su espíritu de los objetos sensibles es inconciliable con la elaboración rápida de la expresión. Ésta exigiría el mismo esfuerzo por parte del oyente y opondría un obstáculo a la comprensión inmediata; el sujeto hablante, que tiene el sentimiento instintivo de este obstáculo, renuncia al modo de expresión que lo haría surgir» [12].

Por otro lado, la necesaria «objetivación» del enunciado que supone el empleo de la voz pasiva (con el sujeto no lógico, el carácter «estaticista» del verbo *ser* y el perfectivista del participio) hace que el proceso expresado por el verbo no se presente propiamente en la línea cronológica del momento de la enunciación (el «ahora» subjetivo del discurso), sino más bien como una simple *descripción* no inserta en la sucesión temporal de la experiencia de los interlocutores. Se enmascara así en el verbo la noción de acción y prevalece la de estado descrito, a modo de conjunto pictórico que no puede

---

[11] Amado Alonso y Pedro Henríquez Ureña, *Gramática castellana,* vol. II, pág. 102.

[12] Charles Bally, *Traité de stylistique française,* pág. 287.

ser alterado por el espectador («El cadáver es buscado durante meses por la Guardia Civil, que...»).

Se comprende así que, siendo la voz pasiva fundamentalmente una cuestión de perspectiva que refleja más que nada una distancia objetivadora por parte de los interlocutores respecto de lo enunciado (algo, como ya hemos visto, reñido con el uso espontáneo de la lengua) y disponiendo el español de medios que la hacen innecesaria, su incidencia en la lengua coloquial sea tan baja como se ha dicho, e incluso más. De hecho, lo común no es encontrarse en ella ejemplos como los que siguen, con una correcta pasiva en pasado:

> *Además en todas las revistas, la vedette *era obligado* que cantara un chotis
>
> (Mary Santpere, TV, «La tarde», 9-10-85)
>
> *Pero yo *iba a ser condenado* inocente [pasiva perifrástica].

Lo normal es que la voz pasiva (con *ser;* o con *estar* —llamada también voz «estativa»—), cuando aparece en la lengua hablada, dé lugar a enunciados «irregulares», en cruce con otras expresiones o forzada por el hilo discursivo, en construcciones imprevisibles que acaban cuajando en pasiva. Así ocurre, por ejemplo, en:

> *... Villa...¡*ha sido entrado* por Quico...!
>
> (TV, fútbol, 24-8-86)

El locutor, que debe conseguir poco menos que simultaneidad entre lo que dice y lo que ocurre en el terreno de juego, tiene ya un sujeto, *Villa,* que asocia con una construcción corriente en la jerga futbolística —«hacer una (violenta, limpia, etc.) entrada a alguien»—, aplicándole a éste pasivamente (y de forma incorrecta) la acción. Otros ejemplos:

> *Y ese ministro también *será dimitido,* ya verás
>
> *Mucho cuidado de echar eso fuera, que *está [el cubo] limpito* por mí
>
> *Creo de todos modos que los matices están todavía por... por *estar muy examinados,* y que...
>
> (TV, entrevistado)

*... que la furgoneta *ha sido aparecida* en...

(TV, 10-3-78)

*Según noticias *circuladas* aquí en la ONU, ...

(Jesús Hermida, TV, 26-5-78)

*Cuando falta el cabeza de familia, como en mi caso, que ya falta hace cinco años, pero antes, que ya *estaba faltao,* prácticamente, ...

(TV, «Si yo fuera presidente», 29-11-83)

*El Carlos V de Madariaga es muy buen libro; *está tomado un punto de vista por Salvador de Madariaga* muy interesante, el Carlos V

(HM, XVI, 271)

*Hombre, si consigue eso *va a estar más ayudada* que nunca.

*... un riesgo de que el señor *sea corneado y sea muerto*...

(TV, «Debate: Los toros», 28-5-87)

*Yo aquí los impuestos no los he subido, yo aquí los impuestos *no están subidos.*

(José Luis Campo, alcalde de Belmonte de Tajo,
Radio El País, «Lo que yo te diga», 26-5-87)

*Una rubia *no es pagao* con na.

Se produce además con frecuencia un cruce entre la construcción pasiva («nos ha sido vedado...») y la *pseudorreflexiva* (nombre que le da Henk Haverkate) o pasiva refleja, también llamada *pasiva pronominal* por Manuel Seco («se nos ha vedado...»):

*Y desgraciadamente, a mí, como a muchas otras, todos sabemos que, antes..., *se nos ha sido vedado* el derecho a la cultura

(TV, «Debate: Aborto», 15-1-86)

Haverkate [13] considera que la pseudorreflexiva *(se + verbo,* tanto impersonal como pasiva-refleja) compite con ventaja con la pasiva (sin mención del agente) cuando no se desea explicitar el sujeto

---

[13] «La construcción pseudorreflexiva».

de la oración porque, teniendo como ésta la información orientada hacia el proceso,

1.º) no tiene restricciones gramaticales (selección de verbo transitivo; referencia específica del sujeto, que impide las aserciones genéricas; incompatibilidad del tiempo presente y el aspecto perfectivo);

2.º) es neutra con respecto al sujeto y en la referencia al hablante; no indica abiertamente sexo o número de sujetos encubiertos ni si el propio hablante forma parte o no del conjunto no especificado de personas envueltas en la acción descrita por el predicado (está positivamente marcada con respecto al rasgo humano y negativamente marcada con respecto al rasgo especificado).

Es verdad que el hablante, en casos como los descritos por Haverkate, prefiere la pseudorreflexiva impersonal a la pasiva; pero creemos que la tradicional pasiva-refleja no comparte necesariamente con la impersonal las dos ventajas que describe el autor, y se utiliza continuamente con referencia no personal:

> *Si ahora nos acostáramos aquel recuerdo *se sustituiría* por este otro,
> y no sé si quiero.

En cualquier caso, es frecuente que aparezcan interferencias o cruces que modifican de hecho la supuesta «pasividad» de la pseudorreflexiva:

> *Aquí quien *se vulnera* es a la mujer, no *se vulnera* a la ley, no
> *se vulnera* a ..., lo que *se vulnera* es a la mujer
> (Isabel Tocino, TV, «Debate: Aborto», 15-1-86)

> *... en lugar de *mantenérselos* [a los comunistas] fuera de la Comunidad...
> (BBC, 3-3-76)

> *Es que *con Jacqueline* yo creo que *se le ha creado* demasiado mito
> (HM, V, 97)

> *... *se están proliferando*
> (Entrev., TV, 5-5-78)

    *Creo también que el arte *se nace* uno con ello

    *Durante esta huelga *se han circulado* toda clase de rumores [han
    circulado / se han hecho circular]

    *Se ha hablado ya muchísimo *por personas* más competentes que
    yo [especificación del sujeto paciente]

                                     (HM, V, 89)

    *... uno [...] se acuerda de la comodidad que tenía en su medio
    ambiente, pero creo que no es la situación de angustia que algu-
    nas veces *se la ha calificado,* no?

                                       (HM, I, 17)

    *—Porque es que si apagas te puedes cargar el cartucho

    *—Pues no *se ha cargao* [no se ha estropeado / no me lo he cargado].

b) Pero las interferencias pasividad-actividad no se reducen
—como decíamos— a la aparición o elusión de la voz verbal, sino
que se extienden, en la categora conceptual, al empleo de numerosos verbos que modifican en el uso su *status* funcional o semántico,
preservando sin embargo el sentido del mensaje y no obstaculizan-
do la comprensión del interlocutor. En los ejemplos anteriores hemos podido apreciar algunos *(ha sido entrado, ser dimitido).*

Desde el punto de vista gramatical, el condicionante que opera
decisivamente en este trasiego de la categoría conceptual es el de
la transitividad; «es obvio que con verbo intransitivo no se puede
hablar de sentido pasivo» [14]:

> Podemos hablar de 'actividad' y de 'pasividad' como categorías
> *conceptuales* así como sintácticas, pero solamente aplicadas al signi-
> ficado de cada verbo por separado y —cosa que es muy importante—
> solamente en el caso de que haya una *transposición de la relación
> entre el sujeto (y el complemento, si lo hay) y el propio verbo* [15].

Pero aunque indudablemente es de esto de lo que se trata, de
una *transposición de las relaciones,* el análisis, que parece bastante

---

[14] Otto Jespersen, *La filosofía de la gramática,* pág. 324.
[15] *Ibíd.,* pág. 192.

claro desde el punto de vista del «sentido», no lo es tanto desde
el punto de vista gramatical.

En nuestros ejemplos, se trata casi siempre de verbos o expresiones verbales que contienen ya una cierta carga semántica de actividad o pasividad definida en una determinada dirección. La cuestión parece estar en a quién y cómo se atribuye exactamente esa
«acción» verbal que el término tiene ya precisada en un determinado sentido; porque la lengua dispone de muchas conexiones semánticas, que pueden además concretarse de forma particular en el uso,
y no siempre se consigue asignar espontáneamente la casilla correcta al verbo empleado o encontrar el término preciso para el concepto expresado:

> *Ellos [los extraterrestres] quieren que nosotros también *nos visite-*
> *mos* para allá
>
> (HM, III, 57)

a)   La razón de estas interferencias parece encontrarse casi siempre en el parentesco semántico o en la relación de causa-efecto que
hay entre el verbo utilizado y aquel con el que el hablante lo asocia
mentalmente. Así, la actividad (causa) puede ser designada por su
parejo complementario, el verbo de sentido «pasivo» (efecto), neu-
tralizándose en el uso espontáneo las diferencias semánticas de ambas unidades léxicas:

> *Ten, ten* esto [toma, coge, sujeta]
>
> *Pero hombre, la de Hombres G tiene gracia, «¡Sufre, mamón!»,
> pues a mí *me tiene gracia* [hacer gracia/tener gracia]
>
> *Ha sido un hombre muy importante, que ha cumplido un papel
> muy importante en la historia del país, y por lo tanto tiene el
> respeto que *le merecemos* [nos merece / merece]
>
> (Miquel Roca, hablando de Suárez.
> Radio, «Lo que yo te diga», 20-5-86)
>
> *Lo que pasa es que es un caso triste: su madre... parece que se
> ha muerto *suicidada,* o así; su padre...
>
> *Con el tiempo, esa humildad *le ha obtenido* muchos beneficios,
> impagables [proporcionar/obtener]

*¿A qué causa *determina usted* estos últimos jaleos de la Universidad, sobre todo en España?

(HM, X, 171)

*Quizá..., en cuestión de deporte, el vuelo sin motor y luego en cuestión personal referente a la vida, el Seminario, han sido las dos cosas, cada cual en lo suyo, naturalmente, que *más huella me han hecho a mí*

(HM, I, 9)

*¿De dónde iba a sacar dinero para *transportarse* hasta allí? [trasladarse/transportar].

El fenómeno es particularmente frecuente en ciertas parejas de verbos como «tirar/*caer*», «meter/*entrar*», «dejar/*quedar*»:

*Ángel, como los *caigas* verás

*Se fue su madre unos días, la *quedó* con los hermanos, y se pone a hacer una sopa de esas...

*—Mal día para la moto, ¿no?

—La *he quedado* en casa

*Pero la jena luego es estupenda; te cuida el pelo, te lo *queda* bien...

*Me *ha quedao* sin nada, con 115.000 pesetas na más

(TV, 30-10-87)

*Me *has quedao* de piedra. Patidifuso

*—Ha quedado muy bonito el jardín

—Sí, lo *han quedado* muy bonito

*Y con el hilo largo era fácil sacarla; ahora es difícil *entrarla,* ¿no ves que hay que tirar del hilo corto?

*En septiembre pienso *entrarlo* en un jardín de infancia.

En estos casos, la lengua espontánea juega, sin duda, a favor de la «pasividad», sin que se nos ocurra a primera vista mejor razón que las posibilidades de *condensación expresiva* que este tipo de enunciados presentan, al ofrecer simultáneamente asociados el sujeto de referencia y la acción de consecuencia, identificables siempre, sin ambigüedad, por parte del interlocutor.

Santiago de los Mozos, que se ha ocupado de las parejas *dejar/quedar* y *dejar caer/caer* [16], considera que se trata de usos castellanos «que no son generales, que, además de regionales, se consideran «incorrectos» y que, en la enseñanza de la lengua culta, se proscriben tajantemente» [17]. Aunque estamos totalmente de acuerdo con que tales usos se consideran incorrectos y están proscritos en la lengua culta y en el registro formal, no nos atreveríamos a afirmar que se trate realmente de regionalismos. Al menos tres de los ejemplos citados con «quedar» proceden de hablantes no castellanos (extremeña, murciano y malagueño, si no recuerdo mal), aunque, eso sí, los tres han sido recogidos en Madrid. ¿Es éste, quizá, uno de esos casos en que la capitalidad de Madrid ha ejercido también su influencia sobre la lengua de quienes hasta ella llegan? A ello deberíamos añadir, sin embargo, que el «error» no se limita, como puede verse en nuestros ejemplos, a estas dos parejas, sino que forma parte de una tendencia más general de la lengua hablada espontánea, que no nos parece restringida ni regional, ni cultural ni socialmente (en su mayor parte, los ejemplos proceden de personas con titulación universitaria).

Lo que, desde el punto de vista gramatical, tenemos en algunos casos es un verbo transitivo sustituyendo de hecho a otro del cual es semánticamente complementario, por lo que comparte con él el objeto directo (o, en un sentido más extenso, el complemento sobre el que recae la acción). Podríamos representarlo así:

(CAUSA)		(EFECTO)
	OD	
reportar ⟶	beneficios	⟵ obtener
dar ⟶	algo	⟵ tener

---

[16] *La norma castellana del español,* págs. 49-60. De los Mozos propone, para la expresión «¡Cuidado!, *no caigas* la copa, que ya *has caído* una», la correlación «*no dejes caer... has dejado caer»;* nosotros creemos que la correlación se da originariamente entre *tirar/caer,* y que el auxiliar «dejar» añade innecesariamente un matiz voluntativo al simple causativo («tirar»).

[17] Ibídem, pág. 52.

Se parte, en principio, de una relación semántica de «exteriorización de la acción», que pasa del sujeto 1 (ejecutor de la causa) al sujeto 2 (experimentador de la consecuencia) a través precisamente del OD que ambos comparten (complementariedad); ambos verbos son divalentes [18] (tienen sujeto —diferente, en la realidad pragmática— y comparten el complemento C1). Lo que la lengua espontánea hace es, simplemente, alterar la concepción semántica de la acción, atribuyendo el resultado al sujeto ejecutor.

Otros ejemplos, en cambio, lo que alteran es, sobre todo, el punto de vista desde el cual consideran la acción, trasladándolo desde el sujeto ejecutor al resultado ejecutado (con cruce gramatical):

*Ángel, como *los caigas* verás [*los* tires/se *caigan*]

**Me has quedado* de piedra [*me has* dejado/ me he *quedado*]

*En septiembre pienso *entrarlo* en un jardín de infancia [meter*lo*/va a *entrar*].

Hay también en ellos exteriorización de la acción, pero con una orientación semántica diferente: no desde un sujeto1 a un sujeto2 (que experimenta las consecuencias de la acción de 1), sino desde un sujeto1 hacia un objeto (complemento) en el cual se realiza (y refleja gramaticalmente) el efecto:

(CAUSA)			(EFECTO)
	OD	SUJ	
tirar	algo ——→	algo	caer
dejar	algo ——→	algo	quedar(se)
meter	algo ——→	algo	entrar

---

[18] Aplicamos, porque nos puede ser útil para mostrar el contraste entre los diversos procedimientos que operan en los ejemplos, la misma clasificación que Santiago de los Mozos hace de los verbos «según el número de participantes o agonistas que con ellos se relacionen, o pueden relacionarse, en el enunciado»: trivalentes (con sujeto y complementos C1 y C2), divalentes (suj., C1), monovalentes (suj.), avalentes (sin suj. ni complementos) *(op. cit.,* pág. 54). Véase también M. Mourelle de Lema, «Los verbos causativos en español». El desarrollo de este análisis de los verbos puede verse en Klaus Heger, *Hacia una semántica moderna (II) Teoría semántica,* Madrid, Eds. Alcalá, 1974.

Como se ve, si prescindimos del uso de la diátesis (y de su complemento agente), se reproduce en el cuadro el esquema de la construcción pasiva: complemento que pasa a sujeto + verbo de sentido pasivo en vez de verbo «activo». Se trata en estos casos, sin embargo, de la sustitución de un verbo causativo divalente (tirar: con suj. y C1: «hacer caer») por otro monovalente (caer: sólo suj.), con el consiguiente cruce de sentido.

Encontramos también ejemplos en los que parecen realizarse parcialmente las dos tendencias anteriores:

> *Pues a mí *me tiene gracia*
>
> *[...] las dos cosas [...] que *más huella me han hecho a mí*

En ellos (como en «obtener beneficios») se altera también la concepción semántica de la acción, pero no en la dirección de un sujeto1 sobre un sujeto2, sino en la referencia de partida, al expresar como esencia o estado (tiene gracia *para mí)* lo inicialmente concebido como acción (hace gracia *a mí);* el cambio de verbo no implica en estos casos ni cambio de sujeto ni cambio de valencia. Del mismo modo, el fenómeno que tiene lugar en

> *¿A qué causa *determina usted* estos últimos jaleos de la Universidad?

es muy similar al que tiene lugar en

> *Ángel, como *los caigas* verás

(alteración del punto de vista desde el que se considera la acción), pero su comportamiento sintáctico es muy diferente, al movilizar a la función de sujeto a C2 y no a C1.

Y aunque responden, como puede verse, a un mismo criterio semántico de sentido, la explicación gramatical de «A mí *me tiene gracia»*, «Tiene el respeto que *le merecemos»*, «Su madre *se ha muerto suicidada»*, *«Transportarse* hasta allí», y «Pienso *entrarlo* en un jardín de infancia» ya no podría quedar simplificada en los mismos términos:

a) En realidad, *entrar* y *transportarse* no son complementarios léxicos de sus equivalentes de sentido «*meter* a alguien en» y «*transportar* algo o a alguien» o *trasladarse):* la expresión de los complementarios correspondería en este caso a la voz pasiva *(ser metido* y *ser transportado),* que no se usa porque esto conllevaría un cambio de perspectiva que es, como hemos dicho, inusual en español coloquial.

b) Mientras que «Tiene el respeto que *le merecemos*» parece uno de esos casos en que por error se ha hecho la transposición total en la atribución de las relaciones de que hablaba Jespersen, *se ha muerto suicidada* convierte en participio pasivo al que el hablante considera verbo principal, que, paradójicamente, es de acción (reflexiva), además de la causa del estado verbal (¿simple error también?).

En todos los casos, lo que permanece como constante es la conjunción causa/efecto y la atribución formal que de ella realiza el locutor. A pesar de que el uno precede, en el tiempo lógico, al otro, concebidos simultáneamente por el hablante como causa «referencia» y efecto «de seguro cumplimiento si acontece la referencia», ambos aparecen en su enunciado sintetizados en una sola expresión, que condensa formalmente las relaciones lógicas establecidas.

c) Otras veces, la razón fundamental de estas vacilaciones e irregularidades en la atribución del carácter activo o pasivo expresado por el verbo parece tener su origen en ciertas estructuras de la propia lengua, que sistemáticamente «confunden» al hablante, y prácticamente siempre a favor de la «activación». Así, por ejemplo, ciertas expresiones verbales perifrásticas:

> *El hombre lo que debía hacer es parir, y *embarazarse,* a ver si así no hablaoa más tonterías [quedarse embarazado]

> *—¿Tú no tomas café?

> —No, que *me nervio* [poner/se nervioso > «nerviar(se)», creación léxica. En este ejemplo, la actividad y la pasividad podían ser expresadas con el mismo término, diferenciándose en el uso pronominal]

El fenómeno es particularmente frecuente en las perífrasis de carácter factitivo, que tienden a aparecer sintetizadas en un solo término, prescindiendo del verbo auxiliar: el mismo verbo principal, sin la causatividad explícita, continúa siendo transitivo y conservando su carácter factitivo:

> *Les pedí que me dieran datos, y yo los escribía en la pizarra, para *distinguirles* entre exposición y argumentación [enseñarles a distinguir]
>
> *Decididamente me voy; a no ser que alguien *suene* el teléfono antes de medio minuto [haga sonar: perífrasis causativa]
>
> *El ministro dice de que las clínicas privadas *pueden abortar,* porque se ha presentado... [provocar aborto > abortar]
>
> (Isabel Tocino, TV, «Debate», 15-1-86)
>
> *Fernando *ha estallao* el pantalón [ha hecho estallar]
>
> *... y el pueblo gallego, si hoy *le prescindiesen* del Parlamento y de... [obligasen a prescindir]
>
> (X. Fdez. Albor, TV, 25-7-85)
>
> *Ah, y a mí *me han equivocao* mucho los libros [me han hecho equivocarme]
>
> *... pero a ver si este triple *recupera* la confianza en los lanzadores de la selección [hace recuperar... a los lanzadores]
>
> (TV, «Baloncesto», 13-6-87)
>
> *—Cuando un matador de toros está bien en un sitio, lo *vuelven a repetir*
>
> —¿Cómo, cómo?
>
> —Que cuando un torero en una plaza está bien, lo *repiten* otra vez [por dos veces no encuentra el hablante la expresión justa: «hacen que vuelva otra vez». Seguramente la referencia inicial —el torero, recuperado pronominalmente— ha sido también decisiva en los resultados].
>
> (TV, «Debate: Toros», 28-5-87)

Del mismo modo, en los verbos defectivos la tendencia es —como hemos visto— a hacerlos concordar espontáneamente con el sujeto conceptual y, en ejemplos como el de la canción:

> *Si *fueras posible* atrapar, tenerte siempre cerca, poderte controlar...
> (Víctor Manuel: canción «Ay amor» [19]),

se traslada de verbo la atribución de la actividad:

> *Están [los adolescentes] siempre como alterados y *parecen chocarse*
> con todo [parece que todo les choca/parecen sorprendidos con
> todo]
>
> *No hacías, no hacías más que haberte marchado,* cuando llama
> don X
> (HM, XIV, 239)
>
> *Te hacen parecer* que es verdad y te metes en el cuento.

Por otro lado, el carácter pasivo y verbal del participio se mantiene en ciertos empleos adjetivales, que dejan la expresión a medio
camino de la acción/pasividad:

> *Según noticias *circuladas* aquí en la ONU, ... [noticias que han
> circulado/que se han hecho circular]
> (Jesús Hermida, TV, 26-5-78)
>
> *Pues a mí me gusta; es un trabajo *descansado*
> *Soy una mujer *muy viajada*
> (Lola Flores)
>
> *Eso significa que los más de 30 años *permanecidos* aquí nos los
> van a pagar con cinco o seis trienios hasta que nos muramos
> *Niños, id a limpiaros los dientes, que lleváis un rato ya *terminaos*
> ahí tan tranquilos.

Y las estructuras verbales que precisan preposición prescinden
sistemáticamente de ellas en la pronominalización. Aunque no está
nada claro que la simple atribución directa al complemento prepo-

---

[19] Otro ejemplo de Víctor Manuel, seguramente exigido por el ritmo (canción
«De una sola manera se pronuncia tu nombre»):

> La rosa muere en el rosal,
> pero tú creces, *multiplicas*, floreces...

sicional juegue a favor de una mayor «activación» en su empleo, es innegable que esto, unido al factor orden de palabras y al carácter anafórico del pronombre, confiere una relevancia singular al complemento:

*Este tema no podemos *profundizarlo*

*Si *lo renuncias* [al trabajo] este año, el año que viene no te llaman

*Y aunque *la hemos aludido* de continuo...

*—Hasta yo dudo [de mi/tu capacidad]

   —¿De quién dudas tú?

   —Hombre, yo de la mía; puedo dudar de todas, pero yo dudo de la mía

   —Yo *la dudo* mucho

*[No sabía dónde estaba esto] Me ha dejado el autobús y hasta que *lo he dado* y eso, pues... [«he dado con ello»].

(HM, XXIII, 420)

*—Es que la verdad, nosotros no disponemos de los mejores datos
—Ni *los dispondremos* nunca

*De acuerdo, *lo reflexionaré.*

De manera similar, se prescinde también del régimen preposicional en la pronominalización de ciertos complementos circunstanciales:

*¿Y los tomates? *Los haces ensalada* y se hacen agua: ¡huecos!

Le ha colaborado en este LP gente como...

(Radio, 27-8-78)

*Yo venía entregao [...], pero oye, también el toro *me ha colaborao*
(Tomás Campuzano, TV, Feria de S. Fermín, 1987)

*El balón *lo lucha* Víctor y... ¡fuera! [el equivalente normal sería, alterando el orden, que ha sido seguramente factor decisivo en la construcción: Víctor *lucha por* la posesión del balón]

Los he tropezado [los zapatos]

Me lo quedo; me quedo éste

Te puede, ¿eh? [«puede contigo», «puede más que tú»]

*A Toño *lo peleo* cuando quieras, y le gano.

En estos casos, sin embargo, como en el de los verbos que rigen preposición (suplemento), se puede aportar claramente también una justificación de sentido. Si admitimos la categoría de transitividad, en sentido amplio, como una categoría *conceptual* que define unas específicas relaciones semánticas que podemos abreviar así:

$$X \longrightarrow Y \longrightarrow Z$$

e interpretamos que X representa la categoría de «sujeto» que ejecuta Y (el «verbo»), cuya acción recae sobre Z, tendremos que acabar admitiendo que la diferencia que hay entre que Z sea un OD (transitividad) o un complemento preposicional es puramente formal (gramatical), pero no de sentido. Lo que el hablante hace al convertir

profundizar en (este tema)	EN	*profundizarlo*
renunciar a (el trabajo)		*renunciarlo*
disponer de (datos)		*disponerlos*
reflexionar sobre (algo)		*reflexionarlo*
hacer ensalada con (tomates)		*hacerlos ensalada*
tropezar con (los zapatos)		*tropezarlos*
pelear con (alguien)		*pelearlo*

no es sino asignar a estas expresiones la forma que, por su sentido, les corresponde, la forma por excelencia de la transitividad (pronominalización sin preposición) [20].

---

[20] En su libro sobre *El suplemento en español*, págs. 132-133, Hortensia Martínez García nos informa de que verbos pronominales que ahora sólo se construyen con suplemento admitían en español clásico la construcción no pronominal opcional con OD o con suplemento. La tendencia, pues, que manifiestan algunos de nuestros ejemplos, es ya antigua en español. De estas cuestiones trata también S. Fernández Ramírez en los caps. VII y VIII del vol. 4 de su gramática («Los verbos reflexivos y la voz media» y «El participio y las formas pasivas»).

OTROS

No + SUSTANTIVO

El principio de cooperación permite al hablante aplicar asindéticamente el *adverbio de negación* al sustantivo (en vez de al verbo) y a su interlocutor hacer espontáneamente una correcta atribución semántica de sentido. De este modo, se puede hacer caso omiso de la restricción del código de la lengua improvisando la formalización del lenguaje. El procedimiento, que parece adecuado (al sistema) en el caso de sustantivos verbales como:

> * ... Por lo que exigimos la retirada inmediata del proyecto y su *no-discusión* en el Parlamento.
>
> (TV)

y que se documenta fácilmente en el lenguaje administrativo (El Gobierno rechazó dos proposiciones *no-de ley)* se extiende a cualquier complemento SN que lo posibilite:

> *Vale, los que pierdan invitan: total, es de *no cubatas* lo que estamos tomando...
>
> *Pero hombre, si ahora lo que se lleva es la *no moda*
>
> *Hace tiempo de *no invierno* todavía
>
> *Si debía estar hinchá de eso: de los gases y la *no regla*
>
> *Ahora se cree más en la existencia de extraterrestres que no de *no extraterrestres*
>
> (HM, III, 61)
>
> *... pero se hace, evidentemente, desde *no la responsabilidad* política
>
> (TV, «Debate: Prisiones», 5-2-87)
>
> *En protesta por la *no puesta en marcha* de...
>
> (TV, «Telediario», 31-1-83)
>
> *Y entonces ahora hago cosas más bien... más bien de *no pesas*.
>
> (Carmen Maura, TV, «Fin de siglo», 28-1-87).

CAMBIO EN EL EMPLEO DE PREPOSICIONES

El cambio en el empleo de preposiciones tampoco impide normalmente la comunicación, por más que, tomadas al pie de la letra y descontextualizadas, las expresiones en que este fenómeno tiene lugar pueden parecer absurdas. El hablante sale del paso usando, por aproximación de sentido, la preposición *posible* que tiene más a mano, sin detenerse a buscar la correcta. Naturalmente, esto suele ocurrir con las preposiciones más usuales y vacías de contenido (a, de, en...), que dependen directamente del contexto (comunicativo) para «significar». En algunos casos, la justificación parece encontrarse en la forma en que el hablante resuelve lo que podríamos llamar «la simultaneidad semántica ocasional» (que se manifiesta en el sentido):

*Voy *en* casa de Diego [a]

* Parece hasta mentira, Mauricio, que abuses de esa manera *con* tu hija [21] [de]

*Serán tipos extraordinarios pero creo que llevan una mala orientación *de* arreglar las cosas [para]

(HM, I, 19)

*Sin embargo, ha habido otros [profesores], quizás con una preparación humana más ...V... no sé, más sólida, personas que llegan más a la gente, que se preocupan más *en* el contacto directo con la gente [por]

(HM, II, 24)

*El tema retributivo nos parece que es una aproximación muy importante *de* las reivindicaciones del profesorado

(TV, «Telediario», 12-11-88)

*Pero resulta que allí decía cosas muy interesantes, decía que conocían, o sea, que *en* la tierra han venido seres del planeta Humo [a]

(HM, III, 47).

---

[21] R. Sánchez Ferlosio, *El Jarama*, Barcelona, Destino, pág. 9.

De manera que, en estos ejemplos, la información incluye simultáneamente dos unidades significativas, *condensadas* precisamente en
el sentido sugerido por el empleo inusual de la preposición-cruce:
ir a implica, en el primer ejemplo, *estar en* (por si tienes que buscarme), paralelamente a *haber venido a* y *estar en* en el último ejemplo; así también, *abusar de* la hija es el motivo del reproche por
su comportamiento *con* ella, la orientación que se muestra *para*
arreglar las cosas no parece la mejor forma *de* hacerlo, y los profesores que muestran más preocupación por la gente están más *en*
contacto con ella. Otras veces, es el cruce con otras construcciones
más o menos paralelas o semejantes de la lengua el que parece el
principal responsable del cambio preposicional:

> *Déjale, él también tiene derecho *de* ir donde le dé la gana... [a;
> la preposición DE se suele emplear para derechos «pasivos»]
>
> *Vamos, no puedo ser aficionada *de* una cosa que no he visto nunca
> [a] [22]
>
> > (HM, IV, 77)
>
> *Las asignaturas así un poco más... humanísticas, más cerca a*l hombre
> son las que más me atraen [de; cp. «cercanas a»]
>
> > (HM, II, 28)
>
> *Además, me parecería hasta una inmoralidad estar haciendo cosas
> *en* las que no, *en* las que no soy conocedora... [de: probable-
> mente por cruce con «cosas en las que no soy *experta*»]
>
> > (HM, IV, 77)
>
> *Sí, notaba *en* falta mi padre y mi madre, pero no con una sensa-
> ción de pena [cp. «echaba en falta»; además, ausencia de la
> preposición *a* en los OD personales]
>
> > (HM, I, 18)
>
> *Y después nos fuimos a llevar las maletas *en* consigna a la estación
> del Norte [a; cp. «dejar en consigna»]
>
> > (HM, VII 111)

---

[22] En su *Diccionario de uso*, M.ª Moliner señala que el régimen preposicional
del verbo «aficionarse» es *a*, aunque «la G.R.A. da también 'de' como régimen
de este verbo, pero no es frecuente»

*Yo os estoy enseñando una forma de *a*frontaros con un texto [EN-frentaros con]

*¿Por qué pasa tanto tiempo, Myriam, *en* darse cuenta, *en* darse cuenta de que Rafi estaba implicado? [sin; cp. «tarda tanto tiempo en...»]

(J. Quintero, TV, «El perro verde», 9-11-88)

*Intento vivir un poco más *de* consonancia con mis ideas sin dejarme arrastrar [en; cp. «de acuerdo»]

(HM, II, 42) [23]

*Insiste mucho *de* que quiere venir por la mañana [en; se trata en este caso, como en los dos siguientes, del denostado *dequeísmo* con verbos de pensamiento y dicción]

*Entonces, no puedo juzgar *de* cuál es el... o sea, el modo de pensar y el nivel de estas personas, vamos [sobre, acerca de]

(HM, II, 38)

*Y además, todos coincidimos *de* que podía... [en]

(HM, XXIII, 431).

Otras veces, en fin, parece la intención final de comunicación la que provoca los cruces de preposiciones en el enunciado. De este modo, tales cruces se convierten en «contexto lingüístico» de la auténtica intención de comunicación, inmediatamente revelada:

*¿Qué es un ligue? Un amigo simplemente, o un amigo con el que... uno puede hablar de todo, puede charlar, puede salir, pero *en* el que no existe ningún compromiso, entonces sí me gusta ese estilo [con; «el estilo en que»]

(HM, IV, 67)

*Pisos pequeñitos que se puedan arreglar rápidamente, que no tengas que depender en absoluto *en* que vaya a venir una asistenta o *en* que vaya a venir... *en* que vas a tener una criada, en el

---

[23] Se trata, sin duda, de un hablante con tendencia al cambio en el empleo de preposiciones; además de estos ejemplos, hemos podido documentar en la misma encuesta (págs. 22 a 43 de *El habla de la ciudad de Madrid)* al menos dos más.

tiempo en que vivimos eso de pensar en una criada, vamos [de; «pensar en»]

(HM, IV, 72)

*Pues me contestaban: «Bueno ¿eso para qué sirve?» ¿no? porque pensaban *con* el... ciudadano que va con un cazamariposas por ahí, por el... V... en el campo y demás

(HM, IX, 152)

*Dime *a* la hora que tengo que llamarte [por efecto de la interrogación indirecta, la preposición se adelanta a su relativo, introduciendo el sustantivo antecedente, que es OD; cp. «dime a qué hora quieres que...»].

METONIMIA

En la lengua coloquial, el contexto compartido por los interlocutores suple gran parte de la información verbal, sin merma en la comunicación. Las paradójicas *metonimias* que pueden encontrarse con frecuencia no son, en realidad, más que producto de esta «elipsis contextual», que permite al hablante expresar sólo «por aproximación» y mediante una «contracción sintáctica» el contenido de su mensaje:

*Pero bueno... *¿no apagó usted la leche?* [el fuego de la leche]

*Coño, qué daño. ¿Eh? *Me duele el papel ahí* [el grano con el papel ahí]

*¡Ay...!, cómo *me duele el zapato en el talón...* [el talón, porque me hace daño el zapato]

*¿El qué, las pinzas? No, ahí... en el cajón ese de la derecha. *Están muy cómodas ahí*

La manzanilla es una hierba muy descansada, al niño le hace mucho efecto

*No, si *voy a por un tabaco...*

Algunas son tan usuales y están tan arraigadas, que están fosilizadas ya: *Hay que tirar la papelera, Hay que recoger/quitar la mesa, Sentarse en la mesa a comer, Encender la chimenea...*

COMODINES

Sin duda, es también el contexto que los interlocutores comparten el que permite acudir a *comodines* de significado no específico (pero sí generalmente «distintivo») para expresar términos o conceptos cuyo nombre, en determinadas circunstancias, no acude puntualmente a la boca del hablante [24]. Su función es, como la de la carta comodín de la baraja, la de asumir provisionalmente cualquier valor para poder designar, aunque sea sólo «por aproximación» (en este caso, en gran medida, «deíctica») casi cualquier concepto que presente dificultades al hablante [25], de manera que no se vea interrumpida la fluidez verbal. Así, cualquier animal o ser vivo (o que simplemente da señales de «vida») puede ser designado con el comodín «bicho»:

*El *bicho* este sigue moviendo la cola... O la cola mueve al *bicho*... ¿o cómo es esto? [se trataba en este caso de una lagartija a la que se había cercenado la cola]

*... yo creo que si llegaran a decirlo —espera que tenga yo un rato al *bicho* ¿no? porque te cansarás—, yo creo que si llegaran a decirlo, los americanos... [grabadora o «cassette»]

(HM, III, 48);

cualquier objeto o entidad abstracta, con el comodín «cosa» u otras variantes en función de su valor y de su complejidad:

*—Claro, le iba a decir que usted hace estudios de marketing para poder... para hacer que se venda, pero usted sería muy mal comprador.

---

[24] En determinadas circunstancias, el hablante puede resolver la situación «creando» su propia palabra, en vez de especificar su significado. Así ocurre, por ejemplo, en: «Dame mi... *pinchafiletes*, coño» (tenedor). O simplemente, como ya hemos visto, «retrasando» su enunciación con el objeto de hacer tiempo para alcanzar las palabras que necesita para lo que quiere expresar (función fática).

[25] Se les llama también *palabras-ómnibus* (o «palabras-para-todo»), *factótum* o *palabras-baúl*.

—Bueno, puede ser. Pero ya digo es que como... y mi carrera es un poco... yo lo veo que es *una cosa* un poco triste *mi caso,* porque estudiar *una cosa* a la que no me voy a dedicar pues es *una cosa* un poquito triste

(HM, II, 43)

*Cógeme *el coso* este, que se me cae [botijo]

*No, pero si miras al *chisme* cambiando a «pantalla dos» lo ves [monitor de ordenador]

*—Mi marido es químico. [...]
—Y toda su actividad...
—Química. Bueno... Ahora ya, claro, al ser la dirección ha dejado un poco lo de los *cacharritos,* la investigación, que era lo suyo y lo que a él le entusiasmaba

(HM, XII, 207)

*Y nos dier..., claro, nos dieron *la cosa... el cacharrito* aquel. Pero luego, el de sexto, yo creo que ni le... creo que no le he recogido [título de Bachillerato; además, leísmo],

(HM, XVIII, 321)

*—¿Por qué sonríe tanto?
—Tengo motivos. He tenido la suerte de nacer en un ambiente cariñoso, tengo una familia francamente recomendable, he encontrado amigos cojonudos y tengo un *tinglado* de relaciones muy cojonudas

(Entrevista a Joan Manuel Serrat,
El País, 2-10-88, contraportada)

*—Entonces, claro, luego él te dice: «*Tal:* Nueva Granada..., Nueva España..., y eso». Bueno; Nueva España ya, Méjico. *Tal,* no sé qué... Pero y luego... el otro te lo desglosa en...
—Nueva España era Méjico, ¿no?
—...Perú, Chile, *tal.* Luego te lo tienes que recordar

(HM, XXIV, 444);

y si se trata de un proceso vital o de opinión o de pensamiento o especulación, se puede usar «tema», «cuestión», «asunto», «caso»... y hasta «tinglado»; la fórmula inespecificativa *lo que sea* se puede utilizar para salir del paso casi para cualquier concepto...

Y además, algunos clichés acaban comportándose muchas veces como auténticos comodines, aunque su empleo suele estar en la lengua coloquial «forzado» por otros registros, en los que se ponen de moda: *la guerra del* papel, del tomate, de la fruta, del petróleo, de los interventores del Estado...; *la boutique del* pan, del jamón, del caramelo, del fruto seco, del buen gusto...

EXPRESIONES Y FÓRMULAS INESPECIFICATIVAS

El empleo de determinadas *expresiones y fórmulas inespecificativas que completan el sentido de un enunciado* o de una enumeración [26], generalmente estereotipadas y de uso común, evita al hablante concretar o detallar, con matices diversos que dependen en gran parte del contexto en que sean empleadas. Lo más común es que aparezcan cerrando la frase o la enumeración, a modo de «insinuación de algo más» que el interlocutor puede suponer o adivinar fácilmente, puesto que lo que se implica es de la misma clase que lo expresado y forma generalmente parte de la experiencia «corriente» de las personas:

> *... y hasta el año mil novecientos ochenta y dos, pues no aparecen [los extraterrestres] por aquí... de una manera... completamente..., completamente... que se les vea *y que tal...* dicen que...
>
> (HM, III, 56)

> *Además es que es un espectáculo muy divertido, no solamente ya el espectáculo del fútbol en sí ¿no? sino la gente que va y... los comentarios *y demás...* es algo divertido
>
> (HM, IV, 78)

> *Es que él sobre..., sobre Hispanoamérica tiene mucho. Además, si lees en el libro, se ve que los defiende como la gente... «Y entonces no querían que los mandasen ninguno de los ...V... blancos peninsulares», *y no sé qué*
>
> (HM, XXIV, 443)

---

[26] Vid. Ana M.ª Vigara Tauste, *Aspectos*, págs. 78-81.

Ese «algo más» insinuado puede referirse también a todo eso (fácilmente comprensible sin necesidad de especificación) que lo ya dicho conlleva o implica:

> *—Dicen que sí, que estamos allí mejor, ya que en la Granja se está en tiendas de campaña y allí son barracones con camas, con literas de los soldados y luego pues de agua *y demás,* campo de deporte *y demás,* pues está muy bien. También tenemos que está en una zona montañosa con un ambiente extraordinario en cuanto a temperatura *y demás*
>
> (HM, V, 95-96)

> *Y luego además, como Napoleón se mete en España *y tal,* con lo del reparto luego de Portugal *y todo eso...,* tienes ahí... Bueno, a... se mete en todas partes...
>
> (HM, XXIV, 445)

> *¿Que cómo me va en la carrera? Bueno, en el sentido de aprobar, sí, siempre he tenido buenas notas *y todo esto,* ahora, en el sentido de...
>
> (HM, III, 44)

> *Porque yo antes me quedaba con..., estaba sentada con mis hermanos, que nos daban muchos días las dos, hablando y hablando y oyendo la radio, y... *¡en fin!,* y en cambio ahora, a eso de las doce y media *o así,* ya me voy a la cama
>
> (HM, XXIII, 428)

> *Mi padre dice que soy una hereje porque como él es muy cristianito *y muy así...*
>
> (HM, III, 52)

Otras veces se limita a cubrir con la expresión no específica un concepto cuyo nombre no encuentra el hablante en el momento oportuno, pero que puede ser fácilmente determinado por el interlocutor en el contexto de comunicación:

> *... después, cuando terminó la ceremonia, nos fuimos a firmar todos los testigos como tú sabes y... y los padres, bueno *todos éstos,* y... rompí dos veces el papelito ese del registro civil o *de lo que sea*
>
> (HM, VII, 113)

*—¿Cuánto cree usted que será, opinión suya personal, el tanto por ciento de estudiantes que salen al extranjero?
—¡Huy!... no tengo ni idea. Sé que es mucha gente, *pero vaya*
(HM, II, 30)

*Yo no sé, ¿eh?, mira, yo no sé, ¿sabes?, porque cierran unos y nosotros: «Porque han cerrado esto, ¡hala!, nosotros, ya está»; como si nosotros fuéramos ahí los..., *lo que sea*
(HM, XXIII, 432)

*Calla. En el coche, porque se... me olvidó la... la llave del..., del portal, y como allí no hay sereno ni... *nada parecido,* pues tres horitas me tiré en el por..., en el, en el coche
(HM, XXIV, 435)

*... creo que... pensando desde el punto de vista de la adquisición... del poder adquisitivo de la moneda española son caros, francamente caros, todas *las éstas,* «Planeta» y la «Seix Barral» *y todas éstas.* Pues los libros son en general muy caros
(HM, IV, 81);

y alguno se limita a «repetir», de forma voluntariamente generalizadora y no específica, a modo de «rectificación», algo ya expresado que (por inclusión semántica) no había sido lo suficientemente preciso:

*Lo que pasa es que..., claro, hay que buscar un poco..., vamos, apetece quizás un poquitín llevar algún compañero *o algo así* [«alguna compañía», compañero o compañera; parece prevalecer, en este caso, el deseo de no ser demasiado rotundo («quizás un poquitín») y no parecer «débil» al interlocutor]
(HM, II, 29)

*No haciendo bueno; no yéndonos a pasar el día fuera, al... al campo *o así,* pues, claro a los... a los mayores de... [no siempre que se van fuera es al campo]
(HM, XII, 205)

*Y los domingos *y eso,* ¿qué suelen hacer aquí los niños? [«días de fiesta»]
(HM, XII, 211)

*—Al final ¿salís algunos sargentos *o esto,* o no? [suboficiales]
—En un principio no

(HM, V, 96)

*Es un señor ya mayor, de unos cincuenta y algo años, así que habla muy pausadito *y así*

(HM, XXII, 413)

IMPROPIEDAD SEMÁNTICA, INCOM-
PATIBILIDAD SEMÁNTICA, FALTA DE
CORRELACIÓN LÓGICO-SINTÁCTICA

Por lo demás, esta tendencia a expresar, por comodidad, sólo de forma «aproximada» (pero suficiente) el significado se manifiesta —además de en las interferencias lingüísticas (actividad/pasividad, cambio de preposiciones), los desplazamientos de atribución (no + sustantivo, metonimias) y la no-especificación (comodines, inespecificativas)— en muy diversas formas en el lenguaje coloquial:

a)   mediante la *impropiedad semántica,*

*Ahora se cree más en la existencia de extraterrestres que no de *no extraterrestres* [obviamente, los «no extraterrestres» son los de la tierra; quiere decir que se cree más en la existencia de extraterrestres que no en su no-existencia]

*Pues, la especialidad de endocrinología y nutrición *consiste en los enfermos y la patología de las glándulas de secreción interna,* por ejemplo: tiroides, el bocio, el... diabetes

(HM, X, 165)

*Ahora, yo no sé, cómo siendo *un país, Sudamérica,* tan rico, se tenga que ir la gente a vivir a Estados Unidos

(HM, XX, 381)

*Y claro, no tuve la cara de llamar y decirles: «Oye, bajar a abrirme el portal», ¿no? Entonces dije: «Te callas, ¡je, je!, y aquí te quedas, por tonta». Y me esperé *hasta las seis, que es la primera persona que se...*

(HM, XXIV, 436)

*... que yo... todo esto te lo estoy hablando en un *sistema* muy hipotético...

(HM, III, 54),

que es muchas veces provocada por un cruce con términos o estructuras semejantes o emparentadas:

*Aquí en el Ateneo no tengo *muchísima* relación con extranjeras, más que nada puedo hablar de, de españolas [demasiada]
(HM, V, 94)

*Pero si duerme todo el día. Pero todo el día. Más *dejación* y más tristeza, imposible [dejadez]

*—Los bancos son...
—Son durísimos
—Los bancos son *temerosos* [temibles]

*¿No será que le falta [para dibujo técnico] capacidad de... de *observancia* y de abstracción? Él es bastante despistado... [*observación*]

*Entonces, creo que... V... cada vez más *debemos de salir* al extranjero ¿no?, cada vez más... [cruce corriente de *deber* + *infinitivo* (obligación) con *deber* + *de* + *infinitivo* (hipótesis, conjetura)]

*Y decía que aun teniendo mellizos nunca *deben de dormir* en la misma habitación... ni ir al mismo colegio porque la personalidad de uno puede *infundir* sobre la personalidad del otro [influir]
(HM, XIX, 368)

*Es *doble más pequeño,* y por eso vale *el doble menos* [la mitad];

b) por la *incompatibilidad semántica* entre los términos asociados:

*Pero si se pasa la vida *dándole cuerda a la radio...*

*Quita, que tengo que *descifrarlo* antes [*el vestido,* para hacer un patrón]

*¡Precioso! La *ves cantar* una vez y ya no olvidas su voz nunca [sinestesia];

c)   por la falta de correlación lógico-sintáctica entre las diversas partes:

> *... vamos... de Filosofía, de toda la Filosofía pura, las asignaturas que más me atraen ciertamente son las de... *tanto* Antropología filosófica que tiene bastante de Psicología, *y,* Psicología experimental; las asignaturas así un poco más...
>
> (HM, II, 27)

> *Y me parece, pues... que tanto, ya digo, *por una parte, por* el condicionamiento social, de tipo familiar, etc., de relación... *y por otra parte del* condicionamiento económico muy fuerte, *creo que impiden* que en la práctica se pueda...
>
> (HM, II, 34)

> *Si se trata de un joven *de la clase media,* como en este caso creo que me puedo poner, *en el cual* la casa la lleva el padre... V...
>
> (HM, I, 15)

C)   CREACIÓN LÉXICA ESPONTÁNEA

En el contexto de la comunicación cotidiana surgen con frecuencia expresiones nuevas, auténticas creaciones *de urgencia* que responden a una doble «lógica psicológica»: la del propio hablante en su empleo de los útiles del lenguaje, y la establecida entre hablante e interlocutor(es) en el conjunto de su situación comunicativa concreta.

Debemos advertir, sin embargo, que no se trata, en sentido estricto, de neologismos. Son más bien *creaciones* léxicas o léxico-gramaticales individuales, ocasionales y espontáneas, que no llegan a formar parte del caudal de convenciones lingüísticas de uso general y que están *destinadas a desaparecer* con la propia conversación en que han surgido.

> El hombre que habla espontáneamente y actúa por medio del lenguaje, aun en las circunstancias más triviales, hace de la lengua un uso personal y la recrea constantemente. Si sus creaciones pasan inadvertidas, es porque en su mayor parte no tienen porvenir, son

olvidadas en el momento de su aparición y escapan a la atención. Sin embargo, es un error despreciarlas; si se las examinara, se vería que se cumplen siguiendo las tendencias subterráneas que rigen el lenguaje; que esas creaciones espontáneas se destacan del fondo de la lengua usual, como las creaciones de estilo se destacan del fondo de la lengua literaria convencional. Que esos dos tipos de innovaciones, hallazgos espontáneos del hablar y hallazgos de estilo, derivan de un mismo estado de espíritu y revelan procedimientos muy semejantes [27].

Se trata, en definitiva, de «ampliaciones léxicas» eventuales que suelen responder, como las creaciones de Arniches que estudia M. Seco, «a la necesidad objetiva de disponer de significantes para significados que no los tienen, o a la necesidad subjetiva de disponer de significantes nuevos para significados que ya cuentan con otros» [28].

Claro que el estar, en principio, destinadas a una vida efímera no significa que un determinado hallazgo expresivo individual no conserve su vigencia en un círculo y durante un tiempo más o menos amplios, o incluso que un éxito social inesperado no provoque con el tiempo su incorporación a la lengua común como medio expresivo a disposición de todos los hablantes (cosa que de hecho nos parecería normal, teniendo en cuenta la expresividad y «precisión» informativa de algunas de ellas). Siempre corremos el riesgo, en fin, de mostrar nuestra propia ignorancia considerando «creación» a algo que sin que nosotros lo sepamos ya existe, o «espontáneo» a lo que un determinado hablante ha guardado cuidadosamente en su memoria con la intención de aprovechar su expresividad a la menor ocasión.

Esta impresión se tiene a veces ante ciertos usos humorísticos, a los que —según se dice— es el español muy aficionado. Pero, sin duda, los límites entre lo que el hablante *recrea* con previa in-

---

[27] Charles Bally, *El lenguaje y la vida*, págs. 41-42.
[28] *Arniches*, pág. 170.

tención humorística y lo que *improvisa* espontáneamente con tales resultados son tan sutiles, que no sería fácil establecerlos. Algunos de los ejemplos que hemos recopilado oscilan en estos confusos límites, y sólo intuitivamente (o *a posteriori)* podríamos atribuirles uno u otro carácter. Veamos algunos:

> *Eso ya no son hostilidades, son *hostialidades*
>
> *Pero es que ahora no hablamos de personalidad, aquí hablamos de *pechonalidad* y de *coñocimiento*
>
> *—¡Qué cansada estoy!
> —Apóyate [y le ofrece su hombro]
> ...
> —He dicho que te *apoyes,* no que te *ahombres*
>
> *—A ver qué haces con esa gente... [alumnos muy atrasados]
> —Pues tomar *anevaluatorios...* Como decía un amigo mío: «Aquí es absolutamente imprescindible el *anevaluatorio* [«evaluación > anevaluatorio»; cp. «ovulación > anovulatorio»]
>
> *—A lo mejor me ha pagao el Ministerio las trescientas mil pesetas que le he pedido...
> —Has pedío un *retrocipo...* En vez de un anticipo, un *retrocipo*
>
> *—¡Niña!, ¿es que tú no has oído hablar de la *imitatio?*
> Y dice la otra, con sus 15 años:
> —Yo he oído hablar de la *imitatio* y de la *recreatio,* ¡pero es que lo tuyo es *chorizatio!*
>
> *Estoy *melalcohólico* [melancólico y borracho]
>
> *Sí, sí, según el *achuchómetro* los han recibido muy bien.

Todos ellos, tan expresivos, nos parecieron en su momento *recreaciones humorísticas.* El de *achuchómetro* (para hablar de la acogida dada a un grupo musical en un país sudamericano) lo había oído el día anterior en un telediario, referido al sistema de «medida» usado por los periodistas en Suiza para ponderar el recibimiento dado allí a los miembros de los diferentes gobiernos que optaban a celebrar las Olimpiadas del 92. *Pechonalidad* y *coñocimiento* parecían formar parte del caudal léxico (conscien-te) del hablante, quizá porque en general se mostraba muy interesado con todo lo que tenía que ver con mujeres y sexo. Una intuición semejante (nacida de mi propio conocimiento previo del emisor) tuve con *hostialidades,* pronunciado por una compañera profesora de Historia. *Anevaluatorio, retrocipo, chorizatio* y *melalcohólico* me los presentaron ya en su momento como «citas». De *ahombrar* he sabido más tarde que circula, en un contexto poco menos que idéntico a éste recogido por mí, como chiste.

A otros ejemplos, en cambio, les concedimos en su momento la categoría de *creación improvisada,* porque aunque su intención humorística resultó clara (se hizo consciente para los interlocutores), nos pareció espontánea y poco menos que un resultado obligado de la comunicación, tal y como venía desarrollándose:

*—¿Me notas algo raro?
—¿A vos?
—A mí, sí
—Sí, *la ojamenta;* azul mar [el hablante se refería al rimmel que su mujer llevaba en las pestañas]

*—Anda, que si pudiera hacer yo todo lo que me pide el cuerpo...
—¡Pues claro que sí! «¿Qué es la vida?: un frenesí»
—Querrás decir *un frene-no*
—Eso, bien dicho: *un frene-no,* ¡sólo faltaba!

*—¿Le habéis hecho ya la audiometría? ¿Qué le han dicho?
—Que se lave bien *las audios,* que está todo muy bien

*—¿El tendón?
—Sí, en reposo
—¿El tendón de Aquiles?
—El de Aquiles y el de *veniles*
—Pero...

*Eres un obseso, tío, un auténtico *obsexo* [pronunciado enfáticamente *ob-sek-so*]

*—¿Quieres poleo?
—No, yo *poescribo* [quien así respondía al ofrecimiento estaba intentando «pulir» una frase que acababa de escribir]

*¡Anda y que le den por *Ana!* [ocasionalmente, el hablante juega con el nombre de la esposa del apelado (en aquella ocasión, culpable de la irritación con su amigo), *Ana,* con la alteración

del cliché («dar por culo» > «dar por ano») y con la asociación
de género («ano-ana»)]
—Por la tarde somos interinas todas
—No, yo no
—Ah ¿no? ¿Pues qué eres tú?
—Yo *agregadina,* si no te importa
*—Ahora sólo falta que se quede embarazada... por un fallo
—Por *un follo,* porque fallo no se sabe si ha sido...

En cualquier caso, como ya hemos advertido, no es la expresividad o el carácter humorístico de una determinada expresión lo que
nos interesa particularmente aquí desde el punto de vista del principio de comodidad. A esta faceta del español dedicó W. Beinhauer
su libro *El humorismo en el español hablado. Improvisadas creaciones espontáneas* (1934 y 1936 edición original), en el que recogió
abundante material del llamado «género chico» (teatro popular en
la época) y de la lengua hablada. Antes aún, Freud había estudiado, en su trabajo sobre *El chiste y su relación con lo inconsciente*
(1905), las técnicas formales y las causas sociales y psicológicas que
convertían en humorísticas ciertas creaciones léxicas (entre otros
muchos procedimientos diferentes, improvisados o no).

Frente a Freud, y a diferencia de lo que hace Beinhauer, que
acepta entre sus «improvisadas creaciones espontáneas» toda clase
de expresiones y considera que «se trata de fenómenos que rebasan
intencionadamente las normas de lo correcto, corriente y oficial-
mente admitido, y cuyo efecto estriba precisamente en tales extrali-
mitaciones gramaticales» *(op. cit.,* págs. 11-12), nosotros nos limitaremos aquí a las creaciones *léxicas* es decir, de términos únicos),
y sólo a las caracterizadas por su *no intencionalidad* previa (al menos aparente). De modo que ejemplos como:

Niño: — Abuelo, ¿te molesto [para ver la tele]?
Abuelo (dormido en el sofá): — Mmmm... no, no
Padre: — El abuelo... está *mirando hacia adentro*

*No me refiero a eso, no, es un tío *que te alegra la pestaña,* ¿no?, pero...

*Piscis no llora... *¡Llueve por los ojos!*

(Eloy Arenas, TV, «Pero esto ¿qué es», 29-12-89)

que sin duda Beinhauer incluiría entre los suyos como metáforas descriptivas de indudable efecto, no caben aquí (tampoco nos detenemos en la consideración de posibles *etimologías populares,* de las que muchos de nuestros ejemplos parecen estar tan cerca).

Se les podría llamar también «faltas», que es como las llamaría Frei *(La grammaire des fautes,* 1929), o «errores de habla», que es como se las viene llamando tradicionalmente. Mauricio Pilleux (1982) ha documentado «más de 800» del español hablado en Chile, entre semánticos, sintácticos y fonológicos (particularmente). Ahora bien, creemos que la denominación de «errores» no es adecuada para nuestras creaciones léxicas, que cumplen una importante función en el proceso de actualización lingüística coloquial; ni es adecuada la mayor parte de las veces, como hemos visto, tampoco para las faltas de concordancia de género, de número y verbal (que son las que Pilleux considera «errores sintácticos», además de la inversión de palabras, como en: «Escucha los árboles en el pájaro»)... Salvo que con tal denominación estemos dispuestos a asumir que *todo* lo que se aparta de la norma lingüística y no es intencionado constituye «desviación de la intención real del hablante», es decir, error.

Desde nuestro punto de vista, más cercano por principio al de Frei que al de Pilleux, conviene hablar —ya lo hemos dicho— de «subnormas de realización», y estamos intentando demostrar que ciertos fenómenos (la improvisación de la concordancia, por ejemplo, la condensación expresiva, las creaciones léxicas espontáneas, etc.) no sólo no constituyen generalmente «desviación de la intención real del hablante», sino que tienen lugar precisamente por acomodarse a ella. Y esto supone, nos parece, ir más allá de la simple consideración de que para explicar esta clase de fenómenos hay que tener en cuenta «dos tipos de factores: los psicológicos, que predisponen a cierto tipo de errores, y los lingüísticos, que son a través de los cuales nos percatamos de su existencia» (Pilleux, 1982, pág. 40). Supone intentar el estudio de estos fenómenos (y, por añadidura, el del lenguaje coloquial) desde un punto de vista diferente, partiendo de sus condiciones reales de existencia, para lograr, en lo posible, darles un nombre y una entidad que les permita ocupar el puesto que les corresponde en la modalidad de realización a la que pertenecen (y en la Lingüística). Claro está que ni «errores», ni «desviaciones», «creaciones» o comoquiera que llamemos a estos procedimientos de acomodación coloquial al fluir espontáneo y subjetivo del lenguaje son arbitrarios. Por el contrario, como afirma el propio Pilleux y se reconoce generalmente, están por una parte constreñidos por las unidades y reglas ya establecidas en el idioma (a las que el hablante, por principio, ha de atenerse), y tienen, por otra, sus propias reglas de admisión y de exclusión en el uso. De modo que normalmente siguen una determinada dirección que es, en teoría, previsible; pero esto sólo lo demuestra la práctica de la realización, que ofrece sus ejemplos al lingüista para que luego los pueda analizar y comprobar las «leyes» que a ellos subyacen.

Un primer vistazo a nuestra casuística lo confirma: básicamente, los procedimientos formales que se emplean para la creación léxica espontánea son los mismos que para la creación de neologismos: la *composición* y, sobre todo, la *derivación*. A ellos deberíamos añadir otro: el que llamaremos de *síntesis morfo-semántica*.

Composición

Aparentemente, el de composición debería ser el procedimiento más sencillo de creación léxica, y por ello el más usado, por cuanto se trata simplemente de disponer (analógicamente) de útiles que ya existen (palabras) dispuestos de una determinada manera también ya fijada (esquema sintáctico «verbo-OD», etc.). Pero, curiosamente, siendo tan fértil en la lengua literaria, es poco usado en la lengua coloquial, quizá porque «el español continúa las tendencias lingüísticas a este respecto que caracterizan al latín: ambas lenguas repugnan la composición, no obstante la usan para determinados fines, especialmente dentro de los llamados «lenguajes técnicos» (Pérez y Batista, 1987, pág. 397). O tal vez, más que poco usado, es que resulta tan «natural» que no se le presta atención:

—Esquema *Verbo-OD* [29]:

> *Yo no soy muy buena *cuentacuentos,* la verdad
> *Éste sí, un *calabotas* en todos los charcos
> *Sí, sí, es un *devoratebeos* total
> *—Mami, esto ¿qué es?
> —¿Eso...? Un *limpiachorradas,* hijo [limpiametales]
> *Dame mi... *pinchafiletes,* coño [30] [tenedor]
> **Lavarropa, quitacuernos, salvahonores, destrozapersianas, paga-errores, ponepisos...*

—Esquema *Adverbio-Verbo:*

> *No *malmetas* tú
> *Venga, tío, que eres más *malqueda...*
> *Que sirva para *medioabriros* los ojos
> *—«¿Qué es la vida?: un frenesí»
> —Querrás decir un *frene-no* [inversión del esquema, por inducción analítica de «frenesí»: verbo-adverbio].

---

[29] Este tipo de compuestos es de gran productividad tanto en la lengua oral como en la escrita, y su éxito (implantación léxica) suele ser sólo cuestión de tiempo; el carácter «provisional» que atribuimos a nuestros ejemplos de creación espontánea surge del contexto específico que rodea a su nacimiento y, sobre todo, del hecho de que no nos parece que estén fijados aún léxicamente con valor unitario. Pero es frecuente encontrarse compuestos con *devora-* o *limpia-* (en un anuncio televisivo, por ejemplo, *limpiatodo*). Véase además F. Ynduráin, «Sobre un tipo de composición nominal, verbo + nombre».

[30] Cf. Juana Gil Fernández, *La creación léxica en la prensa marginal*, pág. 84: «Se ha discutido mucho acerca de la forma del verbo: mientras que para algunos investigadores se trata de un indicativo, en concreto de la 3ª persona del presente, otros piensan que es un imperativo y otros creen que es un tema verbal no identificable con ningún tiempo determinado. Lo cierto es que actualmente [...] el sentimiento lingüístico de las personas a las que hemos consultado se inclina por un presente de indicativo, que tendría exclusivamente un valor aspectual habitual (ello también explicaría el mayor porcentaje de nombres en plural como segundo elemento, lo que subrayaría el aspecto reiterativo de la acción: *comecocos, chupapollas...*)».

—Esquema *Sustantivo-Adjetivo:*

  *—No, nada, que es un *culoloco*
  —*Pichaloca*
  —Bueno, pues *pichaloca*
  *—¿Y qué dices que son todas esas marcas?
  —*Anfetarricas*
  —¿Qué?
  —Anfetas, palomina... [anfetaminas]

—Esquema *Sujeto-Verbo:*

  *—¿Así sales?
  —Sí, *sombripuesta,* ¿pasa algo? [con un sombrero puesto]
  *Vas *patiabierta,* ¿qué te pasa? [cp.: boquiabierta, manirrota]
  *Ay, coño, que no es a mí a quien quiere, que es a otra... ¡Claro!
      Y cuando te quiere a ti ¡te da el *patarranque!* [?]

Y algunos ejemplos más, curiosos, a los que no se puede atribuir fácilmente un molde preconcebido: por imitación de la creación humorística de un programa televisivo de éxito («Un, dos, tres...», personajes interpretados por las hermanas Hurtado):

  *Bueno, me *[h]alavoy,* luego nos vemos [¿Nos alabamos? ... Hala,
      vamos, hala, vamos...];

por extensión analógica del modelo preexistente (habilitación «por antonomasia»):

  *[Lo único que puede salvar] al donjuán y a las posibles *donjuanas*
      que hay, que también hay muchas
                                                      (Juan Luis Galiardo, TV, TD, 24-8-90);

por «deformación», con resultados quizá no del todo catalogables como palabra compuesta:

  *[Viendo una película]
  —Mira el angelito... [por un perro que paseaba]
  —¡Está nevando!
  —Es que eso es *Neva-York*

—En la composición podemos incluir las que denominaré, en su conjunto, *amalgamas léxicas,* que se basan en la yuxtaposición apocopada de dos o más unidades, generalmente por cruce en la simultaneidad percibida de significados. El concepto incluye la *mezcla de palabras* de Pilleux, que «se produce cuando el hablante tiene un determinado significado que desea comunicar, pero al seleccionar el término léxico duda entre una o más posibilidades» (1982, pág. 42):

> *Ya, pero los extremeños en general estáis muy *enraigados,* siempre queréis volver [enraizados + arraigados]
>
> *Pero aquí hacen un jardincito aquí, otro allí... y ahora dicen que al lao de la estación, que van a hacer dos pistas [de tenis] allí también. ¡Pero si eso es *contraprudencial...!* [no prudente + contraproducente];

en ellas, «el hablante mantiene las especificaciones fonológicas de ambas palabras tomadas aisladamente» [31]. Incluye también las conocidas como «palabras-maleta», que coinciden formalmente con las descritas por Pilleux como «mezcla de palabras» [32], pero que parecen trascender el mero error de elección entre sinónimos para implicar un significado más complejo:

> *—Pues yo creo que estamos más guapas y mejor ahora
> —Menos feas
> —Bueno, como quieras. No, en serio
> —Sí, que sí... Es que mejoramos con los años. Ésta es la *vejentud,* sin duda [vejez + juventud; la *vejentud* era, para la hablante, el envejecimiento con los atributos propios de la juventud: «más guapas y mejor»].

---

[31] Aunque el primero de nuestros ejemplos no coincide en sus especificaciones formales con los de Pilleux: *indisputible*, eres una *torta* (torpe/tonta), *proglema* (programa/problema), *lucai* (lugar/local), te los *roy* (regalo/doy), contaminación *arbiental*...

[32] «Una *palabra-maleta* resulta de la reducción de una serie de palabras a una única palabra que sólo conserva la parte inicial de la primera palabra y la parte final de la última: *bit* [...] es una palabra maleta para *binary digit*» (Jean Dubois y otros, *Diccionario*, s.v.).

E incluye también las llamadas *palabras saco* (término empleado como sinónimo muchas veces de «palabra maleta», y equivalente a la *palabra percha* de Lewis Carroll y al *encaje* de Jakobson), que Mounin describe como «palabra de fantasía obtenida mediante la proyección de dos *o más* palabras las unas sobre las otras, lo cual produce alteraciones en su significante y crea una amalgama de los significados» [33] (la cursiva es nuestra). Aprovechando esta definición de «palabra saco» que la considera palabra «de fantasía», incluimos entre ellas los ejemplos que han presentado una forma más compleja:

> *Cuidao, no te *rescules* [resbales y caigas de culo]
>
> *Cuidao, baje del lao de la pared [por una escalera sin pasamanos medial], no vaya vd. a *estrasbalar* [escurrirse + tropezar + resbalar, y sobre todo, aunque no aparezca sema representado en la palabra, «caer»].

Desde el punto de vista del significado, *rescular* y *estrasbalar* responden al mismo criterio de «síntesis de sentido» que *vejentud,* pero mientras ésta se forma «ordenadamente» con la primera y última parte, respectivamente, de las dos palabras asociadas, *rescular* crea analógicamente un verbo (de significado más complejo) sobre un sustantivo que no lo admite («culo») y *estrasbalar* resulta poco menos que críptico al análisis lingüístico.

DERIVACIÓN

La *derivación* (particularmente la sufijal) ha sido tradicionalmente estudiada como uno de los procedimientos que mejor reflejan la buena salud del funcionamiento del sistema, permitiendo la creación *analógica* del hablante, que echa mano de ella con espontaneidad y soltura. Lo que ocurre es que lo común es formar con ella derivados «regulares» de términos ya existentes, y en esos casos

---

[33] *Diccionario*, s.v.

la sufijación es algo tan familiar al oído, que pasa inadvertida para emisor, receptor e incluso observador. A nosotros nos interesan aquí precisamente esos casos en que la derivación «denuncia» un funcionamiento analógico espontáneamente «irregular» del sistema o sirve para crear un término nuevo que, de algún modo, llena un hueco en el paradigma correspondiente, hueco que momentáneamente ha sido preciso llenar en el coloquio.

a) En el conjunto de la lengua, la adquisición del sentido de las palabras depende de factores diversos, que incluyen la naturaleza semántica del término (y su categoría funcional), el contexto lingüístico y situacional y, naturalmente, la clase de morfema derivativo que se le añada y la fuerza y dirección productoras de éste. Por eso llama particularmente la atención en la lengua coloquial el empleo esporádico de ciertos *derivados inexistentes, que aparecen en lugar de términos que ya existen con el mismo valor que a ellos se les atribuye.* La derivación, en cualquier caso, es analógica también, y no representa obstáculo para la comprensión. Y la razón de estas irregularidades se encuentra casi siempre en esa analogía de sentido que el hablante puede establecer entre el término creado y otros que sí existen y tienen el mismo morfema derivativo. Uno de los sufijos que con más frecuencia aparecen en este tipo de ejemplos es *-ción,* formante frecuente de sustantivos posverbales (o «deverbales») «abstractos»:

> *¿Sabes que este tío no estaba desterrado?, o sea, que lo de la *deste-rración* política... [*destierro,* término que correspondería, sirve para designar los aspectos concretos y abstractos del concepto: ésta puede ser la razón de la elección del morfema en el posverbal, creado directamente sobre la raíz del verbo]

> *¿Es cierto que hubo esa tendencia o esa *intentación* de irse a Mallorca? [intento, intentona]   (TV, «3 x 4», 13-4-88)

> *Está penalizao. El suicidio está penalizao. Yo conozco una tía que con las pastillitas, y a la semana la llamaron a declarar; no sé en qué consistirá la *llamación* esa, pero a la semana o a los diez días [*llamada;* cp. «declaración»]

*—¿Cuál te parece a ti más gastada?

—Hombre, parece ésta, ¿no?

—¿Ésta te parece más gastada?

—Está más arrugá. Hombre, depende si depende de la *arrugación* o no [*arrugamiento,* «arrugas»]

*Hubo *reclutaciones* masivas

*Ésta es la segunda *enfrentación* de ambos equipos

(TV, 10-1-87).

La razón puede estar en los numerosos dobletes entre los formantes «-ción» y «-miento»: enajenación/enajenamiento, aniquilación/aniquilamiento... (pero no: enfrentación/enfrentamiento). En la dirección contraria, pero por la misma causa, en los siguientes ejemplos:

*El *desaparecimiento* de «todos» mis compases me parece, como mínimo, sospechoso [*desaparición*]

*Sobre la *contradictoriedad* de... [calidad de «contradictorio»/*contradicción*]

*—¿No será que le falta [para dibujo técnico] capacidad de... de *observancia* y de abstracción?

—Él es bastante despistado... [*observación*].

Con menos regularidad aparecen otros sufijos que presentan un análisis menos claro [34]:

*... y se acrecienta el poderío *lumínico* [en el campo de juego].

(TV)

*Se ha matao otro *montañista* [*montañero,* que hace «montañismo» > *montañista*]

*Nosotros éramos muy *discutones* en el colegio [*discutidores;* cp. «peleones»]

*—¿Pero él se encuentra bien?

—Ayer estuvo *molestoso,* decía que le molestaba el estámago y no estaba bien [*molesto*]

---

[34] Muchos han sido vistos ya en el apartado de «realce lingüístico» del cap. I., y allí se ha mencionado alguna bibliografía específica para el uso en la lengua hablada de algunos de ellos (*-azo, -ción, -amen,* etc.).

*Yo sólo digo que a mí me parece bastante dudosa la *justeza* de esas leyes [«bajo > bajeza»; justo > justeza/*justicia*]

*Pareces tonto, hijo. Sabes que no te da tiempo de nada, tú eres el hombre *tardante,* y no dejas las cosas por la noche preparadas...

*—Acércanos la copa, Ramón, tú que estás ahí más cerca
—Joder, tío, lo vuestro ya es *vagueza* [*vagancia, vaguería*].

Algunos sufijos más «caprichosos» responden con claridad a lo que M. Seco (1970, pág. 27) llama *tendencia rebajadora* o *degradadora* del habla popular: «A esta tendencia rebajadora obedecería no sólo todo el sistema metafórico popular, sino también la frecuente deformación de las palabras (apócope, sufijación caprichosa, alteración semántica, etc.)»:

*Ay, qué *atasquera,* madre mía, de mocos [atasco]

*Es que este año ha sido malísimo; to el año lloviendo, y ahora una *secaera*... [sequía]

*Pues a mí me lo dice mi *microlentillero* [óptico]

*Museo muy *pobretero* (prof. de arte)

*Ah, no creas, yo siempre he sido muy *soñanchín* [*soñador.* Cp. «parlanchín»]

*Practica el arte del *cambiaje* [*cambiazo,* «disfraz»]

*Ya que estamos aquí en plan un poco de, de *charleta*...
(Carmen Martín Gaite, 22-6-90)

*Pesa la maleta un *huevamen, ¿*no?

*Pues hace todos los días un *taquillamen* de más de veinte mil pelas

*Joder, nos había dao un *temamen* de casi 200 folios, y luego va y pregunta esa simpleza.

Aunque el procedimiento más frecuente es, con mucho, el de la sufijación, pueden encontrarse también ejemplos con prefijos:

*El profesor Umberto Eco *sobredimensiona* cualquier acto que organicemos [prefijo + sufijo]
(19-12-90)

*Jolín, me has pillao *imprevenida*...

El que lo corrija que no lo enguarrine [*emporcar* > engorrinar]

*No, es que esto es *inleíble* [evita el cultismo, «ilegible»]

*No, la última no, la *anteúltima* [*penúltima* > antepenúltima] [35],

e incluso alguno con interfijo:

*Eres un *mujerciego,* muchacho

b) Otras veces, en cambio (las más), la derivación es el procedimiento de creación espontánea de palabras que, no existiendo, podrían o deberían existir, puesto que la propia lógica sistemática de la lengua las propicia cuando el concepto que se les atribuye es requerido por el sentido del mensaje. Los nuevos términos cubren así, al menos momentáneamente, ese hueco del sistema, requeridos por las necesidades de la comunicación coloquial. Los mismos sufijos que hemos visto, con valores similares, se emplean analógicamente para cubrir la momentánea «necesidad objetiva de disponer de significantes para significados que no los tienen»:

*Tengo una *mocaera*...

*Una *celera* que le dio...

*Ahora me voy a ir yo, con la *calorera* que hace

*Yo soy muy *postrera* [36] [me gustan mucho los postres]

*Qué *festeros* son... Amigos de fiestas

*El tiempo que va a hacer Pascal [ciclista] es bueno también, pese a que él no atraviesa un buen momento especial de *lucidez* [cp. «lucir(se)»]

(TV, «Tour», 15-7-88)

*Una *estupendez* de éstas estaba esperando yo [cp. «estupidez»]

---

[35] Al parecer, en Castilla la Vieja se prefiere esta opción a «penúltima», que suena a culto, pedantesco.

[36] En la actualidad, este sufijo es muy productivo; hemos podido recoger gran cantidad de términos «nuevos» que lo contienen: «Una *celera* que le dio...», «A mí me encanta la minifalda. Soy más *minera*...», «Yo es que soy muy *lamparera*... A mí las lámparas...», etc. De él hemos tratado también en la parte primera, en el capítulo dedicado a «realce lingüístico de una parte del enunciado».

*No pensé yo que estuviera en el culmen de su *morenez* [cp. «palidez»]

*Ufff, las niñas con bolsos me parecen viejas. A los niños no les da por llevar esos símbolos de *adultez* [cp. «vejez», '«niñez»]

*Es que tengo una *secadez* de garganta... [«seca» > secadez]

*Dios mío, qué precocidad y qué *prematurez* [«maduro» > «madurez»; «prematuro» > ...]

*Así no, desde luego. Es un muermo, ¡pues que se muera con su *muermez...!*

*Yo llevo la [luz] corta... Si le meto un *largazo* le dejo seco [cp. «codazo», «fogonazo»...]

*En color era preciosa. Mira, por ejemplo, la casa de la suegra todo era claro, de una luminosidad casi deslumbrante... mientras que en el castillo del obispo todo era *lugubridad,* las mujeres siempre de negro... [claro > claridad; luminoso > luminosidad; lúgubre > lugubridad]

*El tema de la *equivocidad* en el lenguaje [sust. abstracto del «equívoco»; posible cruce con «ambigüedad»]

*Y el lateral de La Castellana por ahí lo van a *arbolizar* [llenar de árboles]

*Esto ya no es amistad, es *primerío* [«hacer el primo»]

*Y mira... ¡un *chusmerío...!*

*Y en toda la partida [de parchís], un *tramperío* las cuatro...

*Pues yo tengo ataque de *salidismo* todas las primaveras, y en verano se me pasa [cp. «vampirismo»]

*Son un poco *musarañosos,* sí, díselo [cp. «estar en las musarañas»]

*No me gusta nada la voz. Es que es especialmente *pitidosa,* eh [cp. «ruido» > ruidosa»]

*Es verdad, pobrecita, ya está *trabajosa* otra vez

*Se pone *temosa* [«monotemática y maniática»]

*Yo soy un poco *jugativo,* me gusta jugar a todo
(Juanito Navarro, TV, «Autorretrato», 21-4-85)

*Ahora trabaja más que un enano, es más trabajadora que hace años, pero olvidadiza y *descuidadiza* y despistada...

*—¿Me notas algo raro?
—¿A vos?
—A mí, sí
—Sí... la *ojamenta,* azul mar
*—Y yo tengo cuatro moratones en las piernas
—Y yo en el culo tres
—Eso son *culatones*
*—Mira qué moratón...
—Querrás decir qué *moratín,* porque eso...
*... y allí que se le mete la vaca al coche. Mira, la gente, ¡unas *chillarizas!* [?] [> «chillar»; algarabía, gritos].

En los posverbales de género gramatical común es frecuente la formación del femenino «marcado»:

*Qué *incordianta* y qué *lianta* [incordiar > «incordiante» > fem. «incordianta»].

Y se pueden encontrar también, aunque con menos frecuencia, formaciones con prefijo añadido:

*—No comas más, tía, que vas a engordar...
—Ya he engordao
—Eso es, ya te has *enfocao,* es verdad, pero más... [engordar = ponerse como una foca/*enfocarse*]

*Yo creo que lo que ocurre es que la selección española se va a encontrar [en Sevilla] con un campo... que lo van a *enguapecer* [también: *aguapar*/afear, *guapear, enguapar*]
(Radio, 12-10-87)
*Los jovencitos salen *atomatados*

*Pero creo que [el turismo] le ha perjudicado [a los toros] desde el momento en que *ha irresponsabilizado* a los toreros al tener la seguridad de que sus obras, sus faenas, no iban a ser juzgadas con un criterio entendido [sobre el adjetivo *irresponsable,* el prefijo de negación *i-* sintetiza la perífrasis verbal causativa negada: «ha hecho que los toreros no se sientan responsables...»!].
(HM, VI, 109)

c) Hay también una cierta tendencia, al parecer ya antigua en nuestra lengua, a la *sufijación regresiva* (o «sustracción morfológica»), es decir, a suprimir un sufijo en ciertas unidades semánticas que primitivamente lo poseen (como ha ocurrido, al parecer, con *búsqueda > busca):*

> *Ay, madre mía, qué *hartá,* me va a dar algo... [corriente en andaluz; *hartura, hartazgo*]
>
> *Nos dimos un *hartón* a higos
>
> *Y resulta que me suspendían por eso, y yo sin saberlo nunca, qué *frustre* [*frustración*]
>
> *¡Madre mía!, qué bien ahora, vaya *alumbre* que nos han dejao... Ahora sí que se ve bien... [*alumbrado*]
>
> *Yo le daba monedas españolas y él me daba *japonas* [*japonesas*]
>
> *El *entreno* del equipo... [*entrenamiento*]
>
> *Con un poco de *cuido* hacia nuestro cuerpo [*cuidado;* cp. «descuido»] (Lola Herrera, TV, 2-3-83)
>
> *Se le queda así un *bronceo* mate...
>
> *Es que son muy *destrozas,* los animales son muy *destrozas* [destrozones].

De acuerdo con Pena Seijas [37], que defiende que hay una distribución entre clases léxicas y formantes, lo normal es que los verbos acabados en *-ear* formen sus posverbales en *-eo;* así: patear > pateo, balancear > balanceo, etc. Verbos como «pelear (pelea)», «hermosear (hermosura»)» y «broncear (bronceado)»» son excepciones.

SÍNTESIS MORFO-SEMÁNTICA

Hay un tercer procedimiento, al que hemos llamado de *síntesis morfo-semántica,* que se manifiesta particularmente en la categoría verbal. Al contrario que los otros dos que hemos visto (composición y derivación), con los que no es necesariamente incompati-

---

[37] Jesús Pena Seijas, «Usos anómalos».

ble [38], éste se basa (como la llamada «sufijación regresiva») en la
reducción formal, fruto de una espontánea *condensación de signifi-cados:* la síntesis morfo-semántica fusiona en una sola palabra un
concepto más o menos complejo que debería ser expresado por dos
o más.

> *No repite [ese alumno]: *tripite* o *cuatripite...* [muy común en me-dios docentes]
>
> *... y se puso a *parir* de mí» [*decir «paridas»;* también: «textos
> paridosos»].

La mayor parte de los ejemplos que hemos recogido correspon-den a reducciones de expresiones verbales perifrásticas: locuciones
verbales formadas por *verbo* + *sustantivo* (o, excepcionalmente,
adjetivo) en las que éste (sustantivo o adjetivo) se convierte en ver-bo con sentido pleno (aproximadamente el mismo que el de la ex-presión verbal completa [39]) y con sus correspondientes morfemas
funcionales:

> *A ver si te *torteo* otra vez... [*dar «tortas»*]
>
> *—Pues al nacer era feísimo, y fíjate, está *enguapeciendo*
> —¡Enguapeciendo...!
> —*Aguapando...* ¿Cómo se dice? [volviéndose más guapo]
>
> *Pero él te lo *guapetea* todo, y claro, te lo pone todo tan bonito
> que te convences, y claro
>
> *—¿Tú no tomas café?
> —No, que *me nervio* [ponerse nervioso] [40].

---

[38] Piénsese, por ejemplo, en las amalgamas léxicas que hemos visto en
«composición».

[39] Ya hemos visto en el apartado de «Interferencias en la atribución de la activi-dad/pasividad» que este tipo de reducción forma parte de una tendencia muy gene-ralizada en español.

[40] Argumentando precisamente que muchos posibles sentidos carecen de lexema
en la lengua y han de ser expresados mediante frases o sintagmas, Santiago de los
Mozos *(La norma castellana del español,* pág. 56) reconstruye artificialmente «po-nerse nervioso» como *ennervecerse* («ponerse triste» > *entristecerse*) o *nerviosearse*
(«ponerse hermoso» > *hermosearse).* Al parecer, la creación espontánea ha optado
en este caso por una solución imprevisible.

    *Pero esa pregunta *nota* más que la otra; ésa es dos puntos y la otra cero setenta y cinco [*dar nota,* cp. «puntuar»]

    *Ha llovido, o *niebleao,* o lo que sea ¿sabes?

    *Es verdad, tanto *amiedar* a la gente, joder, que se pasa la vida siempre así [*meter miedo;* cp. «asustar»].

Encontramos así, sintetizadas en una sola palabra, las locuciones verbales: *tortear, enguapecer, aguapar, guapetear, nerviarse, «notar», amiedar.* La reducción es particularmente frecuente en la expresión *hacer(se) + sustantivo:*

    *Y *ha opositado* ahora, unos días antes de venirnos [*hacer oposiciones*]

    *¿Por qué *eseas?* [hacer eses con el coche]

    *No me *pelotees,* no me *hagas la pelota* tú

    *—El otro día venía comiendo un helado bombón de ésos
    —¿Sí? Pues ésos son bien caros
    —Si es que...
    —Ya están *gamberreándose* [*haciéndose gamberros*]

    *Que nos van a *afotar,* corre [*hacer una «foto»;* también: *afotear*]

    *Tengo miedo de andar *miserableando* mucho, y arrepentirme luego por medio millón [*haciendo el miserable,* «escatimando»]

Pero el mismo procedimiento se usa sobre el complemento directo, el de «medio» o el de instrumento, o cualquier otro que lo posibilite, que se convierten ocasionalmente en forma verbal (de carácter intransitivo) para identificar la acción que les es propia:

    *Pues a mí me parece que no tiene sentido pasarse la vida *cuesteando* para luego bajarse cuando por fin se ha llegao a la cumbre [*subiendo cuestas*]

    *Me paso el día *metreando,* ¡por favor! [*viajando «de metro en metro»:* «metrear»]

    *Llamaremos a Jenny que nos traiga el tippex, porque luego tendremos que *tippear* [*tachar con tippex*]

    *Que te *escopeto* [*disparo con la escopeta*]

*Sólo tienes que amenazarle con castigarle sin tele, y le ves *lagrime-ciendo* enseguida [*echando lágrimas,* con el sufijo incoativo *-ecer*]

*—Si pareces Cleopatra... Casi meto la pata... Mia que soy fino...
—Sí..., y bien *historiao* [irónico: «versado en historia»]

*—Ya he engordao
—Eso es, ya te has *enfocao,* es verdad, pero más... [*ponerse como una «foca»*]

*—Y para los niños ¿cómo ve usted la televisión?
—Pues para los niños... teniendo en cuenta que aquí los niños, sólo ven lo que deben ver y a las horas prudentes, nada de *nocturnear,* ni mucho menos verse programas de rombo o doble rombo, de eso nada, pues bien [*prolongarlo por la noche*]
                                                                    (HM, XII, 204)

*«El año pasado le hacía la misma pregunta a Menotti cuando está-bamos a 10 puntos del Madrid y me replicaba: 'Che, presidente, tranquilo, que este año *campeonamos'*» [*acabamos campeones*]
                                            (Jesús Gil, *El País,* 27-9-88, pág. 49) [41].

Como puede apreciarse, desde el punto de vista formal, la sínte-sis semántica se realiza normalmente derivando el sustantivo a for-ma verbal mediante los correspondientes morfemas verbales, desi-nencias («¿Por qué *eseas?*»...) o sufijos *(«tippear», «lagrimecien-do»).* Cuando se necesita, se emplea además el prefijo para derivar el sustantivo (o adjetivo) a forma verbal con sentido: *a*fotar, *a*gua-par, *a*miedar, *en*focarse, *en*guapecer... Como tal procedimiento coin-cide, pues, formalmente con el de derivación (una sola representa-ción léxica en la palabra, y añadidura de prefijos y sufijos); pero no semánticamente, puesto que términos como *amiedar* o *ner-viarse* implican siempre la existencia de otras unidades significativas que, aunque no aparecen (frente a lo que ocurre en los compuestos: *malmetas, melalcohólico, estrasbalar)* formalmente representadas ni

---

[41] Jesús Gil atribuye estas palabras a Menotti: se trata quizá de un modismo argentino; o simplemente, de una creación del ex-técnico del Atlético de Madrid C. F. (al parecer, este tipo de procedimientos de creación es, en general, muy pro-ductivo en Hispanoamérica).

aludidas, completan por referencia su sentido. Seguramente por eso este procedimiento, híbrido morfosemántico de los otros dos (derivación y composición), actúa sobre el sustantivo, predomina en la categoría verbal y parece exclusivo de ella —no nos atrevemos todavía a hacer una afirmación rotunda al respecto—: porque el verbo es la única categoría que puede, sobre la base de otra categoría léxica, expresar simultáneamente acción y concreción, objeto y proceso.

Otros

Pero hemos documentado también ejemplos que no podríamos incluir con propiedad en ninguno de los tres apartados vistos hasta aquí (composición, derivación y síntesis morfo-semántica), que no muestran un procedimiento formal claro de «creación». Son normalmente términos que nacen en la conversación de una asociación analógica entre significados y significantes que permite el «análisis semántico» del nuevo término:

> *No pensé yo que estuviera en el *culmen* de su morenez [*cumbre, culminación*]
>
> *Eres un obseso, tío, un auténtico *obsexo* [pronunciado enfáticamente *ob-sek-so*]
>
> *Y en la salida de Plaza de Castilla, un *cuele* continuo; haces cola y entras el último [cp. «vacile»].

... y a éstos podríamos añadir casi todos los citados al principio: *frene-no* («frenesí»), *poescribo* («poleo»), *follo* («fallo 'follando'») y *Ana* (en «Anda y que le den por Ana»). De modo que en algunos podríamos hablar en realidad de *des-composición* (al menos analítica, semántica) del original: *frene-no (< frene-sí), po-leo (< po-escribo)*. En estos casos, sin embargo, el resultado exige un procedimiento de interpretación por parte del receptor que parece coincidir, en lo esencial, con el de otros compuestos como *malmeta* o *patiabierta,* por ejemplo.

Se pueden encontrar también curiosas formaciones basadas en el sentido del término:

*Anda, ordena el *retuerzo* ese de cables [conjunto de cables enredados]

*Yo soy un profesional del ejército, chaval... No soy un *pistolo* de mierda como tú [¿soldaducho?]

*Na, está *pamplineando* [< «pamplinas»], [lloviendo poco, a pesar del mucho ruido]

*Se te veía con ojos *culebros*...

*—¡Ay, qué bien!... ¡qué interesante todo lo que nos cuentas!, ¡eh!
—¿A quién os lo cuento? No serás un extraterrestre.
—A mí y al... *chismógrafo* este.
—¿Éste es un *chismógrafo?*, a lo mejor lo han construido los extraterrestres [nombre más raíz griega; procedimiento frecuente en la lengua técnica y científica, que podemos considerar a mitad de camino entre la composición y la derivación].

(HM, III, 51)

*—Pero... ¿por qué come tantas [pipas] tu madre?
—Porque es una *pipómana*...

En uno de los ejemplos, el infijo parecía querer «mostrar» directamente el sentido del término (la emisión era además simultáneamente acompañada por el gesto):

*Ah, qué gusto da *estirazarse* [*estirarse*]

A otros no se les encuentra fácilmente explicación:

*Pero es tan *lenticio* el cabrón, que desayunando le dan las uvas.

... Y todo ello podríamos interpretarlo, siguiendo a Jespersen, como prueba de que los hablantes no son *absolutamente racionales*... o, al menos (en interpretación seguramente más adecuada), de que no son *totalmente previsibles*.

RECAPITULACIÓN

Un rápido repaso a nuestros ejemplos nos permitiría hacer otras interesantes observaciones desde el punto de vista morfológico. Entre nuestras creaciones léxicas espontáneas podemos encontrar:

a) *Palabras simples* (sustantivos, adjetivos o verbos), nacidas de curiosas asociaciones semántico-fonéticas *(Ana* como femenino de «ano» en frase hecha, *follo, obsexo, poescribo)*, o incluso de asociaciones semántico-mímicas *(estirazarse)* o de reducciones formales («se puso a *parir* de mí»)... En este grupo deberíamos incluir ciertos sustantivos deverbales como *culmen, retuerzo, cuele, lucidez* (< «lucirse») y otros sustantivos y adjetivos que pierden espontáneamente su sufijo («sufijación regresiva»): *hartá, alumbre, cuido, japonas, entreno, bronceo, destrozas...*

b) *Compuestos:* sustantivos procedentes de descomposiciones semántico-fonéticas (verbo-adv.: *frene-no),* de verbo + OD en plural *(limpiachorradas, pinchafiletes, anfetarricas...)* y amalgamas como *vejentud;* adjetivos calificativos procedentes de las más diversas formaciones *(malqueda, pichaloca, patiabierta...)* que aparecen a veces sustantivados (sustantivos calificadores); verbos enriquecidos con adverbios *(malmetas, medioabriros...)* o productos de amalgamas no siempre descifrables: *rescules, estrasbalar...*

c) *Derivados,* el grupo más numeroso [42].
   1. En los sustantivos al menos, deberíamos distinguir entre los que se forman espontáneamente con un nuevo prefijo o sufijo sobre otros sustantivos ya existentes (casi todos deverbales) con o sin sufijo original *(intentación, desaparecimiento, charleta, montañista, atasquera, cambiaje)* y los que son de nueva acuñación, por extensión analógica en el uso del sufijo; entre éstos destacan los «sustantivos denominales»

---

[42] Entre los sufijos, Alba de Diego («En torno a la derivación») distingue los *categorizadores,* que son los especializados en la formación (sobre términos ya existentes) de verbos (*-ar*...), sustantivos (*-ancia*...), adjetivos (*-oso*...) y adverbios (*-mente*), y los *sufijos de indicación básica,* que «derivan» semánticamente el término, pero sin cambio en su categoría gramatical. Esta misma distinción es también aplicable a nuestros ejemplos, si bien éstos, en su conjunto, no se ajustan de forma ortodoxa a estas dos posibilidades descritas por el autor.

(ojamenta, calorera, agregadina, primerío, tramperío...) y los «deadje-tivales» *(estupendez, adultez, largazo, lugubridad, salidismo...).*

2. Entre los adjetivos, *descuidadiza* y *discutones* están también for-mados al hilo del discurso sobre otros del mismo lexema y el mismo significado («descuidada», «discutidores»); se puede encontrar algún «adjetivo deverbal» *(soñanchín, jugativo...)* y alguno «denominal» *(mu-sarañosos, temosa, atomatados...).*

3. Para la creación espontánea de verbos, es procedimiento corrien-te *derivar el sustantivo,* añadiéndole sus correspondientes morfemas desinencia o sufijo, a verbo con sentido pleno: *esear* («hacer eses»), *tortear* («dar tortas, bofetadas»), *cuestear* («subir cuestas»), *tippear* («usar el tippex —para borrar—»), *escopetar* («apuntar/disparar con la escopeta»), *metrear* («viajar de metro en metro»)... El mismo pro-cedimiento se usa, aunque con frecuencia mucho menor, con el adjeti-vo («verbos deadjetivales»): *nerviarse* («ponerse nervioso»), *misera-blear* («hacer el miserable»), *guapetear, nocturnear...* Tanto en unos como en otros, se añade, si es preciso, un prefijo para crear el verbo: EN*guarrinar,* EN*focarse* («ponerse como una foca», de gordo), A*fotar,* A*miedar,* SOBRE*dimensionar,* entre los denominales; EN*guapecer,* A*gua-par,* IRR*responsabilizarse...*

En general, nuestras creaciones léxicas espontáneas tienen, como hemos visto, una lógica «lingüística», una lógica «psicológica» y una lógica «co-municativa». Aunque algunas nacen claramente al servicio de la comunica-ción afectiva, la importancia radica en todas, fundamentalmente, en su peculiar (creativa) manera de expresar el contenido intelectual. Muchas ve-ces cumplen un importante cometido, al cubrir momentáneamente un hue-co léxico en el sistema que, por distintos motivos, llega a hacerse patente en la actualización improvisada *(adultez, lugubridad...).* Algunas parecen seguir una tendencia gramatical ya definida *(frustre, amiedar, enguape-cer...),* mientras otras se limitan a ser nuevas creaciones sobre términos que ya existen con (aproximadamente) el mismo significado *(discutones, anteúltima,* etc.)... Pero todas tienen en común esa doble característica a que hemos aludido: de un lado, la de constituir, por parte del hablante, una forma de espontánea adaptación lingüística a la situación de comuni-cación vivida; de otro, la de no traicionar las expectativas (compartidas) de la comunicación, permitiendo así la comprensión del interlocutor, a quien la innovación expresiva puede incluso (y suele) pasar inadvertida.

PARTE TERCERA

ADECUACIÓN — CONTEXTUALIZACIÓN

INTRODUCCIÓN

Indisolublemente unido a los otros dos (expresividad, comodidad), asociado y superpuesto a toda manifestación lingüística coloquial, el principio de *adecuación* rige la tendencia del hablante a adaptar espontáneamente su lenguaje a los requerimientos (variables) de la situación general comunicativa.

Es obvio que la gran mayoría de los actos de enunciación (quizá todos) son imposibles de interpretar si sólo se conoce el enunciado empleado y se ignoran las circunstancias de la situación: los motivos y los efectos de la enunciación se perderán, pero sobre todo [...] será imposible describir correctamente el valor intrínseco de la enunciación, inclusive las informaciones transmitidas [1].

En su trabajo ya clásico, Wunderlich (1972, pág. 49) incorpora un esquema de todos los elementos que la descripción completa de una situación de enunciación dada debería incluir:

$$Sit = \langle Loc, Aud, d, l + p, Fon, Cont, Presup, Inten, Rel \rangle,$$

donde:

Sit	=	situación de enunciación
Loc	=	locutor (emisor, hablante)
Aud	=	auditor (alocutor, destinatario, interlocutor)
d	=	momento de la enunciación
l + p	=	lugar y espacio perceptivo del emisor

---

[1] O. Ducrot y T. Todorov, *Diccionario*, pág. 375.

Fon	=	particularidades fonosintácticas del enunciado
Cont	=	contenido cognoscitivo del enunciado
Presup	=	presuposiciones del locutor, necesariamente ligadas al enunciado. Estas presuposiciones comportan al menos cinco componentes:

        —conocimientos y capacidad del locutor
        —conocimientos que supone en el auditor
        —lo que supone que es el espacio perceptivo del
          auditor
        —relación social entre locutor e interlocutor
        —lo que ha comprendido de enunciados anteriores

Inten	=	intención del locutor ligada a este enunciado
Rel	=	interrelación entre locutor e interlocutor establecida por este enunciado

El esquema, que sin duda abarca prácticamente todo lo pertinente en la situación inmediata de comunicación, encubre sin embargo algo que nos parece esencial en el estudio del lenguaje coloquial: la relación simultáneamente activa que establecen todos los componentes en cualquier situación real de comunicación coloquial, configurándola particularmente. Intentaremos explicarlo con el ejemplo de un fragmento de conversación:

    *Inf. B. — Si yo en la academia era una alumna lumbreras también.
            ¡Uy! era, era de circo aquello, cuando no sabía alguien algo, me decían a mí que lo hiciera. Y luego llego a los exámenes y me suspendían siempre.
    Inf. A. — Estoy, estoy inte...
    Inf. B. — Aquello era...
    Inf. A. — ... interesado en qué podrá ser esto.
    Inf. B. — Esto son puertas.
    Inf. A. — ¿Puertas?
    Inf. B. — Para mí que sí.
    Inf. A. — Ni se sabe, ¿para qué?, para..., para poder... para poder hacer una buena... ¡Ah!, no, esto es..., claro, no sé qué tanto el corcho.
    Inf. B. — ¿El qué? El corcho yo creo que no lo (...)

Inf. A. — No, no, pero... hacerle todo esto, cuando, cuando... cuando venga ...V... que le, que le gusta... ya verás, se va a emo...

Inf. B. — ¡Ah!, se lo va, lo va... va a hacer el presupuesto de ello.

Inf. A. — No, se va a emocionar ¡je,je! No sé si el presupuesto ...V...

Inf. B. — No, es curioso, está muy bien.

Inf. A. — No, desde luego, ahora lo... no sé, para en casa no, no tener que molestar a nadie.

(HM, XVIII, 332)

Se trata de la transcripción de un fragmento aislado (descontextualizado, pues) de una larga conversación en la que no hemos intervenido personalmente y ni siquiera hemos presenciado. Si exceptuamos las particularidades fonológicas *(Fon)* y algunas palabras que no han podido ser transcritas (supuestamente por mala audición) en la quinta intervención del informante *B,* conocemos aproximadamente todos los datos que Wunderlich considera necesarios:

— Los interlocutores *(Loc, Aud)* están identificados antes del comienzo (pág. 315):

Inf. A.: Hombre, 19 años, cursa 3.º de Filosofía y Letras.

Inf. B.: Mujer, 25 años; es bibliotecaria y estudia 3.º de Filosofía y Letras.

— Al momento *(d),* lugar y espacio perceptivo *(l + p)* de la comunicación hacen alusión los informantes en su conversación: habitación cerrada no demasiado grande («cámara insonorizada con corcho», pág. 315) en Madrid (es requisito imprescindible, además, que los informantes sean madrileños), con tiempo de antemano limitado o prefijado, pero no rigurosamente, y probablemente en invierno («Es la hora, ¿no? / No, lo que habrá es que abrigarse ¡je,je!», pág. 340).

— Los participantes son compañeros de curso en la Universidad Complutense (estudian lo mismo y comparten profesores: «Podíamos continuar criticando a nuestros queridísimos maestros, ¡je, je!, sería magnífico», pág. 315); conocen la finalidad de su conversación (grabación de un diálogo *libre,* es decir, no dirigido) y presuponen en el otro el mismo conocimiento y el mismo espacio perceptivo que ellos tienen *(Presup).*

— Su intención *(Int)* primera es simplemente hablar para ser grabados («Es curioso, ¡je,je!, ahora a nadie se le ocurre decir nada, ¿no?» (comienzo de la grabación); pero luego se van sintiendo a gusto conversando («¿Seguimos? / Bueno...», pág. 340).

— La relación entre los interlocutores *(Rel)* parece ser de complicidad: saben que están siendo grabados, y aunque no muestran interés real por ningún tema en particular, tocan relajadamente muchos, en el simple afán de comunicarse dejando transcurrir el tiempo necesario para cumplir con la grabación asignada.

Conocemos, pues —como decía—, *casi* todo, pero sólo *aproximadamente*. Hay algo esencial que no sólo no conocemos, sino que ni siquiera podemos suponer con cierta claridad en este fragmento (aun releyendo completa la conversación): el referente real (o mental) de ciertas expresiones como:

no sé qué tanto el corcho [¿qué tanto de qué?]

pero... hacerle todo esto [hacerle ¿a quién?, ¿qué?]

va a hacer el presupuesto de ello [¿quién?, ¿por qué «el presupuesto»?, ¿de qué?].

En realidad, para alcanzar ahora la comprensión total del fragmento necesitaríamos algo más que leer completa la conversación y conocer todos los elementos de su situación inmediata, incluidas las particularidades fonológicas del enunciado (principalmente la entonación), que tanto ayudarían. Tendríamos que contar también con ciertos principios organizadores del lenguaje en la conversación: la alternancia interlocutiva fluida; los cambios espontáneos y compartidos de orientación en la información; la participación física simultánea del contexto; cómo los interlocutores van estrechando conforme progresa la conversación sus lazos de relación (que era casi nula antes de este encuentro, pues no comparten ningún conocimiento acerca del pasado personal), etc., etc., etc. Todo ello configuraría una situación de enunciación nueva, mucho más amplia y compleja que la descrita por Wunderlich, y —sobre todo— permanentemente activa sobre la expresión de los comunicantes.

En conjunto, esta situación comunicativa podría muy bien designarse con el nombre que Criado de Val da al «mecanismo activo del coloquio»: *simpraxis coloquial* [2]; término éste (de «simpraxis») que podría, especificado, denominar todo «mecanismo activo» de cada diferente modalidad de comunicación. La «simpraxis» del coloquio tiene, como hemos visto, ciertas peculiaridades que la diferencian de las de todas las demás modalidades de realización: carácter oral, interlocutores presentes y activos en un contexto compartido, inmediatez, fugacidad... condiciones todas que generan, como sustrato común a todo acto de conversación «normal», la espontaneidad y lo que hemos llamado «primacía de la comunicabilidad», que obligan a esa necesaria *cooperación* (generalmente espontánea) entre los comunicantes, con la que se cuenta de antemano y gracias a la cual es posible su comunicación.

De hecho, filósofos del lenguaje y sociolingüistas consideran tal cooperación un *principio* indispensable para iniciar, mantener o participar en una conversación: *principio de cooperación (participativa)*. Entre los primeros, Grice habla, en su conocidísimo trabajo de 1975 [3], de cuatro máximas conversacionales que deben observar los interlocutores para conseguir la mayor eficacia en su comunicación: la máxima de la *cantidad* (no decir más de lo necesario), la de la *calidad* o sinceridad (decir la verdad), la de la *pertinencia* (ser pertinente) y la de la *forma* o manera (ser claro); la violación de alguna(s) de estas máximas suele crear problemas en la comunicación, salvo que no se pretenda con ello violar el principio de cooperación: entonces se produce una «implicatura conversacional». Entre los últimos, Gumperz [4] y sus colaboradores se centran en el estudio de la conversación como un proceso activo en el que los significados son «negociados» por los interlocutores en función tanto de los conocimientos previos de éstos como de las características

---

[2] *Estructura*, pág. 25.

[3] «Logic and conversation».

[4] Véase «The sociolinguistics».

propias del contexto en que se produce la interacción. Y es que, como afirma F.J. Zamora Salamanca [5],

> La existencia de pautas afines de comportamiento dentro de los ámbitos de actividad implica la creación de «esquemas» o «marcos de referencia» con convenciones de contextualización propias. Ello contribuye a una mayor fluidez de la comunicación y a una configuración de conocimientos básicos compartidos que elimina la necesidad de explicaciones superfluas. El aprendizaje de estas marcas de contextualización sólo se logra mediante la participación «cooperativa» (en el sentido propuesto por Grice) en los procesos de intercambio comunicativo.

Entre los interlocutores se establece una *tensión* (que viene dada, además de por factores coyunturales, principalmente por el grado de confianza entre los hablantes y por las diferencias generacionales y en el nivel de instrucción) y una relación de *mutua interacción* que tiende a la «nivelación», al encuentro en el punto medio (por decirlo con una expresión gráfica). Otro tanto ocurre entre hablante-interlocutor y el resto de los elementos que intervienen en la comunicación (código de uso, canal, mensaje, contexto): la relación es también de interacción y de *interdependencia*. De modo que, como en la comunicación coloquial todos los elementos permanecen simultáneamente activos, su estado, las modificaciones en uno o varios o los cruces entre ellos influyen directamente en la forma de expresión del hablante.

Sé, por ejemplo, que con mis amigos íntimos puedo emplear el *tú,* decir palabrotas, hablar acerca de cualquier cosa, perder el control... De manera espontánea, mi habla reflejará esta situación; y, de forma espontánea también, la actuación de mis amigos (tuteándome, confiándome cierto asunto escabroso, contradiciéndome, irritándose...) cooperará para que así sea. Sin embargo, si comienzo diciendo:

> *Oye, por favor, ¿dónde puedo encontrar a Juan Pérez?,*

---

[5] «Algunos aspectos», pág. 310.

y la persona a quien me dirijo me responde a gritos:

> *Mire usted, señorita, si yo supiera dónde está ese canalla, le aseguro*
> *que yo sería el primero en encontrarle,*

como no soy completamente tonta, me doy cuenta en seguida de que mi interlocutor (que, por algún motivo que desconozco, está enfadado con Juan Pérez y le busca también —y al parecer más afanosamente que yo—) ha «vivido» como inoportuna mi pregunta y se ha distanciado de mí mediante el *usted* (brusco cambio de tratamiento inicial) y unos gritos poco respetuosos. Entonces es posible que —como se dice en el teatro— yo haga un discreto «mutis por el foro», o bien que continúe hablando con él. En este último caso, sin duda, en mi lenguaje se verían reflejados todos estos cambios que han tenido lugar en nuestro contacto y que actuarán en adelante en nuestra comunicación.

En realidad, casi se puede decir que todo este lío, toda esta necesidad de ampliar el estudio del lenguaje a horizontes más abiertos, surgió en la lingüística «oficial» como una necesidad nacida de la acción del contexto sobre la expresión...

Reiteradamente, los estudiosos comprobaban que ciertas expresiones no podían ser entendidas ni explicadas sin tener en cuenta sus condiciones reales de existencia: eran las *expresiones deícticas,* todas esas que se articulan en torno al YO-AQUÍ-AHORA, las tres coordenadas básicas del coloquio.

Más tarde, los filósofos se dieron cuenta de que la gran trampa de la filosofía estaba precisamente en el lenguaje y que, en contra de lo que se venía haciendo, no había que preguntarse acerca de su significado, sino acerca de su uso; en puridad, las expresiones lingüísticas no hablan de nada, son los hablantes los que hablan de algo al utilizar en ciertos contextos tales expresiones. Hay, pues, que distinguir entre lo que el lenguaje es y lo que con él se hace (o se puede hacer). De modo que el enunciado

> *¡Qué cabrón eres!,*

en un determinado contexto, lejos de ser un insulto, ni siquiera un insulto atenuado, puede significar —y así lo he documentado personalmente— *Qué orgulloso me siento de ti por haber sabido fastidiar tan sutilmente a nues-*

tro enemigo [6]. Y para poder interpretarlo de este modo deben ser tenidos en cuenta los presupuestos conversacionales, las creencias de los hablantes, sus intenciones, las reglas de interacción dialogal... Y a todo esto es a lo que los filósofos del lenguaje llaman «contexto», cuando no lo reducen a la *fuerza* (ilocucionaria) o/y *efecto* (perlocucionario) que imprime el hablante a su mensaje.

Y es que es evidente que «las palabras aisladas funcionan siempre en un contexto en el que sólo son parte de una unidad superior que proporciona una unidad de sentido» [7]. Y en la conversación cotidiana, «las unidades fundamentales que los hablantes necesitan para entenderse son completadas por la entonación, la mímica, los ademanes y la referencia a la situación extra-lingüística y la situación anteriormente expresada» [8].

En el lenguaje coloquial, pues, el logro de la comunicación *no* depende exclusivamente de los signos lingüísticos, sino que se consuma (no de forma lineal, sino por superposición) en torno a una compleja red de relaciones entre la realidad «objetiva» y la subjetiva del hablante, su conocimiento y aprecio de la lengua, el efecto buscado, etc., etc., etc. E implica «saltos» también desde el punto de vista de la comprensión, pues «el sentido no se descubre a continuación del desarrollo completo de la línea fónica, sino bruscamente, por una toma de conciencia de las relaciones» (Slama-Cazacu, 1970, pág. 265): «La comprensión es un acto rápido por el que los signos son relacionados con un sistema de referencia (el contexto)» (Slama-Cazacu, ibídem, pág. 274). Todo lo cual puede dar lugar, a su vez, a modificaciones diversas en las condiciones de comunicación, que acaso aparezcan reflejadas en el enunciado.

El conocimiento de la situación puede ser necesario:

---

[6] Es lo que Hofmann describe como «uso acariciativo de palabras de sentido normalmente peyorativo, fenómeno muy extendido en las lenguas actuales» (*El latín familiar*, pág. 132).

[7] O. Jespersen, *La filosofía de la gramática*, pág. 104.

[8] J. Dubsky, *Introducción*, nota pág. 54.

a) Para determinar el referente de las expresiones empleadas (deícticos, nombres propios, expresiones con artículo determinado...).

b) Para elegir entre las diferentes interpretaciones de un posible enunciado ambiguo.

c) Para determinar la naturaleza del acto de habla cumplido (que no siempre coincide con su efecto esperado).

d) Para precisar el carácter, normal o no, de una enunciación: un determinado enunciado, normal en ciertas situaciones, está desplazado en otras y adquiere así un valor particular (preciosista, enfático, pedante, grosero...) [9].

En definitiva, para «captar correctamente la organización, las relaciones explícitas y también las implícitas» [10], para *individualizar puntualmente el sentido* de los enunciados, sacando de la generalidad de la noción la nota particular que conviene (por su relevancia) en su concreto momento de emisión.

Lo que hacen los interlocutores, en todo caso, es plegarse, desde sus respectivos papeles (de emisor y destinatario alternantes) a unas determinadas circunstancias (muy flexibles) de comunicación, adecuando a ellas —con éxito mayor o menor— su comportamiento comunicativo, de manera que suele haber de hecho una suerte de *conformidad* entre el mensaje recibido y el mensaje emitido. Por eso, la *adecuación* a lo que el hablante quiere expresar «no es una cualidad de los signos por sí mismos, sino proporcionada por todo lo que rodea al signo mismo y es pertinente para su identificación e interpretación» [11]. Y esto es algo tan esencial al lenguaje (y no sólo al coloquial), que desde hace años se viene reflejando (si bien

---

[9] En su *Diccionario* (págs. 375-378), bajo «Los conceptos descriptivos: situación de discurso», Ducrot y Todorov recogen y amplían las consideraciones más importantes de T. Slama-Cazacu en *Lenguaje y contexto* (particularmente de los capítulos II y III).

[10] T. Slama-Cazacu, *Lenguaje y contexto*, pág. 266.

[11] J. M. Hernández Terres, *La elipsis*, pág. 142.

no siempre de forma explícita) en las diversas consideraciones que de él se hacen al estudiarlo. Se impone, poco a poco, un enfoque «energético» del estudio del lenguaje (Weisgerber, 1979) que tenga en cuenta su dimensión comunicativa, de la que, al fin y al cabo, depende en última instancia su «significado». Y se llega así a una concepción del contexto que le concede primacía absoluta en los hechos de lenguaje: «conjunto dentro del cual y en cuya función debe ser interpretado todo hecho lingüístico» [12].

Al ámbito total en que tienen lugar todos esos requerimientos (variables) de la actualización coloquial es a lo que, con voluntad generalizadora, llamamos *contexto* (algo de lo que no hemos dejado de hablar desde el principio): «el conjunto de elementos lingüísticos y extralingüísticos que se combinan en el coloquio y permiten un suficiente nivel de comprensión entre los interlocutores» [13]. Pero si admitimos, como suele afirmarse y hemos dicho, que todo lo que no es contexto lingüístico es contexto extralingüístico, debemos admitir que, en el coloquio, *todo* forma necesariamente parte del contexto, todo está, por definición, *contextualizado*. Así las cosas, podemos adelantar ya que casi cualquiera de los fenómenos que hemos visto hasta aquí en los diferentes apartados puede ser tratado bajo el punto de vista del contexto, respondiendo también a los requerimientos del funcionamiento de este poderosísimo elemento en la comunicación. Y esto al menos en la medida en que, tal como lo concebimos, el contexto constituye el *conjunto total de factores que organizan, en el acto comunicativo, los signos lingüísticos según las necesidades puntuales de la comunicación.*

Antes que Coseriu, referencia imprescindible en este tema [14], Bally había incorporado a su «estilística de la lengua» la noción de *entorno,* distinguiendo entre *contexto* (verbal) y *situación* (extra-

---

[12] César Hernández, *Curso*, pág. 278.

[13] Criado de Val, *Estructura*, pág. 25. Con terminología paralela a la de «simpraxis coloquial», el autor lo denomina *simpragma coloquial.*

[14] Véase «Determinación y entorno», *Teoría*, págs. 282-327.

verbal), clasificación que, por su simplicidad y capacidad descriptiva, es todavía la más utilizada. Bühler *(Teoría del lenguaje),* desde una posición más de filósofo que de lingüista, ha hablado de un entorno *simpráctico,* otro *sinfísico* y otro *sinsemántico* (signos lingüísticos y conjunto de elementos expresivos no lingüísticos), que, junto a lo sintáctico, contribuyen a proporcionar pleno sentido al lenguaje. Coseriu hace una clasificación mucho más amplia y matizada y aporta interesantes consideraciones que deben ser aprovechadas por lo que él llamaría «una lingüística del hablar» (creemos que en este rótulo podría incluirse nuestro trabajo).

Para Coseriu, los *entornos* «participan de manera casi constante en la determinación de los signos y a menudo sustituyen a los determinadores verbales. Pero su funcionalidad es mucho más amplia: orientan todo discurso y le dan sentido y hasta pueden determinar el nivel de verdad de los enunciados» [15]. Distingue entre ellos:

a) SITUACIÓN: «espacio-tiempo» del discurso, en cuanto creado por el discurso mismo (por el hecho mismo de hablar o por el contexto verbal), ordenado con respecto a su sujeto (la determinación depende enteramente de este entorno).

b) REGIÓN: espacio (delimitado por la tradición lingüística o por la experiencia acerca de las realidades significadas) dentro de cuyos límites un signo funciona en determinados sistemas de significación. Puede ser:

zona: «región» en la que se conoce y se emplea corrientemente un signo (es una forma de organización idiomática);

ámbito: «región» en la que el objeto se conoce como elemento del horizonte vital de los hablantes (límites no lingüísticos);

ambiente: «región» establecida social y culturalmente (la familia, la escuela, etc.);

---

[15] Ibíd., pág. 309. En el resumen que hago de este trabajo a continuación, traduzco a esquema lo que en el de Coseriu aparece en disposición lineal, con el fin de facilitar al lector su visión global.

c) CONTEXTO: realidad que rodea a un signo, un acto verbal o un discurso (como presencia física, saber de los interlocutores, y como actividad). Puede ser:

idiomático: la lengua misma como «fondo» del hablar;
verbal: discurso mismo en cuanto «entorno» de cada una de sus partes (lo dicho antes y lo dicho después en cada parte). Puede ser inmediato o mediato (contexto *temático);*
extraverbal: todas las circunstancias no lingüísticas que se perciben directamente o son conocidas por los hablantes. Los distintos contextos extraverbales pueden ser creados o modificados mediante el contexto verbal:
> *físico:* abarca las cosas que están a la vista de quienes hablan;
> *empírico:* «estado de cosas» objetivo conocido por los hablantes (aunque no esté a la vista): por ejemplo, el tener cinco plantas este edificio, etc...
> *natural:* «universo empírico» conocido por los hablantes;
> *práctico u ocasional:* la particular coyuntura subjetiva u objetiva del hablar (en la cual ocurre el discurso): con un niño, para...;
> *histórico:* circunstancias históricas conocidas por los hablantes;
> *cultural* (de una comunidad).

d) UNIVERSO DE DISCURSO: sistema universal de significaciones al que pertenece un discurso y que determina su validez y sentido (mitología, literatura, ciencia, matemáticas...).

Si me he detenido a presentar aquí resumidamente el conocidísimo trabajo de Coseriu es porque, sin duda, constituye el intento más significativo de clasificar esa totalidad que rodea a los signos lingüísticos que, actualizados, adquieren sentido. Claro está que, por su propia concepción, es difícil —quizá imposible— establecer una clasificación completa y satisfactoria de una realidad tan compleja. Y, por supuesto, ni ésta que Coseriu propone lo es, a pesar de su extensión y complejidad, exhaustiva, ni (menos) lo son ninguna de las anteriores conocidas, ni pretenderá serlo —supongo— ninguna de las posibles que a partir de ahora se propongan.

Se podría reprochar a Coseriu el no haber tenido en cuenta explícitamente la influencia que sobre el lenguaje tiene la *subjetividad* de los propios comunicantes como seres individuales con sus propias características y peculiaridades (en interacción). Tal cosa se podría considerar sólo vagamente integrada en su *contexto práctico* u *ocasional,* al delimitarlo como «la particular coyuntura subjetiva u objetiva del hablar (en la que ocurre el discurso)». Bien es verdad que siempre se puede argumentar que si algo no se manifiesta explícitamente no hay por qué considerarlo relevante en la consideración de los entornos. Pero hay que admitir que la subjetividad del hablante es decisiva (más allá de la *expresividad)* en la configuración de su mensaje, tanto en lo concerniente a lo que podríamos denominar su *contexto psicológico estable* como en el *ocasional:* si es tímido o prepotente, si se siente seguro o titubeante, si conoce o no a su interlocutor, si puede anticipar su conducta, si cree que éste tiene una determinada «imagen» de él mismo o que sabe algo más o algo menos que él acerca de aquello de lo que hablan, si considera desafortunada su expresión y decide cambiarla... Cuestiones todas que quizá no pueda verificar fácilmente el lingüista (como ocurre, por lo demás con otros contextos, como el *natural* o el *histórico,* por ejemplo), pero que sin duda interesarán particularmente a otros investigadores de la conducta lingüística (psicólogos, filósofos del lenguaje...).

Se le podría reprochar asimismo a Coseriu el no haber tenido tampoco en cuenta el contexto *socioeducativo,* decisivo —como se viene reconociendo— en la conducta lingüística de los hablantes (y en la consideración de éste por parte de sus interlocutores), que podríamos considerar disperso en su clasificación entre los *contextos empírico, natural* y *cultural* (extraverbales) y el *entorno de región.*

Pero es que, por intentar abarcar un todo integrador tan amplio y complejo, el estudio del contexto (o su consideración como principio organizador del lenguaje actualizado) atañe prácticamente a todas las disciplinas que tienen algo que ver con la lengua, desde la semiótica a la lógica o la cibernética, pasando por la psicolingüística, la sociolingüística, la pragmática, la dialectología... De modo que si es cierto que el lenguaje es —como afirman los psicólogos— *conducta* comunicativa, no es menos cierto que se trata fundamentalmente de una conducta *de interacción social* (sociología) que tiene siempre una determinada *finalidad* (filosofía pragmática) y que se realiza gobernada por unas ciertas «*reglas* de juego» o «de uso» (corriente generativa, psicolingüística, pragmática lingüística, interaccionistas...), que nos permiten llevar a cabo al hablar *planes* «muy complicados a un ritmo relativamente rápido» (Miller, Galanter y Pribram, 1972, pág. 265).

Por otro lado, no tenemos más remedio que admitir —como propone Juan Mayor [16]— una *estructura pluridimensional* en la conducta lingüística):

— *conducta* (elaboración de la respuesta en base a una situación estimular),
— *lenguaje* (código supraindividual, pero internalizado en el individuo),
— *situación comunicativa* (con los diferentes contextos en que se produce),
— *procesamiento del discurso* (producción, comprensión), en el que se concentra la conducta al utilizar el lenguaje en una situación dada;

conducta que se orienta (en el caso del coloquio) con una determinada *intención* hacia el interlocutor (Grice). Pero para conseguir la intelección, el hablante tiene que valerse de determinadas *convenciones* lingüísticas y comunicativas (Searle); lo que, más allá de su *competencia verbal* innata (Chomsky), supone una *competencia comunicativa* (Hymes), aprendida en la propia praxis del uso y *sujeta a reglas* que determinan su racionalidad,

---

[16] *Lenguaje y conducta lingüística*, pág. 262.

su propiedad y su coherencia (Grice; Gordon y Lakoff) [17]. Sin olvidar, claro está, lo que más nos interesa aquí: que se trata de una *conducta adaptada por los comunicantes a la situación.*

Y todo esto lleva, obviamente, desde el emisor hasta el destinatario, pues no basta con la *intención;* la comunicación se produce, en realidad, con el *reconocimiento* de que hay tal intención (Grice) y «el único criterio que tenemos para saber que se nos entiende es la respuesta adecuada —esperada— a nuestras palabras» (Camps, 1976, pág. 39). Por eso la (filosofía) pragmática del lenguaje («ordinario») distingue entre *acto ilocucionario* (afirmar, prometer, advertir...) y *acto perlocucionario* (efectos producidos) y Grice (1975) define la coherencia instrumental entre fines y medios comunicativos en términos de principios de *cooperación lingüística* y *máximas conversacionales* [18]. Con lo cual, nuevamente, el análisis se complica más allá de lo que el lingüista (o el psicólogo o el filósofo) puede abarcar solo, estableciendo nuevas y más complicadas conexiones dentro de (y entre) los diversos contextos y entrando en el terreno de la especulación.

Todo ello interesa, sin embargo, en el estudio del lenguaje coloquial, al menos en la medida en que el lingüista tenga constancia de su existencia. Desde nuestra particular perspectiva, nos atrevemos a proponer a continuación una nueva clasificación del contexto (concebido como «totalidad del discurso»), que hace algunas modificaciones a la de Coseriu y que, como aquella, reduce y simplifica metodológicamente las cosas procurando tener en cuenta —sin profundizar en ellas— todas estas aportaciones interdisciplinares, cada vez más importantes en el estudio del lenguaje:

   a)   Para generalizar, nosotros no hablaremos de *entornos,* sino de *contexto,* término usado con más frecuencia, que nos

---

[17] N. Chomsky, *Aspectos*; J. Searle, *Actos de habla*; H. P. Grice, «Logic and conversation»; D. Gordon y G. Lakoff, «Los postulados conversatorios»; D. Hymes, «La Sociolingüística y la Etnografía del habla».

[18] En general, los análisis pragmáticos de fenómenos lingüísticos se basan hoy en estos dos pilares: la clasificación de los actos (ilocucionarios) de habla de J. Searle (asertivos, directivos, comisivos o compromisorios, expresivos y declarativos o performativos) y las máximas conversacionales de Grice (cantidad, calidad, relevancia, manera).

parece más adecuado para designar esa «totalidad» que rodea al signo (y de la que el propio signo forma parte) y que no tiene por qué ser «incompatible» con ningún otro término incluido en la clasificación.

b) Creemos que en el acto de habla coloquial se pueden considerar dos contextos de tipo general bien diferenciados: uno *explícito* (actualizado en el propio acto de comunicación y generador de «estados nuevos» en el coloquio), que constituye en su conjunto lo que podríamos llamar el «escenario de comunicación» de los interlocutores, y otro *implícito* (actualizador, que subyace «de fondo» no sólo en todo acto comunicativo —coloquial o no—, sino seguramente en cualquier comportamiento humano) [19].

c) El primero (contexto explícito) incluiría, por un lado, todos los condicionantes específicos del acto oral conversacional (y que podríamos considerar «universales»: simultaneidad e interacción de todos los elementos que intervienen en la comunicación, alternancia comunicativa, espontaneidad, fugacidad, primacía de la «comunicabilidad»...), actuando como situación estimular base en torno a la cual se elabora la conducta lingüística. A éste podríamos llamarlo, por extensión, contexto de *universo de discurso* (introducido por W. M. Urban, pero delimitado por Coseriu): el propio coloquio (entendido como modalidad de realización, con un papel equivalente al de los «géneros» en que se inscriben los mensajes literarios) sería en este caso el «sistema universal» de significaciones al que pertenece el discurso, y que determina su validez y su sentido.

d) En el contexto explícito habría que incluir además el *contexto expresivo* (en su triple vertiente de «código» suprain-

---

[19] Aunque concediéndoles otras características y con una extensión más reducida, de contexto *implícito* y *explícito* hablaba ya Slama-Cazacu en su obra *Lenguaje y contexto*.

dividual internalizado por los individuos, y lo dicho antes y lo dicho después, en toda su extensión y con todas sus influencias) y el *práctico* u *ocasional* (la particular coyuntura objetiva o subjetiva en la que ocurre el discurso).

e) En este *contexto práctico* u *ocasional* incorporamos el de *situación* de Coseriu, junto con las claves *paralingüísticas* concurrentes (dadas por los gestos y expresiones del oyente, que permiten calcular hasta qué punto se está comunicando y se está siendo entendido) y el estado *psicológico ocasional* de los comunicantes, que añadimos, y que incluye todos esos principios racionales de conversación de los que se ocupa la Pragmática.

f) Separamos, como se ve, el contexto *expresivo* y el contexto *idiomático,* que consideramos, respectivamente, explícito e implícito (el concepto de contexto idiomático que proponemos es, fundamentalmente, «cultural»).

g) Consideramos en el contexto implícito, además de otros ya definidos por Coseriu (idiomático, empírico, etc.), otros dos que nos parecen esenciales y que, curiosamente, suelen faltar en las consideraciones teóricas de los entornos o contextos: el *contexto psicológico estable* y el *contexto socioeducativo.*

Con todo lo cual, el cuadro de nuestra clasificación del contexto quedaría más o menos así:

CONTEXTO GENERAL DEL COLOQUIO

(conjunto de las circunstancias físicas, psicológicas, lingüísticas, socioculturales... en las cuales se desarrolla el acto de enunciación coloquial, que permiten un suficiente nivel de comprensión entre los interlocutores)

EXPLÍCITO

Actualizado en el propio acto de comunicación coloquial y generador de «estados nuevos» en el coloquio.

- *Universo de discurso:* el propio coloquio (modalidad comunicativa con todas sus particularidades) como «sistema universal» de significaciones al que pertenece el discurso, y que determina su validez y su sentido.

- *Expresivo:* el que se establece con y entre las propias palabras del coloquio. Puede ser:
  - *Sistemático:* creado por el propio sistema de la lengua, que actúa sobre las asociaciones sintagmáticas y semánticas de los signos realizados;
  - *Temático:* proporciona las claves para establecer lo que conocen los interlocutores a partir de lo dicho o comunicado; y
  - *Verbal inmediato:* lo dicho antes y lo que sigue inmediatamente después.

Práctico u ocasional

La particular coyuntura en la que ocurre el discurso. Puede ser:

- *Situación:* unidad espacio-temporal en la que participan los interlocutores;
- *Psicológico ocasional* (de los comunicantes): algo así como «contexto mental de situación»: conocimiento del hablante acerca del oyente mismo sobre el tema específico de interlocución, convivencia, imagen que los interlocutores tienen de sí mismos, el uno del otro, que creen que el otro tiene de uno mismo (creencias), motivos, intenciones...;
- *Paralingüístico* (concurrente): los gestos y expresiones del oyente, que permiten al hablante calcular hasta qué punto se está comunicando y está siendo entendido.

IMPLÍCITO

Contribuye, como «fondo» constante del sujeto hablante, a la explicitación de los contextos actualizados en el coloquio. Puede ser:

- *Idiomático:* delimitado por la lengua (como sistema abstracto supraindividual) de que depende el signo;
- *Psicológico estable:* personalidad, carácter, visión del mundo, etc.;
- *Socio-educativo* (el origen social y grado de educación de los seres humanos adultos no es coyuntural —por lo tanto, no suele modificarse a lo largo de una conversación—, sino que afecta a un período dilatado de su existencia —o no es modificado nunca—);
- *Físico:* horizonte perceptible en la comunicación;
- *Empírico:* «estado de cosas» conocido por los hablantes;
- *Histórico:* circunstancias históricas conocidas por los hablantes;
- *De región:* espacio *(zona, ámbito, ambiente)* en que un signo tiene validez;
- *Cultural* (de una comunidad).

CUADRO 3. — *Contexto general del coloquio*

En la modalidad coloquial, como ya hemos explicado, el contexto tiene la particularidad (que no comparte con ninguna otra modalidad de uso, oral o escrita) de ser (parcialmente) accesible a los sentidos y compartido por los comunicantes, y además uno más entre los elementos activos en la comunicación, el modificador principal en ella en la medida en que «contiene» a todos los demás. Por eso, como dice Coseriu, «el lenguaje [opuesto a 'lengua'] no dice las condiciones contextuales, porque no es necesario que las diga, pero las utiliza y, por lo tanto, la expresión real las implica y las contiene» [20]. Y así es como, en palabras de Bally, «el habla, con ayuda de la situación y el contexto, suple continuamente las deficiencias de la lengua» *(El lenguaje y la vida,* pág. 56).

De este modo, posiblemente sea exagerado afirmar —como se ha hecho— que en el coloquio es el lenguaje el que completa al contexto (y no al contrario), pues contexto hay, inevitablemente, en todas y cada una de las situaciones de comunicación posibles; y es previo a ellas, las configura inicialmente y puede después modificarlas. No es, pues, exagerado afirmar que uno y otro (lenguaje y contexto) son inseparables en el acto de habla coloquial, con un grado de influencia bastante similar en la expresión/comprensión del *sentido global* del mensaje. Lo difícil, sin embargo, es sin duda precisar *cómo tiene lugar esa espontánea adecuación psicológico-contextual (mutua) de los comunicantes* a las circunstancias de la comunicación, algo que evidentemente acontece, pero cuyo rastro no siempre es visible en el lenguaje coloquial.

Y es que, para empezar, el contexto general del coloquio no es una simple suma lineal, sino la *conjunción,* imposible de prever y precisar, de todos los posibles contextos explícitos e implícitos que lo forman. Y esta es la principal causa para considerar, como se ha venido haciendo, que no es pensable que se pueda llegar a introducir en sintaxis el estudio de todos los posibles contextos.

---

[20] «Determinación y entorno», *Teoría,* pág. 322.

Naturalmente, para comprender de verdad bien a mi vecino, por ejemplo, tengo que disponer de ciertas *claves* con él relacionadas: es un hombre culto, de ideas progresistas, acostumbrado a mandar y no encontrar obstáculos a su autoridad, con sentido del humor, que conoce bien el entorno de nuestro barrio y el funcionamiento de la comunidad de vecinos, nacido en Salamanca, etc. Pero esto, en realidad, siempre: no sólo si hablo con él, también si leo sus artículos en el periódico o veo sus entrevistas en la televisión... De manera imperceptible, los diversos contextos, simultáneamente activos, se inscriben unos en otros y pueden alcanzar a manifestarse en los fenómenos lingüísticos coloquiales, pues a pesar de esta clasificación simplificadora, todos a la vez contribuyen (a su manera) a modular el comportamiento de los comunicantes y a precisar el sentido de su comunicación. La diferencia está en que mientras algunos son *puntual y necesariamente compartidos, actualizados y activos en la conversación* (los explícitos), los otros permanecen (activos, pero) «de fondo» (fundamentalmente ideológico) y no tienen por qué modificarla o influir sustancialmente en su desarrollo.

Esto es: sea de Salamanca, de Orense o de Taiwan, independientemente del idioma que vaya a utilizar para comunicarme [21], de que pertenezca a una sociedad machista o no, de que me considere agnóstica, atea o creyente, de que tenga título universitario o sea analfabeta, de que esté enterada del último golpe de Estado acaecido en el mundo... independientemente de todo esto —decía—, si entablo una conversación (con familiar, amigo o desconocido), me veré obligada a utilizar oralmente el lenguaje de la forma más fluida posible y contar de antemano con un uso alternante del canal, a manifestar mis ideas, opiniones o sentimientos dentro de las reglas de la lengua que hablo, a comunicarme en primera persona o desde la primera persona que sin duda sobreentenderá mi interlocutor, a participarle una determinada intencionalidad en mi mensa-

---

[21] Contando, naturalmente, con que mi interlocutor comparte conmigo el código de comunicación.

je, etc... Es decir, en realidad la especificación de los diversos contextos implícitos sólo secundariamente interesa para el estudio de la gramática coloquial —tal como lo venimos planteando—, pues todo lo que hemos señalado como específico del lenguaje coloquial se manifiesta precisamente en la actualización del contexto explícito y en la adecuación personal mutua de los interlocutores a su escenario (cambiante) de comunicación.

Sin duda, es la experiencia —como se ha dicho— la que permite esa espontánea integración/decodificación lingüístico-contextual (la *adecuación,* en suma) por parte de los interlocutores en el coloquio: de ahí seguramente su *autosuficiencia semántica.* Y con poco más que la experiencia contamos los lingüistas para determinar en qué grado ciertos fenómenos gramaticales dependen tan directamente del contexto, que se explican fundamentalmente en su función. Entre otros motivos, porque el contexto es tan indispensable al lenguaje coloquial como la respiración a la vida; tanto, que pueden llegar a confundirse...

Nosotros nos limitaremos a continuación a señalar algunas de las posibilidades que el estudio del principio de adecuación-contextualización ofrece al estudioso del lenguaje coloquial, más allá de la —tantas veces citada— economía de energía y tiempo de emisión. Pero sólo podremos hacerlo, naturalmente, cuando esa espontánea adecuación-contextualización se revela explícitamente en la gramática del lenguaje coloquial, bien porque el contexto forme parte momentáneamente de los intereses comunicativos del hablante (caso de los deícticos, por ejemplo), bien porque su proceso de comunicación manifieste una clara inclinación a adaptar su expresión a alguno(s) de esos aspectos que los diferentes contextos representan. Simplificando, consideraremos, como viene siendo tradicional, por un lado un contexto formado exclusivamente por los componentes lingüísticos de la comunicación; por otro, el comportamiento de todos los demás componentes (extralingüísticos), dispersos en los demás contextos.

I

PUNTO DE VISTA COMUNICATIVO Y PERSPECTIVA OCASIONAL DEL HABLANTE

La conversación cotidiana es —como ya hemos dicho— una *praxis* que presupone *actualización oral en la copresencia e interacción de los interlocutores.* Esto se traduce en unos pocos puntos de carácter general (suponemos que universal) [1]:

a) Como actividad, sus marcos son *de carácter pragmático* (más que semántico o gramatical) y exige, por ello, menos la coherencia que la *conexidad* (el mantenimiento de la tensión comunicativa).

b) Consecuencias indirectas de su carácter oral sin más finalidad previa que el logro de la comunicación son su *inmediatez* y su *fugacidad,* que se manifiestan fundamentalmente en la *espontaneidad* lingüística (una de sus características peculiares).

c) De la copresencia interactiva de los interlocutores se deriva una *bipolaridad* subjetiva establecida sobre la *simetría de roles,* así como el *intercambio de turnos* y una necesaria

---

[1] Para el establecimiento de los presupuestos de comunicación peculiares de la modalidad coloquial, véase además: Walter Mignolo, «Diálogo y conversación»; M. Bajtin, *Estética de la creación verbal*, México, FCE, 1982; J. Dubsky, *Introducción a la estilística de la lengua*; M. Criado de Val, *Estructura general del coloquio.*

cooperación por el logro de la comunicación, cosas todas ellas con las que se cuenta de antemano en toda conversación.

Todo esto significa que desde que aparece la *tensión* o conexión interlocutiva (en cuanto existe intencionalidad de comunicación) y mientras ésta se mantiene durante el intercambio de mensajes, la conversación presupone una cierta *expectativa compartida,* generada por un cuerpo de conocimientos vigente para los interlocutores, y regulada en el nivel cognoscitivo por máximas y principios (Grice) que propician la conexión, el mantenimiento de la tensión y la mutua comprensión de los comunicantes.

Como hemos dicho reiteradamente, el *sentido* de un mensaje es inherente a la *conexión* establecida entre los interlocutores en la comunicación. En el caso del coloquio, la conexión, de carácter *dialógico,* enfrenta a un hablante instalado en las tres coordenadas básicas de identidad, espacio y tiempo (YO-AQUÍ-AHORA) con un interlocutor singular o múltiple que comparte con él las mismas coordenadas espacio-temporales durante la conversación y con el que se encuentra en una relación de contraste de identidad (TÚ-AHÍ-AHORA).

Esto significa que ambos, instalados en el mismo *universo de discurso,* participan activamente en el quehacer comunicativo propio y en el de su interlocutor, compartiendo todos los condicionantes que la particular modalidad coloquial impone a los comunicantes. Éste es el *punto de vista comunicativo* que necesariamente se asume en todo coloquio, y que se revela lingüísticamente en todos esos aspectos que pertenecen al que hemos delimitado como su «universo de discurso»: conjunto de supuestos y presuposiciones de comunicación pertinentes, compartido por los interlocutores (combinación de medios lingüísticos y no lingüísticos, presencia activa de los participantes y alternancia en el uso del canal, fugacidad y carácter improvisado de la comunicación, primacía de la «comunicabilidad», etc.).

Pero en toda conversación es el hablante el que, por propia iniciativa, orienta el discurso e impone —hasta donde le es posible—
su propio punto de vista, que depende directamente de la personal
conjunción de todos los diversos contextos en su «momento» comunicativo: ésta es su *perspectiva ocasional* en la comunicación,
que puede establecer, reorientar o variar a lo largo de ella. Y aunque ambos aspectos (punto de vista general y perspectiva ocasional)
aparecen tan estrechamente ligados en el coloquio que no podemos
distinguirlos con claridad en nuestros ejemplos, no nos parece en
modo alguno aceptable la afirmación de Emilio Lorenzo de que
«las lenguas, al parecer, usan caprichosamente, y no sistemática
y racionalmente, de sus recursos, según sus necesidades» [2]; suscribimos más bien la de Charles Bally [3]:

> A pesar de las apariencias, la lengua hablada está sometida a
> condiciones de existencia tan generales como rigurosas, y esas condi-
> ciones constituyen su unidad.

Y por eso, sin duda, los rasgos característicos de la lengua de la
conversación son esencialmente los mismos en todos los idiomas;
sólo la forma peculiar es lo propio de cada uno de ellos: por nacer
de circunstancias concretas de comunicación semejantes y estar determinada por su medio de realización; y no, como el propio Bally,
erróneamente, argumenta [4], porque «la vida de todos los días es
en todas las partes más o menos la misma» (vida física, necesidades
materiales, vida sexual...).

---

[2] *El español y otras lenguas*, pág. 23.
[3] *El lenguaje y la vida*, pág. 107.
[4] *Op. cit.*, pág. 204.

A) RECURSOS LINGÜÍSTICOS DE INCORPORACIÓN CONTEXTUAL
AL ENUNCIADO: DEÍXIS SITUACIONAL

La lengua dispone de signos y de medios que permiten la expresión y comprensión puntual, en el habla viva conversacional, de todo aquello que es relevante para los interlocutores en su situación de comunicación. Son los procedimientos o recursos que podemos estudiar bajo el nombre de *deíxis* [5], entendido el término en sentido amplio: los que «señalan» lingüísticamente, bien a los elementos de la comunicación, bien el conjunto de relaciones que en ese momento tienen establecidas.

Lógicamente, la comunicación por medio de estos mecanismos referenciales (que permiten la correspondencia de unidades lingüísticas con la realidad extralingüística) exige que ambos interlocutores conozcan el contexto pragmático de la emisión. Puede ocurrir, claro está, que el conocimiento real sea distinto en ellos, que no coincida lo que el uno supone que el otro comparte con él, o que alguno añada por su parte (inconscientemente) algo más a lo suministrado por sus palabras. Pero habitualmente, por nacer de un contexto compartido, suele haber coincidencia entre la emisión y la recepción.

DEÍXIS «MOSTRATIVA»

Lo primero que reconocemos inevitablemente en toda conversación es esa disposición dialógica de la conexión interlocutiva en tor-

---

[5] K. Bühler estudia en su *Teoría del lenguaje* el campo de la mostración o deíxis, y señala tres tipos: *presentativa* (el objeto señalado está presente: «*Éste* es el culpable»), *imaginativa* (el objeto está sólo en la mente del emisor y del receptor: «¿Me *lo* compraste?»), *verbal* o *anáfora* (el objeto está en el enunciado previo: «Te traigo un regalo: tóma*lo*»).

no a un *yo* y un *tú* (singular o múltiple) que comparten la situación general de comunicación. En el curso del intercambio, *yo* y *tú* identifican respectivamente al emisor (hablante, locutor) [6] y al receptor (alocutor, destinatario), puntualmente relacionados siempre en el espacio *(aquí)* y el tiempo *(ahora)* de la conversación. Ésta es la primera condición manifiesta en el punto de vista adoptado en el coloquio, y su constatación sirvió para poner en entredicho la restricción estructuralista inicial de limitarse al estudio de la *langue,* prescindiendo del de la *parole,* pues si bien términos como *yo* y *tú* pertenecen sin duda al sistema de la lengua (y constituyen además universales lingüísticos de comunicación), las expresiones de que forman parte no pueden ser interpretadas ni explicadas sin tener en cuenta sus condiciones reales de existencia [7]. Y otro tanto puede decirse de todas las expresiones que se refieren a los otros dos elementos imprescindibles en el acto de habla: el espacio y el tiempo. Todas ellas son las tradicionalmente llamadas *expresiones deícticas* [8], encargadas de fijar y de revelar lingüísticamente en el enunciado la relación y la perspectiva de los comunicantes en la conversación [9].

---

[6] Por descontado, las numerosas expresiones encubridoras del tipo *uno, nosotros, servidor(a), este menda,* etc. equivalen a *yo* si tienen por referencia al propio hablante.

[7] La teoría de la significación ocasional aparece en el filósofo Husserl (*Investigaciones lógicas, I,* cap. III, párrafo 26, 1900. Edic. abreviada en Revista de Occidente, 1949): «Una expresión es *esencialmente ocasional y subjetiva* cuando le pertenece un grupo conceptualmente unitario de posibles significaciones, de tal suerte que cobra una determinada significación —entre todas las posibles— por la ocasión y por la persona que habla y su situación».

[8] De *deíxis* habló K. Bühler, *Teoría del lenguaje;* Benveniste, teórico principal de la enunciación, las llamó *indicios* o *expresiones indiciales; shifters* en inglés y *embrayeurs* en francés: se han traducido también como *conectores* (trad. española al *Diccionario* de J. Dubois y otros) y como *remitentes* (A. Barrenechea). Coseriu habla de la «situación» como medio de *determinación* en la técnica general del hablar.

[9] Éste ha sido el punto de partida de la llamada *Teoría de la enunciación,* que concibe a ésta como un acto de producción lingüística en cuyo transcurso se actuali-

Lógicamente, las categorías gramaticales susceptibles de presentar deícticamente la organización de los diferentes elementos en el acto de habla se relacionan semánticamente con:

a) la identidad de los interlocutores,
b) el tiempo de la enunciación,
c) su lugar;

a ello prodríamos añadir la relación entre los interlocutores y el enunciado (modalidades), y, claro está, el propio lenguaje, si lo aceptamos también como elemento tan indispensable en el acto de habla como los otros tres; aunque la tendencia actual es a separar —como haremos aquí— la deíxis que remite a los elementos verbales (deíxis *fórica)* de la que remite a los elementos del acto de habla (o a la suma de conocimientos que en ella se tienen) o *deíxis indicial,* que es la que nos interesa ahora.

Tales expresiones constituyen, como ha demostrado Benveniste, una auténtica irrupción del habla (del discurso) en el interior de la lengua, «la conversión individual de la lengua en discurso», puesto que aunque su forma está en ella disponible (como signo), su sentido sólo puede concretarse por alusión a su empleo personal actualizado [10].

DE LOS ACTANTES (INTERLOCUTORES)

En lo referente a los actantes o actores del discurso, tal parece que, como afirma Francisco Marsá, «el morfema o accidente de persona se refiere a la situación coloquial. Es primera persona el emisor, segunda el destinatario del mensaje y tercera todo lo de-

---

zan las frases asumidas por un locutor particular, en circunstancias espaciales y temporales precisas. Lo que de ella interesa particularmente a la Lingüística es *la huella de ese proceso en el enunciado* (véanse, entre otros, O. Ducrot y T. Todorov, «Los conceptos descriptivos: Enunciación», *Diccionario*, págs. 364-368; y C. Kerbrat-Orecchioni, *L'énonciation*).

[10] Cf. É. Benveniste, *Problemas*, cap. quinto.

más» (1984, pág. 108). De ahí que el llamado pronombre sea, por
necesidad, «término o palabra carente adrede de significado léxico,
con capacidad para adquirirlo precisamente por contexto o por contorno situacional» (pág. 93); consideración que, de acuerdo también con Jespersen y Benveniste, podríamos extender en general al
resto de los deícticos y que no nos parece incompatible con las matizaciones que a tal afirmación hacen otros autores [11].

Para Benveniste, sólo las dos primeras personas son características «de lo que llamaremos las 'instancias del discurso', es decir,
los actos discretos y cada vez únicos merced a los que la lengua
se actualiza en palabras en un locutor», y «la tercera 'persona' no
es una 'persona'; es incluso la forma verbal que tiene por función
expresar la no-persona» [12].

La primera persona (u origen del sistema deíctico de coordenadas) constituye el *punto cero del habla,* mientras que la segunda
persona «corresponde a quien, sin hablar, participa: *tú* designa, así,
a una instancia que participa en el acto comunicativo en la medida
en que quien habla la instaura como receptor» (Rivarola, 1984, página 202).

En cualquier caso, es precisamente esta *organización coloquial* de los
llamados pronombres personales, sin duda, la causa de su peculiar comportamiento numérico, que el propio Marsá señala:

> El plural de las categorías léxicas —si lo tienen— refiere un conjun-
> to de elementos, léxicamente homogéneo. [...] No así el pronombre,

---

[11] C. Kerbrat-Orecchioni, por ejemplo, que considera (*L'énonciation...*) que hay,
en tal caracterización, confusión entre los conceptos de «sentido» y «referente»:
lo que varía con la situación discursiva no es el sentido (que permanece constante
de un uso al otro), sino el referente. Es decir, el significante *yo* remite siempre
a una persona, que es el sujeto de la enunciación (y éste es siempre su sentido
en la comunicación); claro está que, cada vez, «yo» refiere a cada persona individual que habla (el referente es, pues, lo que cambia).

[12] *Problemas de lingüística general,* I, págs. 164 y ss. En este tomo, pueden
consultarse, relacionados con este tema: «Estructura de las relaciones de persona
en el verbo», «La naturaleza de los pronombres» y «De la subjetividad en el lenguaje»; en el tomo II, véase «El aparato formal de la enunciación».

ya que *nosotros* no es *yo* + *yo* + *yo*...; *vosotros* refiere un conjunto de personas en el cual está incluido *tú* y excluido *yo* (pues de otro modo sería *nosotros);* ellos —o ellas— refiere un conjunto del que precisamente están excluidos *tú* y *yo.* Es decir, siendo *x* la representación de un conjunto de personas, tenemos que

nosotros, -as = *x* + *yo*
vosotros, -as = *x* + *tú* — *yo*
ellos, -as = *x* — *tú* — *yo*

(op. cit., pág. 109)

Aunque debemos aclarar que, en la realidad coloquial, la deíxis pronominal no siempre se ajusta a estos valores, ni el morfema verbal de persona coincide de forma automática con la referencia [13]. Así, *nosotros* puede implicar una asociación que excluya o incluya al interlocutor, e incluso al propio hablante:

*¡Vaya!, hoy *nos vemos* ya por segunda vez [yo + tú]

*Es que no te he llamado antes porque *nos hemos levantado* bastante tarde y... [x + yo — tú]

*Qué se le va a hacer, *tendremos* que conformarnos con lo que hay [= yo: «tendré que conformarme...»] [14]

*¡Hola!, ¿cómo *estamos?,* cuánto tiempo sin verte... [= tú: «¿cómo estás?»]

*¿*Podemos callarnos* de una puñetera vez? [= vosotros: «¿podéis callaros...?»].

Y que, en la praxis comunicativa, lo referido con *nosotros* suele ser «no dos o más sujetos de enunciación simultáneos, sino un solo sujeto de enunciación en co-presencia de otro(s) individuo(s) que el sujeto de enunciación integra a su discurso, que hace hablar a través de su voz. Esta co-presencia no es obligadamente, por cierto,

---

[13] Vid. caps. I y III del vol. 4 de la *Gramática* de Salvador Fernández Ramírez (materiales hasta ahora inéditos).

[14] Este mismo valor (nosotros = yo) tiene el «plural de autor» empleado, por ejemplo, en este *(nuestro)* trabajo.

una co-presencia física; puede ser una co-presencia diseminada en el espacio o diferida en el tiempo, puede ser, finalmente, una co-presencia de carácter representativo [como la del plural mayestático]» (Rivarola, 1984, pág. 206). Del mismo modo, la lengua coloquial, auxiliada siempre por la expectativa de comunicación y el contexto compartidos por los interlocutores, puede expresar la deíxis de segunda persona interlocutiva *(tú)* implicándola en un plural que se hace extensivo a personas ausentes:

> *Sí, a ti siempre te sale bien, no sé cómo *os lo montáis* que siempre os sale bien.

o designándola en tercera persona gramatical, como si «relatara» su mensaje a un interlocutor imaginario:

> *¡Andáaa! *Míralo* cómo se lo ha aprendido *él* y qué bien se lo sabe...;

en un procedimiento similar, el hablante puede referirse a sí mismo en tercera persona (aunque es poco frecuente en lenguaje espontáneo), con fórmulas como «*un servidor* no quería...», «*el que os habla* ha dicho ya...». Para generalizar a partir del *yo* (locutor), haciendo extensiva la deíxis al ser humano en general (o al ser humano de una determinada condición, o en una determinada situación dada), se pueden usar *tú/usted, uno(a), nosotros(as), se + verbo intransitivo sin sujeto* (casi siempre con verbo en presente, «que es el tiempo de los enunciados de carácter general») [15].

Y es que, en general, «cuando uno se hace hablante parte de un principio: se considera centro del universo. Y todo el discurso lo construye desde esa posición» [16]. Aunque esto no impide que durante la comunicación el locutor modifique ocasionalmente su punto de vista (o mejor: su reflejo externo), sin dejar por ello —desde luego— de ser quien es, como en este ejemplo:

---

[15] Cf. S. Fernández Ramírez, vol 4 de su *Gramática,* págs. 42-57.
[16] V. Lamíquiz, «El pronombre», pág. 6.

> **Yo* apelo a la conciencia de *vosotros los marteños,* y por favor,
> *hemos dao* un espectáculo que *yo* creo que se avergüenza *todo*
> *marteño*
>
> (Alcalde jiennense de Martos, TV,
«Informe Semanal», 19-7-86),

donde el hablante (sin duda avergonzado) se excluye primero personalmente de *vosotros los marteños,* luego se incluye y solidariza
con su masivo interlocutor *(hemos dao),* y por fin, adopta la tercera persona distanciadora *(se avergüenza todo marteño)* con voluntad de generalización.

De hecho, el cambio ocasional del punto de vista no es infre-
cuente en el coloquio y puede manifestarse de maneras muy diversas; por ejemplo, incluyéndose el hablante en la generalidad de la
que habla (y a la cual pertenece):

> **Normalmente es una *gente* fracasada, una gente ya, que *estamos*
> acabados
>
> (Mendigo, TV, «Debate: La mendicidad»)
>
> **Bueno, pues mi vida de estudiante... pues es bastante normal ¿no?
> No *es* un estudiante completamente nato ya que no sólo estudio
> sino trabajo también
>
> (HM, V, 88)
>
> **Los profesores* ya no *somos* como antes, que se nos respetaba
>
> **A *muchos* no *nos* interesa, pero *cada cual hacemos* lo que
> podemos [17],

convirtiendo, por el contrario, en impersonal (generalizador) lo que
ya estaba perfectamente delimitado y definido:

---

[17] Al empleo de sujetos que no son pronombres personales *nosotros/vosotros*
(indefinidos plurales, indefinidos que carecen de plural y otros que sólo muy raramente se usan en plural) con verbos en primera y segunda persona del plural (para
deíxis de primera y segunda persona pl. interlocutivas), dedica S. Fernández Ramírez las págs. 39-41 de su obra citada.

> *... y entiendo que *el profesor,* pues, una de las cosas que tiene que tener es... que *se nazca* para profesor. Y yo creo que no he nacido para eso
>
>   (HM, II, 22);

mediante la reproducción en estilo directo de lo dicho por varios sujetos:

> *En mi casa que están con un pitorreo conmigo, cuando lo he dicho; *y mi padre dice:* «Nada, tú tranquila, ¿eh? Tú habla despacio, que siempre hablas muy deprisa», *Y yo:* «—Sí, sí, papá». ¡Je, je!
>
>   (HM, XXI, 404)

> *Yo la vecina me llevó anoche un plato y *dice, me dice:* ¿Te gustan los higos?

> *Lo sé porque me lo dijo él. *Dice:* —«Se lo preguntas a E». *Dice:* «¿Sabes quién es?». *Digo:* —«No».
>
>   (HM, XXII, 411);

o de lo dicho por uno mismo:

> *Él acabó diciéndome que la Filosofía era un camelo, que no servía para nada. Ya digo, claro, *ahora me... te acabas de definir, o sea ahora mismo me acabas de confirmar con tus palabras, lo que yo estaba pensando, que tú no eres un hombre que... en fin, que puedas llegar a los problemas, sencillamente.* Entonces, hablan muy aprioristicamente, muy por la boca de ganso
>
>   (HM, II, 36)

> *Y le digo a mi marido: «*Ahora me voy a ir yo, con toda la calorera que hace; yo ahora no me voy, yo me voy luego*», pensando que no habría nadie...;

convirtiendo en sujeto principal de la expresión lo que se había planteado inicialmente como complemento:

> *¿*Usted cree que* los jóvenes de su edad, de su generación, *es que todos son* conscientes de todo esto?
>
>   (HM, II, 35);

etc... Sin olvidar, claro está, «el hecho de que además de por los pronombres correspondientes a su rango personal, el locutor y el destinatario pueden estar manifestados o señalados por los sustitutos»: *nosotros* de tipo inclusivo, *tú* o *vosotros,* tercera persona en forma pronominal (indefinido: *uno, etc.*), formas nominales (nombres propios, profesión, etc.), perífrasis («el que ahora os dirige la palabra»), etc. [18]. Ello supone, si no un cambio en la perspectiva del hablante, sí una cierta connotación en ella (generalización o exclusión voluntarias, etc.):

> *Nosotros* también el año pasado tuvimos uno en Historia que nada, ¡no cogíamos el libro! y llegabas al examen y el tío *te* dictaba las preguntas... Era R., ¿no sé si habrás oído hablar de él?
>
> (HM, XXII, 416)

> *Estoy muy contento. Y además *he aprendido* el inglés; no dominarlo porque para eso necesita *uno...* por lo menos... un año, por lo menos, para dominar el inglés ¿no?
>
> (HM, I, 12).

Y seguramente esa misma «disposición coloquial» es también la causa de los problemas de clasificación que otros deícticos como posesivos, demostrativos y ciertos adverbios temporales y locativos plantean a los lingüistas, y que Marsá resuelve con cierta claridad distinguiendo entre la categoría semántica *(pronombre* = término con vaciedad léxica intencional) y la categoría gramatical según la función que éste desempeña en la oración, que ha de ser necesariamente [19] la de

a) *sustantivo* (pronominalidad sustantiva: pronombres personales, demostrativos neutros),

b) *adjetivo* (adjetivación pronominal: posesivos —relación directa con las personas gramaticales—, demostrativos *este/ese...* —relación con el lugar que ocupan el emisor o el receptor durante la emisión—),

c) *adverbio* (aquí, ahí, ayer...);

---

[18] Véase C. Otaola Olano, «Consideraciones», pág. 223.

[19] Lenz establece, ya en 1912, la triple funcionalidad del pronombre (*La oración y sus partes*).

de manera que mientras a unos se les puede asignar una deíxis personal (pronombres personales, posesivos o adjetivos personales) [20], en los otros (demostrativos, adverbios) deberíamos hablar de deíxis local (a éstas habría que añadir, lógicamente, la deíxis temporal) [21].

No hace falta insistir en la necesidad de contar con el contexto para poder interpretar correctamente todas estas expresiones, pues muchos mensajes que las contienen, descontextualizados al proponerlos como ejemplos aquí, pueden resultar «confusos» e incluso «crípticos»:

> *—Pues he visto *yo un día* a la vecina *mía*
> —¿A *cuál?*
> —A la que iba con *ella*
> —Ah, sí
> —Bueno, me pareció que *la* era
> —Ah, pero ¿no *la* saludaste?

Además, en el puntual enfrentamiento dialógico de emisor y destinatario se revelan habitualmente los contextos socioeducativo y empírico, a través sobre todo de los tratamientos (¿por qué trato siempre a mi padre de tú y a mi suegro de usted?) y de la cortesía (¿por qué digo habitualmente «gracias» a mis amigos y no a mi marido?).

ESPACIAL

El tiempo y el lugar del enunciado se expresan siempre en torno a esta referencia personal de los comunicantes y a partir del propio

---

[20] Así los denomina J. Schmidely: adjetivos personales (*La personne grammaticale et son expression en langue espagnole*, Tesis doctoral, Atelier reproduction des thèses, Univ. de Lille, III, 1979).

[21] Por lo demás, el hecho de que el sujeto esté implícito y bien diferenciado en la desinencia verbal y nuestra predilección por ciertos verbos cuyo significado incide de forma «oblicua» en el sujeto lógico (*me gusta, me ocurre, me apetece, me molesta...*) llevan a Emilio Lorenzo a considerar como peculiaridad lingüística del español el hacer «al sujeto hablante menos protagonista que otras lenguas románicas y germánicas» (*El español y otras lenguas*, pág. 13).

acto de comunicación (aquí, ahora) [22]. Pero aunque metodológicamente se suelen separar la deíxis personal, la local y la temporal, son inseparables en la realidad del discurso y, de hecho, los sistemas espacial y temporal intercambian sus unidades con frecuencia: los demostrativos, por ejemplo, no son portadores «del rasgo 'espacial' exclusivamente, sino que pueden penetrar en el terreno del espacio *(este sitio),* el tiempo (aquel año) o cualquier otra noción *(ese problema).* Su capacidad de referencia es muy amplia en este aspecto y el contenido de lugar o de tiempo expresado por ellos no está en sí mismos, sino en el sustantivo al que acompañan o al que sustituyen» (Carbonero, 1979, pág. 67).

Lógicamente, la duplicidad de las interlocuciones obliga a duplicar también la perspectiva respecto a la subjetividad (alternancia de *tú* con *yo)* y respecto al espacio (aquí junto a mí; ahí junto a ti) [23]. Y existe en español un complicado paradigma de *expresiones locativas,* al parecer más rico que en otros idiomas, que muestran, según Beinhauer, un «perfecto acoplamiento del hablante a las respectivas situaciones *concretas* de lugar y dirección» [24].

En general, en efecto, se suele afirmar que el uso distingue con nitidez las dos posiciones relativas a las dos personas coloquiales, determinadas por:

a) el adverbio de lugar *aquí* y los correspondientes demostrativos *este, esta, estos, estas:* la más cercana al hablante (yo), y

b) por el adverbio de lugar *ahí* y los demostrativos *ese, esa, esos, esas:* la más próxima a la persona que escucha (tú), a la cual toma el hablante como referencia.

Sin embargo, no olvidemos que todos estos términos se caracterizan por funcionar en el campo de la mostración, la cual —como

---

[22] Los de lugar y tiempo constituyen para Benveniste los *indicios de ostensión (Problemas,* I, pág. 88).

[23] M. Criado de Val, *Estructura,* pág. 19.

[24] W. Beinhauer, «Sentido de lugar», pág. 11.

afirma Alarcos (1980, pág. 303)— «no es objetivamente absoluta, sino *resultado de la perspectiva subjetiva de cada hablante*» (la cursiva es nuestra).

En la comunicación coloquial hay que contar, por un lado, con la evidencia objetiva que «enfrenta» en un «universo» espacialmente localizado a hablante e interlocutor (yo-tú/aquí-ahí/etc.); por otro, con esa perspectiva a la que puntualmente adapta el locutor su lenguaje, y en la que intervienen principalmente, como sabemos, el contexto de situación y el contexto psicológico ocasional (además, claro está, del propio contexto lingüístico). Y por más que Beinhauer afirma que «en español se distingue la respectiva *dirección del movimiento*»:

> En su pétreo egocentrismo individualista, el hablante español, cual polo inmutable en su espacio circundante, relaciona *única* y *exclusivamente consigo mismo,* no ya todos los lugares, sino todos los movimientos dentro de este microcosmo [25],

en el terreno de lo coloquial el campo de la mostración se complica muchísimo más, sin duda, de lo que la lengua escrita podría permitirse.

Unas veces porque —como señala Lázaro Carreter— el hablante incluye en su mismo plano a su interlocutor y, consecuentemente, a lo referido en una perspectiva común a ambos; entonces el primer término *(este...)* sirve directamente para las dos personas del coloquio *(yo* y *tú)* y puede decirse

> *Estos* libros hay que encuadernarlos

dejando *esos* y *aquellos* para determinar lo externo a ese campo común (3.ª persona). Otras veces porque, excluyéndose a sí mismo de lo que con su mensaje propone, puede señalar con *ahí* lo que sin duda se encuentra más cerca de él, pero considera que atañe

---

[25] W. Beinhauer, «Sentido de lugar», pág. 12.

sólo a su interlocutor; así señalaba, por ejemplo, a sus alumnos una profesora de arte dramático un pañuelo que tenía justamente a sus pies:

> **Ahí* tenemos todo lo que nos va a interesar ahora sobre el escenario;

y una razón similar subyace seguramente en el siguiente ejemplo:

> *—Hay una cantidad impresionante de gente que se marcha. Que yo sepa en este momento tengo dos amigos en Estados Unidos
> —Y *ahí* ¿tienen buenas salidas, están muy bien vistos?
>
> (HM, VIII, 139).

Otras veces porque lo que importa no es identificar por sí mismo aquello que señalamos, sino mostrarlo como respresentativo de la «especie» a que pertenece; éste suele ser el papel de los demostrativos neutros, que, según explica Marsá, actúan siempre como sustantivos de relación locativa (1984, pág. 98), lógicamente no concordados con aquello que señalan, por más *concreto* que sea y por más a la vista que se encuentre:

> ¿Quieres esto? [*lápiz:* algo que sirve para escribir] [26].

Los demostrativos pueden servir también (a manera de comodín) para encubrir una vacilación ante la forma precisa de nombrar algo:

> *Inf. B. — ¿Cómo estás?
> Inf.   — Una copita de *este* de...
> Inf. B. — ¿Una copita de ojén?
> Inf.   — Pues nada
> [...]
> Inf.   — Siéntate, anda, anda. ¿Sabe usted que está bueno el *éste?* vamos a echar otra copita.
> Enc.   — Pero *esto* pega mucho ¿eh?
> [...]

---

[26] Véase Roberto Veciana: «'Esto', 'Eso'».

Inf. B. — *Esto* ¿qué es?

Enc.   — Antes fue un poquito como ahora

Inf.   — El célebre *este* aguardiente, *ése* que le costó tantos tra-
         bajos y tantos sudores.

                                              (HM, XIV, 239-240)

*—Tuñón de Lara. A ver si... me han dicho que me van a dejar
   el libro *ese* de los 50 años de... de Historia, ¿*ése*?, ¿*éste*?
—Lo tengo yo. Es sensacional *ese* libro

                                              (HM, XXIV, 449)

*Entonces, a mí, el topógrafo era el que me pasaba... pasaba el
   plano, y entonces, yo lo hacía convenientemente ya en... papeles *estos* vegetales y ya dejaba el planito bien hecho

                                              (HM, I, 25).

Puede ocurrir que, ante alguien que acaba de desaparecer de
nuestra vista, nos refiramos a él mediante:

               Ese hombre parece una buena persona,

o bien mediante

               Este hombre parece una buena persona;

y esto puede depender, como señalaba S. Fernández Ramírez, de
si el hablante prefiere simplemente «mostrar» *(este* hombre...) o
de si, no existiendo un previo conocimiento común (con el destinatario) del hombre en cuestión, se propone además «identificarlo» [27];
o acaso dependa principalmente de si el hablante «concibe un sentimiento especial para con el objeto de señalamiento», y entonces
(si es que no lo expresa de otro modo) emplea «este hombre» en
vez de *ese* [28]. Puede ocurrir también que el hablante tenga en cuenta (además de la localización) la relación posesiva o de pertenencia
con el objeto señalado y así podría hablar de «*esta* ciudad», refiriéndose a la propia, en la que no se encuentra, y de «*aquella* ciu-

---

[27] Salvador Fernández Ramírez, *Gramática*, vol. 3.2, «El pronombre», págs.
111-113.

[28] J. Miyoshi: «'Este/ese' en una deíxis especial», pág. 120.

dad», que puede ser la de su interlocutor, con quien la rememora. Ocurre también que la diferencia entre las parejas *aquí-allí* y *acá-allá* no depende tanto a veces de la intención de expresar «situación» (aquí-allí) o «movimiento» (acá-allá) cuanto de la consideración subjetiva de un lugar considerado en sí mismo (lugar *absoluto:* aquí-allí) o *por relación* a otro lugar punto de referencia (como en «El bosque está siempre un poco más *allá* de donde nosotros estamos») [29], o incluso puede ser una simple cuestión de «oído». Ocurre asimismo que, por más que los gramáticos se esfuerzan por superar las dificultades de clasificación que plantean, las partículas más comunes de localización espacial en español *(delante, atrás, fuera, adentro...)* no solamente funcionan semánticamente diferenciadas si

    a)   se refieren a un segundo término de relación, que puede ser el hablante o su destinatario, o su parcela común (valor prepositivo),

            Lo tienes *delante de* ti,

o b)   sitúan una parte de una única cosa, objeto o realidad cualquiera (valor adverbial [30],

            Acérquense *adelante,* por favor,

sino que se confunden continuamente en el uso, que, guiado por el oído, no siempre identifica las diferencias ni las realiza completas; así, al ir a montar al coche:

            Vete *p'alante* tú, yo me meto *detrás;*

o bien, si he de seguir en mi coche a un compañero que irá en el suyo y conoce el camino:

            Tú vete *delante,* que yo te sigo por *detrás.*

---

[29] Véase Javier Terrado: «Observaciones».

[30] Véase Juan Felipe García Santos: «Partículas».

Sin olvidar las múltiples matizaciones que pueden aportar al enunciado las perspectivas dicotómicas de lo narrado/lo vivido, lo racional/lo afectivo, lo objetivo/lo subjetivo, no incompatibles entre sí (lo narrado-afectivo, etc.) [31].

Hay, en fin, muchas posibles causas de este «caos» que —dicho sea de paso— desespera al lingüista en el sistema de deíxis espacial del español. Pero lo que nos interesa aquí es que el hablante no vacila en *seleccionar contextualmente* una u otra expresión y su destinatario no encuentra, por su parte, en el uso de su compañero, obstáculo alguno para la perfecta comprensión del mensaje. Lo cual demuestra que, más allá de la rígida estrechez lógica que atribuimos al sistema lingüístico y más allá del principio de adecuación coloquial, la lengua —como afirmaba ya Saussure— dispone realmente de medios para expresar aquello que se desee expresar y es, consecuentemente, adecuada a sus fines comunicativos; en palabras de Frei, un «sistema de procedimientos organizado en vista de las necesidades que debe satisfacer» [32].

TEMPORAL

La deíxis temporal es, en cambio, tan esencial al lenguaje, que está casi perfectamente asumida en sus signos y en sus reglas de combinación y uso, de modo que encontramos (supongo que en todos los idiomas) tres tiempos verbales: presente o *tiempo de la enunciación,* pasado o pretérito y futuro; asociados a ellos, ciertos adverbios o expresiones correlativos: *ahora, antes, ayer, después, mañana...* «La categoría de tiempo posee la característica esencial de vincular el momento del proceso (del que trata la oración) con el momento de la enunciación (es decir, el ahora del hablante)» [33]. El español, que conserva un sistema temporal y modal de conjuga-

---

[31] E. Lorenzo, *El español y otras lenguas,* pág. 23.
[32] *La grammaire des fautes,* pág. 39.
[33] G. Mounin, *Diccionario,* s.v. «tiempo».

ción capaz de expresar múltiples relaciones y variadísimos matices (en los que no queremos detenernos), cuenta además con la ayuda de numerosas perífrasis verbales y locuciones adverbiales para «colorear» temporal y subjetivamente el enunciado.

Ya hemos dicho que, como el lugar, el tiempo se expresa siempre en torno a la referencia personal de los comunicantes y a partir del propio acto de comunicación (aquí, ahora). Así pues, en cuanto *actualización,* tal acto de comunicación es, por definición, *presente* e instala todo lo referido con relación (objetiva o subjetiva) a ese presente compartido por los interlocutores. Esto no quiere decir, naturalmente, que el *presente* sea el tiempo morfológico de la conversación, pues como muy bien señala J.-B. Grize (1981, pág. 9),

> Los «partenaires» del diálogo tienen un pasado, un presente, un futuro, y aquello de lo que tratan tiene un antes, un ahora y un después. De ahí que el discurso cotidiano no se desarrolla prácticamente nunca todo entero en el presente y que la manipulación de los tiempos puede incluso tener valor argumentativo.

Quiere decir únicamente que los comunicantes tienen el mismo punto de referencia *(ahora)* y pueden identificar sin dificultad (contando, claro está, con que conocen bien el idioma que emplean) las oscilaciones objetivas y subjetivas del otro en su empleo de los signos lingüísticos.

Tradicionalmente, la objetividad o subjetividad suele explicarse en función del *modo* verbal empleado. O, si se quiere, al revés, el modo verbal empleado en función del grado de seguridad del hablante respecto de la realización de la acción precisada en el verbo: *indicativo* cuando se está seguro del acontecimiento que el verbo indica (planteamiento «objetivo») y *subjuntivo* cuando no se tiene constancia cierta de su realización (posibilidad, probabilidad, duda, deseo, temor...). Se podría hablar, pues, también de una deíxis verbal *modal* (que podríamos considerar personal), que, yuxtapuesta a la temporal, ayuda a precisar el sentido del enunciado.

Pues bien, en el coloquio tiene lugar sistemáticamente la adaptación subjetiva del punto de vista del hablante a la realidad de su vivencia personal momentánea del evento, lo cual se refleja lingüísticamente a veces en su mensaje en una mala correlación verbal hecha al margen de la «lógica» modal y temporal del sistema. Esto se puede rastrear en los efectos de sentido producidos en el destinatario, acordes con la intención real de comunicación. Así, por ejemplo, se expresaba Carlos Garaicoechea en TV el 27-8-86:

> *Hasta que* yo siga siendo miembro del PNV, ésa será mi intención;

con una localización temporal puntual *(hasta)* incompatible con la acción duradera de *siga siendo,* proyectada además tan claramente al futuro que emplea este tiempo verbal *(será)* para indicar la continuidad de su intención. Obviamente, debió decir *mientras que* en lugar de *hasta que* (y *seguirá siendo* en vez de *será); pero el señor Garaicoechea seguramente sabía ya (jugaba, pues, con ventaja) que el final de su situación «actual» no sólo era posible, sino que estaba además próximo: poco más tarde abandonó el PNV y fundó Eusko Alkartasuna.

En un ejemplo similar, el industrial Emiliano Revilla, recién liberado de un larguísimo secuestro por ETA, informaba a los periodistas de que sus secuestradores le habían dicho

> *que tenían muchas ganas de negociar con el gobierno, que tenían muchas ganas de *acabar de seguir* con esa situación
>
> (TV, 1-11-88),

con una paradójica combinación verbal (de acción puntual asociada a verbo durativo: *acabar de seguir)* que trasciende el mero error y refleja con bastante exactitud y síntesis la situación real (lo que dicen querer, la realidad que los hechos por el momento prolongan).

Y es que, efectivamente, el lenguaje no sólo nos refleja, sino que incluso, con frecuencia, nos «traiciona» más allá de nuestra intención consciente de comunicación. Tanto el señor Garaicoechea como el señor Revilla dijeron lo que querían decir, pero dejaron traslucir además que ello implicaba algo más o algo distinto a lo explícitamente dicho. Así ocurre a menudo, y, como en estos ejemplos, el hablante encuentra medios para expresarse, si es preciso, al margen de las normas.

Así, aunque la norma impone ciertas restricciones al empleo del futuro, el hablante lo utiliza sin problema en vez del subjuntivo cuando proyecta una acción (o intención) que considera de seguro cumplimiento:

> *Si *vendrás* de una puñetera vez... [queja-orden que el hablante prevé que se cumplirá tarde y mal].
>
> *Desde que le dije que iba hasta que se *irá*...
>
> *Hazlo como te *dirán* allí [la razón de este futuro en la proposición introducida por «como» se halla quizá en la elipsis expresiva —síncopa—: Tienes que hacerlo + allí te dirán cómo hacerlo].

Igualmente, el deseo autoafirmativo de generalizar lo que en principio presenta como simple creencia personal le induce a expresar en indicativo (y no en subjuntivo) esa creencia:

> *Esperaba muchas cosas, con razón o sin razón, yo no lo sé, ni creo que nadie lo *sabe*
> (Ernesto Ekaize, TV, «Informe Semanal», 6-9-86).

Para el atleta humilde (como todos los españoles que fueron a las últimas Olimpiadas), el haber puesto a prueba con éxito su capacidad puede ser una satisfacción mayor que la acción en sí misma:

> *Para mí es una inmensa alegría el *poder haber terminado* ésta [carrera]
> (J. Alonso Valero, TV, Olimpiadas Seúl, 23-9-88);

y seguramente por eso una expresión tal no es atribuible a simple «error» en la disposición de los tres verbos («poder haber terminado» > *haber podido terminar),* sino, presumiblemente, el fiel reflejo de esta actitud del deportista.

Por su valor a la vez durativo y de simultaneidad, el gerundio aparece ligado de forma incorrecta a muchas expresiones que pretenden reflejar estos sentidos a partir de la conexión de dos referencias temporales:

> *A Lourdes la conozco *siendo* niña, conque imagínate
>
> *Es un sitio paradisiaco, lo que pasa es que tienes que ir *haciendo* buen tiempo
>
> *Se quedó en un rincón solo *siguiendo estudiando*
>
> *Estando sudando* mejor no beber agua.

Aunque «sustancialmente un ruego o un mandato van proyectados hacia el futuro», pasado el momento en que debió haber sido realizada una determinada obligación, el hablante puede aludir a ella atribuyéndosela como orden «referida» a su interlocutor (con otros valores subjetivos añadidos), mediante la «construcción elíptica de infinitivo de pretérito» [34].

> *—Pero si no tenías que venir
> —*Haberme llamado*

A veces ocurre lo contrario, la correlación verbal no se adapta a la perspectiva personal del hablante, bien por analogía discursiva,

> *Y [a los carteros] los militarizan, nada menos, pero con la diferencia de que el ejército tienen todas las posibilidades de que les *hicieran* caso *si se pusieran* en huelga
>
> *«Chapa» *se llamaba* este pueblo [que acabamos de pasar]
>
> *¿*Quedaba* alguna habitación más por barrer además de la nuestra [que ya he barrido]?,

bien por cruce entre dos o más opciones del sistema:

> *El tiempo cuenta y no sé si *podré poder hacerlo* [podré/voy a poder... hacerlo],

(HM, II, 29)

---

[34] Cf. Emilio Lorenzo, «La expresión de ruego y de mandato», pág. 306.

bien por condensación expresiva:

> *—Mal día para la moto, ¿no?
> —*La he quedado* en casa [35]
> [acción causa previa, expresada por los resultados],

bien porque no siempre se consigue una deíxis temporal perfecta:

> ...Tras diez meses en antena, en sus palabras de despedida del programa *Hablemos de sexo,* la doctora Elena Ochoa expresaba, conmovida, su gratitud a todos los que habían colaborado en él y se excusaba por sus posibles fallos:
>
> *[...] yo *he sido* una persona que que, bueno, *no he hecho* nunca televisión, [...]
>
> (TV, 27-12-90).

El empleo en este caso de los dos pretéritos perfectos, coherentes, por una parte, con la vivencia de hechos experimentados cuyo efecto permanece en la conciencia del hablante («ser persona que no haber hecho televisión»), y por otra, con una intención simplemente testimonial (que no precisa concretarlos cronológicamente), refuerza, sin duda, la despedida. Y seguramente en este contexto su empleo pasó inadvertido a los espectadores. Pero, aunque comprensibles, ambos pretéritos establecen inadecuada correlación «lógica» tanto entre sí como respecto al presente de la enunciación, que es el que al parecer se ha impuesto como referencia en este caso y ha inducido analógicamente la misma forma (por dos veces) en el enunciado. A todo ello contribuye además la presencia del adverbio *nunca,* que, en estricta lógica, convierte (involuntariamente) en «mentira» la afirmación actual *no he hecho nunca televisión.* En este caso, la imposición de la perspectiva actual de la hablante sobre la del tiempo-aspecto «objetivos» de los hechos, ha convertido:

---

[35] Este tipo de fenómeno se ve con cierto detenimiento en el apartado que en la parte segunda se dedica a interferencias en la atribución de la actividad-pasividad.

Yo soy (era) una persona que no había hecho nunca [antes]...

en:

Yo he sido una persona que no he hecho nunca televisión.

Seguramente esta misma razón justifica las alteraciones que de la deíxis temporal encontramos en los siguientes ejemplos:

*Se te *veía* a ti mayor que *yo* [soy ahora]

*¿Qué querías decir con eso? Algo *quieres* decir *ahora o antes* [36]

*Luego, después que ...V... yo creo que... que no hemos dado los programas, ha habido muchos jaleos *este año,* y *este año* va a haber más todavía [el hablante, estudiante, habla en términos de «curso»: dos cursos se encuentran en un mismo año]

(HM, III, 45)

*Cada día dices algo diferente a lo que dijiste ayer.

Cada día piensas algo diferente a lo que pensaste ayer

[*ayer* nos sitúa en *hoy,* no en «cada día»]

(Canción *Cada día,* del grupo pop de los años 60 «Los Ángeles).

Deíxis co-situacional

Más allá de la directa «mostración» enunciativa que acabamos de ver, este estar instalados hablante e interlocutor en un «universo» común se manifiesta abundantemente en su expresión mediante la continua alusión a esa realidad compartida. El hablante organiza su mensaje a partir de una referencia física inmediata y de un conjunto de conocimientos que él mismo posee o ha adquirido durante la conversación, o bien que supone en su interlocutor: ambas cosas se manifiestan en el lenguaje coloquial en esa tendencia clara a presentar el enunciado ligado (por el tema, por el contexto verbal —al que nos referiremos en la parte siguiente— o extralingüísticamente) a esa realidad vital que el hablante comparte con su interlocutor y

---

[36] Álvaro Pombo, *El parecido,* Barcelona, La Gaya Ciencia, 1979, pág. 48.

de la que son informados e informan en diferente grado. Y es que en el estilo conversacional, debido precisamente al factor situacional, no importan tanto las relaciones morfosintácticas (que resultan de la situación y pueden ser sustituidas por ella) como las semánticas o de sentido (Dubsky, 1970, nota pág. 54).

a) Así, pudimos ver entre nuestros ejemplos de intertextualidad [37] cómo se conseguía, mediante el acompañamiento de un gesto (identificable en un anuncio televisivo de tampones), una particular connotación en el mensaje *(No pasa nada. ¡Nada!)*. Y podemos comprobar en nuestra experiencia diaria cómo muchas veces el gesto completa el sentido o incluso basta a veces para comunicarlo.

b) La copresencia de los interlocutores durante su conversación en un horizonte sensible común propicia el empleo de ciertos comodines o vocablos de significado no específico que sólo en su momento concreto de uso adquieren pleno significado, por deíxis situacional:

> *... yo creo que si llegaran a decirlo —espera que tenga yo un rato al *bicho* ¿no? porque te cansarás— yo creo que si llegaran a decirlo [grabadora o magnetofón]   (HM, III, 48)
>
> *No, pero si miras al *chisme* cambiando a «pantalla dos» lo ves [monitor de ordenador]
>
> *Ponle el *coso* ¿no?, que te lo has dejao sin poner [tapa a un bolígrafo]
>
> *Si sujetas *así* [la tela] voy yo a buscar las *esas* [tijeras; en este caso, se emplea como comodín el propio pronombre demostrativo; también el valor del adverbio modal *así* es estrictamente situacional].

Todo esto ocurre, lógicamente, porque «en la conversación la situación está casi siempre dada; las cosas de que se habla están a la vista o pueden fácilmente evocarse», y el lenguaje vivo propor-

---

[37] Véase, más atrás, cap. II, «Recurso al cliché».

ciona al hablante una información suplementaria (además de la entonación expresiva y la mímica) que es para él y para su interlocutor «un comentario perpetuo de sus palabras» [38]. A ello no es ajena, como podemos apreciar en los ejemplos anteriores, la aparición del artículo definido o determinado: *el* bicho, *el* chisme, *el* coso, *las* esas (respectivamente: magnetofón, monitor, lazo, tijeras), donde el artículo presenta como ya conocido el objeto (nuevo) que el comodín «señala» situacionalmente (y el receptor identifica sin problema).

c) La misma posibilidad de identificar situacionalmente un determinado objeto o aquello de que se habla hace innecesaria su presencia (o la de su especificador) en el enunciado. Así podemos interpretar la desaparición sistemática del artículo (u otro determinante) en ciertos contextos (particularmente para expresiones locativas);

*Está en ( ) pantalla ahora

*Tú lo has visto en ( ) televisión y yo lo he oído en la radio esta mañana [es curiosa esta ausencia del artículo en «televisión», que sí está presente en «la radio»]

*—¿Dónde lo tienes?

—Me lo llevé a ( ) casa, está en ( ) casa

*En ( ) colegios no se sabe nada

*Y el primer día, sin duda alguna, lo lleva todo el profesor, te dice lo que tienes que hacer para situarte en ( ) cola de... en ( ) cola de la avioneta que te re... que te remolca   (HM, I, 7),

o la sustitución de unos sustantivos por otros en contextos bien conocidos por los interlocutores (fenómeno cercano al del uso del comodín, pero con un sentido que intuimos diferente):

Le ha dado a *la tía* por no funcionar [39].

---

[38] Ch. Bally, *El lenguaje y la vida*, pág. 106.

[39] El ejemplo es de José Mª Becerra Hiraldo y pertenece a una larga lista de fenómenos (que incluía estos dos) aducidos en su Comunicación al XI Simposio de la Sociedad Española de Lingüística, Oviedo, diciembre de 1981.

Tradicionalmente, el artículo determinado es considerado precisamente un recurso que sirve para señalar la persona o cosa conocida (o consabida), frente a lo que se presenta como nuevo (mediante el llamado artículo indefinido o indeterminado).

Por otra parte, cualquier cosa consabida o co-vivida (que no se puede, no se quiere o se considera innecesario precisar) puede aparecer sólo aludida mediante una curiosa sustantivación que Emilio Lorenzo [40] atribuye a economía lingüística:

> *No me ha parecido nada bien *lo de* tu hermano
> *Ya, claro, *lo de* siempre.

d) Además del artículo, Tichý (1961) habla de otros *recursos de incorporación contextual* a la oración, entre los que destaca (aparte de los prosódicos) el *orden de palabras.*

Supongamos que concretamos el diálogo como una situación de premisa-estímulo a la que sigue una premisa-respuesta que de algún modo (explícito o implícito) la reproduce. Paralelamente, en la oración se pueden distinguir también dos partes: una, enraizada en la situación, que designa lo ya conocido que en ella se reproduce (el *tema),* y otra (el *rema)* que presenta lo nuevo, lo que constituye el auténtico fin (por el momento) de la comunicación. *Tema* y *rema,* que tienden a aparecer en este mismo orden en la oración, suelen ser llamados también «noción inicial o punto de partida-fin del discurso» [41], «sujeto psicológico-predicado psicológico», «base-núcleo»...

Pues bien, mientras el tema está directamente *enraizado en la situación,* el *rema* está *relacionado mentalmente con la situación.* Lógicamente, «cuando varias oraciones se encadenan para hacer avanzar el pensamiento más complejo, el rema de la oración prece-

---

[40] E. Lorenzo, *El español y otras lenguas,* pág. 16.

[41] Así los designaba Henri Weil, probablemente el primero que planteó el estudio del orden de palabras en términos modernos: *De l'ordre des mots dans les langues anciennes comparées aux langues modernes,* París, 1844.

dente pasa al tema de la siguiente» (pág. 96). De este modo, la distinción tema-rema guarda una cierta correlación con el conocimiento que los comunicantes tienen de la situación, y refleja además la estructuración subjetiva del pensamiento del hablante y la progresión de la información a lo largo de la conversación.

Lo normal es que aquello en que se centra particularmente el interés del hablante aparezca (tematizado) al principio del enunciado (o «relievado» en su interior); el hablante pone así en evidencia —como ya hemos explicado en la parte primera— un «sujeto contextual» (que no necesariamente gramatical) con el cual relaciona el resto de los elementos del enunciado.

Para Tichý, «el requisito de economía en la expresión en la mayoría de los casos nos lleva a dirigirnos sin rodeos hacia lo esencial», es decir, directamente a la expresión del rema. Creemos, sin embargo, que es más acertada la consideración de Rona (1968, págs. 42-44), que ve en la tendencia del hablante a organizar su mensaje con clara orientación hacia el receptor la causa de intentar evitarle a éste la redundancia. O la de Dubsky (1970), que atribuye a la «combinación de medios lingüísticos y no lingüísticos (ademanes, mímica)», es decir, a lo que nosotros llamamos *coparticipación situacional inmediata,* el que «se deje sin expresar no solamente la base de la comunicación, sino también la parte de transición entre la base y el núcleo de la misma» (pág. 52). Y aduce Dubsky ejemplos bien representativos de la *elipsis expresiva y situacional,* como:

> *¡Imposible!
> *¡Socorro!
> *Un paso más y tiro
> *El teléfono, señor
> *¿Otro vaso?

Lógicamente,

cuanto mayor sea el grado de familiaridad o la coincidencia de experiencias entre dos interlocutores, mayor será también el grado de redundancia de un mismo mensaje, o a la inversa, de concisión posible, pues están presentes en la comunicación, sin explicitarse —es decir, aludidos, pero no mencionados—, todos los componentes de ese universo de vivencias comunes que llamamos lo consabido y que no siempre están sustituidos por los recursos gramaticales o gestuales que designamos como anáfora o deixis, los cuales, en tales casos, pueden resultar superfluos [42].

Es precisamente el contexto el que «permite eliminar muchos detalles [...] favoreciendo así una expresión elíptica y por consiguiente inteligible» (Slama-Cazacu, *Lenguaje y contexto,* pág. 253). De este modo, la aparente independencia sintáctica de este tipo de expresiones encubre su dependencia directa del contexto comunicativo. Para la autora,

> la experiencia demostró que las palabras denominadas «accesorias» pueden aparecer *solas* cuando están integradas en una situación conocida; por otra parte, las palabras «principales» pueden aparecer *solas* —lo cual significa algo distinto que autónomas—, siempre únicamente que se trate de una situación conocida: de este modo tampoco son completamente independientes *(op. cit.,* pág. 250).

No hay, pues, en la lengua coloquial, palabras «principales» y palabras «accesorias», puesto que su jerarquía semántica puede quedar neutralizada por el contexto, que facilita la completa intelección entre los comunicantes. En palabras de Slama-Cazacu,

> Lo que es más importante en una expresión, por lo general debe poder representar en un momento dado todo su conjunto, o sea que al omitir todas las palabras menos una, ésta última pueda, sin embargo, bosquejar el sentido del conjunto *(op. cit.,* pág. 251).

Por eso podemos encontrar en la lengua coloquial enunciados aún más breves, condensados y elípticos que estos que Dubsky propone, por simple referencia al contexto actual de comunicación.

---

[42] Emilio Lorenzo, *Utrum*, pág. 29.

Así, «no entiendo bien tu argumentación, me faltan datos, propor-
ciónamelos» -puede aparecer simplemente como

    ¿Y?;

una simple preposición puede servir para una pregunta completa:

    *—Esta noche me voy a bailar yo
    —¿Con?
    —Sola, sola;*

un pronombre (y unas pocas frases aparentemente inconexas), resumir el estado de ánimo (y el estado de conversación) de dos amigas:

    *—Debe de creerse que ella no tiene defectos
    —[Ante el timbre de la puerta] ¡Ella!
    —A estas horas no
    —Pues ¡él!, ¡él!
    —¡Un hombre!
    —¡El hombre de mi vida!
    —¡Llamando a la puerta!
    —Pues voy a abrir...*

etcétera.

e) Esta tendencia general a referirse a los conocimientos que
se tienen o deberían tenerse de la situación se refleja también en
ciertas *silepsis* en las que el conocimiento del hablante (compartido
o no con su interlocutor) alcanza expresión más allá de la normativa del sistema:

    *Lo que ocurre es que yo soy una persona muy modesto, muy
    modesto...*

    (Arturo Fernández, TV, «La Tarde», 10-6-87)

    *—[X y Z, jugadores de baloncesto de dos selecciones rivales] dán-
    dose un achuchón...*

    *—Pues dentro de poco se verán en el hotel, porque todas las selec-
    ciones están alojados en el mismo hotel*

    (TV2, 30-6-88).

En los ejemplos, como ya hemos explicado (véase apartado de concordancia de género, en la parte segunda), el hablante, conocedor de que los sujetos designados por el sustantivo son de sexo masculino (pese al género gramatical), atribuye directamente el género «lógico» (masculino) a su adjetivo correspondiente.

B) CARÁCTER INMEDIATO DE LAS RELACIONES

Todos los elementos que intervienen en la comunicación coloquial, ordenados y jerarquizados en torno a los interlocutores (su espacio y su tiempo), se mantienen *simultáneamente interactivos,* de modo que «la expresión de cada persona, en cualquier instante del acto de comunicación, representa un equilibrio de formas y de sentidos *realizados,* pero un equilibrio dinámico, efímero, que se desvanece ya en el momento de estar realizado» (Slama-Cazacu, *op. cit.,* pág. 244). Esto tiene para el lenguaje coloquial dos consecuencias inmediatas, de las que ya hemos hablado y que son de gran trascendencia si queremos comprenderlo: su *fugacidad* y su *validez local* [43]: su estricta dependencia del *aquí-ahora* actualizador (y actualizado). Una dependencia que se manifiesta en todas y cada una de las relaciones establecidas entre los diversos elementos que intervienen en la comunicación conversacional y que nos permite afirmar que «la actitud del lenguaje es el resultado de un sistema de coordenadas actual» (Slama-Cazacu, *op. cit.,* pág. 274).

La espontánea *adecuación* del hablante a esa sucesión de sistemas de relación (la partida de ajedrez —el ejemplo de Saussure— podría servir para ilustrar esta variación en los estados) hace del lenguaje una *conducta adaptada a la situación* que actúa como mo-

---

[43] Cp. Jean-Blaise Grize, «Pour aborder», pág. 12: «Un discurso práctico no se ocupa más que de dar de la situación una imagen específica, una imagen adaptada a su finalidad».

tor de progresión en la comunicación y permite a su vez la adecuación y comprensión del interlocutor (y así sucesivamente cuando el destinatario del mensaje se convierte en emisor). De ahí que las propiedades *específicas* del lenguaje coloquial (y las del contexto general del coloquio) estén directamente determinadas por los interlocutores (intención de comunicación por parte del hablante; posibilidad de interpretación por parte del receptor) y por lo que podríamos llamar «realización del sentido del mensaje», que depende directamente de ellos y de las relaciones establecidas entre ellos y el resto de los elementos de la comunicación. Por eso, si intentáramos desglosar ese «sistema de coordenadas actual» que está en su base, encontraríamos siempre que al menos uno de los ejes corresponde a uno de los comunicantes (el emisor o el destinatario) y que las relaciones establecidas tienen su manifestación directa en muy diferentes aspectos del lenguaje coloquial. Así, por ejemplo:

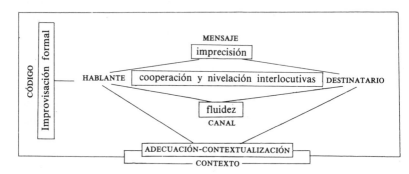

Claro que no todos los fenómenos del lenguaje coloquial encontrarían su sitio en un esquema tan simple, que contempla por separado la existencia de cada uno de los elementos que intervienen en la comunicación conversacional. Para poder clasificarlos tendríamos que complicar el esquema, intentando reflejar en él la *coexistencia interactiva* de las relaciones. Así, las dos características que dan nombre, como principios organizadores del discurso coloquial, a las dos primeras partes de este trabajo, *expresividad* y *comodidad,* responden simultáneamente:

a) a la acción concurrente del canal («urgencia» en el uso del canal de comunicación), del código (posibilidad de elección) y del contenido del mensaje sobre el hablante (o mejor: a la interpretación puntual que el hablante hace de su relación con estos tres elementos);

b) a la relación general establecida entre hablante e interlocutor.

Todo ello quedaba particularmente claro cuando distinguíamos diferentes fenómenos dentro del principio de comodidad, según su influencia sobre la formalización del lenguaje, sobre el mantenimiento fluido del canal o sobre la expresión del sentido global del mensaje. Y de manera similar podríamos proceder con cada uno de los fenómenos visto en los diferentes apartados. Entre los de Expresividad, por ejemplo, el énfasis mediante procedimientos de «adaptación de sentido» de ciertas expresiones impropias como «un *clamoroso* silencio» es posible

a) gracias a que ni emisor ni destinatario disponen de tiempo para «analizar» el significado del término empleado («urgencia» en el uso del canal de comunicación);

b) gracias a que el adjetivo *clamoroso* está disponible en el sistema de la lengua para otros usos de significado enfático;

c) y, consecuentemente, gracias a que los interlocutores pueden extender analógica y puntualmente su valor enfático a nuevos sentidos (aunque sea de forma inadecuada desde un punto de vista estrictamente lógico).

La «lógica» del lenguaje coloquial, que escapa a un análisis a primera vista, reside, sin duda, en este sistema de relaciones que se define puntualmente en el momento de la realización y que se modifica continuamente a lo largo de ella. Y esto es, a la vez, un principio básico para su entendimiento por parte del lingüista y una dificultad esencial para su estudio, por cuanto no sólo permite la adopción de muy variados puntos de vista a la hora de abordarlo, sino que deja siempre la sospecha de no haber podido abarcarlo en su totalidad. No queremos, en fin, insistir sobre ello. Nos limitaremos a presentar a continuación algunos de los aspectos y fenómenos que muestran una conexión más clara con esta manifestación activa del contexto sobre la expresión coloquial.

REVERSIBILIDAD INTERLOCUTIVA: FLUIDEZ Y ALTERNANCIA
EN EL USO DEL CANAL

Ya sabemos que en la conversación el proceso comunicativo es a la vez *bipolar* (emisión-recepción) y *reversible* (el emisor puede —y suele— ser también receptor, y a la inversa). La relación es además de carácter *abierto,* sin límites prefijados, y la *alternancia* en uno u otro rol suele ser *espontánea* e *imprevisible.*

Y creemos que es precisamente esta necesaria alternancia en los roles, *consabida* por los interlocutores, la razón fundamental de ese lazo que los une permanentemente y los mantiene siempre activos durante su comunicación: lo que nos permite afirmar que «a diferencia de otras formas de interacción oral con intercambio de turnos, [la conversación] exige menos la *coherencia* que la *conexidad*» [44]. Tal «conexidad» se basa, sin embargo, más en el mantenimiento de la *tensión interlocutiva* y en la fluidez de la comunicación (que nacen de la necesaria y espontánea alternancia en los roles) que de un estricto uso de la alternancia en la ocupación del canal comunicativo. Pues el coloquio —como muy bien han señalado Dubsky (1970) y Manuel Criado de Val (1980)— tiene una estructura abierta y organizada en turnos de impulsos y réplicas, en la que no hay una sola línea de enunciado, sino varias, que transcurren normalmente en paralelo y complementarias, y que a veces se interrumpen, se cruzan o se superponen [45].

Sin embargo, cuando la alternancia en el uso del canal no es espontánea, cuando es irregular o anormal por cualquier motivo, suelen surgir «dificultades» en la comunicación. Pudimos comprobarlo repetidamente en un programa de televisión que se emitió a lo largo del año 1988: *El*

---

[44] W. Mignolo, «Diálogo y conversación», pág. 8.

[45] Éste ha sido un aspecto especialmente atendido por Criado en sus «transcripciones coloquiales».

perro verde. Jesús Quintero («El Loco de la Colina») entrevistaba semanal-
mente (en tono «conversacional») a varios «personajes» de la vida (más
o menos) pública española. Sistemáticamente, utilizaba ciertas *estrategias*
de comunicación [46] que conferían a sus entrevistas unas características peculiares y exclusivas (de ahí, seguramente, el éxito de la fórmula): tratamiento distante y respetuoso *de usted* siempre a sus invitados, compensado
por sonrisas cómplices (o sonoras carcajadas); entonación y voz «acaricia-
doras»; largos silencios (con gesto serio o pensativo) entre el final que
el entrevistado establecía para su turno de palabra y su propia intervención
como entrevistador. Tales silencios intencionados frenaban en seco la normal fluidez de la interlocución y solían provocar desconcierto en los entre-
vistados y reacciones peculiares en ellos: desde el simple gesto que reclama
continuidad hasta la repetición (autoafirmativa o matizada) de la última
parte de su mensaje, su prolongación aparentemente no prevista ni desea-
da, o el piropo directo a su entrevistador *(«Eres un encanto, Jesús... ¡qué
bien nos entendemos!»).* Al espectador, por su parte, el distanciamiento
de Jesús Quintero le obligaba a la reflexión continua, al constante recuerdo
de que aquel intento de «desnudar» ante sus ojos al entrevistado era *exclusivo para él.*

A diferencia de lo que ocurría en estas entrevistas, en la conversación cotidiana la alternancia en el rol o/y en el uso del canal
no es una estrategia preconcebida (ni en la forma ni en el contenido), sino una característica intrínseca que acontece corrientemente
y de forma espontánea y fluida, como parte esencial de lo que Coseriu ha llamado *técnica libre del discurso* [47]. Y las diversas intervenciones pueden estar enlazadas por el sentido, «o simplemente
por la conexión no interrumpida, es decir, por el mantenimiento

---

[46] Parece que, de forma intuitiva o premeditada, Jesús Quintero utiliza la «técnica *no directiva* de comunicación», desarrollada con fines psicoterapéuticos por el
norteamericano Carl Rogers. El terapeuta (el entrevistador) se comporta como un
espejo, permitiendo al otro llegar a revelar(se) por sí mismo aquello que busca y
respetando durante su relación con él tres principios básicos: *aceptación* o consideración positiva incondicional, *comprensión empática* (activa y sensible) y *congruencia*
(o autenticidad).

[47] *Principios*, pág. 113.

de la tensión»[48]; si bien «la inclinación a la ilación es, en cierto sentido, más acusada que en la lengua culta, como corresponde a una situación comunicativa en la que el relevo en el turno de palabra exige unos mecanismos de conexión distintos a los del monólogo»[49]. La técnica del discurso coloquial es libre, pues, en cuanto a que éste no está «preconcebido» o «prefijado» ni en lo que concierne a su forma ni en lo relativo a sus límites, y es, en este sentido, *imprevisible, pero no arbitrario ni caótico.*

Así, ya vimos cómo, aunque no hay norma o ley que obligue a ello, los hablantes suelen utilizar fórmulas explícitas para iniciar y finalizar su comunicación (saludos, despedidas). Y ofrecen también *indicios del cambio de turno,* medios lingüísticos que señalan (y permiten reconocer) los límites entre los diferentes segmentos de enunciado: entonativos, gestuales, sintácticos —preguntas, expletivos, repeticiones, paralelismos , saludos, despedidas...—. De modo que, imperceptiblemente, la comunicación transcurre con fluidez hasta su final o bien, si las reglas no son respetadas, pueden aparecer superposiciones, bruscas interrupciones o intercalaciones en la cadena hablada... Así, por ejemplo, en un debate (el que se celebró en TV sobre la mendicidad) pudimos documentar esta expresión con que el hablante defendía su turno de palabra ante las interrupciones de otro participante:

> *Entonces yo creo —¡un momento!—* de que esto tiene solución si se quiere.

Vimos también cómo los *estimulantes conversacionales,* y en general todas las señales de encadenamiento del habla, constituían «rellenos» innecesarios desde el punto de vista conceptual, pero necesarios para la progresión natural y fluida de la comunicación. Entre ellos incluye Gemma Herrero las que nosotros hemos llamado *expresiones autoafirmativas,* que para ella suponen a la vez «una

---

[48] M. Criado de Val, *Estructura*, pág. 24.

[49] A. Narbona y R. Morillo-Velarde, *Las hablas andaluzas*, pág. 123.

forma de deíxis del factor humano de la conversación [por medio del morfema de persona] y del contacto existente entre ellos» [50].

REVERSIBILIDAD INTERLOCUTIVA: COOPERACIÓN Y NIVELACIÓN INTERPERSONALES

Pero podemos dar ya un paso más. En la medida en que el lenguaje se realiza como un proceso bipolar que involucra una relación social entre los comunicantes (conducta interpersonal), la reversibilidad interlocutiva supone una profunda interdependencia entre esos dos momentos complementarios de la emisión y la recepción. Las necesidades objetivas de la *comprensión recíproca* determinan en gran medida, por un lado, la elección de los signos lingüísticos y de su estructura gramatical; por otro, obligan a una constante *cooperación y nivelación entre los interlocutores en su adaptación a las circunstancias cambiantes de la comunicación.*

Y este condicionante elemental (de la comprensión recíproca) se manifiesta quizá mejor que en ninguna otra en la modalidad coloquial, pues si en general hablamos para ser comprendidos por alguien (de otro modo, no habría comunicación), en la conversación cotidiana hablamos *para ser comprendidos al instante.* Esto influye, naturalmente, sobre la expresión del hablante, que, por una parte, se adapta sin cesar a su interlocutor y, por otra, a las circunstancias generales de la comunicación establecida. En efecto, el receptor determina al hablante

    a) a emplear un sistema lingüístico conocido (compartido),

    b) a elegir los signos y los significados más adecuados para el oyente,

    c) a organizar la expresión según reglas que le son familiares a éste,

    d) a utilizar en su mensaje los correlatos de situación que les son comunes.

---

[50] *Aproximación*, pág. 447.

(Lógicamente, el receptor, una vez convertido en locutor, se adapta, a su vez, a su destinatario actual.)

COOPERACIÓN FÁTICA

Por su parte, la recepción es también un proceso dinámico, activo y complejo que «consiste en ajustarse con la forma en que está organizada la expresión» [51]. De hecho, una de las formas más curiosas que reviste la cooperación en la actividad interlocutiva alternante es la que consiste en *completar con las propias palabras la expresión del pensamiento del hablante*. El receptor-destinatario, (provisionalmente) instalado en el punto de vista de su compañero-emisor, se apodera momentáneamente del uso del canal comunicativo, pero no para hablar en calidad de emisor, sino para asumir la emisión de su interlocutor, en abierta colaboración con él y dispuesto a continuar en su papel de receptor-destinatario:

> *—¿Tú sabes dónde está Marqués de Vadillo?
> —No sé.
> —No, Marqués de Vadillo, no.
> —Por calles a, a lo mejor he pasado por Marqués de Vadillo...
> —No, no, General Ricardos, ¿eh? Antonio López.
> —*Carabanchel.*
> —Carabanchel, pero, un poco más para abajo, hay una pista y el Puente de Vallecas no...
> —*Praga.*
> —Puente de Praga, justamente. Bueno, pues esa iglesia que hay ahí, hay un convento de frailes, ahí estuve yo
>
> (HM, XVII, 306-307)
>
> *—Yo es que, como no sabía dónde estaba... tenía una idea, ¿no?, pero...
> —*Sí, pero no sabías exactamente*

---

[51] T. Slama-Cazacu, *Lenguaje y contexto*, pág. 264.

—Me ha dejado el autobús ahí y hasta que lo he dado y eso, pues...
¿sabes tú si hay un servicio por aquí?

(HM, XXIII, 420)

*—Sí. Además que me supongo yo de que estará el..., los padres...;
estará..., su alumno..., estarán sus hermanos, estará toda la
familia...
—*Sí, toda la familia reunida* ¡je, je!
—Mira, ¡y eso va a ser!, vamos. Nunca me he visto en otra igual

(HM, XXIII, 425)

*—... Filosofía y Letras, que sí; Económicas, Derecho, también son
las que más...
—*Las que más pueden.*
—Son las que más pueden hacer algo por...; ¿entiendes? Yo creo,
no sé

(HM, XXIII, 433)

*—... me voy a la biblioteca, hasta las seis y media. Pues son dos
horas que... Dos horas, a lo largo de todo el curso, o sea...
—*¡Cunde mucho!*
—Claro...

(HM, XXIII, 426-427)

*—Y además, como él ha hecho todo su doctorado y está creo que
en eso...
—*Empapado.*
—... es profundísimo... como metas un poquito la pata, ya te la
has cargado

(HM, XXIV, 439).

A veces, la compenetración/simbiosis (mental) es tal, que el interlocutor no sólo adelanta con sus palabras lo que a su compañero
correspondería decir, sino que le proporciona a éste el término ese
que andaba buscando y no puede encontrar a tiempo:

*—Qué pelmas!, además a las siete se me acaba la cuerda del coche
—¡Ah!, es que lo tienes en...
—*En la zona azul.*

(HM, XXIV, 448)

   *—Cuando salimos yo no me encontré a nadie, fue de esas... de esas veces que no que no coincides con nadie con..., como... nos hicieron...

—*Conocido*

—Nos dividían por apellidos, no coincidí con nadie del apellido

(HM, XVIII, 327)

   *—No, es que este chico se despeñó una... una... piedra enorme, pues... se conoce que debió ser en la época del deshielo

—Sí

—Arrasó la... piedra y tuvieron...; y a él menos mal que la... el macuto les... le... le... quitó un poco el golpe

—*Amortiguó,* sí, sí.

—Si no...

(HM, XIX, 353);

o incluso, previendo lo que va a decir su interlocutor, adelanta su propia reacción antes de escuchar sus palabras:

   *—Si no se puede hacer contactos es por la diferencia...

—*Exactamente.*

—... de cultura...

—Exactamente.

(HM, II, 39);

Además de este necesario «ajuste» a la forma de expresión del compañero, la recepción requiere identificar en el uso que de los signos (referencia de validez general) hace el otro esa realidad vital *particular* (puntualmente compartida), con todo lo que tiene de nuevo en cada instante. Por un lado, pues,

el receptor es activo tanto por la interpretación que realiza durante el proceso de la recepción como por la influencia que ejerce sobre el proceso de emisión

(Slama-Cazacu, *Lenguaje y contexto,* pág. 272);

por otro,

el que habla está influido por los momentos en que él mismo es receptor. [...] El momento de recepción de A ejerce también influencia sobre sus propios momentos de emisión

(Ibídem, pág. 273).

En todo caso, durante el proceso de la comunicación, tanto emisor como receptor son seres inmersos en una relación muy flexible y variable que han de tener continuamente en cuenta las coordenadas de su interlocutor. Más aún: según Ducrot [52],

el estudio de los diálogos efectivos muestra que el intercambio de réplicas se funda generalmente menos sobre «lo que ha dicho» el locutor que sobre las intenciones que, según el destinatario, le habrían conducido a decir lo que ha dicho.

Indisolublemente entrelazados en el intercambio coloquial, el momento de emisión y el de interpretación y reconstrucción por parte del receptor cuentan mutuamente con lo que se dice y con lo que el hecho de decirlo muestra de forma más o menos solapada y pragmáticamente implica. Todo ello puede dar lugar a variables que difícilmente podría el lingüista controlar, aunque alcanza a veces manifestación verbal explícita.

Desde el punto de vista del hablante-emisor (cuyas realizaciones estamos estudiando aquí), esta relación coloquial compartida y reversible se manifiesta en dos aspectos comunicativos de signo contrario, pero solidarios: de un lado, el *predominio del propio contexto mental;* de otro, la *necesidad explícita de tener en cuenta al otro para actuar sobre él.* Lo que podríamos describir, con términos de Hofmann, como flujo y reflujo continuo, a lo largo de su intervención, de las tendencias *egoísticas* y las tendencias *altruísticas* del hablante; con predominio claro —dicho sea de paso— de las «egoísticas», pues lo normal es que el «altruismo lingüístico» sea, más que un fin, un medio para mejor actuar sobre el interlocutor (o simplemente imponerse subjetivamente como hablante).

---

[52] «Les lois de discours», pág. 22.

PREDOMINIO DEL PROPIO CONTEXTO MENTAL

Como ya hemos explicado en nuestra primera parte, el hablante construye su mensaje sobre todo en función de sí mismo, articulado en torno al ocasional sentido subjetivo y no al significado lingüístico. De este modo, el lenguaje coloquial resulta ser reflejo de la singular síntesis interior del pensamiento-sentimiento del hablante y las relaciones semánticas «se relajan» en el interior del enunciado, como consecuencia *a)* de la tendencia a presentar en lugar preferente o realzado lo que el hablante considera más importante en su comunicación, y *b)* de su inclinación a progresar en la información abreviando, resumiendo, condensando o simplemente suprimiendo los pasos (semántico-lógicos) intermedios. No vamos ya a insistir sobre ello. Nos interesa ahora reseñar dos fenómenos nuevos que, más que expresividad, manifiestan claramente ese *predominio del propio contexto mental durante la interacción*. Ambos reflejan puntos de vista distintos, pero activos, en coparticipación y complementarios.

a) En la lengua coloquial, salvo excepciones, la iniciativa de la comunicación la tiene el hablante, es decir, la persona que posee o toma (momentáneamente) el uso del canal comunicativo. Instalado en el centro de su comunicación, no sólo lo refiere todo a sí mismo desde su privilegiada posición, con predominio de su propio contexto mental (egocentrismo, expresividad, realce...), sino que muchas veces no es capaz de detener a tiempo su atención sobre sí mismo para responder al estímulo de las palabras de su interlocutor:

> *—Si no, que nos... tenemos prisa y... ¡Ay, ay, ay! ¿Y dónde vas
>   a ir a estudiar, a tu casa?
> —Sí, ¿vienes...?
> —¿Tienes...? no. ¿Tienes bastantes libros, aparte del de Vicens
>   Vives?

(HM, XXIV, 448)

Y aunque algunas veces parece que el hablante ignora a su interlocutor y sigue simplemente a lo suyo:

*—Es que a mí me da muchísimo miedo el... el no sé, el... por una tontería, porque realmente cuando pasan esas cosas suelen ser por una tontería, ¿sabes?, o sea, por... *por querer...*
—Sí y además...
—*no sé, avanzar más o... por cualquier bobada, te suele ocurrir, entonces... a mí no... no sé*

(HM, XIX, 353)

*—A mí me gusta vivir por el Norte. Ahora, *estoy de acuerdo contigo...*
—A mí me gusta vivir en el centro, ¿eh?
—*que por la cuestión de la contaminación* decir que te vas a, a Móstoles, o te vas a Moratalaz o a esos barrios, no. Pero yo, al fin y al cabo, estoy a cinco minutos del metro de Cuatro Caminos

(HM, XIX, 361)

*—Yo vine una vez que nos mandó Torres, *que vinimos C y yo...*
—Sí; a...
—*... que dijo que era muy interesante,* y vinimos y estaba éste...

(HM, XXIV, 437)

*—cuando... en casa ponemos el tocadiscos, como los altavoces están al lado del techo, yo creo que la vecina de arriba tiene que bailar ¡je!, que bailar, aunque sea nada más que del susto ¡je,je! Bueno, si se ponen no... *estando...*
—Si vosotros ponéis un tocadiscos nada más, la cosa va bien.
—*... a un quinto del volumen, de del..., de las posibilidades reales de del... del chisme*

(HM, XVIII, 333),

lo normal es que, como en el primer ejemplo, el hablante satisfaga a continuación a su compañero, aludiendo explícitamente a lo que a éste le interesa. Ocurre en realidad que, inmerso en sus propias vivencias, no es capaz de detener la expresión de su pensamiento antes de haber (más o menos) completado aquello que inicialmente había provocado su emisión (ahora interrumpida por su destinatario). Unas veces porque le quedaría sintácticamente incompleta la expresión:

> *[Torreiglesias, en Segovia] No tiene ni agua en las casas, pero es ideal, ideal; tiene unos paisajes preciosos; es, yo lo encuentro grandioso, es... es muy bonito, *tiene unos... unos alrededores...*
>
> —¿Qué está al norte o...?
>
> —*Tiene unos alrededores ideales.* Pues mira, está, sí, está hacia el norte
>
> (HM, VII, 117);

otras, porque le quedaría incompleta la información, que tendría que interrumpir antes de dar todos los datos:

> *—-y... después nos fuimos a llevar las maletas en consigna a la estación del Norte, pues *nos íbamos de viaje de novios a Galicia.*
>
> —¿Y salíais...?
>
> —*Concretamente, a las Rías Bajas,* y salíamos el día catorce a las doce de la mañana, o sea que había que madrugar.
>
> (HM, VII, 111)

Además, en la alternancia comunicativa, el intercambio puede ser tan rápido (y eficaz), que cada uno de los hablantes mantiene su propio hilo comunicativo (no ajeno, pero sí paralelo al de su interlocutor, antes de atenderle):

> *—¿Todo el bachillerato en francés, no?
>
> —Todo el bachillerato en francés.
>
> —...V... hablando. Y... *y tú estás allí de... o sea...*
>
> —Yo TRABAJO EN LA BIBLIOTECA,
>
> —*para... ¿de las dos?*
>
> —ME ENCARGO DE ELLOS; no, de la de los pequeños.
>
> —De la otra se encarga otra.
>
> —Sí, sí, sí, sí, sí
>
> (HM, XVIII, 316)

b) Puede ocurrir también que cualquiera de los compañeros de comunicación, inmerso en sus propias vivencias e intereses, interrumpa bruscamente con sus palabras al emisor, tomando por asalto el canal de comunicación sin dejarle terminar su mensaje:

> *—Yo, seguramente, iré al cine del Ramiro a ver la...
> —¿*Cuándo?* ¿*Mañana?*
> —Sí, la que ponen
>
> (HM, XX, 372)
>
> *—Lo hace desde luego por vocación, no por dinero
> —Porque la gusta, sí, desde luego
> —Porque si fuera por dinero desde luego ya hacía muchos años que no lo
> —¿*Te gusta la falda que me he comprado?* Desde luego, hija mía, no me has dicho nada...

Claro que este tipo de «cortes» al interlocutor no es frecuente si no hay entre ellos una gran confianza (y, por consiguiente, mucha espontaneidad). Incluso en estos casos, no es raro que el que interrumpe pida inmediatamente perdón por su intromisión (aun cuando está generalmente decidido a reorientar la comunicación):

> *—... y yo por más que saltaba no llegaba
> —Yo no creo que sea necesario pelearse por una cosa así. *Perdona, es que yo sigo a lo otro*
> —Ah, ya. No, yo tampoco.

PRECAUCIONES ORATORIAS

Por otra parte, en esta «relación de interacción y de poder entre los interlocutores» que el coloquio implica en mayor o menor medida (Narbona y Morillo-Velarde, 1987, pág. 113), la expansión del propio yo experimenta «una compensación dictada por las necesidades persuasivas por obra del esfuerzo para tener en cuenta al

oyente y para adaptarse al ambiente del mismo» [53]. En palabras
de Porzig:

> Contra el deseo de claridad y de energía actúan, sin embargo, otras
> fuerzas. El trato entre los hombres pide atenciones mutuas, respeto
> hacia los sentimientos de los otros, aun en interés propio, a fin de
> hacerlos accesibles a las propias miras y no empezar por ofenderlos [54].

El lenguaje es así, además de instrumento de expresión (del hablante), *instrumento de acción* (sobre su interlocutor). Ahora bien, no
se trata tanto de que el hablante desee obtener puntualmente algo
de su compañero (la tradicional función apelativa) cuanto de su
deseo subyacente de imponerse como yo-emisor a él.

Si suponemos, como suele hacerse, que toda comunicación implica una «argumentación» a favor o en contra de algo, un mensaje
como

Buenos días. Qué, ¿al trabajo?

interesa, más que por su contenido objetivo (saludo y pregunta que
no espera respuesta, ya que es obvia), porque representa un modo
social elemental de relacionarse si no se quiere que ese vecino que
cruzamos en nuestro camino tenga una opinión desfavorable de nosotros. Saludar, contestar, describir, narrar, afirmar o negar... son
todos actos de habla que no tienen por qué implicar la pretensión
de que el destinatario haga algo. Ahora bien, si «la medida que
haya de valorar la efectividad de un mensaje será la relación entre
la intención del acto ilocutivo y su resultado» (E. Lorenzo, 1981,
pág. 32), podemos considerar cumplido nuestro objetivo si (aunque
no podamos tener constancia de ello) nuestro vecino no ha cambiado su (supuesta buena) opinión sobre nosotros. Mejor que de función apelativa o conativa, podríamos hablar, como
M. A. K. Halliday, de *función interpersonal,* es decir, interactiva

---

[53] J. B. Hofmann, *El latín familiar*, pág. 9.
[54] *El mundo maravilloso del lenguaje,* pág. 340.

y personal a un tiempo (1982, pág. 7); o incluso, como Agustín García Calvo (1958), de *función impresiva,* con la que intentamos modificar (o manipular) la realidad en una dirección que nos interesa.

Por eso usualmente el hablante construye también en gran medida su discurso en función de su interlocutor: de las representaciones que de él tiene, las reacciones que de él percibe, el grado de aquiescencia u oposición que le supone, las intenciones que le atribuye y, sobre todo, de aquello que de él espera o desea. Podemos encontrar rastros de ello en los enunciados conversacionales:

> *Mi hermano es pacifista, desde luego. Pero claro, no sé si es pacifista porque tiene miedo, de que el otro día tuvo que poner unas bombillas en un techo muy alto y no se subía. Me tuve que subir yo, lo cual, demuestra lo de la mujer. Vamos, vamos, vamos, vamos, *sí, sí, nada.* No sé si es pacifismo o es cobardía [ante la posible incredulidad del interlocutor]
>
> (HM, XI, 189).

Y el hablante, previendo educadamente que será más fácil rebatir una objeción a su interlocutor concediendo algo a éste en su razonamiento, emplea ciertas fórmulas (ya fijadas) que no dejan por ello de ser, a su vez, autoafirmativas *(No digo que no, pero..., Todo lo que quieras, pero..., Tienes razón, pero...).* E incluso, en su afán por matizar su expresión para atenuar el efecto que pudiera causar sobre su interlocutor, puede llegar a contradecirse abiertamente:

> *Enc. — ¿Qué opinas de la mujer extranjera?
> Inf. — Es extraordinaria. *Bueno, relativamente, igual. De todo hay. Lo mismo la española que la extranjera, de todo hay; es que... no sé en qué vive mejor ni en qué peor.*
> Enc. — Tiene mucha más libertad; obra más...
> Inf. — ¿Por qué?
>
> (HM, XI, 187).

(La informante, una mujer de 36 años, Auxiliar de Investigación del CSIC, acaba argumentando lo contrario de lo inicialmente afirmado; en esos momentos, según puede deducirse más tarde en la pág. 191, reacciona ante su jefe, presente durante la conversación, interlocutor silencioso, pero —como puede verse— activo.)

El hablante necesita hacer esto para no ver de inmediato rechazada por el compañero la propia «actitud» (con la consiguiente pérdida de su posición privilegiada en la conversación). De alguna manera, pues, el interlocutor ejerce sobre el hablante una cierta acción coercitiva, de diferente grado según las circunstancias y siempre difícil de precisar. La reacción del hablante ante ella no suele ser, sin embargo, una tarea intelectual (consciente), sino más bien el producto de una necesidad subjetiva que podríamos considerar natural. En sentido estricto, creemos, pues, que (salvo excepciones como las del apartado anterior) no se puede hablar de «altruismo lingüístico», pues siempre aparece de fondo el deseo del hablante de aprovechar en beneficio propio los resultados.

Los fenómenos que surgen de esta actitud podríamos englobarlos bajo el epígrafe de *precauciones oratorias,* terminología que tomo al hilo de Bally [55] y que aplico más ampliamente que él, para todo lo que lingüísticamente podríamos incluir bajo el concepto de *estrategia general de la persuasión* [56] coloquial.

Entre ellos, los *tratamientos y fórmulas de cortesía* (además de una cierta educación y jerarquía social) reflejan muy particularmente este aspecto. Ante un desconocido de mi misma edad, por ejemplo, puedo adoptar el *tú* o el *usted* según desee obtener de él un favor, imponerle una obligación o mantener una breve charla intrascendente, pongo por caso. A los acompañantes poco habituales podemos despedirlos en el coche con un «por favor, cierra despacito» (y acaso después una explicación: «es que está la puerta un

---

[55] «La hipocresía social es también la que crea *precauciones oratorias* como: *No necesito recomendarte la mayor discreción*» (*El lenguaje y la vida*, pág. 30). (La primera cursiva es nuestra).

[56] «Por lo regular, toda la técnica de publicidad, imitada a veces servilmente por la propaganda política, entra de lleno dentro de la *estrategia general de la persuasión* [...]» (Emilio Lorenzo, *Utrum*, pág. 32). (La cursiva es mía).

poco...»); al cónyuge, hijos, padres, hermanos o compañeros habituales de viaje con un: «y cierra con cuidado». Y así sucesivamente... El empleo de fórmulas de súplica, del plural sociativo, de eufemismos y litotes, del discurso «indirecto» o perifrástico, y en general todos los procedimientos habitualmente estudiados como *captatio benevolentiae,* pueden considerarse también reflejo de esta actitud.

Lógicamente, cada hablante tiene su propia manera o su manera favorita de *tener en cuenta al otro* (a su interlocutor) *para mejor actuar sobre él.* Aunque hay algunos mecanismos, a los que nos vamos a referir ahora, que aparecen sistemáticamente en la lengua coloquial, característicos de ella; básicamente de dos tipos: atenuación de la expresión rotunda e incisos de opinión.

a) *Atenuación de la expresión rotunda.* — En la medida en que la *rotundidad* es un valor sin duda variable y subjetivo, lo que presentamos como *atenuación* alude a unos ciertos *grados* en la expresión que no siempre se pueden precisar con claridad. Se dice que es más rotunda una afirmación como *por supuesto* que un simple *sí,* pero esto, evidentemente, no siempre es cierto y responde más al contexto y a las expectativas de la comunicación que a la expresión en sí. Del mismo modo, parece más rotundo el simple *sí* que un *no, claro, sí* o un *yo creo que sí* o un *claro, claro* o un *desde luego* o un inarticulado *aahá. Un poco fiándonos de nuestra intuición* es menos rotundo que *fiándonos de nuestra intuición:* ¿pero es que es «rotundo» decir «fiándonos de nuestra intuición»?; ¿no es más bien simplemente lo que queríamos decir? *Queríamos decir* es menos rotundo que *queremos decir...,* y así sucesivamente.

Lo que comúnmente hacemos en la conversación espontánea es *atenuar* la propia expresión, pero más que porque sea rotunda, porque no lo parezca; es decir, *matizar la expresión del significado para atenuar los efectos del sentido.* Objetivo: conseguir así una mejor aceptación de lo que decimos por parte de nuestro/s interlocutor/es. Claro que ésta es una peculiar manera de tenerlo/s en cuenta que consiste casi siempre en recordarle/s que es uno mismo (y sólo uno mismo) el que propone y asume lo que para el otro dice (lo veremos en el siguiente apartado); a veces en mostrar explícitamente una deferencia para con el compañero, del tipo «te sigo escuchando y no estoy en desacuerdo» *(aahá)* o «te hago cómplice en esto tan importante» *(queríamos decir)*...

Como habitualmente empleamos todos estos mecanismos inconscientemente y a su vez actúan de forma también automática e inconsciente en el intercambio, muchas veces no podríamos discernir si aparecen por propia inseguridad o por la presión directa del interlocutor. ¿Hasta qué punto el mostrar inseguridad depende de nuestra vivencia del otro en la comunicación? Así, en algunos ejemplos, el hablante parece conformarse con expresar por simple aproximación significativa lo que de otro modo mostraría en él un grado de seguridad tal vez inaceptable:

> *Es una *a modo de* imprenta
>
> *Bueno, Madrid viene a ser *una especie de,* voy a decir una cosa ...V... rara, *una especie de timo, de... del... del país*
>
> (HM, X, 177)
>
> *—Yo no sé por qué. A lo mejor es por esa *especie de,* de opresión psicológica que sintió al... al ver que estaba ligado para toda la vida aunque fuese en realidad como iba a estar, ¿no?
>
> —Sí, sí, es que tie... quizá sea eso, ¿eh?
>
> —Es un poco ...V... buscarte tú a ti mismo esta *especie de* salida, de decir: bueno, pero yo en el momento que quiera...
>
> (HM, VIII, 146)
>
> *Ah ¿todo esto es mío? Y qué sale ¿ya *en plan* ordenador?
>
> (Carmen Maura, TV, «Más estrellas que en el cielo», 14-12-88)

Pero los procedimientos favoritos son, sin duda, los lexicalizados *un poco* y *como,* habituales «matizadores» en nuestras conversaciones [57]:

---

[57] En nuestra misma línea -creemos-, Agustín García Calvo recrimina a los «señores de la Cultura», en un artículo de opinión, el querer dictaminar sobre el uso, entre otros, de este «como» atenuador, tan extendido:

*[Yo lo había convenido así] incluso con él, que fue una de las condiciones *un poco* verbales

(TV, «Vivir cada día», 4-5-88)

*Pues en política pasa *un poco de* lo mismo

*Mi ideal sería *un poco...* ya digo, es *un poco* ideal y quizás no... aunque no lo llegue a realizar ¿no?, sería acabar Filosofía, hacer Sociología que son tres años y simultanear Sociología con Psicología. Claro, ya digo, es *un poco...*

(HM, II, 27)

*[Las modas femeninas] tienen mucho de... V... *no sé,* mucho que discutir; creo que no es la moda permanente, ni que tenga mucho... esté pensada demasiado. *Un poco como si* los ene... enemigos de la mujer fueran los que la vistieran *un poco*

(HM, XI, 181)

Oye, pues esta chica tiene el acento *un poco como* sudamericano hablando, ¿no?

(HM, XXIV, 435)

*Entonces descubrí que yo iba a morirme también y esto fue... *como* revelador, algo cambió para siempre

*La sexualidad de la mujer es un tema, pienso que bastante, yo diría, *como* importante

(psiquiatra Amadeo Enríquez, TV, 28-12-88)

*Buenos días. Yo quería saber si podían hacerme una endodoncia y *un poco* cuándo.

Surge así el *comismo* (término creado a imitación del «dequeísmo» [58]) y, si se quiere, el *un-poquismo,* que consisten en el uso

---

O por ejemplo [...], no les gusta ahora que la gente haya cogido mucha costumbre de poner un *como* modificando predicados, cuantificadores, cualificadores y hasta nombres («está como parado», «Son como ocho», «Son como muchísimos», «Había una tela como verde», «Apareció un como capitán»). ¿Qué es lo que les molesta? Ese uso tiene su función: no es lo mismo «Es tonto» que «Es como tonto». Llenas están las lenguas de índices imprecisadores de palabras, las cuales a menudo se sienten demasiado definidas y precisas [...]. (Diario *El País,* 30-3-86, pág. 19).

[58] Así denominó al fenómeno J. M. Becerra Hiraldo en su comunicación al XI

abusivo de estas expresiones a modo de apéndice-fantasma tanto desde el punto de vista sintáctico como del significado lógico. Obviamente, su sentido es «coloquial», y en este ámbito, aunque no conservan ni su función ni su significado originarios, se comportan como auténticos *recursos de interacción* que facilitan el fluir discursivo de los comunicantes. Si por un lado podemos perfectamente prescindir de ellas sin restar lógicamente nada a nuestro mensaje («Yo quería saber si podían hacerme una endodoncia y [ ] cuándo»), por otro no es fácil asignarles un puesto en la descripción gramatical, quizá precisamente porque *sobran* en el enunciado.

La manifestación más llamativa de esta tendencia, y la que mejor refleja ese matrimonio de la propia subjetividad con la necesidad de atención (precautoria-persuasiva) al interlocutor, es la que consiste en graduar (rebajar cara al destinatario) la expresión que (subjetivamente) se enfatiza explícitamente. Aunque se utilizan otras expresiones,

> *Aparecen tres puntos de *cierta* MAYOR diferencia [adj. «matizador» + adj. superlativo]
>
> *Y, además, con *relativamente* BASTANTE nieve [adverb. + adj. graduador]
>
> **Un tanto* DEMASIADO alegre [adv. sustantivado + adv. intensificador]
>
> *Puede que haya *un poco* ALGO de eso
>
> (Fernando Savater, TV, 12-4-78),

como se ha especializado en esta función precediendo a adjetivo intensificado (particularmente ante el adv. *muy: comomuismo):*

> *—De todas maneras, además, como estamos en una especialidad que es ésta nueva de Arte, entonces está *como* MUY destartalada, muy por las ramas todavía... hay... unos profesores muy raros, muy... ¡vamos! raros, raros...

Simposio de la Sociedad Española de Lingüística, celebrado en Oviedo en diciembre de 1981.

—¿Por qué raros?

—No, no, no, no, pobrecillos; no son raros, lo que les pasa es que son *como* MUY... o sea está todo, está todo desvinculado [obsérvese además cómo en su segunda intervención el hablante se desdice]

(HM, III, 44)

*Ahora... como siempre se presenta a los seres extraterrestres sin sentimientos, yo no sé si éstos sentirán o no sentirán..., por lo pronto ...V... yo creo que son *como* MÁS razonadores porque dicen eso

(HM, III, 56)

*Que ha ido a mi consulta gente *como* MUY hundida, y que

(Pilar Afán de Ribera, TV, «Y Vd. ¿qué opina?», 1-6-87)

*Es *como* BASTANTE normalito, ¿no?

*Es que me parece una cantidad *como* MUY grande.

Los procedimientos pueden, además, acumularse, con el mismo sentido (tal vez intensificado):

*Yo creo que Sevilla es una ciudad *como* MUY complicada. [El sevillano] está *como* MUY pendiente *un* POCO de lo que ocurre en el exterior

*Esto es *un poco como muy* DURO ¿no?

*Pero una huelga general es *un poco como* MUY fuerte... *un poco como* demasiao... me parece a mí, desde luego.

b) *Incisos de opinión.* — Junto a este tipo de matizadores lexicalizados aparecen continuamente los que llamamos *incisos de opinión,* con un valor muy similar, pero con una apariencia completamente distinta. Se trata de *intercalaciones sintácticas* en las que el hablante aclara que aquello que afirma es «cosa suya», previendo con cierta humildad un posible rechazo de su opinión por parte del compañero (u otra reacción cualquiera: incredulidad, etc.). A veces estos incisos se añaden con precaución después de haber finalizado la expresión del pensamiento:

*Yo estoy hablando de que a nosotros nos ha faltado una especie de... falta de libertad o... miedo a opinar ¿no? porque había una serie de convencionalismos, cosas intocables que teníamos siempre que decir y tal, pues ellos todavía mucho más probablemente, ¿no? *Creo*

(HM, IV, 65),

pero lo normal es que vayan en su interior, interrumpiéndolo sintáctica y lógicamente:

*La sexualidad de la mujer es un tema, *pienso que* bastante, *yo diría,* COMO importante

(psiquiatra Amadeo Enríquez, TV, 28-12-88).

Como ocurría con «como (muy)» y «un poco», de estas intercalaciones se puede prescindir sintáctica y lógicamente sin más consecuencias que el hacer desaparecer del enunciado un elemento regulador del «enfrentamiento» entre los interlocutores; el cambio, una vez más, afectaría sólo al sentido (comunicativo), no al significado. Así, si prescindimos de ellos en el ejemplo anterior, y del «comismo», nos quedaría: *La sexualidad de la mujer es un tema ( ) bastante ( ) ( ) importante.*

En la medida en que el hablante declara explícitamente como «cosa suya» aquello de que habla, lo común es que los incisos de opinión vayan expresados en primera persona, la del hablante, y mediante verbos «dicendi» y de pensamiento (de hecho, basta un simple *no sé* —también lexicalizado—, frecuentísimo en las conversaciones cotidianas, para colorear con este sentido el enunciado).

*En definitiva, pues yo creo que tampoco es... *no sé,* yo hubiera cambiado la Bibliografía a curso monográfico y la Métrica hubiera tenido tres horas. [...] Yo, yo estoy de acuerdo en que el señor te dé [...] una clase a la semana una serie de, de escritos a máquina viendo cómo se ficha un libro, viendo cosas importantes ¿no? Con cosas importantes, pero no saberte tú de memoria, y la Métrica tres horas diarias. Porque, además de ser

bonita, *bueno, a mí me gusta mucho,* además de ser bonita
es, es más importante que la Bibliografía, vamos.

(HM, XVII, 309)

*Me parece que... que las actividades de... esta generación son...
no sé, de un corte demasiado ...V... demasiado estrafalario, son
demasiado exóticas, demasiado ruidosas y entonces, *desde mi
punto de vista personal, me refiero al punto de vista temporalmente,* exactamente, creo que este temperamento condiciona de
algún modo las actividades que son apetecibles a la persona

(HM, II, 41).

Pero el lenguaje, versátil ante los requerimientos puntuales de
la comunicación, puede presentar en estos casos, como en las expresiones autoafirmativas [59], variaciones en la forma de autoatribu-
ción del hablante. A veces es una reacción directa a algo que en
ese momento se percibe realmente (y no sólo se supone) en el
interlocutor:

*Porque... V... se ha creado mucha fantasía con todo esto, y enton-
ces, ahora un señor que *¡en serio!* dijese: sí que existen [los
extraterrestres]

(HM, IV, 61);

otras, se encubre por medio de la interrogación retórica (a modo
de duda expresada autoafirmativamente) o apelando a la generalidad como «argumento de autoridad» (se trata de algo sabido o
aceptado por todos, «no es que yo esté diciendo un disparate»):

*El curso A, sin duda alguna, fue el más duro porque además, es
el menos bonito, *por decirlo así*

(HM, I, 7)

*[La generación] que se da cuenta de que es necesario divertirse y
lo hace, pero sensatamente, sin dar la nota, dentro de los límites de una sociedad que nos ha sido dada, que podemos cam-

---

[59] Véase el apartado de «realce» en el capítulo dedicado a *Expresividad.*

biar pero no acudiendo... *¿qué le diría yo?...* a extravagancias
de ninguna especie por dar la nota

(HM, I, 19)

*Como la mayoría de la gente, los universitarios, actualmente, espa-
ñoles, pues ...V... se guían más que nada por el problema...
no sé, económico, parece que las Escuelas..., *bueno, esto es
un hecho ¿ no?,* las Escuelas Especiales están mucho más llenas
de hombres, las carreras de Ciencias, en general, están mucho
más llenas de hombres que... que las de Letras

(HM, II, 36)

Aunque a veces parece entrar en conflicto la autoafirmación mediante el «argumento de autoridad» con la necesaria modestia que
el hablante desea mostrar en sus juicios ante su interlocutor; y entonces pueden aparecer juntas expresiones en primera persona y ge-
neralizadoras, matizándose o corrigiéndose unas a otras:

*O sea, ese noviazgo como una institución sacrosanta, lo encuentro
francamente ridículo, ¿no? porque en... montones de casos, el
noviazgo... el noviazgo español, pues... no es más que un mundo de hipocresía tremendo... *eso es lo que me parece a mí... V...
creo que en... fin... V...* YA SABEMOS, *vamos, no sé, a mí, por
lo menos, me parece que,* esa amistad que tanto se pretende
entre hombre y mujer, pues...

(HM, IV, 67)

*Esto es como DIGAMOS... *creo yo,* como una bomba atómica COMO
SI DIJÉRAMOS para el desarrollo de la ciencia; es empezar de cero, *me parece a mí,* una verdadera revolución *yo creo.*

En ocasiones, la matización corresponde a una refutación anticipada del posible contradiscurso del receptor:

*Mi ideal sería un poco... *ya digo, es un poco ideal y quizás no...
aunque no lo llegue a realizar ¿no?,* sería acabar Filosofía, hacer Sociología que son tres años y simultanear Sociología con
Psicología

(HM, II, 27),

anticipación que puede llegar hasta la expresión (autoatribuida) del juicio subjetivo que se prevé en él:

> *Bueno, Madrid viene a ser una especie, *voy a decir una cosa ... V...
> rara,* una especie de timo, de... del... del país
>
> (HM, X, 177).

IMPROVISACIÓN FORMAL

Lógicamente, la relación de los interlocutores con su tiempo de actualización es también de inmediatez. *Fugacidad* y *validez estrictamente local* se traducen para el hablante en una *menor disponibilidad* que en otras modalidades *del tiempo de estructuración* de su mensaje y, consecuentemente, en *irreflexión,* que se reflejan habitualmente en la *anticipación de la palabra al desarrollo de la idea.* Dadas las escasas posibilidades que tiene el hablante de interrumpir la emisión (de su bloque informativo) una vez iniciada *(irreversibilidad),* podemos afirmar ya que si hay realmente una característica en la sintaxis coloquial que puede justificar e integrar casi todos los fenómenos específicos que en ella aparecen, ésta es, sin duda, la *improvisación formal.*

Improvisación formal no quiere decir, sin embargo —como ya hemos advertido—, descuido, sino, fundamentalmente, espontaneidad en la formulación verbal del mensaje. Y es sobre todo esa espontaneidad, que viene dada por sus condiciones de actualización, la que hace de la lengua coloquial una forma peculiar de expresión del pensamiento. Es posible que la situación de comunicación coloquial propicie un cierto descuido en el uso del lenguaje, puesto que se cuenta de antemano con su no trascendencia. Pero la cuestión del cuidado o del descuido no depende tanto de las características contextuales de la modalidad comunicativa, cuanto de una actitud personal (y casi siempre consciente). Ciertamente, lo común es encontrar un mayor descuido en la expresión y menosprecio por las cuestiones lingüísticas en las capas incultas de la sociedad (supongo que de todas las culturas) y, dentro de los distintos estratos, más en unos individuos que en otros. Entre nuestros ejemplos hay no pocos tomados de la conversación personal con lingüistas y personas de reconocida cultura (no siempre identificadas); algunas veces he intentado documentar en las intervenciones públicas de esas mismas personas los mismos fenómenos u otros similares, y el número quedaba notablemente reducido: lo que cambiaba era una de las condiciones necesarias para la «plenitud» coloquial (la fugacidad y no trascendencia) y, con ella, la necesidad (consciente) de poner un mayor cuidado en la expresión. La incultura puede imposibilitar a la persona para utilizar «correctamente» el lenguaje, pero normalmente no impedirá que cualquiera, ante una entrevista de trabajo, por ejemplo, ponga un mayor cuidado en su forma de expresión, aun a riesgo de traslucir así más aún ante el otro su ignorancia.

Lo que nosotros queremos decir con improvisación formal no es, evidentemente, ni descuido ni pobreza lingüística. Pensamos, como Bally, que «las operaciones del lenguaje pertenecen al dominio de lo inconsciente y de la intuición» [60], por más que los fines para los que se emplea puedan ser perfectamente conscientes. Y en el dominio gramatical no hacemos sino emplear —como explica la corriente generativa— reglas automatizadas, sobreaprendidas, que muchas veces ni proponiéndonos reflexivamente pensar sobre ellas podríamos explicar («sé que esto está bien —o mal—, pero no sé por qué»); el común de los mortales utiliza, en virtud de su competencia, reglas implícitas que desconoce de forma explícita. En cada modalidad de comunicación el uso de tales reglas está condicionado por las peculiaridades que la definen (y la experiencia de ellas es la que está en la base de la *competencia comunicativa);* y así es —creemos— cómo unas modalidades sirven de referencia y comparación a las otras (la de lengua escrita a la de lengua hablada, etc.). En la comunicación coloquial, la improvisación a la hora de formalizar el mensaje depende directamente de su «urgencia» e inmediatez.

En términos generales, el lenguaje se articula en la conversación en torno al sentido subjetivo, no al significado lingüístico (véase, más atrás, Expresividad); pero además el emisor habla según le van surgiendo las ideas, según lo que va oyendo a su interlocutor, según van cambiando sus intereses o fines, según su percepción puntual

---

[60] *El lenguaje y la vida*, pág. 74.

del contexto... (cuestiones todas *no prefijadas* en la comunicación).
De ahí, por una parte,

    a)   la abundancia de construcciones gramaticales no previsibles lógicamente (discordancias, anacolutos, interferencias activa-pasiva...),

y por otra,

    b)   el desarrollo en forma no-lineal del pensamiento lógico, que experimenta ampliaciones o reducciones de acuerdo con las necesidades subjetivas del hablante.

Ahora bien, aunque, como consecuencia de ello, podríamos hablar de una sintaxis (coloquial) *parceladora* y *acumulativa,* «la ausencia de una estructuración previa no se traduce nunca en una acumulación sin sentido, sino que todo está encadenado y orientado hacia una clara finalidad comunicativa» [61]. Hay siempre entre los interlocutores una *conexión temática,* que es la que permite la transmisión-recepción del sentido incluso con independencia de las relaciones estrictamente funcionales que los diversos constituyentes presenten en el enunciado. Esta particular conexión, en la que falta un diseño previo de los enunciados y lo prioritario es la transmisión «fluida» de la información, propicia o genera muchas veces una cierta *falta de correspondencia sintáctica entre la expresión gramatical y la expresión lógica;* claro que esto no suele ser obstáculo para una buena comprensión entre los interlocutores, que comparten el contexto y las expectativas de comunicación.

ACERCA DE LA AMPLITUD
DE LA FRASE COLOQUIAL

Una de las características sintácticas que con más frecuencia se atribuye al lenguaje coloquial es la de construcción de enunciados mediante *frase breve* y sencilla, preferentemente yuxtapuesta. Y es-

---

[61] A. Narbona y R. Morillo-Velarde, *Las hablas andaluzas*, pág. 109.

to se justifica normalmente en el principio de economía lingüística, en virtud del cual el hablante no expresa más que lo estrictamente necesario (y «a golpes») para transmitir su información. Pero ésta es una afirmación que, como recomienda Narbona [62], conviene revisar.

En primer lugar, ya hemos visto cómo lo que mueve al hablante no es tanto un principio de economía como ese otro de alcance más amplio, que lo incluye: el de *comodidad*. En segundo lugar, el encadenamiento del enunciado no sigue en el lenguaje coloquial las mismas pautas que en el lenguaje escrito o culto que suele servirnos de referencia, y, consecuentemente, las unidades sintácticas y sus elementos de relación no siempre aparecen explícitos ni son «previsibles» y raramente están tan claram te definidos. En tercer lugar, aunque rotunda, cabe aquí la afirmación de que *la extensión de la frase coloquial es ni más ni menos que la justa* para alcanzar la comunicación en sus condiciones concretas de existencia. Es decir, unas veces larga y otras breve y sencilla, algunas condensada y otras perfecta y hasta redundantemente explícita, en ocasiones bien trabada y ordenadamente articulada y otras presentada de forma impresionista, como a pinceladas de información. El fluir progresivo y matizado del pensamiento del hablante se va plasmando acorde con una serie de circunstancias entre las que no son las menos importantes el estado de ánimo del hablante y su intención; pero, en todo caso, es el lenguaje el que se pliega a los intereses de la comunicación, y no ésta la que pone restricciones al tamaño de la frase.

De hecho, en nuestras conversaciones cotidianas se pueden documentar frases de la más variada extensión y la más diversa presentación. Y prácticamente todas con una característica común: su trabazón interna y su conexión con las demás en el interior del enunciado no suelen responder a las formas ni presentar los mismos procedimientos que los estudiados por la sintaxis tradicional (y cuan-

---

[62] «Sintaxis coloquial», pág. 103.

do lo hacen, no tienen el mismo valor). Veamos un ejemplo, tomado al azar:

> *Desde luego, los jóvenes de hoy se encuentran con una civilización
> mil veces más abierta que la... que la...,que la que hemos en-
> contrado nosotros, *porque,* vamos, en mis tiempos, los padres
> eran sagrados y lo que decían no se discutía nada; *y* ahora,
> los hijos ...V... discuten a los padres, *de manera que* yo no
> creo que los hijos hoy se encuentren con las formas herméticas;
> *lo que pasa es que* les molesta todo, todo lo que sea norma
> y todo lo que sea forma y, venga de los padres o venga de
> quien venga* (HM, X, 173).

Hemos delimitado la frase con el punto, como se suele hacer
(94 palabras en total, si he contado bien), y señalado en ella en
cursiva únicamente los nexos de relación que introducen bloques
de información nueva. Hay, pues, aparentemente, una afirmación
inicial (matizada subjetivamente con «desde luego»), seguida de un
bloque causal *(porque...),* otro copulativo (y ahora los hijos...), otro
consecutivo *(de manera que...)* y un último iniciado por una locución conjuntiva que podríamos considerar adversativa *(lo que pasa
es que...).* Pero si nos detenemos en el sentido de esta unidad de
mensaje, en el que el hablante ha trabado casi toda su argumentación, podemos darnos cuenta:

a) de que la supuesta *causa* no puede ser una subordinada de
   la afirmación inicial, pues no hay correlación entre las ac-
   ciones descritas; se trata más bien de una justificación subjetiva al hecho de hacer tal afirmación;

b) de que la conjunción coordinante *y* introduce en realidad
   una relación *adversativa,* y no copulativa, con el bloque anterior (es decir, dentro de la justificación personal);

c) de que el cuarto bloque, mentalmente conectado con la justificación anterior (como *consecuencia* de ella), repite la afirmación inicial, pero en forma de negación («yo no creo
   que...»);

d) y, por fin, de que el último bloque, presentado como oposición (adversativa) de la afirmación anterior (equivalente a la inicial), expresa *la auténtica causa* del malestar subjetivo que mueve al hablante a hacer tales afirmaciones.

Bien es verdad que el fragmento elegido pertenece (como todos los de *HM* [63]) a un hablante culto, y que siempre puede aducirse que no es esto lo normal. Más aún, una rápida ojeada comparativa a los diálogos dirigidos (a uno de los cuales pertenece este fragmento) y libres, de un lado, y a los secretos de otro, parece avalar la tesis de la frase breve en la conversación espontánea (e introducir entre las variables dignas de consideración en el habla culta la de la fugacidad/trascendencia). Pero creemos que todo esto no significa que la frase breve o la (mal) llamada (en este caso) «yuxtaposición», que aparece casi siempre en enunciados fuertemente marcados por la afectividad, sean características esenciales de la lengua coloquial. Más bien se trata de que «la lengua coloquial se hace con sus propios instrumentos y mecanismos para lograr que una secuencia aparentemente dividida, sólo como totalidad pueda ser descifrada» [64], y se las apaña para ser un instrumento adecuado para el tipo de comunicación a que sirve.

En cualquier caso, antes de pasar a otro apartado, nos interesa señalar algo importante: incluso en esos casos en que el lenguaje fluye en frase larga, bien trabada y llena de matizaciones (incorporando incluso asociaciones y sesgos), el hablante, guiado siempre por su «hilo temático», puede perder el hilo sintáctico (trastocar las correlaciones, por ejemplo), pero no suele «perder» ni abandonar su «argumentación» (salvo olvido inconsciente o desvío por parte de su interlocutor, que reorienta la conversación):

---

[63] Recuérdese que *HM* es la abreviación que utilizo para el volumen *El habla de la ciudad de Madrid. Materiales para su estudio* (M. Esgueva y M. Cantarero), que se encuadra dentro del *Estudio coordinado de la norma lingüística culta...*

[64] A. Narbona y R. Morillo-Velarde, *Las hablas andaluzas*, pág. 117.

Ahora bien, si usted me sitúa en la generación... posterior, la generación que viene, que se da cuenta de unos problemas, que se da cuenta de una vida que tiene por delante, se da cuenta de una obligación que tiene ahora y con la cual tiene que cumplir, se da cuenta de que es necesario divertirse y lo hace, pero sensatamente, sin dar la nota, dentro de los límites de una sociedad que nos ha sido dada, que podemos cambiar pero no acudiendo... ¿qué le diría yo?... a extravagancias de ninguna especie por dar la nota. Yo creo que la sociedad, si hay que cambiarla, se la puede cambiar, pero desde dentro, y además, se la puede cambiar haciéndola fermentar con las ideas, con el ejemplo, con el trabajo, con conferencias inclusive si usted quiere; pero, desde luego, de ninguna manera, con pelos, bigotes, yendo descalza, metiendo ruido con guitarras y pintando cuadros que no hay quien los entienda. *Si usted me sitúa en esta generación, a la que yo me atrevo a llamar posterior, por más sensata, sin duda alguna yo me quiero situar en ella.*

(HM, I, 19).

INSERCIÓN DE ILATIVOS NO ESPECÍFICOS

Entre las estructuras gramaticales no previsibles, queremos hablar ahora de una muy común en el lenguaje coloquial y que ya hemos mencionado en la parte primera: la unión (innecesaria) en el interior del enunciado de dos o más elementos mediante ciertos nexos vacíos de contenido que momentáneamente interrumpen la linealidad lógico-sintáctica. Los favoritos, frecuentísimos, son *pues* y *entonces:*

*Tanto es así que llevamos ya cuatro... tres a... éste ha sido el tercero que vamos para... para Asturias. Entonces, ...V... solemos ir a una playa; este año hemos estado en Gijón, el sitio que menos me ha gustado de todos, por cierto... y *entonces,* este verano *pues* me he dedicado un poquitín, como le decía antes, a...

(HM, II, 25).

Ambos nexos (y como ellos la locución *es que)* funcionan como
«conectores no específicos», sin su significado originario, matizan-
do de muy diversas maneras el enunciado en que aparecen. A veces
parecen servir para «parcelar una configuración sintáctica bipolar,
pero no desmembrada» (Narbona y Morillo Velarde, 1987, pág.
123), acentuando así el contraste entre las partes: «una forma de
alcanzar el sentido global del todo, pero acentuando la identidad
de los miembros constituyentes. De ahí que hasta donde no es espe-
rable un quiebro, por tratarse de un esquema sintáctico claro, aparezca a menudo un término o expresión que momentáneamente interrumpe la secuencialidad» (ibídem, pág. 122):

> *Yo tengo un cuñado también ingeniero y, sin embargo, *pues* es
> un hombre bastante preparado, con bastantes inquietudes
>
> (HM, II, 37)

> *[Los extraterrestres] se van dando a conocer poquito a poco y hasta
> el año mil novecientos ochenta y dos, *pues* no aparecen por
> aquí... de una manera... completamente..., completamente... que
> se les vea y que tal...
>
> (HM, III, 56)

> *Luego, la playa tumultuaria, aquello era estar codo con codo lite-
> ralmente las personas en la playa, *entonces, pues* no me agrada
>
> (HM, II, 26)

> *¡Pero es una!, oye, que los estudios *es que* le privan
>
> (HM, XXII, 414)

> *Entonces yo pienso que, de verdad, mañana... o... mañana no,
> el lunes va a haber clase, ¿eh?, porque... yo... *es que* también
> yo creo que la gente ya está un poco harta, ¿no?
>
> (HM, XXIII, 434).

En ocasiones se les podría asignar un valor concreto, y en esos
casos tienen por función principal «difuminar» el sentido del enunciado (atenuarlo). Así, *entonces* podría ser interpretado como (aproximadamente) consecutivo (podría quizá sustituirse por «así que»)
en:

*Si se trata de un joven de la clase media, como en este caso creo que me puedo poner, en el cual la casa la lleva el padre ...V... la madre evidentemente está en casa, y los hijos se dedican a estudiar, *entonces,* el problema del mantenimiento de la casa *pues,* no requiere que los hijos aporten el dinero a ella

(HM, I, 15)

*Ahora es una pega también, porque... la mayoría de ellos... tienen novia... V..., y *entonces,* con estos señores *pues* no se puede contar mucho

(HM, II, 32).

Pero la mayor parte de las veces no presentan un «significado» identificable y se limitan a servir como ilativos no específicos, si bien con un comportamiento distinto: normalmente, *entonces* introduce una nueva orientación (o progresión) en la información:

*—... por las mañanas no... no veo nunca televisión, creo que existen un par de programas, para niños al menos... no sé cómo le llaman... ahora mismo. «Escuela... TV», «Escuela TV» o algo así...

—¡Ah, bueno!

—Bien, como sea. Y *entonces* esto es una labor muy positiva de televisión, ciertamente. Ahora, los programas... formativos de televisión [...], labor formativa muy poca, muy poca, muy poca. Es más: también diría, a veces, y me arriesgaría a decir que labor deformativa sí que hacen. *Entonces,* lo que sí confío yo mucho más, la labor de la prensa, creo mucho más en ella con muchos peros, naturalmente

(HM, II, 39);

mientras que *pues* se limita a estar presente, salpicado acá o allá en el enunciado, interrumpiendo en el interior de la frase la secuencia de las distintas funciones sintácticas, con matices que sólo contextualmente podríamos adivinar. Puede incluso separar elementos que se consideran por norma «inseparables» (sujeto-verbo, verbo-OD, verbo-suplemento, verbo-adverbio, sustantivo-adjetivo...):

*En realidad, Madrid no tiene madrileños o tiene... o tiene muy pocos y además, la mayoría de los madrileños, *pues* no cuentan para nada [sujeto-verbo]

(HM, X, 178),

*Es que mi marido representaba el diario «El Sol», el diario «El Sol», *pues* ha sido uno de los diarios más importantes de España

(HM, XVI, 285)

*No, yo enciendo la luz y así me entretengo y no es por la tila, porque otras veces que no había tila me he tomado *pues* no sé, o... té o agua sucia o... [Verbo-OD]

(HM, XVIII, 339),

*... o sea tengo ... fiambres, y tengo de casa... en casa de latas de todas clases, y me arreglo *pues* muy bien, muy bien [verbo-CC]

(HM, VII, 123),

*Y me fui a trabajar con él, y estuve *pues* un año trabajando con él, aquí en el Jardín Botánico, y entonces, *resulta que*... no era catedrático, era adjunto y sacó cátedra de Barcelona y se marchó, y me quedé solo. Y entonces, estuve un año solo. Y después, ...V... vine a este Instituto y me dediqué a lo que me dedico ahora, a Virología, *pues* de una manera, *pues* muy curiosa... V... que fue la siguiente [sustantivo-adj. (el último señalado)],

(HM, IX, 152),

contribuyendo con su presencia al titubeo («otras veces que no había tila me he tomado *pues* no sé...») o a la atenuación de la expresión ya valorada o superlativizada («y me arreglo *pues* muy bien», «de una manera *pues* muy curiosa»), etc... Ambos nexos representan un «quiebro sintáctico» peculiar de la lengua hablada espontánea, justificable por sus condiciones de actualización, y podrían (desde el punto de vista lógico) ser eliminados sin que el significado del mensaje sufriera en lo esencial alteración: «vine a este Instituto y me dediqué a lo que me dedico ahora, a Virología, ( ) de una manera ( ) muy curiosa» [65].

VACILACIONES, TITUBEOS

Entre las causas que alteran la linealidad discursiva hay una de capital importancia en la conversación espontánea, que es consecuencia directa, casi inevitable, de ese fluir improvisado de las palabras en la inmediatez de la actualización del hablante: la *vacilación,* los *titubeos* del emisor a la hora de formalizar verbalmente sus pensamientos-sentimientos. Cuando tiene que convertir en palabras concretas todo eso que aparentemente sólo como un sentido general intuye, el hablante suele tropezar, muy a su pesar, con obstáculos de forma y de contenido, que muchas veces se manifiestan simplemente como pequeños (o pequeñísimos) retrasos en la generación de la información, sin más consecuencias sobre la sintaxis del enunciado:

> *Lo que pasa es que... es una sociedad ...V... de medio locos ¿no?
>
> (HM, XVII, 297)
>
> *Sí, la Universidad, vivíamos en la Universidad, porque... V... cuando fuimos allí, los hoteles estaban ocupados... por los representantes del Soviet Supremo, de las quince repúblicas que, que me parece que hay en Rusia, Y que son... dos o tres mil representantes, y habían ocupado los hoteles.
>
> (HM, IX, 154).

En estos casos, bastaría con suprimir los puntos suspensivos de la transcripción, las pausas del enunciado que indican titubeo o

---

[65] M.ª Jesús Bedmar (1987, pág. 73) identifica además un valor sistemático de estas dos partículas en el proceso anacolútico: funcionan, por un lado, como marcas formales que aíslan los diferentes segmentos, anticipando el cierre del anacoluto; y, por otro (y en esto coinciden con los que aparecen en nuestros ejemplos), como marcadores de la progresión temática.

vacilación en la formalización del lenguaje, para conseguir un enunciado sintácticamente coherente y fluido (a la manera coloquial, al menos). Aunque, en honor a la verdad, no sería preciso, puesto que estas vacilaciones, además de ser temporalmente muy breves, se realizan con entonación sostenida (la entonación «lógica») y pasan prácticamente siempre inadvertidas para todos, más pendientes del sentido global del mensaje que de sus «pasos» codificadores.

Aunque pasan en general igualmente inadvertidas, más interesantes son para nosotros esas otras vacilaciones —la mayoría— que, por diversos motivos (interferencias, cruces, asociaciones momentáneas...; unas veces porque el hablante no tiene muy claro qué decir, otras porque no sabe exactamente cómo decirlo) provocan alteración sintáctica en la linealidad del discurso. Se producen así momentáneas suspensiones del fluido comunicativo, muy breves (con entonación mantenida) y/o repetición del término en que tiene lugar la retención, antes de conseguir progresar en la información:

> *No, es que ahora tenemos otro, monstruoso, *el, el, el, el* lunes que viene
>
> > (HM, XXIV, 440)
>
> *Se pone muy del lado *de..., de, de, las, de los, de los* criollos, ¿no?
>
> > (HM, XXIV, 443)
>
> *—Bueno, no, quiero decirte, es que mira, a mí me pasa lo mismo ¿eh?, nunca me he metido en nada
>
> —No, pero ya *no, no, no te, no te no, no, no, no* es una huida esto, ni una retirada a tiempo, ni a destiempo
>
> > (HM, XVII, 312)
>
> *—Lo que es *sex, sexto de básica, sexto de básica...* en nuestro lenguaje...
>
> —Me parece que *equivale, equivale, equivale* a segundo de bachiller
>
> > (HM, XVII, 304)
>
> *No, pero el de COU *no es, no es...;* por lo visto *no es...; el, el, el...* para aprender, es el de los angloamericanos ese
>
> > (HM, XXIV, 437).

O pueden aparecer también *rupturas sintácticas,* bien porque se van corrigiendo sobre la marcha los posibles errores que el uso anticipado de la palabra provoca:

> *Sin duda alguna, tiene sus ratos, ¿quién lo niega?, pero no es la sensación de angustia, de soledad, *de desconecta... de... estar desconectado des... del... de todo y del todo, ¿no?,* ni muchísimo menos, creo que no
>
> (HM, I, 17)

> *Pues ya verás tú lo que me pasó a mí con Preu. *Con lo que... conlo... con mi Preu...,* mi Preu fue de circo
>
> (HM, XVIII, 324);

porque se prefiere matizar una expresión que podría parecer demasiado rotunda:

> *—¿Te gusta el estructuralismo?
> —*Sí, sí... pero, aunque... no es...* de estructuralismo yo empecé a saber algo... en tercero, pero muy poco ¿eh?
>
> (HM, IV, 63);

> *No sé, me gusta más, prefiero el sol. No sé, por nada. *Aunque... tan... aunque, no sé,* siempre, luego me cansaría ¿no? Pero no sé. Me gusta Málaga, por ejemplo
>
> (HM, XVIII, 336);

porque se va modificando la información sobre la marcha, al ritmo del pensamiento:

> *Tanto es así que llevamos ya *cuatro... tres a... éste ha sido el tercero* que vamos para... para Asturias. Entonces, ...V... solemos ir a una playa
>
> (HM, II, 25);

o porque, al no alcanzar la expresión adecuada del pensamiento en la forma iniciada, se decide intentarlo con otra:

> *Ésa es la difícil. *¿Tienes el...? ¿Tienes?... Oye, ¿ tienes?; ¿tú qué, qué libro tienes?*
>
> (HM, XXIV, 438)

> *Inf. A. — ... pues tres horitas me tiré en el por..., en el, en el coche.
> Inf. C. — ¿Y es un sitio solitario?
> Inf. A. — Pues bastante solitario.
> Inf. B. — *¿Y qué hacías? ¿Tenías...? ¿Qué, qué, qué...? ¿Leías?*
> Inf. A. — En mi casa, pero es que es, es el barrio San Fermín...
> Inf. B. — Pero...
> Inf. A. — No, no, no, yo. Eran ya... Es que, bueno, llegué a casa
> tarde. Eran las tres de la mañana.
>
> (HM, XXIV, 435)

o simplemente se abandona, se da por sobreentendida y se progresa
en la información:

> *Y creo que precisamente *a la hora de... de... no sé, de... de...*
> *que interesa un porvenir,* empezar a... a relacionarse algo, pues,
> creo que hace falta esta libertad
>
> (HM, II, 33).

Naturalmente, las posibilidades son tantas como contextos o circunstancias en que puedan surgir (no se trata de especificarlas ahora, que nos interesan fundamentalmente sus rasgos sintácticos). Y
no siempre están claras para el lingüista, que tiene que conformarse
muchas veces con atribuir las vacilaciones y rupturas a la poca capacidad de palabra de los hablantes o a la poca claridad de sus
ideas (a la vista de la poca información real que transmiten):

> *Bueno, la Universidad es, es enorme ¿no? es una cosa enorme.
> Me dijeron que estudiaban allí pues... treinta mil estudiantes
> y... O sea... es un grupo de edificios ...V... de, dentro de un
> gran parque, y, y nada, pues allí pues... muy grande aquello
> ¿no? O sea, que... lo que pasa que estaba entonces pues... no
> había estudiantes. Pero, claro, los estudiantes rusos pues esta-
> ban de vacaciones...
>
> (HM, IX, 155).

REDUCCIÓN DEL NÚCLEO DE INFORMACIÓN

Junto a las vacilaciones, lógicas en una situación de improvisación formal como la coloquial, aparecen otros fenómenos de ampliación o reducción del núcleo de información que tienen su causa, fundamentalmente, en este fluir espontáneo de la comunicación. Todos aparecen de tal manera entrelazados en la conversación que es difícil desenredarlos: cuando surge en la mente del hablante una duda, una asociación nueva, puede titubear, o titubear e incluir además en su mensaje, a manera de inciso, lo nuevo, o interrumpir lo que venía diciendo y cambiar la orientación de su mensaje, o...

Debemos tener en cuenta que en el coloquio los interlocutores comparten el contexto y pueden de hecho comunicarse por procedimientos no estrictamente verbales, desde los paralingüísticos (entonación, etc.) a los movimientos, gestos, presupuestos, etc. Esto significa que muy probablemente nuestra interpretación *a posteriori* de este tipo de fenómenos se ajuste más a un criterio gramatical que a la realidad del sentido realizado en su momento, que no depende sólo del hablante, sino también de su interlocutor y de aquello que con él comparte.

Entre los fenómenos de reducción podemos distinguir los que suponen una simple *suspensión* anticipada del fluido de emisión y los que suponen un *corte* en la transmisión de la información, aunque no siempre se pueden distinguir con claridad, pues tanto unos como otros suelen aparecer como consecuencia de la necesidad del hablante de incorporar a su enunciado información «marginal» conforme va acudiendo a su mente a lo largo de su intervención.

a) *Suspensiones.* — Manuel Seco distingue dos tipos de oraciones entre las que carecen de «ciertos elementos que harían el enunciado sintácticamente completo»: la *oración suspendida* y la *oración sincopada.* En ésta, «el mensaje se reduce a un esquema que deja descarnados sus términos mínimos, organizados según una sintaxis radicalmente estilizada» [66]; aquí las hemos visto en la parte de Expresividad *(condensación y síncopa),* pues aparecen normalmente en enunciados fuertemente marcados por la afectividad.

La oración *suspendida* «se presenta 'incompleta' desde el punto de vista de la sintaxis 'formal', pero ello no impide que la comunicación sea perfecta. El hablante omite todo lo que ya está sugerido por sus restantes palabras» [67] y abandona a la imaginación del oyente el remate que él deja flotando. Ahora bien, salvo en los casos en que la suspensión se hace por medios ya fijados en la lengua, como por ejemplo la elipsis voluntaria del segundo miembro de un refrán:

> *—Sí claro, ya sabes, *quien a buen árbol se arrima...* [buena sombra le cobija]
> —Sí, *y quien tiene padrinos...* [se bautiza],

la supresión de la apódosis,

> *Bueno, ya sabéis, *si queréis venir a tomar una copa luego...* [se reitera la invitación],

la expresión de lo imponderable mediante procedimientos de entonación y supresión,

> *—[...] *pero poner el Océano Glaciar Ártico* [bordeando las costas de América del Sur]...
> —*Eso ya hay que tener...*
> —*Eso ya es una...,* demencial.
> —Sí, es verdad
>
> 　　　　　　　　　　　　　　　　　(HM, XVII, 305),

etc., salvo en casos así —decíamos—, como nosotros no contamos ahora con el contexto que puntualmente compartían los interlocutores, nuestros ejemplos, frente a los que Seco utilizaba de la len-

---

[66] *La lengua coloquial,* pág. 369.
[67] M. Seco, *La lengua coloquial,* pág. 368.

gua escrita, pueden ser discutibles. Y son, en todo caso, imprevisibles, pues no funcionan como mecanismos disponibles y fijados ya en la lengua, sino que más bien «sorprenden» a los comunicantes, apareciendo allí donde momentáneamente, por cualquier motivo, el hablante alcanza a considerar completo el sentido y puede entonces interrumpir ahí su expresión. Así, por ejemplo, en

> *Y creo que precisamente a la hora de... de... no sé, de... de... que interesa un porvenir, empezar a... a relacionarse algo, pues, creo que hace falta esta libertad
>
> (HM, II, 33)

da la impresión de que el hablante decide, después de un titubeo en el que no encuentra las palabras adecuadas, suspender la emisión y progresar en la información contando con que su interlocutor entiende perfectamente a qué «hora» se refiere. Mientras que en

> *Inf. B. — No, ¡es un lío!, no, es, es muy difícil esa, *esa parte de la..., de...* [*la asignatura*]
>
> Inf. A. — Y además, como él ha hecho todo su doctorado y está, creo que en eso...
>
> Inf. C. — Empapado.
>
> Inf. A. — ... es profundísimo... como metas un poquito la pata, ya te la has cargado. O sea que yo creo, como... dijo que pondría varios temas a elegir, pues...
>
> Inf. B. — Sí.
>
> Inf. A. — ... *ése procuraré...* [*dejarlo sin estudiar*]
>
> Inf. B. — Yo procuraré a ...V..., dar la Revolución Francesa.
>
> Inf. A. — Que conste, esta mañana...
>
> (HM, XXIV, 439)

parece siempre la reacción y colaboración de los interlocutores (que tienen la misma asignatura y van a tener el mismo examen) la que permite al hablante suspender la emisión de la información, pues nota que ellos ya lo han entendido (y probablemente comparten sus opiniones).

Para Seco, «esta eliminación de elementos no necesarios, o menos necesarios, no se explica por pura economía, sino por el relieve singular que tiene para el hablante una parte del mensaje, la que con más urgencia desea transmitir al oyente, y que le lleva a desdeñar como superfluo todo lo demás» [68]. Pero la verdad es que, en nuestros ejemplos coloquiales, tan clara como la acción del principio de expresividad (el hablante comienza por transmitir aquello que considera más importante) y el de economía (sólo lo necesario) se muestra la acción del principio de adecuación-contextualización. En cualquier caso, para poder dar por concluida la expresión del sentido e interrumpir consecuentemente la emisión de la información, el hablante necesita siempre contar con su interlocutor, con que *lo que ya le ha dicho* (y a veces lo que después le dice) o *lo que ya conoce* es suficiente para que él deduzca lo que deja sin decir. Veámoslo en unos pocos ejemplos más:

> *Sin embargo, ha habido otros, quizás con una preparación humana más ...V... no sé, más sólida, personas que llegan más a la gente, que se preocupan más en el contacto directo con la gente, *pero éstos son los profesores un poco más...* y claro, yo lo que me temo es que quizá no valgo para profesor
>
> (HM, II, 24)

> *Y en España, pues se cometen... los mismos atropellos contra la moral elemental que en cualquier país del mundo. Bien es verdad que España tiene una ventaja, que tiene... una familia que probablemente es superior a la mayoría *de los ... de los... de los...* Pero no hay que olvidar: primero, que la familia se mantiene sobre una desigualdad social
>
> (HM, X, 175)

> *—Me gusta Málaga, por ejemplo. Málaga me gusta mucho.
> —A mí no ¡je, je!
> —Es que no sé...
> —A mí es que e... no sé, *la ge...* es que todo lo que sea mucho me..., me hunde, ¿no?

---

[68] Ibíd., págs. 368-369.

Hasta tal punto necesita contar con su interlocutor, que muchas veces el propio hablante le pregunta a continuación si lo entiende, no se sabe muy bien si apelando a su consenso, intentando cerciorarse de si efectivamente están «en la misma onda» o, puesto que en general se trata de una pregunta «retórica», simplemente «señalándoselo» (de paso, esto le sirve para no mostrarse tan «rotundo» en la exposición):

> *Porque aunque, porque a mí, yo reconozco que a mí siempre se me han dado mal las Ciencias, *pero aunque tuviera...* es necesario las Ciencias ¿COMPRENDES? ...V... no sería lógico, nunca, nunca separar Ciencias y Letras
>
> (HM, XVII, 302)

> *—Filosofía y Letras, que sí; Económicas, Derecho, también son las que más...
> —Las que más pueden.
> —... *Son las que más pueden hacer algo por...* ¿ENTIENDES? Yo creo, no sé
>
> (HM, XXIII, 433).

b) *Cortes.* — Frente a la suspensión, que podemos describir como omisión sintáctica que respeta el sentido del enunciado (en cuanto se supone ya aprehendido por el interlocutor con lo dicho), los *cortes en la comunicación* suponen a la vez la interrupción sintáctica y la de la información, que queda brusca y definitivamente truncada:

> *En fin, que además, que *mañana tengo que ir mañana a, a lo de los...* ¡vamos!, estoy Terry, como para que me tire..., como, como para hablar con Ballesteros y decirle: «*Mire, no estoy en condiciones de...*» ¡Porque me agarro unos cabreos...!
>
> (HM, XXIV, 439)

> *—Y como ésos pueden tener la juventud muchos, ahora, es un poco extraño ¿no?
> —Sí, *es un, como,* se dan las dos cosas extremas además
>
> (HM, XI, 189)

*Filosofía y Letras, que sí; Económicas, derecho, también son las que más...
—Las que más pueden.
—... Son las que más pueden hacer algo por... ¿entiendes? Yo creo, no sé.
—No sé. *Yo de todas...;* no, en Farmacia, realmente son pocos, sí

(HM, XXIII, 433)

*Todo lo que sea mucho ruido a mí me mete para abajo y todo lo que sea mucha gente me deprime una barbaridad, *y preciso, o sea Madrid, fíjate tú, imagi...* te puedes morir ¿no?

(HM, XVIII, 336)

Yo es que, si ya se sabe, joder, si es que en este puto país nos las dan todas juntas.

En estos casos, unas veces por necesidades de la afectividad, otras por el simple discurrir subjetivo del pensamiento, el hablante muestra un imperioso interés por «pasar a otra cosa». Y podemos añadir que generalmente su interlocutor se adapta y acepta sin problemas este nuevo giro que el hablante imprime a su información.

EXPANSIÓN. AMPLIACIONES DE LA INFORMACIÓN

La incorporación al enunciado de esas asociaciones momentáneas del hablante al hilo de su conversación, que tantas veces son causa de suspensión o abandono de la información iniciada, suponen siempre (desde un punto de vista complementario) una ampliación de la información en torno al núcleo temático:

*Fue una cosa extraordinaria. Fui allí cuando tenía apenas quince o dieciséis años, muy joven, por el ejemplo de mi hermano. Él fue primero. Y entonces, *porque es una cosa buena salir de casa ya desde principio ¿no?, acostumbrarse a ver las cosas por sí mismo, y mi hermano influyó, a mi madre se la quitó el miedo,* y entonces dieron el consentimiento

(HM, I, 6).

Añadidas para mejor consumar la unidad temática que originó la emisión del hablante (y no consideradas ahora como causa de reducción), es muy común que provoquen alguna distorsión sintáctica en la linealidad del enunciado: generalmente, repetición de las unidades sintácticas en que se interrumpió (para retomar el tema), como en el ejemplo anterior, y *falta de correlación sintáctica* (e incluso, a veces, lógica) entre la expresión iniciada y la de remate (después de la inserción, que señalo en cursiva):

> *[X], *la mujer* [ESPOSA], *y pronto madre de Ivan Lendl*
> (TV, TM, 3-12-89)

> *—Ahora que veo lo de los ministros y tal. Tengo... una niña..., *estaba..., he estado con el..., en la secretaría de..., del secretario general de Trabajo —hasta hace un año— y entonces en mi puesto ha ido otra niña, y me he hecho muy amiga de ella; o sea...*
> —Sí.
> —*... somos íntimas amigas. Resulta que ayer, con ella estuve hasta tan tarde, ¿no?, y...* había salido... lleva la semana esta Santa saliendo a las nueve, a las diez, a las nueve, a las diez, que el horario es hasta las seis
> (HM, XXIV, 445-446).

Con ejemplos de este tipo se argumenta frecuentemente la supuesta «desconexión» del lenguaje coloquial, esa andadura a golpes (de subjetividad) que dificulta tanto el estudio de su sintaxis. En este ejemplo tenemos una primera frase de introducción explícita al tema: hablando de un próximo examen de historia y de Napoleón, asocia «lo de los ministros y tal» con lo que le sucede a una amiga suya (que trabaja con un alto cargo que le hace perder más tiempo del que su horario legal de trabajo requiere). Pero inmediatamente después de iniciada su intervención se da cuenta de que no puede continuar si no pone en antecedentes a su interlocutor (que ni sabe quién es la chica de quien va a hablarle ni cómo puede ella conocer a un ministro); entonces comienza una serie de expre-

siones que acaban frustradas, antes de conseguir dar forma a su
«historia»; cuando por fin lo consigue, expresa su objetivo en forma de anécdota, en vez de darle la forma de «tesis» y argumentación. Veamos otros ejemplos:

> *... porque a mí mi tía lo que me había dicho, *porque yo le dije:*
> *«Si llego tarde no te preocupes»,* y me dice: «¿A qué hora te
> has levantado?», digo: «A las once y media», dice:»Así se pue-
> de trasnochar», dice: «Bueno», ...

> *—¿Qué es esto de «Luz de luna»?
> —Yo me suena porque... *¿Cómo se llama? El tío éste de El País
> que escribe todos los domingos... Juan Cueto,* que hablaba con-
> tinuamente de ella

> *Además Estados Unidos en esto es el amo, ¿no?, y ahí, claro, pues
> todo en inglés, como es natural. Bueno, la mayoría de las cosas
> se traducen al francés, ¿no?, al español se traduce bastante me-
> nos, y entonces... *lo mismo que en Filosofía, porque... si usted
> está al corriente, para sacar el título de la... la Licenciatura
> pues hace falta dos idiomas; uno el francés, seguro, y luego
> otro idioma según el autor o el tema que se escoja para la tesina
> fin de carrera. [...] Y, claro, esto...* ya digo, obliga un poco
> a trabajar dos idiomas. A mí me gustaría mucho, pero... el
> tiempo cuenta y no sé si podré poder hacerlo
>
> (HM, II, 29)

> *Entonces, es decir, ni Gijón por lo mucho ni Colunga por lo poco,
> una cosa intermedia que creo, *por eso decía antes de Ribadese-
> lla* que creo que es lo que más interesa
>
> (HM, II, 31-32).

Se consuma en todos ellos, como puede verse, una ruptura sintáctica primero, y una recuperación posterior del tema abandonado
que «preserva la coherencia textual y que se produce gracias a ella
misma» (Bedmar, 1987, pág. 78).

INSERCIÓN DE PARÉNTESIS ASOCIATIVOS

Las momentáneas interferencias pueden aparecer como meros *paréntesis asociativos sin conexión gramatical con lo que se viene diciendo,* en forma de opinión personal, de intercalación-respuesta al receptor (para continuar con lo propio), de explicación añadida, etc.:

> *Pero yo nada, yo sigo creyendo que sí [hay extraterrestres]..., me parece mucho más normal en un universo tan grande que esté habitado que no que estemos aquí cuatro gatos aburridos... yo no..., yo creo que sí, *es que estarás pensando que estoy como una cabra...*
>
> (HM, III, 52).

Cuando se insertan en el interior, se limitan a veces a suspender momentáneamente la linealidad, sin ninguna otra incidencia sobre la sintaxis del enunciado, que sigue tras ellos su curso normal:

> *SI USTED CONOCE UN POCO DE INGLÉS... V... *lo sabrá, como supongo,* SE HABRÁ DADO CUENTA que ir a una escuela aquí no sé si por mucho tiempo puede ser una cosa buena.
>
> (HM, I, 11)

> *Bueno, pues ha leído no sé dónde que LO QUE RETIENE UN ALUMNO —*me parece que ha sido él*— LEYENDO ES un diez por ciento de todo lo que es... o estudiando.
>
> (HM, XXIV, 449)

Pero la mayor parte de las veces dan lugar a una repetición de las últimas palabras pronunciadas (al menos de las últimas relevantes para su emisión) antes de su aparición. Procura así el hablante retomar el hilo sintáctico y el semántico, sólo momentáneamente abandonados, y dejarlos asimismo claros a su interlocutor, para poder progresar en la información:

*Es que HAY UNA, *si es lo de siempre,* HAY UNA mala planificación desde el..., desde el principio

(HM, XVII, 304)

*Inf. A. — ... pues tres horitas me tiré en el por..., en el, en el coche.
Inf. C. — ¿Y es un sitio solitario?
Inf. A. — Pues bastante solitario.
Inf. B. — ¿Y qué hacías? ¿Tenías...? ¿Qué, qué, qué...? ¿Leías?
Inf. A. — En mi casa, pero es que es, es el barrio San Fermín...
Inf. B. — Pero...
Inf. A. — No, no, no, yo. ERAN YA... *Es que, bueno, llegué a casa tarde.* ERAN las tres de la mañana.

(HM, XXIV, 435)

*Entonces, no tienen ganas de pelearse nunca, o sea, que ellos, que no les cabe en la cabeza, que son muy raros... a ellos, los pobres señores, Y QUE ADEMÁS... *¡qué catarro he pescado!,* Y QUE ADEMÁS que... que... el ser humano les parece muy hostil

(HM, III, 55)

*A mí lo que me parece es que como... los americanos, los americanos no lo explican, no llegan a decirlo... YO CREO, QUE SI LLEGARAN A DECIRLO —*espera que tenga yo un rato al bicho ¿no? porque te cansarás*— YO CREO QUE SI LLEGARAN A DECIRLO, los americanos es que creo que hacen el más espantoso de los ridículos si no dicen nada

(HM, III, 48)

*No era licenciado ...V..., lo que entonces sería licenciado en Románicas. Yo es que, HAY UNA COSA QUE NO ENTIENDO aunque esto...

—...V...

—... sea un..., *la conversación está dando unos bandazos magníficos.* HAY UNA COSA QUE NO ENTIENDO, y es cómo un señor ...V... aunque haya estudiado Filosofía y Letras [...]

(HM, XVII, 307-308)

*—¿Quién te lo ha dicho eso?
—Una chica que... hizo el primero también con él este año.
—¿Y se examinó también con...?

—Lo que pasa es QUE, fíjate qué casualidad —*sí, también se, le examinó él*—, QUE... en vez de dar...

—Pero memorístico, ¿no?

—HISTORIA... —*sí; me imagino que sí*— HISTORIA..., como nosotros, Universal contemporánea, dio Historia de las culturas, ¡fíjate!

(HM, XXIV, 442)

Aunque a veces, al retomar la secuencia sintáctica, el hablante modifica no propiamente su estructura, pero sí sus indicios situacionales:

*Pero, mira, a mí eso no ¿eh? a mí tanto no; pero, AHORA, CUANDO MI HERMANO ME —*ahora ya no porque las matemáticas han cambiado bastante*— pero CUANDO MI HERMANO ME PREGUNTABA así un problema ...V... no difícil, no, era fácil ¿verdad? pero ya, que yo no me acordaba y tal

(HM, XVII, 301-302)

*Quizás estamos sentando ahora los... las primeras piedras y... quizás en fecha no lejana, pues, se logre este... este contacto. LA MISMA UNIVERSIDAD CREO QUE ES, en su día, cuando las puertas... las puertas de la Universidad estén verdaderamente abiertas... para el mundo obrero, que ahora se dicen que están, pero en realidad creo que no lo están, entonces YO CREO QUE LA UNIVERSIDAD SERÁ un medio idóneo para este contacto con los problemas de... del pueblo

(HM, II, 38)

En el primer ejemplo, el inciso se refiere al tiempo de la emisión («ahora no...»); después de él, en la adversativa, el verbo no aparece ya en presente («preguntaba»), como le hubiera correspondido antes; además, la afirmación es presentada como oposición a lo inmediatamente antes dicho en el inciso. En el último ejemplo varía:

a) el orden de presentación de los datos: antes del inciso, «la misma Universidad» (que es sujeto de la proposición subordinada), elemento presentado como información nueva por el emisor (rema), aparece enfatizado, ocupando el primer lugar de la oración; tras

el inciso, se desplaza a su sitio (sigue al verbo principal: «creo que
la Universidad...»);

b)   el énfasis personal sobre lo dicho: sólo después de emitido un juicio arriesgado (en el inciso: «creo que las puertas de la Universidad
no están abiertas para el mundo obrero») se incluye un *yo* matizador *(«yo* creo que la Universidad...»);

c)   lo que iba a ser expresado como una opinión personal de algo que
ocurre en el momento en que se habla de ello («la misma Universidad creo que *es...»)* se proyecta, después del inciso, al futuro («yo
creo que la Universidad *será...»).*

II

CONTEXTO EXPRESIVO

Sólo unas notas de urgencia acerca del contexto expresivo y de su incidencia en la lengua coloquial.

El *contexto expresivo* es el que «se establece entre las propias palabras del coloquio» (Criado, 1980, pág. 35) como consecuencia directa del (necesario) empleo (e inevitable incidencia) de los componentes lingüísticos en la comunicación. La división tripartita que hacemos del contexto expresivo (en sus aspectos *sistemático, temático* y *verbal inmediato)* se corresponde sólo aproximadamente con la que establece Coseriu [1] entre *contexto idiomático, contexto verbal inmediato* y *contexto verbal temático* (o mediato).

Hemos reservado aquí el nombre de «contexto idiomático» para esos aspectos más propiamente socioculturales de una lengua que actúan como «fondo» en el hablar: el hecho, por ejemplo, de que el toro bravo pueda en español identificarse mediante numerosos sustantivos o adjetivos, exclusivos para el animal de nuestra «fiesta» *(berrendo, cornicacho, corniacapachado, jabonero, entrepelao, albahío, ojalado, chatabroco, llorón, retinto, zamacuco...);* o de que un país de tradición machista tenga una lengua machista. Aunque abstraído de la realidad particular, el sistema de la lengua, como código supraindividual interiorizado por los hablantes, ejerce,

---

[1] «Determinación y entorno», *Teoría.*

sin embargo, sobre los individuos una presión particular a la hora de la comunicación: contexto *sistemático* de la expresión. Aunque funciona como un importante actualizador coloquial, el contexto sistemático actúa también (igual que el idiomático, y en la medida en que es previo a la comunicación y supraindividual) como condicionador de «fondo» en el hablar; frente a él, los contextos *temático e inmediato* surgen del propio discurso y ayudan a establecer en él las delimitaciones de contenido e intención (el temático) y formales (el inmediato) que permiten la normal expresión y comprensión plena entre los interlocutores.

Naturalmente, el contexto de expresión cambia a cada momento durante la emisión y recepción del mensaje. Para el lingüista, el contexto *temático* es, de entre los tres aspectos expresivos, el más difícil de acotar; no tanto porque pueda variar o abarcar en ocasiones el discurso entero (la conversación completa), cuanto porque, sin duda, el «tema» de que trata el hablante en su mensaje actúa continuamente como fondo integrador de/en todo él y, así, incide en su manifestación formal, pero principalmente en los aspectos informativos (y sólo secundariamente en los sintácticos). El contexto *inmediato* de una expresión está constituido en la lengua coloquial espontánea por lo dicho inmediatamente antes, y fuertemente condicionado por lo dicho inmediatamente después o la intención original de comunicación: lo cual nos lleva a considerar que toda expresión está formal y «lógicamente» contextualizada por lo que inmediatamente le precede y sigue (y esto, a su vez, nos conduce nuevamente al contexto temático, y hasta al sistemático; los tres son, en muchos fenómenos, indesligables).

Además, debemos tener en cuenta que en la modalidad coloquial, en la que se cuenta de antemano con la alternancia comunicativa, hay en realidad un *doble* contexto temático y un doble contexto verbal inmediato, puesto que ambos vienen dados tanto por las propias palabras e intenciones del hablante como por las que su compañero muestra en el transcurso del intercambio.

Acción del contexto «sistemático» sobre la expresión coloquial

Partimos siempre de la suposición elemental de que toda comunicación coloquial se basa en el común conocimiento (por parte de los interlocutores) del sistema correspondiente a una lengua dada. Cada uno de nosotros tiene a su disposición (para usar de la forma más apropiada requerida por cada situación comunicativa), todo un potencial significativo codificado y organizado, el lenguaje. Gracias a la gramática, que ofrece esquemas de organización a todos esos signos del sistema,

> se logra introducir todo lo que es variable y particular de cada situación en los elementos más estables de la lengua, en los esquemas abstractos que representan generalización de estereotipos dinámicos [2];

y así contribuye la gramática (con su conjunto de reglas) no sólo a la expresión eficaz, sino además también a su comprensión. El sistema, abstraído siempre de la realidad particular, pero permanentemente relacionado con el uso vivo del lenguaje, sufre, naturalmente, continuas adaptaciones y ajustes a lo largo del tiempo.

Normalmente, tanto los signos verbales como las reglas gramaticales (como su conveniencia o relevancia comunicativas) son adquiridos empírica y socialmente por los individuos, e interiorizados y generalmente usados de forma inconsciente por ellos. Por eso seguramente, en el orden estrictamente gramatical nuestra libertad es muy escasa, casi nula. Hemos visto ya, sin embargo, a lo largo de los capítulos que preceden, numerosos fenómenos que podemos considerar sobre todo productos del influjo del contexto sistemático sobre la expresión; o, mejor, resultado discursivo de la competencia entre la necesidad del hablante de realizar el sistema de la lengua y su propia «lógica» espontánea. Veamos algunos:

---

[2] T. Slama-Cazacu, *Lenguaje y contexto*, pág. 248.

a) En general, todos los fenómenos de *analogía:* regularización e irregularización anómalas en las formas verbales:

> *Yo *conducí* un 1.500 y era la gloria;

falsos posesivos y mal uso de los pronombres «término de preposición»:

>> *Si además estaba detrás *mía* la señora, yo qué sabía si la pillaba o no
>> *Entre *ti* y *mí* siempre ha habido grandes diferencias, te advierto;

ciertas faltas de concordancia:

>> *Tengo *mucho* hambre [con sustantivo en *a*- tónica]
>> *Hemos hecho nosotros *muchos* mayores méritos que ellos [ambigüedad del código, que permite el empleo de *mucho* como adj. y como adv.];

la extensión de la preposición que aparece en expresiones como «Esto es difícil *de* precisar» (por lo demás, de significado equivalente a «Es difícil precisar esto») a otras construcciones en que aparece el infinitivo subordinado:

>> *Es muy fácil *de* meter a los ancianos en un asilo
>> *Puñetero, que vengo sólo por verte *de* comer;

la aparición innecesaria en ciertos sustantivos posverbales del sufijo que los convierte en posverbales abstractos:

>> *Ésta es la segunda *enfrentación* de ambos equipos [cp.: enajenación/enajenamiento]
>>
>> (TV, 10-1-87),

etcétera.

b) La *modificación sistemática de ciertas estructuras* en la realización coloquial; por ejemplo, las perífrasis de carácter factitivo suelen sintetizarse:

> *... y el pueblo gallego, si hoy le *prescindiesen* del Parlamento y
> de... [obligasen a prescindir]
>
> (X. Fdez. Albor, TV, 25-7-85);

las estructuras verbales que rigen preposición suelen perderla cuando su complemento aparece pronominalizado:

> *Si *lo renuncias* [al trabajo] este año, el año que viene no te llaman;

y también muchos complementos:

> *Le ha colaborado* en este LP gente como... [ha colaborado *con* él...];

los verbos defectivos (en los que el sujeto gramatical y «real» no
coinciden) son propensos a concordar con el sujeto «conceptual»
propuesto por el hablante:

> *Sólo *me gustan* estudiar ALGUNAS ASIGNATURAS y no tengo facilidad
> para estudiar
>
> *Supongo, pues, que... no sé, para lo que YO *intere... me interesa*
> la Sociología, quizá cubra mis necesidades esto
>
> (HM, I, 27);

la aparición de ciertas creaciones léxicas espontáneas (propiciadas
por la propia lógica sistemática de la lengua) que vienen a llenar
un vacío en el sistema:

> *Una *estupendez* de éstas estaba esperando yo [estúpido > *estupi-
> dez;* estupendo > *estupendez]*
>
> *Yo llevo la [luz] corta... Si le meto un *largazo* le dejo seco [cp.
> «codazo», «fogonazo»...];

etcétera.

c) Aquí podríamos añadir también todos los casos de «reflexión etimológica popular», quizá no muy frecuentes, pero sí muy
significativos:

> *¿Y el salchichón por qué se llama *cular,* porque es de *culo?*
>
> *Tú sí que eres *urbana,* pero urbana de *urbe*nidad, no de *urbanidad;*

así como los de «reflexión» gramatical o metalingüística en general:

> *—¿Estás *mal,* cariño?
> —*Mejor que bien*
> —¿*Tan bien* estás?
> —No, quiero decir *más bien mal que bien,* o sea, *más mal que bien*
> —Ah

> *—¡Es una mina de oro! [este diccionario]
> —¿Sí? ¿Me la vendes? [...] ¿Cuánto?
> —Cinco mil dólares. Por cinco mil dólares
> —¿De Hong Kong?
> —No: *U.S.A.;* o los *usas* o nada
> —No, porque ya es *de USO: de UCD*
>
> > (Hablando del «*Diccionario de uso
> > del español*», de M.ª Moliner)

> *—Ah, claro, por supuesto
> —Por *tu*puesto: llámame de tú
> —¿Por *mi* puesto?

> *Nos hemos puesto ya a parir* [ante la reacción primero de perpleji-
> dad y luego de franca carcajada de los presentes:] *No, pero
> en el buen sentido de la palabra... Porque entre nosotros no
> hay ningún travestí* [3]
>
> > (Manuel Fraga, Radio, 19-12-89, preguntado por Luis de Benito
> > acerca de sus primeras actividades para formar gobierno en Gali-
> > cia, tras haber ganado las elecciones)

etcétera.

---

[3] La cita, hecha de memoria, seguramente no es exacta, pero sí aproximada.
Ante su espontánea respuesta (en la que dice que ya han sido *productivos* los primeros momentos después de la victoria que le llevará al gobierno de la autonomía)
y la no menos espontánea reacción de sus interlocutores, el hablante relaciona su
expresión ya no con «productividad», sino (como incialmente sus interlocutores,
y de ahí la sorpresa de todos: se trata de un caso de contexto mental no compartido)
con su acepción peyorativa corriente (*criticar con saña, maldecir a/de otro*) y aclara
que «se han puesto a parir», pero «en el buen sentido»; y a continuación, nuevamente forzado por la perplejidad reinante, y haciendo gala de un buen sentido del
humor, el hablante utiliza todavía una nueva asociación metalingüística, si cabe,
más desconcertante, tal y como venían las cosas (parir = mujer): «porque entre nosotros no hay ningún *travestí* [?]».

Incidencia del «contexto (verbal) temático» sobre la expresión coloquial

Hay en toda conversación algo que aglutina a los interlocutores y los mantiene en comunicación, produciendo, mientras ésta dura, emisiones que tienen «sentido»: el *tema*. Pero este «tema» aglutinador no tiene por qué ser forzosamente algo intelectual ni por qué permanecer invariable a lo largo de la emisión-recepción: lo normal es que permanezca inconsciente y varíe imperceptiblemente a lo largo de ella, y además no sólo en función del hablante, sino de todos los participantes en la comunicación: «Piénsese, por ejemplo, en algo tan simple como la necesidad de tener en cuenta, a la hora de entender bien una intervención de alguien, las del o de los interlocutores restantes; el juego del *turno de palabra* libre es decisivo en la organización de las secuencias» (Narbona y Morillo-Velarde, 1987, pág. 107).

En cualquier caso, puesto que «las palabras tienen sus raíces en toda una situación y es el sentido del conjunto el que exige ciertas palabras para realizar la intención de comunicación» [4], este «tener sentido» es la primera y fundamental referencia del hablante; y el oyente, que comparte con él el contexto global de la comunicación, lo invoca, por su parte, en la recepción del mensaje. Se produce así lo que hemos venido llamando la *expectativa de comunicación compartida,* esencial para la mutua comprensión en una modalidad como la coloquial, en que la inmediatez (fugacidad y no trascendencia) y la incidencia (fundamental) del contexto extraverbal propician la improvisación formal y obligan a una «lógica» diferente y particular en la estructuración e interpretación del mensaje.

Evidentemente, el contexto temático tiene sobre la expresión un efecto de conjunto, contribuyendo a la conexión entre los bloques informativos:

---

[4] T. Slama-Cazacu, *Lenguaje y contexto*, pág. 241.

*Yo me suena porque... ¿cómo se llama? El tío este de El País que escribe todos los domingos... Juan Cueto, que hablaba continuamente de ella [5],

y entre los bloques informativo y las unidades dialogadas,

*Madre. — A ver, hijo, dime dónde has estado
Padre. — Dile: con José Manuel... [a la pregunta ¿dónde? se responde con quién]
*—¿Dónde te has hecho esa pupa?
—¿Eso? Jugando...; antes...
*—¿Recuerda cuando fueron condiscípulos en el colegio?
—No soy tan viejo

(TV);

al orden de palabras en la oración, a la selección de artículos en el SN y de adjetivos calificativos, etc. Y alcanza también manifestaciones precisas en fenómenos de trascendecia lingüística aparentemente menor, pero muy característicos de la lengua coloquial. Así ocurre, por ejemplo, cuando la *atracción por el núcleo semántico que el hablante considera más importante* en su enunciado provoca la incorrecta concordancia que aparece con frecuencia en los usos impersonales de ciertos verbos o expresiones:

*Y hay personas que *pueden que no tengan* relaciones con...
(M. Herrero y Rodríguez de Miñón, TV, 16-12-86)
*—Los ejercicios esos que tenemos para hoy...
—*Son* mañana cuando los pido;

o en ciertas *silepsis* (concordancias por el sentido) como

---

[5] «La información contenida en el segmento inicial queda tematizada intratextualmente, es decir, permanece en el contexto textual como información dada que puede incluso ser utilizada por el hablante como punto de partida para aportar información nueva» (M.ª Jesús Bedmar, «El anacoluto en la lengua hablada», pág. 62).

*Lo que ocurre es que yo soy una *persona* muy *modesto,* muy *modesto...*
(Arturo Fernández, TV, «La tarde», 10-6-87)

*Pues dentro de poco se verán en el hotel, porque *todas las seleccio-nes* [de baloncesto] están *alojados* en el mismo hotel
(TV, 30-6-88),

en que, al margen de las leyes gramaticales, se atribuye directamente a los adjetivos el género correspondiente al sexo referencial, conocido por el hablante. A predominio del contexto temático podríamos atribuir también *el cambio o cruce en el empleo de ciertas preposiciones,* como en:

*Pero resulta que allí decía cosas muy interesantes, decía que conocían, o sea, que *en* la tierra han venido seres del planeta Humo [a]
(HM, III, 47);

que implica la información simultánea y condensada de al menos dos unidades significativas: «han venido *a*» + «están *en*». Y a veces, hasta aparece claramente en tales cruces la intención final de comunicación (inmediatamente revelada), convirtiéndose éstos en contexto (verbal) temático previo de ella:

*Pisos pequeñitos que se puedan arreglar rápidamente, que no tengas que depender en absoluto *en* que vaya a venir una asistenta o *en* que vaya a venir... *en* que vas a tener una criada, en el tiempo en que vivimos eso de PENSAR EN una criada, vamos [«pensar en» provoca, presumiblemente, todos los cruces anteriores]
(HM, IV, 72)

*Pues me contestaban: «Bueno ¿eso para qué sirve?» ¿ no? porque pensaban *con* el... ciudadano que VA CON un cazamariposas por ahí, por el ...V... en el campo y demás, y...
(HM, IX, 152)

También muchas *redundancias* tienen su origen, tanto o más que en la expresividad, en la afirmación del «tema» central de la emisión:

*Tú tú verás, allá *tú;* pero *mi hija, mi hija,* me hace eso *mi hija*
y la mato

*Es que hay que ser más consciente de *los actos que se hacen...*
¡claro!... los profesores no vienen aquí a cuidaros.

Vimos además cómo, en un momento dado, la conversación derivaba por la intertextualidad, y ésta podía llegar a convertirse en «tema» fundamental de ella:

> *—Ya lo sabes... *si el que amas no te ama, ama a quien está contigo.* Y confórmate, macho
>
> > [Canción «Love one you are with», de S. Stills]
>
> —Pero es que *el que queremos nos quiere, aunque no quiera querernos*
> —¿Eso quién lo dice?
> —Juan Ramón, creo; algún «modelno».

Como el propio hablante, el receptor acepta sin problemas (y normalmente sin conciencia), expresiones como

> *El hombre lo que *tenía* que hacer es parir
> *Yo he estado *con Napoleón* esta mañana
>
> > (HM, XXIV, 444),

sin tener en cuenta (porque comparte con su interlocutor la expectativa de comunicación) la proyección lógica al pasado que aportan el pretérito imperfecto (en vez del potencial que correspondería) o la «compañía» de un personaje histórico desaparecido. En la lengua coloquial, en virtud del contexto creado por el/los tema/s de la conversación, se comprende y acepta no sólo la inexactitud (aproximación significativa),

> *—Los bancos son...
> —Son durísimos
> —Los bancos son *temerosos* [temibles]
> *Las reivindicaciones se hacen por las dificultades que tienen los hijos de las familias más *desfavorables,* más humildes... [desfavorecidas]
>
> > (TV, «Debate», 22-1-87),

el simple error mecánico en la sucesión lineal de los términos,

>*Sobran los libros, porque *nadie mejor que el uso lo conoce el hablante*
>
>>(J. Polo, Simposio, 17-12-86)
>
>*Las cartas que se intercambian dos ciudadanos son propiedad tanto del que las manda *como que de* las recibe, así que...
>
>>(Pablo Castellanos, Presidente del Consejo del Poder Judicial, Radio, 11-4-86)
>
>*En el [cine] Florida ponen solamente una [película] y además es *una de las mismas* que ponen en el Salaberry [es la misma que una de las que...]

la incorrección, la simpleza o la paradoja:

>*Había jabalíes... *También había una jaula con monos, pero los habían quitao*
>*Tráeme *tu libro mío* [el que me diste]
>*Siento que se haya hecho *pronto tan tarde*
>*Yo tengo... *una de mis hermanas se casó con... con mi cuñado ¿entiende?*, y mi cuñado, cuando acabó la carrera lo destinaron a Oviedo
>
>>(HM, II, 24)
>
>**Ya que me he levantado de la cama, me voy a levantar* [ya que me he tenido que levantar, definitivamente no vuelvo a la cama],

sino incluso las rupturas lógicas (el absurdo más flagrante), siempre y cuando, de acuerdo con las expectativas de comunicación compartidas por los interlocutores, sea posible el entendimiento del *sentido global* del mensaje:

>*Ha sido un hombre muy importante, que ha cumplido un papel muy importante en la historia del país, y por lo tanto *tiene el respeto que le merecemos* [que nos merece]
>
>>(Radio El País, programa «Lo que yo te diga», 20 de mayo de 1986, entrevista a Roca, sobre Adolfo Suárez)

*Y evidentemente a mí me parece muy cruel que *la Iglesia prohíba a sus gays que se abstengan de ejercer su sexualidad* [justo al contrario]

(TV, «¿Y usted qué opina?», 22-6-87)

*Te lo digo yo, que he estado en Personal muchos años y creía que lo sabía todo, y te engañan... *en cuanto puedas, vamos, en cuanto puedas*

Con la que yo monto para freír un huevo frito [el uso inconsciente del cliché, uno de los principales motivos]

*En lugar de bajar al bar, por pereza, me he frito un huevo, pa-pas... *patatas fritas,* en fin [en este caso, es una aclaración a «papas»: «me refiero a *patatas fritas»]

(Fco. Ayala, TV, 7-1-87)

*Tengo *una sordera que no veo* [en la locución intensificadora, la sinestesia contribuye decisivamente al absurdo]

*Al trabajo, *que es gerundio*

(J. Polo)

Son ejemplos todos que en su momento fueron interpretados sin dificultad (y en su exacto sentido) y que acaso ahora, traídos a colación en una situación comunicativa tan diferente, provoquen cierta perplejidad, o incluso risa.

ACCIÓN DEL «CONTEXTO VERBAL INMEDIATO» SOBRE LA EXPRESIÓN
COLOQUIAL

La actualización verbal supone, en realidad, un *análisis* del todo en el que las diversas partes de la expresión, siempre en función del conjunto, se adaptan recíprocamente (en su forma y en su significado) para hacer posible la comprensión entre los interlocutores. En algunos de sus aspectos, el contexto lingüístico inmediato no parece sino una consecuencia (discursiva) de la acción confluyente de los contextos sistemático y temático sobre la expresión; al menos en la medida en que «iniciada la generación de un mensaje, el hablante no tiene la libertad de continuar a su antojo en cualquier momento, ya que está limitado a lo que precede inmediatamente». Así, por ejemplo, la *deíxis lingüística* o *deíxis fórica* viene dada muchas veces por imposición del código, que obliga, por ejemplo, a reproducir anafóricamente (mediante pronombre) el OI cuando la referencia a éste se anticipa al verbo («tematizándose»):

> *A mi padre no *le* quiero ni ver;

la exigida concordancia puede sufrir, por «olvido» del tema y ante la proximidad de algún elemento relevante para la información, alteraciones importantes:

> *Y a partir de ahí se me ha hecho una segunda pregunta que he olvidao. *La* lamento
>
> (Felipe González, rueda de prensa, 15-4-86)
>
> *... de diversos profesores, *incluido quienes le hablan* [incluido quien les habla];

un sustantivo disociador del sustantivo o elemento núcleo y su adjetivo puede inducir, por su proximidad con éste, una falsa concordancia:

> *... para al final meterlos en *viviendas* de CHAPA prefabricada todavía *peor* que en las chabolas que estaban;

y el empleo de ciertos vocablos atrae redundantemente el de otros conceptualmente ya implicados en ellos: *bajar p'abajo, subir p'arriba, vivir la vida, párpados de los ojos, tonterías sin sentido...*

Pero nos vamos a ocupar ahora de un fenómeno que es particularmente relevante en el lenguaje coloquial y que nos interesa destacar: el efecto que el hilo comunicativo o *decurso* tiene sobre el lenguaje, y que —curiosamente— se manifiesta en dos tendencias contrapuestas (la una de economía, de redundancia la otra), si bien en ambas subyace una misma actitud de comodidad por parte del hablante.

En efecto, muchos de los enunciados elípticos que en general no son «sentidos» como tales porque proporcionan una información precisa y completa y cumplen a la perfección su función comunicativa, tienen su origen en el contexto verbal previo, que permite catalizar los elementos informativos elípticos (y sin el cual no tendrían sentido). En la interacción, aparecen sobre todo en respuestas:

> *—¿Y has estado...?
> —*De enero a junio*

y en preguntas aclaratorias sobre lo dicho, que presuponen en el contexto previo los elementos eliminados y sobreentienden en el contexto situacional compartido por los interlocutores los no expresados:

> *—Esta noche me voy a bailar yo
> —*¿Con?*

Alarcos habla en estos casos —con buen criterio, nos parece— no de «frases» (enunciados sin verbo que constituyen manifestaciones comunicativas completas y autónomas), sino de *oraciones truncas* [6], debido a su directa dependencia de enunciados verbales ya expresados en forma de «oración» (enunciados con verbo).

Ya hemos dicho, por otra parte, que la comunicación coloquial es irreflexiva en sentido estricto y que esto conlleva, en muchas ocasiones, anticipar impulsivamente la palabra al desarrollo de la idea, organizar el mensaje de acuerdo con los impulsos subjetivos del hablante. Pues bien, esta organización del mensaje responde muchas veces con toda claridad a lo que podríamos denominar *contagio de contextos expresivos*: la presencia de una determinada palabra o construcción «impulsa» el empleo de ésta misma o de otra similar, bien en el turno siguiente, bien en el mismo turno de palabra, lo que suele dar lugar a una peculiar redundancia (lógicamen-

---

[6] «Enunciados sin verbo», pág. 30. Otra cuestión es la terminología, que ni Alarcos ni yo alcanzamos a emplear en estos casos con la deseable precisión.

te, antieconómica) en el lenguaje coloquial [7]. Este «impulso reproductor» puede provocar en la expresión del hablante falta de concordancia entre su expresión gramatical y la lógica:

> *—Para terminar, una pregunta más para ver si hablas algo...
> —*Que si* hablo algo, *que si* no he parado. ¿Qué dices?
>
> (HM, IV, 84)

> *—¿Cómo ves tú la extranjera casualmente aquí en el ambiente que conoces, en el Ateneo, por ejemplo?
> —En el Ateneo no tengo muchísima relación con extranjeras, más que nada puedo *hablar de, de españolas.* Pero *de extranjeras* también he conocido alguna y opino lo mismo que...
>
> (HM, V, 94);

puede servirle para enfatizar su mensaje (ya hemos explicado que la redundancia es un procedimiento fundamental de énfasis):

> *Tú lo que *eres es* que *eres* un golfo. Eso *es* lo que *eres*
> *Yo aquí los impuestos no* los he subido, *yo aquí los impuestos no* están subidos;
>
> (J. Luis Campo, popular y polémico alcalde de Belmonte del Tajo, entrevistado en Radio El País, «Lo que yo te diga», 26-5-87)

---

[7] Este fenómeno, que generalizo bajo el nombre de *contagio de contextos expresivos*, ha sido (parcialmente) atendido por otros autores, desde sus respectivos puntos de vista. Emma Martinell lo estudia en su trabajo sobre el *Encadenamiento por repetición en la estructura coloquial*, que sirve formalmente al «encadenamiento significativo» entre las diversas premisas (en diferentes turnos de palabra) del coloquio. Claire Blanche-Benveniste («Las regularidades») considera que hay en este tipo de enunciados *figura de simetría (con la pregunta)* y la considera (junto a las figuras de la enumeración, la del factor común y la del paréntesis) una *regularidad configurativa en el discurso del francés hablado*. Fernando Rodríguez-Izquierdo («Procedimientos de topicalización») habla de «tópico condicionado por el encuestador», con la variante de «tópico de simetría interna» (realizado por el hablante sobre las últimas palabras que él mismo ha pronunciado). Las *preguntas-eco* estudiadas por Domnita Dumitrescu documentan asimismo este fenómeno.

ayudarle a concretarlo semánticamente:

> *No soy en *absoluto... absoluta*
>
> (HM, IV, 77),

etc. Cuando se extiende de uno a otro interlocutor (en su activa alternancia en la emisión-recepción), funciona como un *automatismo* reproductor de la forma previamente escuchada al otro, con quien se comparte el contexto de comunicación; y refleja muy bien esa espontánea *adaptación-cooperación interlocutiva propia de la modalidad coloquial:*

> *—¿*Todo el bachillerato en francés,* no?
> —*Todo el bachillerato en francés*
>
> (HM, XVIII, 316)

> *—¿Por qué vamos a obligarla a que esté corriendo y corriendo si prefiere estar sentada? ¡Claro!
> —¡Ah!, pero *en las horas de* recreo, no *en las horas de* clase
> —*En las horas de...* no, no, no; *horas de recreo*
>
> (HM, XVI, 277)

> *—Y después el cuarto de, de... de mi hermana y mío y y el, el salón, y ya está. Ése es... es lo único, bueno, y después la cocina, el comedor...
> —A mí no me gusta...
> —... digo, el... cuarto de baño y esto ¿no?
> —Sí ya, *lo normal, pero...*
> —... *pero* vamos, eso es *lo normal.*
> —... *de habitaciones,* nada.
> —*Pero habitaciones, habitaciones* eso
>
> (HM, XIX, 364)

> *—Lo hace *desde luego* por vocación, no por dinero
> —Porque la gusta, sí, *desde luego*
> —*Porque si fuera por dinero desde luego* ya hacía muchos años que no lo...
> —¿Te gusta la falda que me he comprado? *Desde luego,* hija mía, no me has dicho nada...

Naturalmente, instalado (al menos lingüísticamente) en el contexto de su compañero, el hablante suele reproducir sus palabras incluso si éstas no coinciden con el giro que él va a dar a su información:

> *—¿Cuál *es* el problema principal de la mujer española?
> —Yo creo que *es* varios
>
> > (TV, entrevista 13-11-75)
>
> *—¿Cuál ha sido *la característica fundamental de este proceso*?
> —Bueno, *la característica fundamental de este proceso* son dos, básicamente
>
> > (TV, entrevista, 17-7-86).

En ejemplos como éstos, la repetición del contenido de la pregunta da tiempo al hablante a pensar en lo que va a decir; es además un recurso cómodo, que le facilita su respuesta e impulsa la falta de concordancia. La influencia del contexto lingüístico inmediato es más clara en el siguiente ejemplo, en que la repetición tiene lugar, innecesariamente, después de la información relevante:

> *Realmente, ¿*algunos* de los heridos que quedan *todavía* en Portugal, *corre peligro su vida?*
> —Sí, *algunos corre peligro todavía su vida*
>
> > (TV, un médico, 21-3-87).

Puede ocurrir, pues, también, que la expresión tomada del compañero no tenga ya la estructura gramatical adecuada, como en este último ejemplo, en el que el hablante ha reproducido tal cual (o casi) el anacoluto inicial.

A MANERA DE CONCLUSIÓN

Comoquiera que sea, hay ya una conclusión provisional que podemos hacer antes de dar por finalizado este trabajo: en la modalidad coloquial, todo parece reducirse al esfuerzo (en gran medida inconsciente, y nacido de las condiciones que la acotan) de los seres humanos por emplear medios de expresión *comunicativamente adecuados* a la situación y al estado emocional e intelectual vividos y compartidos. En el origen de los tres grandes principios de organización coloquial que hemos propuesto *(Expresividad, Comodidad y Adecuación-contextualización)* está, sin duda, esta actitud que podríamos llamar «psicológica» y que, como todos los fenómenos psicológicos, presenta tal complejidad que no es posible acotarlo «científicamente» de una forma exhaustiva, satisfactoria.

Sin duda, el lenguaje coloquial, tan vivo, flexible y versátil, presenta muchos aspectos, fenómenos, posibilidades... que han quedado fuera de este intento de *esbozo* de morfosintaxis «coloquial» del español. Sin duda también, muchas de las cuestiones aquí tratadas podrían haber sido analizadas y valoradas bajo puntos de vista diferentes; pero en todo caso —creemos— no incompatibles, sino complementarios. Lo que hemos intentado, simplemente, ha sido ofrecer para todos ellos un modelo orgánico de sistematización: uno de los posibles, claro está que no necesariamente el mejor. Y lo hemos hecho considerando que éste era, al menos en lo relativo al español, un primer paso que ya no debía aplazarse más: el de intentar hacer metodológicamente posible el estudio del lenguaje coloquial en y por sí mismo, en su esencia y con sus diferencias, que no permiten, con frecuencia, su presencia en la gramática «instituida».

Y con la esperanza, además, de que sirva como muestra de que en la lengua coloquial, de la que nos servimos *todos,* no son esenciales ni el descuido ni la pobreza ni tantos otros defectos con los que, de un plumazo, parecía justificarse su exclusión de los estudios lingüísticos. Conozcámosla mejor, lo mejor posible; atendámosla al menos en la medida de su importancia (sin duda, es el instrumento social más extendido y empleado); si es que de ello podemos sacar utilidad, busquemos cuál de entre los posibles puede ser para ella un buen modelo, teniendo en cuenta sus condicionamientos, a los que, como cualquier otra modalidad, no sólo tiene derecho, sino que difícilmente puede sustraerse. Pero no pretendamos que la lengua coloquial sea como la lengua escrita culta, que sus expresiones reflejen necesariamente la lógica preconcebida de la gramática y de la vida... Primero, porque ella misma es un órgano vivo, en continua adaptación; pero sobre todo porque la lengua coloquial no es, ni puede ser, ni será nunca «lengua escrita». Ni nosotros somos, ni podemos ser, ni seremos nunca seres «programados» para la perfección (por lo demás, también preconcebida) y ajenos a la realidad que no coincida con ella. La lengua coloquial (y particularmente la gramática, de siempre más desatendida) tiene por derecho, y merece, un espacio —me atrevo a decir que incluso «privilegiado»— en los estudios lingüísticos. Y si nuestro trabajo contribuyera en alguna medida a consolidar este convencimiento y a compensar el crónico abandono que su estudio ha venido experimentando, nuestro principal objetivo se habría visto cumplido.

SIGLAS

AEF   *Anuario de Estudios Filológicos* (Cáceres)
AL   *Anuario de Letras* (Méjico)
ALH   *Anuario de Lingüística Hispánica* (Valladolid)
BF   *Boletín de Filología* (Montevideo)
BFC   *Boletín de Filología de Colombia*
BFE   *Boletín de Filología Española*
BICC   *(Thesaurus) Boletín del Instituto Caro y Cuervo* (Bogotá)
BRAE   *Boletín de la Real Academia [Española]*
CILFR   *Congreso Internacional de Lingüística y Filología Románica*
DRLAV   *Documentation et Recherche en Linguistique Allemande, Vincen-*
          nes (París)
EA   *Español Actual* (Ofines, Madrid)
ELUA   *Estudios de Lingüística de la Universidad de Alicante*
LEA   *Lingüística Española Actual* (Madrid)
NRFH   *Nueva Revista de Filología Hispánica*
RFE   *Revista de Filología Española*
RFH   *Revista de Filología Hispánica*
RLA   *Revista de Lingüística Aplicada*
RSEL   *Revista [de la Sociedad] Española de Lingüística*

CSIC   Consejo Superior de Investigaciones Científicas
UNAM   Universidad Nacional Autónoma de Méjico
UNED   Universidad Nacional de Educación a Distancia (Madrid)
PILEI   Programa Interamericano de Lingüística y Enseñanza del Idioma
SGEL   Sociedad General Española de Librería, S. A.
OFINES   Oficina Internacional de Información y Observación del Español
          (Instituto de Cooperación Iberoamericana, Madrid)

BIBLIOGRAFÍA

Abraham, Werner, *Diccionario de terminología lingüística actual,* Madrid, Gredos, 1981.

Acero, Juan José: «'Alguno', un cuantificador no ambiguo y otros aspectos de las relaciones entre negación y cuantificación en español», *RSEL,* 10, 1980, 373-410

Actas del XI Congreso Internacional de Lingüística y Filología Románicas, I-IV, Madrid, CSIC, 1970, 1853-1863 (tomo IV: a. La expresión afectiva; b. Expresividad gramatical).

Adames, José: «Consideraciones sobre el uso enfático de *-ero* y *-erio* en el español coloquial de Venezuela: Visión semántica», *Letras* (Caracas), 36, 1979, 187-191.

Alarcos Llorach, Emilio, *Estudios de gramática funcional del español,* Madrid, Gredos, [3]1980 (1.ª edic. 1970).

—, «Enunciados sin verbo», *In memoriam Inmaculada Corrales,* I, Tenerife, Univ. de La Laguna, 1987, 27-36.

—, «Otra vez sobre pasividad y atribución en español», *Homenaje a Alonso Zamora Vicente,* I: *Historia de la lengua: El español contemporáneo,* Madrid, Castalia, 1988, 333-342.

Alba de Diego, Vidal, «En torno a la derivación», *Philologica Hispaniensia in honorem Manuel Alvar.* II. *Lingüística,* Madrid, Gredos, 1985, 21-32.

—, y Sánchez Lobato, Jesús, «Tratamiento y juventud en la lengua hablada. Aspectos sociolingüísticos», *BRAE,* 60, 1980, 95-129.

Alcina, J., y Jose M. Blecua, *Gramática española,* Madrid, Ariel, 1983.

Alfonso, Luis, «El estudio de la lengua hablada», *BF,* 10, 1963-64, 101-107.

Almela Pérez, Ramón, *Apuntes gramaticales sobre la interjección,* Universidad de Murcia, 1982.

—, «El 'si' introductor de oraciones independientes en español», *LEA,* 7, 1985, 5-13.

Alonso, Amado, *Estudios lingüísticos. Temas españoles,* Madrid, Gredos, 1974.

—, y Pedro Henríquez Ureña, *Gramática castellana,* 2 vols., Buenos Aires, Losada, [23]1966.

Alonso, Mª Rosa, «Sobre el español que se escribe en Venezuela», *I Congreso de Hispanistas* (Oxford), 1964, págs. 179-189.

Alonso, Martín, «Sintaxis de la lengua hablada», en *Evolución sintáctica del español,* Madrid, Aguilar, 1962, págs. 460-469.

—, *Gramática del español contemporáneo,* Madrid, Guadarrama, 1974.

Alvar, Manuel, *Niveles socioculturales en Las Palmas de Gran Canaria,* Gran Canaria, Ediciones del Excmo. Cabildo Insular, 1972.

— (dir.), *Cuestionario para el estudio coordinado de la norma lingüística culta. II. Morfosintaxis,* Madrid, PILEI - CSIC, 1972.

—, «Sociología lingüística. La ciudad como unidad lingüística», en F. Abad (comp.), *Lecturas de sociolingüística,* Madrid, EDAF, 1977, págs. 63-85. También en *Teoría lingüística de las regiones,* Barcelona, Planeta Universidad, 1975.

—, *Lengua y sociedad,* Barcelona, Planeta, 1976.

—, «Actitud del hablante y Sociolingüística», en R. Lapesa (coord.), *Comunicación y lenguaje,* Madrid, Karpos, 1977, págs. 85-105.

—, *La lengua como libertad y otros ensayos,* Madrid, Ed. Cultura Hispánica, Instituto de Cooperación Iberoamericana, 1982.

—, y Bernard Pottier, *Morfología histórica del español,* Madrid, Gredos, 1983.

Andreetto, Miguel Ángel, «El orden de las palabras y la sintaxis», *BF,* 31-33, 1946, 100-104.

Aranguren, José Luis L., *La comunicación humana,* Madrid, Tecnos, 1986.

Ariz, Carlos M.ª, «Bosquejo para una gramática española de la afectividad», *Revista de la Universidad de Costa Rica,* 28, 1970, 145-209.

Ariza, Manuel, «Contribución al estudio del orden de palabras en español», *AEF,* I, 1978, 9-42.

Badía Margarit, Antonio M.ª, «Dos tipos de lengua, cara a cara», *Studia Philologica. Homenaje a Dámaso Alonso* (por sus amigos y discípulos) I, Madrid, Gredos, 1960, 115-140.

—, «El gerundio de posterioridad», *Presente y futuro de la lengua española,* II, Madrid, Ofines, 1963, 287-295.

—, «La omisión del sujeto en español», *Homenaje a Alonso Zamora Vicente. I. Historia de la lengua: El español contemporáneo,* Madrid, Castalia, 1988, págs. 361-368.

Bally, Charles, *Traité de stylistique française,* 2 vols., París, Klincksieck, [3]1951.

—, *Linguistique générale et linguistique française* (1932), Berna, Francke, [4]1965.

—, *El lenguaje y la vida* (1941) (traducción de Amado Alonso), Buenos Aires, Losada, [7]1977.

—, Élise Richter, Amado Alonso y Raimundo Lida, *El impresionismo en el lenguaje* (1963), Buenos Aires, Instituto de Filología, [3]1956.

Barker Davies, John, «'Delante mío': Enfoque y análisis del problema», *EA,* 7, 1966, 4-6.

Barral, Carlos, «En favor del AO y el 'rollo'», *Cambio 16,* 351 (27-8-79), pág. 57.

Barrenechea, Ana M.[a], «A propósito de la elipsis en la coordinación», *Studia Hispanica in honorem Rafael Lapesa,* II, Madrid, Gredos, 1972, 103-121 (recogido en Varios, *Estudios sobre el español en las principales ciudades de América,* México, UNAM, 1977, págs. 478-504).

—, «Problemas semánticos de la coordinación», *Homenaje a Ángel Rosenblat. Estudios filológicos y lingüísticos,* Caracas, Instituto Pedagógico, 1974, 83-96 (ibídem, págs. 505-517).

—, y Mabel V. Manacorda de Rosetti, «La voz pasiva en el español hablado en Buenos Aires», *Actas, informes y comunicaciones del Simposio de México,* UNAM, 1969, 234-243 (ibídem, págs. 395-406).

—, y Teresa Orecchia, «La duplicación de objetos directos e indirectos en el español hablado en Buenos Aires», *Rev. Phil.,* 1970-1971 (ibídem, págs. 351-382).

Barros García, Pedro, «Léxico y creación de palabras», *Homenaje a Antonio Gallego Morell,* Granada, 1989, 163-181.

Bedmar Gómez, M.[a] Jesús, «El anacoluto en la lengua hablada», *Estudios en memoria de Julio Fernández Sevilla y Nicolás Marín López,* Univ. de Granada, 1987, 56-79.

—, «La norma del texto oral y la norma del texto escrito», *RSEL,* 19, 1989, 111-120.

Beinhauer, Werner, «A la pata la llana», *RF,* 56, 1942, 178-80.

—, «Dos tendencias antagónicas en el lenguaje coloquial español (Expresiones retardatarias, comodines, muletillas y expletivos)», *EA,* 6, 1965, 1-2.

—, *El español coloquial,* Madrid, Gredos, 1973 (2ª edición, corregida, aumentada, actualizada. Prólogo de Dámaso Alonso. Traducción de Fernando Huarte Morton).

—, *El humorismo en el español hablado (Improvisadas creaciones espontáneas),* Madrid, Gredos, 1973.

—, «El retruécano en el español hablado», *Yelmo,* 12, 1973, 12-14.

—, «Sentido de lugar y dirección y su manifestación lingüística en español», *Yelmo,* 14, 1973, 11-13.

—, «Alteraciones sintácticas por influencias fonéticas», *Yelmo,* 17, 1974, 10.

—, «Algunos comentarios al excelente libro de Brian Steel: 'A manual of colloquial Spanish'», *Yelmo,* 32, 1977, 10-12.

Bello, Andrés, *Gramática de la lengua castellana (destinada al uso de los americanos).* Edición crítica de Ramón Trujillo, Cabildo Insular de Tenerife, 1981.

Benes, P., «Quelques remarques sur l'expression du sujet indéterminé. Domaine espagnol», *ERBr (Études Romanes de Brno,* Checoslovaquia), 2, 1966, 51-64.

Benet, Juan, «Consideraciones sobre el hipérbaton», *Revista de Occidente,* 6, 1981, 27-39.

Benveniste, Émile, *Problemas de lingüística general,* I (1966), Méjico, Siglo XXI, 1974.

—, «El aparato formal de la enunciación», en *Problemas de lingüística general,* II, Méjico, Siglo XXI, 1977.

Berschin, Helmut, «A propósito de una muestra del español hablado», *Philologica I. Homenaje a D. Antonio Llorente,* Univ. de Salamanca, 1989, págs. 39-49.

Berthet, Frédéric, «Éléments de conversation», *Communications,* 30, 1979, *(La Conversation),* 109-162.

Beym, Richard, «Two phases of the linguistic category of emphasis in colloquial Spanish», *Orbis,* III, 1954, págs. 99-122.

—, «El concepto de persona enfrentado con indicaciones de espacio en español», *Yelmo,* 4, 1972, 28-29.

Blanche-Benveniste, Claire, «Coexistence de deux usages dans la syntaxe du français parlé», *Actes du XVII Congrès International de Linguistique et Philologie Romanes,* 7, Provenza, 1985, 201-215.

—, «Las regularidades sintácticas en el discurso del francés hablado: consideraciones lingüísticas y sociolingüísticas», *Sociolingüística Andaluza,* 3, 1985, 19-30.

Blasco Ferrer, Eduardo, «La tipología del español coloquial», *Romanistisches Jahrbuch,* 39, 1988, 255-275.

Blecua, José M., *Qué es hablar,* Barcelona, Salvat (Temas Clave), 1982.

Bobes Naves, María del Carmen, «Sistema, norma y uso del gerundio castellano», *RSEL,* 5, 1975, 1-34.

Boretti, Susana H., «Nuevos intereses en lingüística: la pragmática», *Estudios Filológicos,* 16, 1981, 163-167.

—, «La investigación de la lengua hablada y el discurso coloquial», *Estudios Filológicos,* 20, 1985, 115-126.

Bosque, Ignacio, «Sobre la interpretación causativa de los verbos adjetivales», en V. Sánchez de Zavala (dir.), *Estudios de gramática generativa,* Barcelona, Labor, 1976, págs. 101-117.

—, «Más allá de la lexicalización», *BRAE,* 62, 1982, 103-58.

—, «Sobre la interrogación indirecta», *Dicenda,* I, 1982, 13-34.

—, «Negación y elipsis», *ELUA,* 2, 1984, 171-199.

—, «Clases de sujetos tácitos», *Philologica II. Homenaje a D. Antonio Llorente,* Univ. de Salamanca, 1989, págs., 91-111.

Bruyne, Jacques de, «Acerca del sufijo *-azo* en el español contemporáneo», *Iberorromania* (Tubinga), 8, 1978, 54-89.

—, «Onomástica y elativos en *-ísimo», ALH,* 2, 1986, 9-20.

Bühler, Karl, *Teoría del lenguaje,* Madrid, Alianza Universidad, 1985.

Calonge, Julio, «Implicaciones del género en otras categorías gramaticales», *Logos Semantikos. Studia Linguistica in honorem Eugenio Coseriu,* IV, (Madrid-Berlín), 1981, 19-28.

Camps, Victoria, *Pragmática del lenguaje y filosofía analítica,* Barcelona, Península, 1976.

Camurati, Mireya, *Ideas y motivos de conversación y composición en español,* Lexington, Massachusetts D.C. Health, 1975.

Canellada, M.ª Josefa, «La lengua hablada», en *Pronunciación del español (Lengua hablada y literaria),* Madrid, Castalia, 1987, págs. 17-18.

Cano Aguilar, Rafael, «Las construcciones causativas en español», *BRAE,* 57, 1977, 221-58.

—,«Sujeto con preposición en español y cuestiones conexas», *RFE,* 62, 1982, 211-58.

Carbonero Cano, Pedro, «Criterios para una caracterización funcional de los adverbios», *RSEL,* 8, 1978, 169-198

—, *Deíxis espacial y temporal en el sistema lingüístico,* Univ. de Sevilla, 1979.

—, «Afirmación, negación, duda», *RSEL,* 10, 1980, 161-175.

—, «Sobre ciertas construcciones de relativo en el habla urbana de Sevilla», *Sociolingüística Andaluza,* 3, 1985, 65-85.

Cardona-Castro de Gibert, Ángeles, «Estudio gramatical del nexo cero», *Yelmo,* núms. 6, 7 y 8, 1972, 13-15, 19-23 y 13-23.

Carnicer, Ramón, *Sobre el lenguaje de hoy,* Madrid, Prensa Española, 1969.

—, *Nuevas reflexiones sobre el lenguaje,* Madrid, Prensa Española, 1972.

—, «Formas superlativas del adjetivo, plurales dudosos y novedades en el Diccionario», *Yelmo,* 25, 1975, 36-39.

—, *Tradición y evolución en el lenguaje actual,* Madrid, Prensa Española, 1977.

Carrasco, Félix, «Sobre el formante de la voz pasiva en español», *RSEL,* 3, 1973, 333-341.

—, «Sobre la impersonalidad en español: hacia una sistematización de los enunciados de persona no específica», *Actas del VI Congreso de Hispanistas* (Toronto), 6, 1980, 161-64.

Carrillo, G., «A propósito del pronombre reflexivo *nos* en la frase *hay que matarnos por esta revolución»,* BFC, 13, 1961, 311-14.

Cartagena, Nelson, «*Quedar/quedarse.* Acerca de una construcción pronominal en español», *RLA,* 8, 1970, 71-87.

—, «Las construcciones pronominales españolas de sujeto indeterminado», *RLA,* 9, 1971, 145-72.

—, «Acerca de las categorías de tiempo y aspecto en la estructura verbal en español», *RSEL,* 8, 1978, 373-408.

Casado Velarde, Manuel, «Creación léxica mediante siglas», *RSEL,* 9, 1979, 67-89.

—, «Un sufijo de la lengua juvenil: *ata»,* Thesaurus, BICC, XXXVI, 1981, 323-27.

Casares, Julio, *Introducción a la lexicografía moderna,* Madrid, CSIC, 1950. *R.F.E.,* Anejo LII (CSIC, 1969).

Castro, Américo, «Sobre *yo amanezco y yo anochezco*», *BRAE,* 46, 1966, 187-90.

Castro de Anastasi, Graciela y Lidia Tubino de Toso, «Algunas reflexiones acerca de una muletilla hoy en auge» [o sea], *Anales del Instituto de Lingüística,* 11, Mendoza, Univ. de Cuyo, 1983, 35-44.

Catalá Torres, Natàlia, «Consideraciones acerca de la pobreza expresiva de los jóvenes», en F. Rodríguez González (ed.), *Comunicación y lenguaje juvenil,* Madrid, Fundamentos, 1989, 203-216.

Cela, Camilo José, *Diccionario Secreto,* I y II, Madrid, Alfaguara, 1968-1971.

Cifuentes Honrubia, José Luis, «Espacio y enunciación en la dinámica textual de la Lengua Española», *ELUA,* 3, 1985-1986, 209-235.

Cisneros, Luis Jaime, «El orden de las palabras en español», *Mercurio Peruano* (Lima), 37, 1956, 365-98.

—, «Fisonomía de la Lengua Española», *Mercurio Peruano* (Lima), 38, 1957, 423-36.

—, *Formas de relieve en español moderno,* Lima, Huascarán, 1957.

—, *La mise en relief en espagnol,* Montevideo, Instituto Lingüístico Latinoamericano, 1966 (Cuadernos, 12). En mimeógrafo.

Contreras, Heles, *El orden de las palabras en español,* Madrid, Cátedra (GGT), 1978.

Copceag, Demetrio, «Norma, 'paranorma' y función comunicativa del lenguaje», *EA,* 21, 1972, 1-6

Corrales, Cristóbal, «Sobre el sujeto con preposición», *Estudios ofrecidos a Emilio Alarcos Llorach,* (Oviedo), II, 1977, págs. 65-78.

Cortés Rodríguez, Luis, «Hacia unas posibles variantes sintácticas en el campo sociolingüístico», *RSEL,* 12, 1982, 85-105.

—, *Sintaxis del coloquio (Aproximación sociolingüística),* Universidad de Salamanca, 1986.

—, «El 'que' relativo y su antecedente en la lengua hablada», *RSEL,* 17, 1987, 301-326.

Coseriu, Eugenio, *Teoría del lenguaje y lingüística general,* Madrid, Gredos, [3]1962.

—, *Principios de semántica estructural,* Madrid, Gredos, 1977.

—, «Esbozo de una teoría coherente del hablar y de su formalización», en F. Abad (comp.), *Lecturas de sociolingüística,* Madrid, EDAF, 1977, págs. 43-51.

—, *Gramática, semántica, universales,* Madrid, Gredos, 1978.

—, *Lecciones de lingüística general,* Madrid, Gredos, 1981.

Criado de Val, Manuel, «Metodología para un estudio del coloquio», en *Gramática Española,* Madrid, Saeta, 1958, 211-224.

—, «Encuesta y estructuración gramatical del español hablado», *Presente y futuro de la lengua española,* I, 463-470, Madrid, Ofines, 1963.

—, «Esquema de una estructura coloquial», *EA,* 8, 1966, 9 (recogido en *Estructura general del coloquio).*

—, «El 'interlocutor' dentro del coloquio», *Yelmo,* 2, 1971, 5 (recogido en *Estructua general del coloquio).*

—, «El coloquio como 'energía' y como 'mensaje'», *Yelmo,* 3, 1972, 5-6 (recogido en *Estructura general del coloquio).*

—, «El falso tuteo. ¿Te pagas unos chatos?», *Yelmo,* 3, 1972, 5-6.

—, *Fisionomía del idioma español y de las lenguas modernas,* Madrid, Saeta, 1972.

—, «Síntesis de morfología española», *Yelmo,* 11, 1973, 13-14.

—, «Diálogo real y diálogo literario; Pedro A. Urbina: 'El carromato del circo'», en Varios, *El comentario de textos,* 2, Madrid, Castalia, 1974, 213-225.

—, «Transcripciones coloquiales», *Yelmo,* desde el núm. 15/1973-74 al 20/1974 (recogido en *Estructura general del coloquio).*

—, *Así hablamos. El espectador y el lenguaje,* Madrid, Prensa Española, 1974.

—, «El español, una lengua 'familiar'», *Yelmo,* 28, 1976, 5.

—, *Estructura general del coloquio,* Madrid, SGEL, 1980.

Chantraine van Praag, J., «Intensidad expresiva de las comparaciones estereotipadas», *Actas del IV Congreso Internacional de Hispanistas,* Salamanca, 1971 (1982, 815-16).

Chiareno, Osvaldo, «Apostilla al hipérbaton», *Bollettino dell' Istituto di Lingue Estere* (Génova), 13, 1983, 44-50.

Chomsky, N., *Aspectos de la teoría de la sintaxis* (1965), Madrid, Aguilar, 1970.

Davis, J. Cary, «A pesar mío, a pesar de mí», *Hispania,* 36, 1953, 459.

—, «Más sobre *puede hacerlo,* lo *puede hacer*», *Hispania,* 44, 1961, 708-10.

—, «Me trae un vaso de agua, por favor», *Hispania,* 48, 1965, 554-55.

Demonte, Violeta, «Semántica y sintaxis de las construcciones con 'ser' y 'estar'», *RSEL,* 9, 1979, 133-171.

—, «Nuevas distinciones conceptuales en gramática generativa y algunas observaciones sobre sintaxis y discurso», *ELUA,* 1, 1983, 89-112.

Díaz Padilla, Fausto, *El habla coloquial en el teatro de Antonio Gala,* Universidad de Oviedo, 1985.

Díaz Tejera, Alberto, «Gramática y derivación lexical», *RSEL,* 9, 1979, 463-69.

Dietrick, Deborah, «Aproximación al sistema y uso de los demostrativos en español», *ALH,* 4, 1988, 99-114.

Donni de Mirande, Nélida Esther, *La lengua coloquial y la lengua de la literatura argentina,* Santa Fe, Universidad del Litoral, 1967.

—, «Recursos afectivos en el habla de Rosario», *Universidad* [Revista de la Universidad Nacional del Litoral, Santa Fe, Argentina], 72, 1967, 248-288.

—, «Aspectos del español hablado en la Argentina», *LEA,* 2, 1980, 299-346.

—, «El estudio del español hablado en la Argentina: marco teórico y metodológico», *Yelmo,* 56 y 57, 1983, 27-30.

Dubois, Jean y otros, *Diccionario de Lingüística,* Madrid, Alianza, 1983 (Larousse, 1973).

Dubsky, Josef, «El infinitivo en la réplica», *EA,* 8, 1966, 1-2.

—, *Introducción a la estilística de la lengua,* Santiago de Cuba, Universidad de Oriente, 1970.

Ducrot, Oswald, «Les lois de discours», *Langue Française,* 42, 1979, 21-33.

—, y Tzvetan Todorov, *Diccionario enciclopédico de las ciencias del lenguaje,* Buenos Aires, Siglo XXI, 1974. (1983, 1ª edición en España; 1974, 1ª edición en francés).

Dumitrescu, Domnita, «Apuntes sobre el uso enfático de *sí* (adverbio) en el español contemporáneo», *Revue Roumaine de Linguistique* (Bucarest), 18, 5, 1973, 407-13.

—, «La pregunta-eco en castellano», *Bulletin de la Société Roumaine de Linguistique Romane* (Bucarest), 13, 1978, 225-37.

Elizaincín, Adolfo, y Brenda Laca, «La duplicidad de objetos como problema del discurso», *ALH,* I, 1985, 37-46.

Enríquez, Emilia V., *El pronombre personal sujeto en la lengua española hablada en Madrid,* Madrid, CSIC, 1984.

Ervin-Tripp, Susan, «Un análisis de la interacción de lengua, tema y oyente», en P. L. Garvin y Yolanda Lastra, *Antología de estudios de etnolingüística y sociolingüística,* Méjico, UNAM, 1974, págs. 336-356.

Escandell Vidal, María Victoria, «La interrogación retórica», *Dicenda,* 3, 1984, 9-37.

Esgueva, Manuel, y Margarita Cantarero, *El habla de la ciudad de Madrid. Materiales para su estudio,* Madrid, CSIC, 1981 (abrev. HM).

Fahlin, Carin, «Ir de embajador. Hablar como maestro», *Studia Neophilologica,* 28, 1956, 14-33.

Fält, Gunnar, *Tres problemas de concordancia verbal en el español,* Studia Romanica Uppsaliensia (9), Uppsala, Acta Universitatis Uppsaliensis, 1972.

Fant, Lars M., «Prosodia y estructura informativa en castellano europeo. Un intento de integración de los hechos prosódicos en una descripción gramatical», *Actas XVI CILFR,* Palma de Mallorca, 7-12 de abril de 1980 (resúmenes de comunicaciones y trabajos en curso, págs. 74-75).

—, *Estructura informativa en español. Estudio sintáctico y entonativo,* Studia Romanica Uppsaliensia (34), Uppsala, Almqvist y Wiksell, 1984.

—, «Procesos anafóricos y valor enfático en el español hablado», *EA,* 43, 1985, 5-26.

Fente, Rafael, Jesús Fernández A., y Lope G. Feijoo, *Perífrasis verbales,* Madrid, SGEL, [2]1976.

Fernández Lagunilla, Marina, *El problema del género en español,* Memoria de licenciatura, UNAM, curso 1972-73.

—, «El comportamiento de *un* con sustantivos y adjetivos en función de predicado nominal», *Serta Philologica F. Lázaro Carreter,* I, Madrid, Cátedra, 1983, 195-208.

Fernández Ramírez, Salvador, «Oraciones interrogativas españolas», *BRAE,* 39, 1959, 243-276 (recogido en el vol. 4 de su *Gramática española).*

—, *Lengua literaria y norma lingüística,* discurso leído en la RAE con motivo de su recepción pública, el 29 de mayo de 1960.

—, «Algo sobre la fórmula *estar + gerundio*», *Studia Philologica. Homenaje a D. Alonso,* I, Madrid, Gredos, 1960, 509-516 (recogido en el vol. 4 de su *Gramática española).*

—, «Un proceso lingüístico en marcha», *Presente y futuro de la lengua española,* II, Madrid, Ofines, 1963, 277-285.

—, *Gramática española. 1. Prolegómenos,* vol. preparado por José Polo, Madrid, Arco Libros, 1985.

—, *Gramática española. 4. El verbo y la oración,* vol. ordenado y completado por Ignacio Bosque, Madrid, Arco Libros, 1986.

Fish, Gordon T., «*Lo puede hacer* vs. *puede hacerlo*», *Hispania,* 44, 1961, 137-39.

—, «The indirect object and the redundant construction», *Hispania,* 51, 1968, 826-66.

Forradellas, Joaquín, «El medio de interés», *Boletín de la Biblioteca Menéndez Pelayo* (Santander), 45, 1969, 91-111.

Frei, Henri, *La grammaire des fautes,* París, Genthner, 1929

Freud, Sigmund, *El chiste y su relación con lo inconsciente,* en *Obras completas,* vol. 1, Madrid, Biblioteca Nueva, 1967, 825-937.

Fry, D. B., «Recepción y percepción del habla», en J. Lyons (ed.), *Nuevos horizontes de la lingüística,* Madrid, Alianza, 1975, cap. 2, págs. 31-53.

Fuentes Rodríguez, Catalina, «El 'verbo' de enunciación», *Verba,* 14, 1987, 149-167.

—, *Enlaces extraoracionales,* Sevilla, Alfar, 1987.

Gaínza, Gastón, «Reiteración deíctica de complementos verbales», *BFC,* 23-24, 1972-73, 61-75.

García, Manuel, «Recursos de intensificación en el habla culta de Santiago de Chile», *Boletín de Filología de la Universidad de Chile,* 31, 1980-81 *(Homenaje a Ambrosio Rabanales),* 753-774.

García Calvo, Agustín, «Funciones del lenguaje y modalidades de la frase», *Estudios Clásicos,* 24, 1958.

—, *Lalia (Ensayo de estudio lingüístico de la sociedad),* Madrid, Siglo XXI, 1973.

—, «La prohibición de los sintagmas del tipo *nos amo* y *me amamos*», *RSEL,* 4, 1974, 327-346 (recogido en su libro *Hablando de lo que habla).*

—, *Del lenguaje,* Madrid, Lucina, 1979.

—, *De la construcción (Del lenguaje II),* Madrid, Lucina, 1983.

—, «De idioma, pueblo y pedantes / 1 y 2», *El País,* 28 y 30 de marzo de 1986, págs. 15 y 19 respect. (recogido en su libro *Hablando de lo que habla,* Madrid, Lucina, 1989, 395-404).

García de Diego, Vicente, «Localizaciones anímicas y sentimentales a través de la lengua», *Anales de la Universidad Hispalense* (Sevilla), 14, 1953, 113-24.

—, «El castellano vulgar», en su *Manual de dialectología española,* Madrid, 1959, 355-62.

—, *Lecciones de lingüística española* (1951), Madrid, Gredos, 1973, págs. 9-60.

García de Dini, Encarnación, «El sintagma 'a lo mejor' y su función dentro del mecanismo de la expresividad», *Bollettino dell'Istituto di Lingue Estere,* Génova, 12, 1980, 82-109.

García Lozano, Francisco, «Los compuestos de sustantivo + adjetivo de tipo 'pelirrojo'», *Iberorromania,* 8, 1978, 82-89.

García Meseguer, Álvaro, «Lenguaje y discriminación sexual», *Cuadernos para el Diálogo,* Madrid, 1977.

García Santos, Juan Felipe, «Partículas de localización espacial en español», *Studia Philologica Salmanticensia,* 1981, 89-104.

Garrido Gallardo, Miguel Ángel, «Todavía sobre las funciones externas del lenguaje», *RSEL,* 8, 1978, 461-480.

Gil Fernández, Juana, *La creación léxica en la prensa marginal,* Madrid, Coloquio, 1986.

Gili Gaya, Samuel, «¿Es que? Estructura de la pregunta general», *Studia Philologica. Homenaje a D. Alonso,* II, Madrid, Gredos, 1961, 91-98

—, *Curso superior de sintaxis española* (1961), Barcelona, Vox, [11]1971.

—, «El pretérito de negación implícita», *Studia Hispanica in honorem Rafael Lapesa,* I, Madrid, 1972, págs. 251-56.

Godel, Robert, «La linguistique de la parole», en *Logos Semantikos. Studia Linguistica in honorem Eugenio Coseriu,* (Madrid-Berlín), 1981, 45-57.

Gómez de Ivashevsky, Aura, *Lenguaje coloquial venezolano,* Caracas, Universidad Central de Venezuela, 1969.

Gómez Manzano, Pilar, «Aproximación a la lengua del coloquio», *Anales de la Universidad de Cádiz,* 3-4, 1986-87, 361-387.

González Calvo, José Manuel, «Sobre un tipo de construcción en la adjetivación del color», *EA,* 31, 1976, 57-59.

—, «El género, ¿una categoría morfológica?», *AEF,* 2, 1979, 51-73.

—, «Hacia una clasificación de la oración simple según el 'modus'», *Serta Philologica F. Lázaro Carreter,* I, Madrid, Cátedra, 1983.

—, «Sobre la expresión de lo 'superlativo' en español», *AEF,* 7/1984 (173-205), 8/1985 (113-146), 9/1986 (129-153), 10/1987 (101-134), 11/1988 (159-173).

González Ollé, Fernando, «Algunas estructuras de la sintaxis prepositiva», *LEA,* I, 1979, 121-168.

—, «La negación expresiva mediante la oposición sintagmática de género gramatical: El tipo *sin dineros ni dineras* y sus variantes», *Logos Se-*

mantikos. Studia Linguistica in honorem Eugenio Coseriu (Madrid-Berlín), IV, 1981, 19-28.

Gordon, D., y Lakoff, G., «Los postulados conversatorios», en V. Sánchez de Zavala (comp.), *Semántica y sintaxis en la lingüística transformatoria,* II, Madrid, Alianza, 1976, págs. 371-401 (versión orig., 1971).

Gorosch, Max, «Un sujeto indeterminado o general expresado por la segunda persona del singular: tú», *Actas del IV Congreso de Romanistas Escandinavos,* 1967, 13-26.

Granell, Manuel, «Entre balbuceos (Notas sobre el dicente y su decir)», *Homenaje a Ángel Rosenblat. Estudios Filológicos y Lingüísticos,* Caracas, Instituto Pedagógico, 1974, págs. 226-46.

Granville-Hatcher, A., «Theme and Underlying Question of Spanish Word», Suplemento de *Word,* 12, núm. 3, 1956.

Greimas, A. J., y J. Courtés, *Semiótica (Diccionario razonado de la teoría del lenguaje),* Madrid, Gredos, 1982.

Grice, H. Paul, «Logic and Conversation», en P. Cole y J. Morgan (eds.), *Syntax and Semantics,* vol. 3. *Speech Acts,* Nueva York, Academic Press, 1975, págs. 41-58 *(Logique et conversation, Communications,* «La conversation», 30, 1979, 57-71).

Grize, Jean-Blaise, «Pour aborder l'étude des structures du discours quotidien», *Langue Française (Argumentation et énonciation),* 50, 1981, 7-19.

Guetman, Zoya, «Medios de enlace sintácticos en la organización estructural del diálogo», *Yelmo,* 50-51/1981-82, 25-32.

Guijarro, J. L., «Elementos lingüísticos, paralingüísticos y extralingüísticos en la comunicación. Hacia un modelo integrador estructurado 'holísticamente'», *Studia Philologica Salmanticensia,* 3, 1979.

Gumperz, J., «The Sociolinguistics of Interpersonal Communication», *Discourse Strategies,* Cambridge University Press, 1982.

Gutiérrez Araus, María Luz, «Los procedimientos sintácticos del español y su incidencia en la segmentación oracional», *EA,* 32, 1977, 1-6.

—, *Estructuras sintácticas del español actual,* Madrid, SGEL, 1978.

—, «Sobre la elisión de preposición ante *que* relativo», *LEA,* 7, 1985, 15-36.

Gutiérrez Ordóñez, Salvador, «Grupos sintagmáticos N de N: Sintaxis y semántica», *Estudios ofrecidos a Emilio Alarcos Llorach,* III, Oviedo, 1977, 133-159.

—, «Incrustación sintáctica», *XVI Congrés Innal. de Lgca. i Filologia Romàniques,* Palma de Mallorca, 1980 (resumen, págs. 110-111).

—, «Tengo que vender unos libros / Tengo unos libros que vender», *Verba,* 7, 1980, 389-96.

—, «¿Es necesario el concepto de oración?», *RSEL,* 14, 1984, 161-162.

—, *Variaciones sobre la atribución,* Universidad de León, 1986.

Halliday, M. A. K., *Exploraciones sobre las funciones del lenguaje,* Barcelona, Ed. Técnica y Médica, 1982.

Haverkate, Henk, *Impositive Sentences in Spanish,* Ed. North-Holland (Linguistic Series, 42), 1979.

—, «Los aspectos alocutivos de la oración española: Una contribución a la pragmática lingüística», *Actas del VI Congreso Internacional de Hispanistas,* 1980, págs. 373-375.

—, «La construcción pseudorreflexiva y la estructura antropocéntrica de la oración española», *Diálogos Hispánicos de Amsterdam,* 1, 1980, 93-112.

—, «Los actos verbales indirectos: El parámetro de la referencia no específica», *LEA,* 5, 1983, 15-27.

—, «La ironía verbal: Un análisis pragmalingüístico», *RSEL,* 15, 1985, 343-399.

—, «La cortesía como estrategia conversacional», *Diálogos Hispánicos de Amsterdam,* 6, 1987 *(La semiótica de diálogo),* 27-64.

Heredia, José Ramón, «Notas sobre la expresión de la probabilidad-posibilidad-duda: a propósito de la locución 'de repente', *In memoriam Inmaculada Corrales,* I, Tenerife, Univ. de La Laguna, 1987, págs. 234-253.

Hernández Alonso, César, «El *que* español», *RFE,* 50, 1967, 257-271.

—, «Atribución y predicación», *BRAE,* 51, 1971.

—, *[Curso de] Lengua española,* Madrid, UNED, 1978.

—, «Comentario de un texto coloquial», *Hispanic Journal* (Indiana), 1, 1980, 89-103.

—, «La llamada 'voz pasiva' en español», *LEA,* 4, 1982, 83-92.

Hernández Terres, José María, *La elipsis en la Teoría Gramátical,* Univ. de Murcia, 1984.

Hernández Vista, V. Eugenio, «Sobre la linealidad de la comunicación lingüística», en *Problemas y principios del estructuralismo lingüístico* (varios autores), Madrid, CSIC, 1967, págs. 271-297.

—, «Un fenómeno concreto de semantización en español», *RSEL,* 2, 1972, 35-44.

Hernando Balmori, Clemente, «Habla mujeril», *Filología* (Buenos Aires), 8, 1962, 123-138.

Hernando Cuadrado, Luis A., *El español coloquial en «El Jarama»*, Madrid, Playor, 1988.

Herrero Moreno, Gemma, *Aproximación a la lengua coloquial en los comics españoles: 1980-1983*, tesis doctoral (inédita), Universidad de Valladolid, 1986.

—, «La dislocación sintáctica en el coloquio», *EA*, 50, 1988, 73-87.

—, «Yuxtaposición, coordinación y subordinación en el registro coloquial», *ALH*, 4, 1988, 193-219.

—, «El coloquio juvenil en los comics marginales», en F. Rodríguez González (ed.), *Comunicación y lenguaje juvenil*, Madrid, Fundamentos, 1989, págs. 179-201.

Hofmann, Johann Baptist, *El latín familiar*, Madrid, CSIC (Instituto Antonio de Nebrija), 1958.

Huynh-Armanet, Veronique, «Hacia una lingüística del habla (Reflexiones metodológicas)», *Actas del VI Congreso Internacional de Hispanistas*, 1980, 349-96.

Hymes, Dell, «On Communicative Competence», en J. B. Pride y J. Holmes (eds.) *Sociolinguistics*, Harmondsworth, Penguin, 1972, págs. 269-293.

Jacques, Francis, «La mise en communauté de l'énonciation», *Langages*, 70, 1983 *(La mise en discours)*, 47-71.

Jakobson, Roman, *Ensayos sobre el lenguaje*, Barcelona, Seix Barral, 1976.

—, *Ensayos de lingüística general*, Barcelona, Ariel, 1984 (1.ª ed., 1975).

Jespersen, Otto, *La filosofía de la gramática* (1924), Barcelona, Anagrama, 1968.

Kahane, Henry y Renée, «The Position of the Actor Expression in Colloquial Mexican Spanish», *Language*, 26, 1950, 236-63.

Kahane, Henry R., y Angelina Pietrangeli, (eds.), *Descriptive Studies in Spanish Grammar*, Urbana, The University of Illinois Press, 1954.

—, *Structural Studies on Spanish Themes*, Urbana-Salamanca, The University of Illinois Press, 1959.

Kany, Charles E., *Sintaxis hispanoamericana* (1945) Madrid, Gredos, 1976 (versión española de Martín Blanco Álvarez).

Kerbrat-Orecchioni, Catherine, *L'énonciation (De la subjectivité dans le langage)*, París, Armand Colin, 1980.

Kovacci, Ofelia, «Función y contexto. Acerca de la elipsis», *Homenaje al Instituto «Dr. Amado Alonso»,* Buenos Aires, 1975, 130-45.

Krüger, Fritz, «Reseña a Hans Oster, *Die Hervorhebung im Spanischen»,* en *NRFH,* 6, 1952.

—, *El argentinismo «es de lindo» (sus variantes y sus antecedentes peninsulares. Estudio de sintaxis comparativa),* Madrid, CSIC. Centro de Estudios de Etnología Peninsular, 1960.

Lamíquiz, Vidal, «El pronombre personal español. Estudio de su sistemática sincrónica actual», *BFE,* 24-25, 1967, 3-12.

—, «El superlativo iterativo», *BFE,* 38-39/1971, 15-22.

—, «Sociolingüística en un habla urbana: Sevilla», *RSEL,* 6, 1976, 345-62.

—, «Sobre el texto oral», *Philologica II. Homenaje a D. Antonio Llorente,* Univ. de Salamanca, 1989, 39-45.

—, «Restricciones de uso cuantificador y figuras del discurso», *Actas del III Simpos. Internac. de la Asociac. Española de Semiótica (AES),* Madrid, UNED, 2, 1990, 7-15.

—, «Configuraciones discursivas en textos orales», *Hommage a Bernard Pottier,* vol. II, París, Klincksieck, 457-467.

—, y Miguel Ángel de Pineda, «Encuestas del habla urbana de Sevilla —nivel culto—», *Sociolingüística andaluza,* 2, Univ. de Sevilla, 1983.

—, y Miguel Ropero, «Encuestas del habla urbana de Sevilla —nivel popular—», *Sociolingüística andaluza,* 4, Univ. de Sevilla, 1987.

Lapesa Melgar, Rafael, «La lengua desde hace 40 años», *Rev. de Occidente,* I (8-9), 1963, 193-208.

—, «Evolución sintáctica y forma interior del español», *Actas del XI Congreso Internacional de Lingüística y Filología Románicas,* Madrid, I, 1968, 131-150.

—, Tendencias y problemas actuales de la lengua española», en R. Lapesa (coord.), *Comunicación y lenguaje,* Madrid, Karpos, 1977, págs. 203-230.

—, «Sobre perífrasis causativas con participio», *Homenaje a Samuel Gili Gaya,* Barcelona, 1979, 113-17.

Lassaletta, Manuel C., *Aportaciones al estudio del lenguaje coloquial galdosiano,* Madrid, Ínsula, 1974.

Latella, Graciela, «Enfoque semiótico de la interacción», *LEA,* 8, 1986, 169-175.

Lavandera, Beatriz, «La forma 'que' del español y su contribución al mensaje», *RFE,* 54, 1971.

Lázaro Carreter, Fernando, «Problemas de terminología lingüística», *Presente y futuro de la lengua española,* II, Madrid, Edics. Cultura Hispánica (Ofines), 1964, 383-92.

—, *Diccionario de términos filológicos,* Madrid, Gredos, 1977, 3ª ed. corregida.

—, «Sobre la pasiva en español», *Estudios Lingüísticos,* Barcelona, 1980, págs. 61-72.

Lenghardt, M., «Las partículas enfáticas y los adverbios en español», *Anuario de la Facultad de Filosofía y Letras de la Univ. de Comenio,* 22, Bratislava, 1969, 33-58.

—, «Las partículas enfáticas y las confusiones en español», ibídem, 23, 1970, 13-34.

Lois, Élide, «Las construcciones 'lo bueno que es' y 'lo bien que canta'», *Filología* (Buenos Aires), 11, 1971, 87-123.

Lope Blanch, Juan M., «El estudio del español mexicano de nuestra época», en *La filología hispánica en México (tareas más urgentes),* México, UNAM, 1969, págs. 46-60.

—, «El concepto de *prestigio* y la norma lingüística del español», *AL* (UNAM), 10, 1972, 29-46.

—, «Algunos juegos de palabras en el español de México», *LEA,* 3, 1980, 219-243 (recogido en *Estudios de lingüística española,* México, UNAM, 1986).

—, *Análisis gramatical del discurso,* Méjico, UNAM, 1983.

—, «La estructura del discurso en el habla de Madrid», *ALH,* 1, 1985, 129-142 (recogido en *Estudios de lingüística española,* México, UNAM, 1986).

—, *El estudio del español hablado culto,* México, UNAM, 1986.

—, «Peculiaridades sintácticas de los relativos en el habla culta de Madrid», *Philologica I. Homenaje a D. Antonio Llorente,* Univ. de Salamanca, 1989, 79-85.

López García, Ángel, «Perífrasis gramaticalizadas con participio en las lenguas hispánicas», *Cuadernos de Filología* (Valencia), II, 1, 1979, págs. 147-61.

López Martínez, M.ª Isabel, «Notas para el estudio de la cuantificación adverbial en el español de hoy», *Homenaje al prof. Muñoz Cortés,* Univ. de Murcia, 1976-1977, 357-370.

Lorenzo Criado, Emilio, «Dos notas sobre la morfología del español actual», *Estudios dedicados a Menéndez Pidal,* Madrid, CSIC, 1956 (1952), VI, 65-76 (recogido en *El español de hoy, lengua en ebullición).*

—, «Un nuevo planteamiento del estudio del verbo español», *Presente y futuro de la lengua española,* I, Madrid, Ofines, 1963, págs. 471-478 (recogido en *El español de hoy, lengua en ebullición).*

—, *La lengua española en 1965 (Tradición e innovación)* Santander, Publicaciones de la Universidad Internacional Menéndez Pelayo, 23, 1965 (recogido en *El español de hoy, lengua en ebullición).*

—, «Redundancia y ambigüedad en el español actual», *Actas del IV Congreso de la Asociación Internacional de Hispanistas,* Salamanca, 1971.

—, «Alonso Zamora Vicente: 'Uno es generoso'», en *El comentario de textos,* 2, Madrid, Castalia, 1974, págs. 247-282.

—, «Consideraciones sobre la lengua coloquial [Constantes y variables]», en R. Lapesa (coord.), *Comunicación y lenguaje,* Madrid, Karpos, 1977, págs. 161-180 (recogido en *El español de hoy, lengua en ebullición).*

—, *El español de hoy, lengua en ebullición,* Madrid, Gredos, 1980, 3.ª edición actualizada y aumentada.

—, *El español y otras lenguas,* Madrid, SGEL, 1980.

—, *Utrum lingua an loquentes? (Sobre las presuntas dolencias y carencias de nuestro idioma).* Discurso leído el 22 de nov. de 1981 en su recepción pública en la RAE, Madrid.

—, «Novedades sobre la segunda persona y la expresión impersonal», *Athlon. Satura Grammatica in honorem Francisci R. Adrados I,* Madrid, Gredos, 1984.

—, «Relación interpersonal y expresión impersonal», en Félix Rodríguez González (ed.), *Comunicación y lenguaje juvenil,* Madrid, Fundamentos, 1989, págs. 217-239.

Lorenzo Ramos, Antonio, «Notas de sintaxis dialectal», *Revista de Filología de la Universidad de La Laguna,* núm. 0, 1981, 99-102.

Lovett, Gabriel H., «Notes on everyday Spanish, Madrid, 1962», *Hispania,* 45, 1962, 738-42.

Luján, Marta, «Nota sobre el 'se' como sujeto indefinido», *Hispania* (California), 58, 1975, 335-38.

—, «El análisis de los verbos reflexivos incoativos», *RSEL,* 7, 1977, 97-119.

Lyons, John, *Lenguaje, significado y contexto,* Buenos Aires, Paidós, 1983.

Llorente Maldonado de Guevara, Antonio, «La expresión de la impersonalidad en español», *Actas del IV Congreso de la Asociación Internacional de Hispanistas,* Salamanca, 1971, págs. 199-209.

—, «Las construcciones de carácter impersonal en español», *Estudios ofrecidos a Emilio Alarcos Llorach,* I, 1977, 107-25.

—, «Consideraciones sobre el español actual», *Anuario de Letras,* 18, Méjico, 1980, 5-61.

Mac Hale, Carlos F., «Nuestro desaforado enredo pronominal, ¿podrá América desenredarlo?», *Bol. de la Acad. Colombiana,* 9, 1959, 251-73.

Malinovski, Bronislav, «El problema del significado en las lenguas primitivas», en C. K. Ogden e I. A. Richards, *El significado del significado,* Buenos Aires, Paidós, ²1964, 312-360.

Manacorda de Rosetti, Mabel V., «La frase verbal pasiva en el sistema verbal español», *Filología,* 7, 1961, págs. 146-159 (también: «La llamada pasiva con *se* en el sistema español», en *Estudios de gramática estructural,* Buenos Aires, Paidós, 1969, págs. 91-100).

—, «La voz pasiva en el español hablado en Buenos Aires», *Estudios lingüísticos y dialectológicos. Temas hispánicos,* Buenos Aires, Hachette, 1979.

Marcos Marín, Francisco, «La lengua como pluralidad de sistemas», en F. Abad (comp.), *Lecturas de sociolingüística,* Madrid, EDAF, 1977, págs. 53-61.

Mariner Bigorra, Sebastián, «El sufijo diminutivo *in* en nombres propios femeninos», *Archivo de Filología Aragonesa,* 8-9, 1956-57, 168-70.

—, «El femenino de indeterminación», *Actas del XI Congreso Internacional de Lingüística y Filología Románicas,* III, 1969, 1297-1313.

Marsá, Francisco, *Cuestiones de sintaxis española,* Barcelona, Ariel, 1984.

—, *Diccionario normativo y guía práctica de la lengua española,* Barcelona, Ariel, 1986.

Martín Zorraquino, María Antonia, *Desviaciones del sistema y de la norma de la lengua en las construcciones pronominales españolas,* Madrid, Fundación Juan March (Serie Universitaria, 70), 1978.

Martinell Gifré, Emma, *El encadenamiento por repetición en la estructura coloquial,* resumen de tesis doctoral, Univ. de Barcelona, 1974.

—, «De la complementación a la composición en el SN», *RSEL,* 14, 1984, 223-244.

Martínez, José A., «Entre tú y yo: ¿Sujeto con preposición?», *Archivum,* 27-28, 1977-78, 383-396.

—, «Construcciones y sintagmas comparativos en el español actual», *In memoriam Inmaculada Corrales,* I, Tenerife, Univ. de La Laguna, 1987, 319-336.

Martínez Álvarez, Josefina, «Llorar, llora cualquiera», *Archivum,* 16, 1966, 35-38.

—, «Sujeto léxico e impersonalidad», *In memoriam Inmaculada Corrales,* I, Tenerife, Univ. de La Laguna, 1987, 293-308.

Martínez Celdrán, Eugenio, «A propósito de las leyes diacrónicas de evolución y las sincrónicas de formación», *RSEL,* 4, 1974, 177-95.

Martínez García, Hortensia, *El suplemento en español,* Madrid, Gredos, 1986.

Martínez Marín, Juan, «*Este agua* y construcciones afines en español actual», *LEA,* 4, 1982, 39-46.

Mayor Sánchez, Juan, «La comprensión del lenguaje desde un punto de vista experimental», *RSEL,* 10, 1980, 59-111.

—, *Textos de Psicología General,* II, Madrid, UNED, 1980. Tema 13: *Lenguaje y conducta lingüística,* págs. 249-265. Tema 14: *Conducta, competencia, procesamiento del lenguaje,* págs. 267-282. Tema 15: *Pensamiento y lenguaje,* págs. 283-299.

Meix Izquierdo, Francisco, «Lenguaje e interacción social», *RSEL,* 13, 1983, 121-134.

Melendo, A., «De las locuciones en español», *Les Langues Néo-Latines,* 173, 1975, 1-31.

Meunier, André, «Modalités et communication», *Langue Française,* 21, 1974, 8-25.

—, «Ordre progressif et ordre régressif selon Ch. Bally», *DRLAV* (Revue de linguistique), 22-23, 1980 *(Des ordres en linguistique),* 225-233.

Meyer-Hermann, Reinhard, *Ellipsen und fragmentarischen Ausdrücke* [expresiones elípticas y fragmentarias], Tubinga, Max Niemeyer Verlag, 1985.

—, «Atenuación e intensificación (análisis pragmático de sus formas y funciones en español hablado», *Anuario de Estudios Filológicos,* 13, 1990, 275-290.

Mignolo, Walter, «Diálogo y conversación», en *Diálogos Hispánicos de Amsterdam,* 6, 1987 (número monográfico *La semiótica del diálogo,* ed. Henk Haverkate), 3-26.

Miguel, Amando de, *La perversión del lenguaje,* Madrid, Espasa-Calpe, 1985.

Miguel, Elena de, «Papeles temáticos y reglas de formación de adjetivos en -*ble*», *Dicenda, Cuadernos de Filología Hispánica* (Univ. Complutense), 5, 1986, 159-181.

Miller, G. A., Galanter, E., y Pribram, K. H., «Planes para hablar» (1960), en Francisco Gracia (comp.), *Presentación del lenguaje,* Madrid, Taurus, 1972, págs. 249-270.

Miyoshi, Junnosuke, «*Este-ese* en una deixis especial», *Lingüística Hispánica* (Kansai, Japón), 2, 1979, 107-122.

Moliner, María, *Diccionario de uso del español,* 2 vols., Madrid, Gredos, 1966 (reimpresión de 1975).

Monge, Félix, «Sufijos españoles para la designación de 'golpe'», *Homenaje a Francisco Ynduráin,* Zaragoza, 1972, 229-247.

—, «-ción, -sión, -zón y -ón: función y forma de los sufijos», *Estudios ofrecidos a Emilio Alarcos Llorach,* II, 1977, 155-165.

Montero Cartelle, Enrique, «El latín y el humor en la lengua coloquial», *Verba,* 5, 1978, 397-402.

Montes Giraldo, J. J., «*Le* por *les:* ¿un caso de economía morfológica»?, *Thesaurus. BICC,* 20, 1965, 622-25.

Moreno Cabrera, Juan Carlos, «Tipología de la catáfora paratáctica: entre la sintaxis del discurso y la sintaxis de la oración», *ELUA,* 3, 1985-86, 165-192.

Moreno Fernández, Francisco, «Análisis sociológico de los actos de habla coloquiales», I, *Español Actual,* 51, 1989, 5-51.

—, «Análisis sociológico de los actos de habla coloquiales», II, *Español Actual,* 52, 1989, 5-57.

—, «Elementos no marginales en la lengua de los jóvenes», en F. Rodríguez González (ed.), *Comunicación y lenguaje juvenil,* Madrid, Fundamentos, 1989, págs. 241-270.

Moreno López, José, «La preposición 'de' y aposición», *Yelmo,* 32, 1977, 34-36.

Mounin, Georges, «Les fonctions du langage», *Word,* 23, 1967.

—, *Diccionario de lingüística,* Barcelona, Labor, 1982.

Mourelle de Lema, Manuel, «Los verbos causativos en español», *Thesaurus. BICC,* 36, 1981, 14-22.

Moya Corral, Juan Antonio, «Notas de sintaxis femológica», *RSEL,* 11, 1981, 83-90.

Mozos, Santiago de los, *La norma castellana del español,* Valladolid, Ámbito, 1984.

Muñoz Cortés, Manuel, *El español vulgar (Descripción de sus fenómenos y métodos de corrección),* Madrid, Rev. de Educ. Ministerio de Educ. Nacional, 1958.

—, «Niveles sociolingüísticos en el funcionamiento del español. Problemas y métodos», *Presente y futuro de la lengua española,* II, Madrid, Ofines, 1963, 32-37.

Nadal, Rogelio M., «Otro apunte al plural de las aposiciones», *Yelmo,* 1979-80, 37-38.

Náñez Fernández, Emilio, *La lengua que hablamos. Creación y sistema,* Santander, 1973.

—, *La lengua del coloquio (Procedimientos expresivos: el diminutivo en «Mesa, sobremesa», de Alonso Zamora Vicente),* Madrid, Coloquio, 1983.

—, «Sobre el ligamento prepositivo», en *Homenaje a Alonso Zamora Vicente,* Madrid, Castalia, 1988, 459-480.

Narbona Jiménez, Antonio, «Problemas de sintaxis andaluza», *Analecta Malacitana,* II, 2, 1979, 245-285.

—, «Construcciones pronominales transitivas no reflexivas en español», *Alfinge* (Universidad de Córdoba), 2, 1984, 163-89.

—, «Finales y finalidad», *Philologica Hispaniensia in honorem Manuel Alvar,* II, Madrid, Gredos, 1985.

—, «Problemas de sintaxis coloquial andaluza», *RSEL,* 16, 1986, 229-275 (recogido en su libro *Sintaxis española: nuevos y viejos enfoques,* Barcelona, Ariel, 1989).

—, «Sintaxis coloquial: problemas y métodos», *LEA,* 10, 1988, 81-106 (recogido en su libro *Sintaxis española: nuevos y viejos enfoques,* Barcelona, Ariel, 1989).

—, y Ramón Morillo-Velarde Pérez, *Las hablas andaluzas,* Córdoba, Publicaciones de la Caja de Ahorros de Córdoba, 1987.

Navarro Tomás, Tomás, *Estudios de fonología española,* Nueva York, Las Américas Publishing Company, 1966.

Ortega Olivares, J., «Aproximación al mecanismo de la conversación: Apéndices 'justificativos'», *Verba,* 13, 1986, 269-290.

Oster, Hans, *Die Hervorhebung im Spanischen* (tesis doctoral), Zurich, Buchdruckerei Fluntern, 1951 (199 págs.). (Ver reseña en F. Krüger.)

Otaola Olano, Concepción, «Consideraciones sobre algunos elementos enunciativos en la lengua española», *EPOS (Rev. de Filología),* II, UNED, 1986, 215-229.

Pantoja Gómez, C., «Sobre lo implícito en estructuras preposicionales», *Rev. del Pacífico,* 3, 1966, 83-89.

Parret, Herman, «La pragmatique des modalités», en *Langages* (monog. *Modalités, logique, linguistique, sémiotique),* 43, 1976, 47-64.

—, «Les stratégies pragmatiques», en *Communications (Les actes de discours),* 32, 1980, 250-273.

Pena Seijas, Jesús, «Usos anómalos de los sustantivos verbales en el español actual», *Verba* (Univ. de Santiago de Compostela), Anejo 6, 1976.

Pérez Botero, Luis, «La formación de vocablos», *Yelmo,* 52, 1982, y 53 1983.

Pérez Vigaray, Juan M., y Batista Rodríguez, José J., «Notas sobre palabras compuestas en español a propósito de algunos ejemplos quevedianos», *In memoriam Inmaculada Corrales,* I, Tenerife, Univ. de La Laguna, 1987, 397-418.

Piernavieja, P., «Nombrísimos», comunicación presentada al VIII Simposio de la Sociedad Española de Lingüística, Madrid, 1978 (resumen: *RSEL,* 9, 1979, 245-246).

Pilleux, Mauricio, «Errores del habla. Análisis lingüístico», *Estudios Filológicos,* 17, 1982, 39-55.

Polo, José, «Casuística gramatical», *BFE,* 30-31, 1969, 45-58.

—, «Dos esbozos gramaticales», *EA,* 15, 1970, 4-7.

—, «El español familiar y zonas afines (Ensayo bibliográfico)», *Yelmo,* 1/1971-28/1976.

—, *Ortografía y ciencia del lenguaje,* Madrid, Paraninfo, 1974.

—, «Diminutivos en acción», *EA,* 29, 1975, 9-36.

—, *Epistemología del lenguaje e historia de la lingüística,* Madrid, Gredos, 1986.

Porto Dapena, José Álvaro, «A propósito de los grados del adjetivo: aportación al estudio del sistema de cuantificación en el adjetivo español», *Thesaurus. BICC,* 28, 1973, 344-57.

—, «La cuantificación del adjetivo en español actual desde el punto de vista de la expresión», *Philologica Hispaniensia in honorem Manuel Alvar,* II, Madrid, Gredos, 1985, 541-555.

Porzig, Walter, *El mundo maravilloso del lenguaje,* Madrid, Gredos, ³1970 (1.ª edic. 1964).

Poyatos, Fernando, «Sistemas comunicativos de una cultura», *Yelmo,* 1, 1971, 23-27.

—, «Del paralenguaje a la comunicación total», en Varios: *Doce ensayos sobre el lenguaje,* Madrid, Fundación March-Rioduero, 1974, págs. 154-171.

Quilis, Antonio, «Unidades de entonación», *RSEL,* 5, 1975, págs. 261-280.

—, «Funciones de la entonación», *Homenaje a Ambrosio Rabanales. Boletín de Filología de la Univ. de Chile,* 31, 1980-81, 443-460.

—, *La concordancia gramatical en la lengua española hablada en Madrid,* Madrid, CSIC (Instituto Miguel de Cervantes), 1983.

—, «El estudio coordinado de la lengua española hablada en Hispanoamérica y en España», *Actes du XXVII Congrès International de Linguistique et Philologie Romanes,* 7, 1985.

—, Margarita Cantarero, M.ª José Albalá, y Rafael Guerra, *Los pronombres 'le', 'la', 'lo' y sus plurales en la lengua española hablada en Madrid,* Madrid, CSIC, 1985.

Rabanales, Ambrosio, «Recursos lingüísticos en el español de Chile, de expresión de la afectividad», *Boletín de Filología de la Universidad de Chile,* 10, 1958, 205-302.

—, «La categoría gramatical de persona», *Estudios Filológicos* (Chile), 12, 1977, 31-36.

Ramos, Manuel Antonio, «El fenómeno de *estar siendo*», *Hispania,* 55, 1972, 128-31.

Real Academia de la Lengua Española, *Gramática de la Lengua Española,* Madrid, nueva edición reformada, 1931.

—, *Esbozo de una nueva gramática de la lengua española,* Madrid, Espasa-Calpe, 1973.

Rebollo Torío, M. A., «Cuestiones sobre el grado en español», *AEF,* 6, 1983.

Regula, M., «Contributions variées à la linguistique espagnole», *Actas del XI Congreso Internacional de Lingüística y Filología Románicas,* I-IV, Madrid, CSIC, 1970. En el tomo IV, 1853-63: a) La expresión afectiva. b) Expresividad gramatical.

Reta Janáriz, Alfonso, «La ironía como condicionante de ciertos cambios estructurales y semánticos dentro del español coloquial», *Bol. Asoc. Europea Profesores de Esp.,* 18, 1978, 35-37.

—, «Forma y contenido de algunas estructuras del navarro en su relación con la situación de las mismas en el español general. I. Los indefinidos: *algo, alguno», Fontes Linguae Vasconum. Studia et Documenta,* 35-36/1980, 279-305; «II. Los indefinidos: *bastante, demasiado* y los adverbios *también, tampoco»,* ibíd., 37/1981, 171-213; «III. Los indefinidos: *alguien, nadie, nada, ninguno, poco, mucho»,* ibíd., 38/1981, 75-145.

Revest, Ana María, «Adjetivos hiperbólicos del lenguaje coloquial», *Idioma,* 3, 1966, 140-142.

Reyes, Graciela, «Orden de palabras y valor informativo en español», *Philologica Hispaniensia in honorem Manuel Alvar,* II, Madrid, Gredos, 1985, 567-588.

Ridruejo, Emilio, «*Uno* en construcciones *genéricas», RFE,* 61, 1981, 65-83.

Rigatuso, Elisabeth M., «Dinámica de los tratamientos en la interacción verbal: preparación y apertura conversacionales», *ALH,* 3, 1987, 161-182.

Rivarola, José Luis, «¿Quién es nosotros?», *ELUA,* 2, 1984, 201-206.

Rivero, María Luisa, «Un ejemplo de metodología de filosofía analítica en la semántica lingüística: la cortesía y los actos verbales», *RSEL,* 8, 1978, 77-103.

Rodríguez Adrados, Francisco, «Gramaticalización y desgramaticalización». Estructuralismo e Historia, *Homenaje a André Martinet,* III (Tenerife, Universidad de La Laguna), III, 1962, 5-41.

Rodríguez Díez, Bonifacio, «Sobre las lagunas del enunciado: elipsis y catálisis», *Contextos* (Univ. de León), 1, 1983, 93-127.

Rodríguez Herrera, E., «*Medio:* variable e invariable», *Boletín de la Academia Colombiana,* 7, 1958, 133 y sigs.

Rodríguez-Izquierdo, Fernando, «Procedimientos de topicalización en el habla culta de Sevilla», *Sociolingüística Andaluza,* 3, 1985, 31-49.

—, «Procedimientos de negación en el habla de Sevilla», ibídem, 1985, 137-154.

—, «Economía y redundancia en el uso de los sustitutos gramaticales», *Sociolingüística Andaluza,* 1, Univ. de Sevilla, [2]1985, 121-137.

Rojas, Nelson, «Desajustes pronominales en español», *Actas del VI Congreso de Hispanistas* (Toronto), 6, 1980, 81-102.

Rojas Nieto, Cecilia, «Algunos aspectos de las construcciones coordinadas sintéticas en la norma culta del español hablado en México», *Anuario de Letras,* 10, 1972, 201-211.

Romero Gualda, María Victoria, «Orden de los elementos oracionales en español», *RILCE* [Revista del Instituto de Lengua y Cultura Esp.], I, 1985, 99-111.

Rona, José Pedro, «Análisis dialéctico de la sintaxis», *Thesaurus. BICC,* 23, 1968, 34-47.

—, «Tiempo y aspecto: análisis binario de la conjugación española», *Anuario de Letras,* 11, 1973, 211-23.

Rosenblat, Ángel: «Morfología del género en español», *NRFH,* 16, 1962, 31-80.

—, *Buenas y malas palabras en el castellano de Venezuela,* I-IV, Caracas-Madrid, EDIME, 1969.

—, «Curanderismo lingüístico. El terror al gerundio», *Anuario de Letras,* 13, 1975, 17-31.

Rosengren, Per, *Presencia y ausencia de los pronombres personales sujetos en español moderno,* Acta Universitatis Gothoburgensis, Göteborg, Almqvist y Wiksell, 1974.

Rotaetxe, Karmele, «Normatividad y gramaticalidad», *RSEL,* 12, 1982, 1-15.

Roulet, Eddy, «Modalité et illocution», *Communications (Les actes de discours),* 32, 1980, 216-239.

Salas, Rodrigo, «Mutaciones sintéticas de relación», *El español correcto. El español eficaz,* Barcelona, De Vecchi, 1968, págs. 91-109.

Salvador, Gregorio, «La investigación de textos hablados», *RSEL,* 7, 1977, 59-68.

Sandru Olteanu, Tudora, «Observaciones sobre el español coloquial: construcciones de valor superlativo», *Revue Roumaine de Linguistique,* 27, 4, 1982, 294-99.

—, «Algunos aspectos del lenguaje coloquial en la novela *Mesa, sobremesa,* de Alonso Zamora Vicente», en *Homenaje a Alonso Zamora Vicente,* Madrid, Castalia, 1988, págs. 501-510.

Santiago, Ramón, «Impersonal se le(s), se lo(s), se la(s)», *BRAE,* 55, 1975, 83-107.

Scaffo, Carlos, «El lenguaje afectivo», en *Hombre y lenguaje,* Montevideo, Medina, 1970, págs. 33-40.

Schmidely, Jack, «Preposiciones españolas: de 'en' a 'contra'», *LEA,* I(1), 1979, 169-180.

—, *La personne grammaticale et son expression en langue espagnole,* III, tesis doctoral, Univ. de Lille, 1979.

Searle, John, *Actos de habla* (1969), Madrid, Cátedra, 1980.

Seco, Manuel, *Arniches y el habla de Madrid,* Barcelona, Alfaguara, 1970.

—, «Sobre un sufijo de la lengua popular», *Studia Hispanica in honorem Rafael Lapesa,* III, Madrid, Gredos, 1972, 453-65.

—, *Gramática esencial del español (Introducción al estudio de la lengua),* Madrid, Aguilar, 1972.

—, «La lengua coloquial: 'Entre visillos', de Carmen Martín Gaite», *El comentario de textos,* Madrid, Castalia, 3.ª ed., 1973.

—, *Diccionario de dudas de la lengua española,* Madrid, Aguilar, 1976.

—, «El léxico de hoy», en Rafael Lapesa (coord.), *Comunicación y lenguaje,* Madrid, Karpos, 1977, 181-201.

—, «Lengua coloquial y literatura», *Boletín Informativo de la Fundación Juan March,* 129, Madrid, septiembre de 1983, 1-22.

Seijo Castroviejo, María A., «Algunas observaciones sobre las formaciones compuestas», *AEF,* 5, 1982, 201-210.

Silva Corvalán, Carmen, «Topicalización y pragmática en español», *RSEL,* 14, 1984, 1-17.

Slagter, Peter, «Diálogos en clase», en *Diálogos Hispánicos de Amsterdam,* 6, 1987 (número monográfico *La semiótica del diálogo,* edic. Henk Haverkate), 81-118.

Slama-Cazacu, Tatiana, *Lenguaje y contexto (El problema del lenguaje en la concepción de la expresión y de la interpretación por las organizaciones del contexto)* (1948), Barcelona-Méjico, Grijalbo, 1970.

Spitzer, Leo, «Notas sintáctico-estilísticas a propósito del español 'que'», *RFH,* 1942, 12, 105-126.

Steel, Brian, *A manual of colloquial Spanish,* Madrid, SGEL, 1976.

—, *Translation from Spanish,* Madrid, SGEL, 1979.

—, *A Textbook of Colloquial Spanish,* Madrid, SGEL, 1985.

Stepanova, Lilia, «El sujeto con los verbos de pensamiento y de sentimiento en la lengua española», *XVI Congrés Innal. de Lgca. i Filologia Romàniques,* Palma de Mallorca, 1980 (resumen, págs. 224-225).

Stevenson, John, «Morfosintaxis del moderno español peninsular (ensayo bibliográfico de estudios descriptivos, 1950-1975)», *EA,* 31/1976, 1-32, y 33/1977, 29-53.

Suárez Solís, Sara, *El léxico de Camilo José Cela,* Madrid, Alfaguara, 1969.

Suprun, Alevtina, «La locución idiomática y el contexto», *Actas del XII Congreso Internacional de Lingüística y Filología Románicas,* Bucarest, 1970, 919-24.

Tanase, Eugenio, «De la cuarta categoría morfológica del sustantivo: la persona», *Actas del XI Congreso Internacional de Lingüística y Filología Románicas,* III, 1969, 1395-1403.

Techtmeier, Bärbel, «Des caractéristiques orales -des caractéristiques conversationnelles du roumain contemporain», *Actes du XVII Congrès International de Linguistique et Philologie Romanes,* núm. 7, Provence, 1985, 229-38.

Terrado, Javier, «Observaciones acerca de las formas *aquí, acá, allí, allá»,* *XVI Congrés Innal. de Lgca. i Filologia Romàniques,* Palma de Mallorca, 1980 (resumen, págs. 235-236).

Tichý, Oldřich, «Apuntes sobre las funciones del orden de palabras en el español antiguo y el moderno», *Romanistica Pragensia,* 1, 1959, 79-83.

—, «Recursos de incorporación contextual a la oración», *Romanistica Pragensia,* 2, 1961, 91-97.

Todorov, Tzvetan, «Problèmes de l'énonciation», *Langages,* 17, 1970 *(L'énonciation),* 3-11.

Trujillo, Ramón, «Sobre las construcciones pasivas», *LEA,* 10, 1988, págs. 237-248.

Ullmann, Stephen, *Semántica* (1962), Madrid, Aguilar, 1976.

Urrutia Cárdenas, Hernán, «Aproximaciones metodológicas en el estudio de la formación de palabras», *EA,* 20, 1971, 21-24.

Val Álvaro, José Francisco, «Los derivados sufijales en -ble en español», *RFE,* 61, 1981, 185-198.

Van Praag, Jacqueline A., «Expresiones comparativas consolidadas con valor de superlativo», *Actas del IV Congreso de la Asociación Internacional de Hispanistas,* Salamanca, 1971.

Veciana, Roberto, «'Esto', 'Eso', 'Aquello', usos coloquiales», *Yelmo,* 58-59, 1983 y 1984, 5-7.

Vela, Fernando, «Modos de hablar», *Rev. de Occidente,* 18, 1964, 347-55.

Vendryes, J., «El lenguaje afectivo», cap. IV de *El lenguaje. Introducción lingüística a la historia,* Méjico, Hispano Americana, 1967, págs. 183-197.

Vera Luján, Agustín, «Los adjetivos deícticos en español», *Anales de la Universidad de Murcia,* 38, 1979-80, 1981, 159-76.

Vicente Gómez, Francisco, «Poética del proceso discursivo: Mijail M. Bajtin», *EPOS (Rev. de Filología)* (UNED), 3, 1987, 347-356.

Vigara Tauste, Ana María, *Aspectos del español hablado (Aportaciones al estudio del español coloquial),* Madrid, SGEL, 1980.

—, «Gramática de la lengua coloquial (Algunas observaciones)», *EA,* 41, 1984, 29-38.

—, «Estudio del español coloquial: metodología y gramática», *Imago Hispaniae. Homenaje a Manuel Criado de Val,* Kassel (Alemania), Reichenberger, 1989, 95-122.

—, «La función fática del lenguaje (con especial atención a la lengua hablada)», *Actas del Congreso de la Sociedad Española de Lingüística, XX Aniversario* (Tenerife, 2-6 de abril de 1990), Madrid, Gredos, 1990, 1088-1097.

—, «Las expresiones de función fática en la enseñanza de español a extranjeros», *Actas II Congreso de ASELE* (Madrid, diciembre 1990), en prensa.

Vila, M.ª Rosa, «La segunda persona gramatical en función no deíctica», *RSEL,* 17, 1987, 57-68.

Weil, Henri, *De l'ordre des mots dans les langues anciennes comparées aux langues modernes,* París, 1844.

Weiser, Silvia F., «Morfología de la disminución y de la aumentación sufijales en el español moderno», *Revista Canadiense de Estudios Hispánicos* (Toronto), 1, 1977, 282-96.

Weisgerber, Leo, *Dos enfoques del lenguaje («Lingüística» y ciencia energética del lenguaje)* (1973), Madrid, Gredos, 1979.

Wilson, Robert E., «*Veintiuna* vs *veintiún pesetas*». *Hispania,* 52, 1969, 74-76.

Wonder, John P., «Género natural, género gramatical», *EA,* 34, 1978 [1981], 19-27.

Wunderlich, Dieter, «Pragmatique, situation d'énonciation et deixis», *Langages (La grammaire générative en pays de langue allemande), 26, 1972, 34-58.*

Yaguello, Marina, *Alicia en el país del lenguaje (Para comprender la lingüística),* Madrid, Mascarón, 1983 (trad. de Alberto Villalba).

Yndurám Hernández, Francisco, «Sobre el sufijo *-ezno», Archivo de Filología Aragonesa,* 4, 1952, 195-200.

—, «Sobre un tipo de composición nominal, verbo + nombre», en *Presente y futuro de la lengua española,* II, Madrid, Eds. Cultura Hispánica, Ofines, 1963, págs. 297-302.

—, «Nótulas sobre composición de verbo más nombre», *Zaragoza,* 18, 1963, 103-108.

—, «Sobre el lenguaje coloquial», *EA,* 3, 1964, 5

—, «Más sobre lenguaje coloquial», *EA,* 6, 1965, 3-4.

—, «Notas sobre frases nominales», *Studia Hispanica in honorem Rafael Lapesa,* I, Madrid, Gredos, 1972, 609-18.

—, «Para una función lúdica en el lenguaje», en Varios, *Doce ensayos sobre el lenguaje,* Madrid, Fundación Juan March-Casalduero, 1974, págs. 213-227.

Zaefferer, Dietmar, «Hacia una semántica universal de tipos oracionales», *RSEL,* 14, 1984, 421-434.

Zamora Salamanca, Francisco José, «Sobre el concepto de norma lingüística», *ALH,* 1, 1985, 227-249.

—, «Algunos aspectos psicosociolingüísticos y contextuales de la variación lingüística», *ALH,* 2, 1986, 277-323.

Zamora Vicente, Alonso, «Una mirada al hablar madrileño», en *Lengua, literatura, intimidad,* Madrid, Taurus, 1966, págs. 63-73.

Zierer, Ernesto, «Sobre la convertibilidad de ciertos adjetivos en adverbios en el idioma español», *Lengua y Cultura,* 11, 1971, 97-107.

ÍNDICE DE AUTORES

ÍNDICE TEMÁTICO

ÍNDICE GENERAL

PARTE SEGUNDA

COMODIDAD

PARTE TERCERA

ADECUACIÓN-CONTEXTUALIZACIÓN